FRANCINE MARILL ALBÉRÈS

LE NATUREL
CHEZ STENDHAL

LIBRAIRIE NIZET

3 bis, Place de la Sorbonne
PARIS Vᵉ

—

1956

LE NATUREL
CHEZ STENDHAL

FRANCINE MARILL ALBÉRÈS

LE NATUREL CHEZ STENDHAL

LIBRAIRIE NIZET
3 bis Place de la Sorbonne
PARIS Vᵉ

A Madame MARIE-JEANNE DURRY

En reconnaissant et déférent hommage.

AVANT-PROPOS

> « (...) *ce que nous aimons en lui,*
> *c'est justement son écart, qui l'a em-*
> *pêché de devenir un doctrinaire*
> *aride : nous n'avions pas besoin d'un*
> *deuxième Tracy, nous avions besoin*
> *de Stendhal* ».
>
> GLAUCO NATOLI. *Notre Sten-*
> *dhal.* Le Divan, n° 242, avril-
> juin 1942, p. 89.

Depuis la sécheresse abrupte du *Rouge et Noir* jusqu'à
l'épanouissement italien de la *Chartreuse de Parme*, Stendhal a laissé une œuvre aussi diverse qu'imprévue, à l'image
de la complexité de son caractère. Mais ces contradictions se
résorbent, chez l'écrivain dans le rappel des thèmes, chez
l'homme dans la fidélité à une ligne de conduite. Une éthique,
qui s'exprime dans un style romanesque et dans un style de
vie, regroupe en les motivant ces fluctuations apparentes.

Ce style de vie si personnel et si propre à Stendhal que l'on
a dû créer un mot pour lui, le « beylisme », ne semble point
pouvoir être défini ni expliqué par une série d'influences littéraires. C'est bien pourquoi on a le plus souvent accordé davantage d'importance au tempérament, aux réactions et à la
vie de l'homme et de l'écrivain, qu'aux influences qu'il a pu
subir. Et cependant, il n'est pas douteux que Stendhal se soit
mis, de manière très appliquée et parfois très scolaire, à
l'école des Idéologues.

Il nous a paru alors intéressant d'examiner non seulement
dans quelle mesure il avait reçu des leçons de l'Idéologie,
mais encore et surtout comment il les avait assimilées ou dé-
passées. Aussi nous sommes-nous efforcée de rendre sensibles,
plus que les influences elles-mêmes, leur maturation dans
l'homme et dans l'œuvre, leur transformation et leur sublimation.

L'écrivain Stendhal laisse nettement voir la marque des
Destutt et des Cabanis. Mais il y a chez lui autre chose, un
culte de l'émotion, de l'énergie, de la grandeur, dont on peut
retrouver les origines dans son tempérament romanesque,

dans l'influence de Corneille, dans les admirations du touriste italien et de l'amateur de vieilles chroniques.

Dans cet « individualisme stendhalien » qui a suscité non seulement l'intérêt et l'analyse, mais, depuis plus d'un demi-siècle, l'enthousiasme et parfois le snobisme, il peut convenir de dissocier l'épicurisme et l'héroïsme. Cependant, plus qu'à juxtaposer ces deux tendances, nous avons songé à montrer comment elles s'allient et se contrarient et comment, si Stendhal s'attache à l'Idéologie, elle ne lui suffit point. Du style rationaliste, analyste et épicurien que lui avaient proposé les Idéologues, il dégage un style de vie plus héroïque et plus passionné.

Notre propos pourrait donc être défini comme une étude de l'évolution de Stendhal depuis une attitude d'analyste à la manière des Idéologues jusqu'à une conception cornélienne de la vie, si cette évolution était claire et nette, marquée par des palinodies et des conversions. Il ne saurait en être ainsi, car, malgré ses dires, Stendhal ne se consacre jamais à mettre en application des principes, et c'est inconsciemment et involontairement, avec des repentirs et des omissions, qu'il devient plus « cornélien » qu' « idéologue ». Nous avons voulu suivre en lui ce mouvement, espérant ainsi rendre compte de la dualité qui semble exister dans son inspiration entre le froid analyste et le passionné rêvant d'honneur, de violence et de gloire. Peut-être pourrons-nous montrer que cette dualité apparente représente la maturation et la sublimation, sous l'effet d'influences nouvelles et de prédispositions personnelles, d'une première formation d'esprit qui est due aux Idéologues.

A travers les influences subies et l'évolution qu'elles imposent, c'était tenter de définir où Stendhal place la grandeur et la vérité de l'homme. A quelque étape que ce soit, il n'a eu qu'un mot pour désigner cet idéal : le « naturel ». Il a pu entendre ainsi successivement la grâce aimable, l'adaptation parfaite de l'homme aux circonstances, ou la spontanéité brutale de la passion et de l'honneur. Il a pu croire que le « naturel » résidait dans une parfaite connaissance des mobiles humains ou dans l'audace sublime et irréfléchie des actes violents. S'il y a contradiction entre ces diverses acceptions du mot, nous avons voulu souligner cette contradiction et aussi l'expliquer, en montrant comment Stendhal a très lucidement défini un « naturel aimable » qui est parfaite adaptation à la vie sociale et, ne s'en satisfaisant point, a conçu peu à peu une autre forme de naturel que nous appellerons le « naturel héroïque », l'un dépassant l'autre sans le nier : tout se passe chez les héros stendhaliens comme si, après avoir conquis la parfaite aisance sociale, et donc un certain « naturel », ils éprouvaient le besoin de se dépasser en réintroduisant dans l'équilibre acquis ces nouvelles impulsions que sont la passion et le sentiment de l'honneur.

Aussi bien le naturel selon Stendhal ne peut-il se réduire à une attitude unique valable en tous temps et en tous lieux. C'est dans toutes les circonstances que Stendhal a voulu montrer le naturel chez ses héros, à l'égard d'autrui, de la femme aimée, ou de soi-même, dans les péripéties de l'aventure et de l'action, dans les salons ou dans la solitude. Mais, chez l'homme comme dans l'œuvre, le « naturel », pour être spontané, n'est pas improvisé; il est le jaillissement imprévu de longs et patients efforts, des réflexions de Beyle sur la nature humaine, de ses méditations parfois désordonnées, de ses lectures souvent recommencées. Le naturel chez Stendhal ne se manifeste ainsi dans toute sa plénitude et dans toute son acuité qu'après avoir négligé ses origines premières : Beyle se montre brillant en société alors qu'il ne se souvient déjà plus des conseils des épicuriens et des Idéologues, Fabrice éprouve les joies spontanées de l'émotion amoureuse dans une prison, lorsqu'il ne s'efforce plus de découvrir ce qu'est la passion.

Cet effort perpétuel de Stendhal pour retrouver chez lui-même et chez ses héros, au-delà du naturel premier, un naturel plus vrai qui ne cesse pourtant point de participer à la spontanéité, nous a paru former l'objet d'une méditation constante chez l'homme et plus tard d'une mise en œuvre chez l'écrivain.

PREMIÈRE PARTIE

RECHERCHE
D'UNE MÉTHODE

CHAPITRE I.

UNE METHODE PROVISOIRE

Les exigences stendhaliennes. — Initiation au condillacisme. — Un professeur de psychologie élémentaire : Lancelin. — La terminologie stendhalienne issue de Lancelin. — Une nouvelle dénomination des passions. — Une méthode provisoire. — Le système des facultés humaines. — La première étape de la morale beyliste.

Le « naturel », conçu d'abord comme une valeur purement psychologique, a dominé la pensée de Stendhal au point de s'y transformer en valeur morale. Les aventures de Beyle adolescent, sa première formation idéologique, la *Vie de Henry Brulard* et ses confidences révèlent en lui un besoin premier : vivre selon une sincérité absolue et pleinement critique, qui tiendra lieu chez cet indépendant de ce que d'autres nomment la vertu ou le salut.

Postérieurement, l'unité et le centre même de son œuvre romanesque seront constitués par la possibilité entrevue de donner au héros de roman une destinée libérée du mensonge, de l'hypocrisie et de la lâcheté. Car ce désir d'une sincérité totale, dont la résonance est une perfection telle qu'on ne saurait la qualifier de plus esthétique que morale ou inversement, semble caractériser aussi bien le romancier et ses héros que le polygraphe besogneux ou l'homme tout court. Tous recherchent en premier lieu cette valeur du « naturel » que Stendhal emprunte à l'origine aux philosophes du XVIIIᵉ siècle finissant. En l'adoptant pour satisfaire aux premières exigences de sa nature, il la reprend à son compte et la soumet à une évolution qui sera l'évolution même de sa personnalité.

Cette notion psychologique et morale qui formera par la suite le centre de cristallisation de l'œuvre romanesque, n'a point immédiatement trouvé chez Stendhal son expression littéraire; elle lui est d'abord inspirée par ses maîtres les plus immédiats. Né dans une époque où s'affrontent les doctrines, nourri par les petits philosophes de la fin du XVIII° siècle, cet autodidacte passionné et parfois puéril a longtemps cru que son besoin subjectif de sincérité trouverait à se satisfaire dans une étude méthodique de l'homme qui lui fournirait des formules et des solutions.

Car la recherche esthétique du bonheur ne fait que recouvrir chez lui un fond d'angoisse morale et une inquiétude constante sur la condition humaine; mais son adolescence lui a fait placer dans une Ecole et dans une doctrine la réponse à ces questions.

Formé en premier lieu dans les Ecoles Centrales, Stendhal s'est tout d'abord intéressé à l'art du raisonnement : l'homme ne saurait s'exprimer clairement s'il n'a pas appris à classer ses idées avec ordre et méthode. Certes, il est normal que Stendhal soit attiré par les philosophes de son temps, les Idéologues; mais dans sa recherche d'une discipline, il aurait aussi bien pu être séduit par un système philosophique comme celui de Descartes, qui tient compte par ailleurs des passions humaines. Quelles sont donc les causes qui ont amené Stendhal à lire les Idéologues ? Rendre compte de l'œuvre stendhalienne consiste à étudier ces causes. *Le souci du perfectionnement intellectuel chez le jeune Beyle est à l'origine du souci de grandeur chez le romancier Stendhal* (1).

Les Idéologues forment une école qui rejette toute métaphysique. Il n'est point question pour eux de placer l'homme dans un système cosmique ou religieux. Leur méthode philosophique se borne à analyser les facultés humaines, que Condillac appelle les opérations de l'esprit. En remontant à l'origine des idées, en montrant comment nos idées simples forment des idées composées, ils veulent rendre l'esprit souple et maniable, prompt à s'adapter à la réalité du monde extérieur et à en saisir la complexité. Ils sont, en somme, des éducateurs; et ce problème de l'éducation, qui est celui du XVIII° siècle, se retrouve chez eux : c'est l'esprit qu'ils veulent former. Que l'art de bien conduire ses idées s'accompagne d'une morale utilitaire, c'est ce qui fera de Stendhal un épicurien provisoire.

Les premières préoccupations stendhaliennes se trouvent ainsi d'ordre tout intellectuel; Stendhal demande aux Idéologues d'aiguiser son intelligence et de l'assouplir. Il n'y a donc eu d'éthique stendhalienne que parce que Stendhal s'était lui-même forgé ces instruments de combat qui sont l'esprit de logique, d'analyse et de synthèse. C'est à une technique, l'Idéo-

---

(1) M. François Vermale, dans *Stendhal Idéologue* (Le Divan, n° 207, mars 1937) et dans *L'élaboration du Beylisme* (Le Divan, n° 213, nov. 1937), a montré en particulier le lien qui peut exister entre les premières attitudes politiques de Beyle et son attention pour les Idéologues, sous l'influence de Joseph Rey. M. Vermale entend l'Idéologie comme une école politique d'opposition à Bonaparte.

logie, qu'il doit ces armes. Il a beau jeu par la suite de mépriser
l'art de vivre pratique et utilitaire engendré par cette technique, ce sont ses premiers maîtres qui l'ont aidé à poser les
termes de son équation morale : quels sont les moyens qui
permettront à l'être d'élite d'atteindre une perfection aussi
éthique qu'esthétique ?

Peut-être en demandait-il plus que n'en peut fournir nulle
école et nulle doctrine. Mais il eut pendant longtemps confiance en elles. S'il posait des questions trop complexes et trop humaines pour qu'elles soient seulement du domaine de la littérature, il se persuada pendant de longues années qu'une pensée
psychologique et scientifique pouvait y répondre. Les problèmes que résoudra seulement l'existence littéraire d'un Julien
Sorel ou d'un Fabrice del Dongo, Stendhal croit tout d'abord
qu'ils appartiennent à une discipline proche des sciences
exactes.

*
**

Les circonstances, il est vrai, et le hasard, avaient contribué
pour une part à développer chez Stendhal ce goût de la logique.
Alors que le jeune Beyle doit parfaire ses études après avoir
été jusque-là sous la dépendance de précepteurs particuliers,
de nouveaux établissements viennent d'être institués, ce sont
les Ecoles Centrales qui doivent leur existence à l'esprit positiviste du XVIII° siècle repris par les Idéologues. « Instituées
par décret du 7 Ventôse an III (25 février 1794) puis réorga-
nisées le 3 Brumaire an IV (25 octobre 1795), ces écoles centrales subsistent jusqu'à la loi du 1er mai 1802. C'étaient des
établissements d'enseignement secondaire qui avaient remplacé
les collèges de l'ancien régime » (2). Elles durent donc à peine
huit ans : la Convention et le Directoire les voient naître; elles
sont abolies sous Bonaparte. Elles ont été fondées grâce à un
Idéologue (3), aussi la partie essentielle de leur programme est-
elle l'analyse de l'entendement humain.

Le jeune Beyle va donc pouvoir suivre à Grenoble les cours
de l'Ecole Centrale, que son grand-père le Docteur Gagnon est
chargé d'organiser (4). C'est là qu'il s'initie à l'Idéologie sans
en comprendre par ailleurs le sens ni la portée; il a pourtant

---

(2) Henri Dumolard, *Pages Stendhaliennes*, Des Editions J. Rey,
B. Artaud successeur, Grenoble, 1928, p. 3.
(3) « J'appris de M. Tracy que c'était lui en grande partie qui avait
fait la loi excellente des Ecoles centrales », (*Vie de Henry Brulard*,
Nouvelle édition établie et commentée par Henri Martineau, Le Divan,
Paris, 1949, p. 243).
(4) « Mon grand-père fut le très digne chef du jury chargé de présenter à l'administration départementale les noms des professeurs et
d'organiser l'école » (*Ibid.*, 243). Beyle entre à l'Ecole Centrale de Grenoble en 1796, et le jour même où elle est organisée. Il en suit les cours
jusqu'en 1799.

des professeurs qui lui enseignent la logique ou l'art de raisonner : « Les professeurs étaient MM. Durand pour la langue latine; Gattel grammaire générale et même logique, ce me semble » (5). C'est là que Beyle entend pour la première fois le nom de Condillac. M. Dupuy, « cet homme si vide, disait cependant une grande parole : Mon enfant, étudie la logique de Condillac, c'est la base de tout. On ne dirait pas mieux aujourd'hui », ajoute Stendhal dans la *Vie de Henry Brulard,* « en remplaçant toutefois le nom de Condillac par celui de Tracy. Le bon c'est que je crois que M. Dupuy ne comprenait pas le premier mot de cette logique de Condillac qu'il nous conseillait » (6).

Il semble donc d'après les affirmations mêmes de Stendhal, que Tracy ait eu sur lui beaucoup plus d'influence que Condillac. C'est cependant l'auteur du *Traité des Sensations* qui oriente le jeune Beyle vers l'Idéologie proprement dite.

Il serait fort long d'établir depuis Epicure jusqu'à Condillac la filiation des divers systèmes matérialistes et empiristes. Si Condillac reprend en partie la philosophie empiriste de Locke, il l'oriente cependant dans une voie nouvelle, puisqu'il étudie, non point seulement les idées, mais leur origine.

« Il suppose par exemple », dit Condillac en critiquant le philosophe anglais, « qu'aussitôt que l'âme reçoit des idées par les sens, elle peut, à son gré, les répéter, les composer, les unir ensemble avec une variété infinie, et en faire toutes sortes de notions complexes » (7). Aussi, dans l'*Essai sur l'origine des connaissances humaines,* Condillac montre-t-il comment les opérations de l'âme, qui consistent à distinguer, abstraire, comparer et décomposer nos idées, mettent en œuvre les résultats bruts des sensations.

L'*Essai* n'est pour Condillac qu'une prise de conscience de son propre système. S'engageant plus avant dans sa méthode, il montre dans le *Traité des Sensations,* publié en 1754, comment les diverses facultés humaines, comme la mémoire, le jugement et l'imagination sont irréductibles à une association d'idées; elles se ramènent à une transformation de la sensation originelle. Selon son principe, ces opérations de l'entendement ne sont donc qu'une sensation transformée. C'est bien ce qu'en retient Stendhal, lorsque, après avoir parcouru Condillac pour la première fois en 1800, il le relit plus sérieusement semble-t-il en 1803 en le commentant à l'usage de sa sœur Pauline : « Si tu ne sentais pas, tu ne distinguerais pas l'odeur de la rose

---

(5) *Vie de Henry Brulard,* 246.
(6) *Ibid.,* 246.
(7) Condillac, *Essai sur l'origine des connaissances humaines,* publié avec notices biographique et bibliographique par R. Lenoir, Armand Colin, Paris, 1924, p. 5.

de celle de l'œillet. Si tu n'entendais pas, tu ne distinguerais
pas un *mi* d'un *fa*, etc., etc. *Donc, nos idées nous viennent par
nos sens.* Réfléchis à cette grande vérité » (8).

C'est en effet du sens de l'odorat que Condillac avait tout
d'abord doté sa statue : la statue est primitivement odeur de
rose et l'abandon exclusif à cette sensation crée l'attention.
Mais que l'odeur d'œillet se substitue à celle de la rose, et alors
naissent chez la statue la mémoire, la comparaison et le jugement. L'impression persistante de l'odeur de rose engendre le
souvenir, la comparaison entre la sensation passée et la sensation nouvelle, celle de l'odeur d'œillet, créent la faculté de
comparer qui, lorsqu'elle s'accompagne de l'analyse des ressemblances et des différences, devient le jugement. Les jugements plusieurs fois répétés produisent la réflexion; les souvenirs souvent comparés donnent lieu à l'imagination.

En lisant Condillac, Stendhal acquiert le goût du raisonnement algébrique qui lui fera plus tard mettre en équation les
passions de ce qu'il appellera « l'animal humain ». Il s'agit en
effet, pour Condillac, de trouver une inconnue qui est à l'origine des facultés humaines. Les termes connus ce sont ces
mêmes facultés humaines, les opérations de l'esprit (mémoire,
jugement, etc...), mais ces éléments connus ne sont, comme le
prouve Condillac, que les dérivés du facteur qu'il fallait mettre en évidence, c'est-à-dire la sensation.

En fait, ce que cherche Stendhal au moment où il lit Condillac, c'est l'art de la démonstration. Ce qui le séduit, c'est l'esprit systématique du sensualiste, c'est la manière dont l'auteur du *Traité des sensations* aborde la science de l'homme.
Aussi, en 1804, après avoir déjà lu les Idéologues et repris
contact avec Condillac à travers eux, veut-il s'astreindre à lire
les œuvres du philosophe sensualiste et à les résumer : « Me
condamner chaque mois à lire un volume du sec Condillac et
faire un extrait des vérités que je trouverai dans ses ouvrages » (9).

Il semble bien qu'il n'ait pas mis son projet à exécution. Ce
programme théorique n'a pas eu d'application, et, en fait,
Stendhal semble avoir fort peu pratiqué l'auteur du *Traité des
sensations*. Si le système condillacien avait nourri la pensée
beyliste, il aurait imposé à Stendhal une vision de l'homme,
comme le feront plus tard ses véritables maîtres, Lancelin, Helvétius, Destutt de Tracy et Cabanis; il aurait aussi donné lieu
à des commentaires plus abondants, soit dans le *Journal*, la
Correspondance ou les *Pensées*.

Les exigences intellectuelles de Stendhal l'orientent donc

(8) *Corr.*, I. 139, lettre adressée à Pauline, datée du 2 juin 1803.
(9) *Pensées*, Filosofia Nova, éd. Martineau, Le Divan, Paris, 1933, **II**,
206, deuxième cahier de pensées du 20 messidor XII (9 juillet 1804).

vers les Idéologues qui ont largement exploité et en même temps développé les découvertes de Condillac. Car le sensualisme condillacien a fourni à Lancelin une nouvelle dénomination des passions et des facultés humaines, à Helvétius une morale et à Tracy une logique. C'est donc à l'aide des disciples de Condillac que Stendhal va apprendre à raisonner. Cette formation idéologique lui donnera plus tard assez de souplesse et de vigueur pour lui permettre de faire fi de toutes les logiques : après avoir suivi l'enseignement de ces maîtres, il en viendra à se passer d'eux. En 1805, Stendhal semble avoir acquis assez de rigueur intellectuelle puisqu'il écrit à Pauline : « Maintenant il faut que j'approfondisse un ancien jugement qui n'est, je crois, qu'une idée de Condillac admise comme vraie sur la recommandation de mon orgueil, uniquement parce que je la comprenais : c'est qu'il n'est pas utile de lire des logiques, qu'il faut rechercher à raisonner juste, que c'est là tout » (10). Se préparant inconsciemment à devenir romancier, Stendhal a exigé tout d'abord de lui-même une certaine clarté d'esprit. L'esprit de finesse complétera chez le romancier l'esprit de géométrie laborieusement acquis au cours des années de l'adolescence grâce à Lancelin, Hevétius et Destutt de Tracy.

La conception du naturel ne pourra se formuler chez Stendhal qu'après de multiples étapes, lorsqu'il aura joint à l'intuition qui lui permet de comprendre les hommes, un esprit de rigueur qui l'éloignera des fausses interprétations psychologiques. C'est à la suite de son apprentissage idéologique qu'il parviendra à formuler dans ses propres termes son souci personnel, et que la psychologie du « naturel » se transformera en éthique de la « générosité ». Plus tard seulement, sa nature romanesque se réintroduira, peut-être à la faveur de Corneille, dans son éducation logique; l'esprit de rigueur et de géométrie fera place non tant à l'esprit de finesse qu'aux valeurs morales de l'enthousiasme et de l'héroïsme, et le moraliste pourra utiliser les qualités du logicien.

Car si Stendhal doit s'intéresser finalement à la grandeur des passions aussi bien qu'à leur logique, il a du moins commencé par la logique. C'est donc cette logique qui se retrouve en premier lieu dans sa formation, et il sera nécessaire pour un temps de suivre un Stendhal qui aurait pu devenir polytechnicien et qui aurait pu rester amateur d'équations. Historiquement et biographiquement, cette recherche éperdue du naturel qui fait la tension et la beauté de l'œuvre stendhalienne, a d'abord été remise par l'auteur à la simple étude de doctrines psychologiques. Avant de devenir Stendhal, Beyle s'est mis à l'école.

Il convient donc, si nous voulons définir la valeur littéraire

---

(10) Journal, éd. Martineau. Le Divan, Paris, 1937, II, 295-296.

de ce qui fut son beau souci, de le suivre également dans cette voie et de tenir compte des premières démarches intellectuelles de Beyle.

*

Ne nous étonnons pas que l'auteur de la *Chartreuse* commence à faire son apprentissage de romancier en étudiant Lancelin. Chez Stendhal, l'acte créateur est précédé d'une longue préparation, d'une ascèse intellectuelle et morale. Pour ce jeune homme de vingt ans, la vie doit commencer par une initiation. La première étape de cette formation intellectuelle nous apparaît à première vue d'une simplicité élémentaire. Avec Lancelin et les Idéologues, Stendhal apprend à distinguer les diverses facultés humaines. Pour qui veut connaître l'homme, ce travail préliminaire n'est pas aussi inutile qu'on pourrait le croire. Le plus consciencieux et le plus scrupuleux de nos romanciers a estimé, à l'aube de sa carrière, qu'il ne pouvait se livrer à l'improvisation. Comme Descartes, il utilise tout d'abord une méthode provisoire. Aussi bien étudions-nous Lancelin et les Idéologues pour découvrir qu'il n'y a pas de secret stendhalien. Il y a simplement une humilité foncière chez ce jeune Beyle qui se fait d'abord élève, mais aussi un désir éperdu de grandeur qui lui fera dépasser les leçons de ses maîtres. Ce besoin d'héroïsme que nous reconnaîtrons plus tard chez les héros stendhaliens fut celui de l'homme Beyle et du romancier Stendhal. Pour s'élever, il commence à l'échelon le plus bas. Ce prétendu timide est avant tout un scrupuleux.

C'est la conscience professionnelle d'un romancier que nous allons essayer de saisir; c'est elle sans doute qui fait la valeur de la *Chartreuse*. Il n'y a sans doute pas de miracle littéraire. Mais l'œuvre d'art ne naît pas non plus d'un ensemble de circonstances, elle est l'aboutissement prématuré ou à longue échéance, d'une volonté organisatrice. Cette volonté organisatrice rassemble tout d'abord les éléments multiples qui permettent de connaître l'homme. Et c'est chez Lancelin que Stendhal va apprendre ce qu'est la psychologie.

C'est dans l'été 1803 que Stendhal découvre Lancelin; le 13 Thermidor an XI, il mentionne pour la première fois le nom de Lancelin sous cette forme : 13 Thor, Lancelin (11). A partir de ce moment, nous trouverons souvent le nom de Lancelin dans les cahiers de Stendhal : une bonne partie de la *Philosophie nouvelle* est inspirée de Lancelin. Il peut paraître arbitraire de distinguer théoriquement les apports d'Helvétius et ceux de Lancelin dans la formation intellectuelle de l'écrivain; cependant, Lancelin, disciple et continua-

---

(11) *Manuscrits de Grenoble*, R. 5896. T. XXVII, fol. 106.

teur de Condillac et de Locke, s'exprime sous une forme assez particulière pour qu'on puisse la retrouver dans les réflexions de Stendhal à partir de l'année 1803.

Si Lancelin ne passa pas inaperçu de son temps, il est presqu'oublié de nos jours (12). Nous ne retiendrons d'ailleurs de ce jeune ingénieur ni la métaphysique, ni les vastes conceptions de l'univers, mises en tableaux synoptiques; il nous intéresse, comme il a intéressé Stendhal, en ce qu'il représente l'esprit de son temps (13); au moment où le condillacisme, un peu négligé pendant les années de la révolution, se renouvelait grâce aux méthodes de Cabanis et de Tracy, et ralliait une bonne partie des intellectuels de l'époque, au moment où les philosophes fraternisaient avec les mathématiciens, physiciens, chimistes et médecins, et s'accordaient à assimiler la science de l'âme à celle du corps, Lancelin a voulu mettre en évidence cet accord des penseurs, et dans son *Introduction à l'analyse des sciences,* tout en ramenant la pensée à la sensation, il essaie de présenter aussi l'ensemble et la génération des sciences, avec un enthousiasme trop souvent dépourvu d'esprit critique et de méthode.

Pour ce condillacien fervent, la sensation est évidemment

---

(12) Le nom de Lancelin ne figure guère que dans *l'Essai sur l'Histoire de la philosophie* de Damiron et *Les Idéologues* de Picavet. Sa formation intellectuelle nous intéresse cependant dans la mesure où l'auteur de *l'Introduction* a subi l'influence des philosophes du XVIIIe siècle. Lancelin, après avoir fait d'excellentes humanités à Caen, suivit le cours public de mathématiques de Le Canu, médecin philosophe qui était en correspondance avec d'Alembert. Elève de l'Ecole du génie maritime, il y subit fortement l'influence de son professeur Labey. Sous la direction de Labey, qui fut ensuite professeur de l'Ecole Centrale du Panthéon et traducteur en l'an V de *l'Introduction* d'Euler *à l'analyse des infinis,* Lancelin étudia les mathématiques avec passion et se consacra aux recherches philosophiques. Ingénieur-constructeur en 1789, il devint ingénieur en chef dès 1796. Lancelin conçut d'abord son ouvrage à propos d'une question posée en l'an V par l'Institut. Le sujet en était : *Déterminer l'influence des signes sur la formation de nos idées* ; Degérando obtint le prix et Lancelin fut mentionné honorablement. Lancelin transforma ensuite ce mémoire, qui devint *l'Introduction à l'Analyse des sciences,* publié en trois parties, en 1801, 1802, et 1803.

(13) L'ouvrage de Lancelin eut un certain retentissement parmi les Idéologues. Cabanis dans la préface des *Rapports du physique et du moral de l'homme* écrit : « Lancelin a publié la première moitié d'un écrit qui présente les bases mêmes de la science, sous quelques nouveaux points de vue ». (Cabanis, *Rapports du physique et du moral de l'homme,* Béchet Jeune, Paris, 1824, Tome I, p. VIII, note 1). *La Décade,* le journal des Idéologues, ne manque pas de faire l'éloge de Lancelin : « Partisan décidé du système de perfectibilité, voué exclusivement au culte de la philosophie, et admirateur jusqu'à l'enthousiasme des hommes de génie qui ont reculé les bornes de l'esprit humain, Lancelin a entrepris de marcher sur les traces de Bacon et des deux principaux auteurs de l'Encyclopédie en présentant l'ensemble et la génération des sciences » (*La Décade,* 10 Thermidor, an XI).

la source première de la pensée (14). Nos idées, leurs signes et l'art de les employer ne sont pour lui que des matériaux. « L'action de tous les objets sur ces organes se transmet directement au cerveau, point central de leur réunion et principal organe, dont ils paraissent n'être que des ramifications, des dépendances, et, à force de se répéter, lui communiquent insensiblement le pouvoir de se retracer et de combiner toutes les sensations élémentaires qu'il reçoit; de là, *le système général de nos idées*. Le mouvement et l'impression des objets passe rapidement des organes extérieurs au cerveau, et du cerveau au cœur et autres organes de la sensibilité intérieure; de là, les *sentiments moraux* (le plaisir, la douleur, l'amour, la haine, la crainte, l'espérance, etc...) » (15).

En avril 1804, Stendhal, jetant les bases d'une philosophie nouvelle, qu'il dit personnelle, intitulée *Filosofia nova*, ne fait que reprendre le sensualisme de Lancelin : « Je nomme *sensation* l'effet du contact de ce qui est hors de nous avec notre corps. *Le cerveau* est un sens intérieur qui reçoit les rapports de tous les autres organes et qui a la faculté de combiner des sensations (imaginer), de porter des jugements sur elles (raisonner), de se rappeler les sensations (se souvenir). Je nomme *cœur* l'ensemble des organes destinés à sentir les passions, ces organes sont les parties intérieures du corps humain, où il y a le plus de nerfs. J'appelle *idées* les sensations du cerveau, je nomme sentiments les sensations du cœur » (16). Ces dernières lignes reproduisent presque textuellement les termes employés par Lancelin dans son *Introduction*, lorsqu'il écrit : « Ceci posé, j'appelle idées les sensations du cerveau, et sentiments les sensations du cœur » (17).

L'homme n'est que sensations : les sensations répétées engendrent des habitudes, habitudes du cœur ou sentiments,

---

(14) L'ouvrage de Lancelin, comprenait, ainsi que nous l'avons dit, trois parties : analyse de la faculté pensante, développement de la volonté, division de nos connaissances. Dans la première partie, Lancelin étudie le développement général de la sensibilité, les opérations de l'esprit, les idées et l'expression des idées, pose les fondements d'une grammaire philosophique et d'une langue exacte. Il essaie en somme de constituer ce que d'Alembert appelait la physique expérimentale de l'âme ; en effet, il se propose de remonter à l'origine de nos sensations, de nos facultés intellectuelles et morales, de décomposer la tête et le cœur, l'âme ou le moral de l'homme, c'est-à-dire l'ensemble des sensations, des habitudes et des facultés, qui varient selon l'organisation et l'éducation.

(15) Lancelin, *Introduction à l'analyse des sciences*, I, 2-3.

(16) *Pensées*, I, 232, fragment daté du 4 floréal XII (24 avril 1804) et provenant des manuscrits de Grenoble R. 302. M.D.L.F.

(17) Lancelin, *Introduction à l'analyse des sciences*, I, 45.

habitudes du cerveau ou idées, distinction que Stendhal reprendra entièrement dans sa *Filosofia Nova* : « Ces sentiments se répètent chaque jour par l'action subsistante ou le renouvellement des mêmes causes, et leur reproduction donne naissance à toutes les habitudes du cœur, comme celle des idées aux habitudes de l'âme, du cerveau et celles des sensations aux habitudes des sens extérieurs mis et tenus eux-mêmes en activité par une répétition journalière des mêmes mouvements extérieurs et intérieurs » (18).

C'est selon toute vraisemblance à Lancelin que Stendhal a emprunté le terme d'habitudes du cœur, que l'on trouve aussi désignées chez l'écrivain sous le nom d'habitudes morales ou encore habitudes de l'âme, ainsi que le terme habitudes du cerveau.

Dans un fragment intitulé *De l'âme*, Beyle, de façon par ailleurs assez confuse, donne cette définition des passions visiblement inspirée de Lancelin : « Je considère les passions, telles qu'elles existent naturellement, rassemblées. 1ʳᵉ section. Certaines passions ont l'habitude d'en vaincre d'autres, dès qu'elles sont réveillées par certaines sensations ou souvenirs. J'appelle cela habitudes de l'âme. Ces habitudes renferment *les vices* et *les vertus*. J'en fais la liste. 2ᵉ section. Certaines sensations mettent l'âme dans un certain état qui devient habituel. J'appelle cela : états de l'âme. J'en fais la liste... » (19).

Cette définition de l'homme, pour aussi rudimentaire et imprécise qu'elle nous paraisse, n'a pu manquer de séduire Stendhal au moment où il cherchait à être le plus grand poète comique de son temps; voulant étudier l'homme et ses passions, avec l'esprit de rigueur d'un « polytechnicien », il était bien normal qu'il fît siennes les théories d'un jeune savant et géomètre qui, lui aussi, étudiait les passions humaines en les définissant et en les classant. Lancelin annonçait en effet qu'il destinait son livre à présenter « le développement des désirs, des besoins, des passions, des affections et des habitudes morales » (20). Il ajoutait qu'il n'avait pas l'intention de donner un traité des passions, mais qu'il avait dû se borner à caractériser les principales d'entre elles en remontant à leur génération.

Le premier janvier 1803, Beyle avait déjà lui-même commencé à établir une liste des passions. Il va désormais faire appel à Lancelin pour améliorer et approfondir cette classification. Quelques mois plus tard, en septembre 1803, il éta-

---

(18) Lancelin, *Introduction à l'analyse des sciences*, I, 45.
(19) *Pensées*, II, 134, fragment daté du 11 messidor an XII (1ᵉʳ juillet 1804).
(20) Lancelin, *Introduction à l'analyse des sciences*, Préface, II, p. XXI.

blit un projet de classement ainsi conçu : « Faire un cahier
de 200 pages environ. Le diviser en parties de 10 pages, à la
tête de chacune de ces parties, copier le nom d'une passion
(d'après le petit traité de Lancelin) et indiquer dans les dix
pages les traits de cette passion qu'on a occasion d'observer ou
de lire dans l'histoire, et dans une classe à part ceux qu'on
lit dans les fictions (poèmes, romans) » (21). On peut trouver
là une origine du traité *De l'Amour*.

*
* *

Adoptant la distinction de Lancelin entre le cerveau et le
corps, Stendhal subdivise les passions en états du corps et
états de l'âme : dans la première catégorie, il note : « Faim,
Soif, Sommeil, Amour, Évacuation, Jouissance (suit un des
besoins satisfaits), la paresse (peine à se remuer) ». Dans la
deuxième catégorie, il établit les passions suivantes : « Joie,
Allégresse, gaieté, tristesse, abattement, mélancolie, désespoir, jouissance, malaise, inquiétude, espérance, paresse
(peine à se remuer) » (22).

Cette nomenclature des passions est inspirée de Lancelin,
avec cette différence que Stendhal appelle états du corps ce
que l'Idéologue nomme besoins, et range parmi eux « la soif,
la faim, le sommeil, l'amour » (23). En étudiant les états de
l'âme il suit encore l'ordre dans lequel Lancelin examinait
ces mêmes sentiments : après avoir défini la joie, Lancelin
indiquait ses nuances et ses degrés, comme l'allégresse et la
gaieté; il analysait ensuite le sentiment opposé à la joie, la
tristesse, qui produit à la longue « un affaiblissement que
l'on peut nommer abattement » (24). Stendhal, qui estime
que pour connaître l'homme il suffit d'établir un vocabulaire
des passions, commence par faire un dictionnaire de psychologie élémentaire : « On nomme *vertu*, l'habitude des actions
utiles à tous les hommes; *vice*, l'habitude des actions nuisibles à tous les hommes » (25).

Cette distinction est évidemment tirée de Lancelin qui,
après avoir analysé « les principaux mouvements, sentiments
et affections du cœur humain », et noté que « l'habitude de
les éprouver les transforme en passions plus ou moins durables, ajoute : « Si ces passions sont nuisibles à l'individu et à
la société où il vit, ce sont des vices qu'il faut travailler à pré-

(21) *Pensées*, I, 199.
(22) *Recueils de traits, anecdotes*, etc., etc., R. 302, notes datées du
30 Fructidor an XI (17 septembre 1803) fol. 4 et 5.
(23) *Introduction*, II, 9.
(24) *Introduction*, II, 15-17.
(25) *Corr.*, I, 127.

venir ou à déraciner; si elles sont utiles à l'un et à l'autre, ce sont des vertus, qu'il faut faire germer, nourrir et développer par toutes sortes de soins et de moyens » (26).

Ce qui nous intéresse ici, c'est moins le dénombrement des sentiments analysés, que l'opiniâtreté de Stendhal à établir des catalogues de passions. Elève de Lancelin, ce jeune néophyte plein d'ardeur se fait le professeur de ceux qui l'entourent; il veut créer une école où l'on apprenne à connaître l'homme grâce à une méthode presque scientifique où les classifications jouent le premier rôle : « Fais une liste de toutes les passions et états des passions...» (27), écrit-il à Pauline. « Fais-lui faire [au petit Gaëtan] un petit livre où il écrira les définitions des mots *vertu, crime, honneur,* etc. ».

On saura gré à Stendhal d'écarter d'emblée tout ce qui, dans Lancelin, ne se rattache pas à une définition de l'homme, de passer sous silence tout ce que dit Lancelin dans la première partie de son *Introduction de la transformation de la matière,* de son projet, dans la troisième partie, de création d'une langue purement analytique, d'une éducation consacrée, dans la première jeunesse, uniquement à l'étude du dessin, etc. (28).

*
**

Nous ne saurions reprocher à Stendhal d'adopter sans esprit critique les idées bien souvent contestables de Lancelin. Il ne cherche pas tant à apprendre qu'à trouver l'art de mettre ses connaissances en ordre. Esprit malgré tout trop rigoureux pour ne se fier qu'à l'intuition dans la connaissance des hommes, il s'autorise d'une classification assez simple, autour de laquelle les faits psychologiques démontrés par l'expérience pourront s'ordonner et trouver leur place. Nous ne croyons pas, comme M. Alciatore, que Stendhal ait cherché à rattacher ces principes à un système lorsqu'il utilise la distinction entre cœur et esprit chère à Lancelin. Il s'est rangé à une terminologie qui lui paraissait commode; il est par ailleurs évident que dans les années 1803 et 1804 sa définition de

---

(26) *Introduction,* II, 31.

(27) *Corr.,* I, 313, lettre à Pauline, datée du 25 Pluviôse an XIII (jeudi 14 février 1805) et *Corr.,* I, 239, lettre à Pauline datée d'août 1804.

(28) Lancelin en effet n'a pas borné son étude à la science de l'homme, comme on pourrait le croire en lisant Stendhal. Dans la troisième partie de son *Introduction,* publiée en 1803, il traite d'abord de la science de la nature (formée elle-même d'un groupe de sciences traitant de la description des corps, de la classification des objets et des faits). L'homme est l'objet d'une science spéciale. Lancelin étudie ensuite les expressions de la pensée : sciences mathématiques et physico-mathématiques, dessin, peinture, sculpture ; la poésie, la musique et les belles-lettres ; les cosmogonies et les théogonies, la théosophie et l'astrologie, etc... Au-dessus de toutes les sciences et de tous les arts se place la vraie philosophie ou science des principes.

l'homme lui a été souvent inspirée par Lancelin. Sa correspondance avec Pauline n'est parfois qu'un résumé des leçons
du maître : « Tu te souviens sans doute que je t'ai écrit que
l'homme était composé de trois parties : 1°) *le corps;* 2°) *l'âme*
ou toutes les passions; 3°) *la tête* ou le centre des combinaisons. Etudie-le d'après cette distinction, c'est la plus commode; observe dans chaque individu l'âme et la tête » (29).

Il avait écrit en effet un peu plus tôt à Pauline que cette
distinction était « un flambeau qui éclaire bien dans la connaissance de l'homme » (30). Pendant cette même année
1804, il ne saura que trop se louer de la découverte qu'il a
faite chez Lancelin. Le 19 germinal an XII (9 avril 1804), il
note : « Ma distinction *of heart and understanding* me sera
utile, même *as a Bard* » (31). Le soir même d'ailleurs, il la
met en pratique, après avoir assisté à une représentation
d'*Agamemnon* et de *Sganarelle* : « Ma distinction (l'âme et
l'esprit) me fait voir dans ces deux pièces bien des choses que
je n'y aurais pas vues. Je pourrai bientôt résoudre cette question : Qu'est-ce que la plaisanterie ? » (32). Stendhal altère
quelque peu les termes employés par Lancelin, selon l'humeur
du moment; il appelle ici âme ce que vingt jours plus tard il
nommera cœur (centre des sentiments), et esprit ce qu'il dé-
signera par tête ou cerveau (centre des combinaisons) selon
la conception de Lancelin.

C'est bien la preuve qu'il s'attachait moins à la lettre qu'à
l'esprit et n'a jamais songé à former un système, *mais une
méthode.* Cette première connaissance de l'homme n'est qu'une
étape dans l'évolution de la psychologie stendhalienne ; si
rudimentaire qu'elle paraisse à première vue, elle n'en aura
pas moins des conséquences qui se répercuteront dans toute
l'œuvre. Bien avant d'avoir lu Cabanis, Stendhal sera frappé,
après ses lectures de Lancelin, des rapports qui existent entre
le physique et le moral de l'homme.

Et d'ailleurs, dans son *Introduction,* Lancelin ne s'inspire-t-
il pas de Cabanis (33), lorsqu'il écrit : « Je me borne ici à faire
sentir combien l'étude de l'homme intérieur, ou celle de l'anatomie et de la physiologie est nécessaire au philosophe qui veut
analyser à fond cet être compliqué, combien ce qu'on appelle
le physique et le moral sont étroitement unis, s'ils ne sont pas

---

(29) *Corr.*, I, 273, lettre adressée à Pauline, an XIII (1804).
(30) *Corr.*, I, 186, lettre datée du 18 prairial an XII (jeudi 7 juin 1804).
(31) *Journal*, I, 96, passage daté 9 avril 1804.
(32) *Idib.*, I, 96.
(33) L'ouvrage de Cabanis *Rapports du physique et du moral de l'homme* avait été imprimé pour la première fois de 1798 à 1799, dans les
Mémoires de l'Institut, section des Sciences politiques et morales. L'auteur le fit réimprimer séparément en 1802 sous le titre de *Traité du
physique*, etc.

souvent une même chose sous deux noms différents » (34).

Stendhal lui aussi, dans sa carrière d'auteur comique sans succès et dans sa carrière de romancier, tiendra compte des rapports du physique et du moral, selon son plan du 3 juillet 1804 : « Quand j'aurai décrit (le mieux qu'il me sera possible) l'âme, la tête et résolu ce problème : Quelle est l'influence de l'âme sur la tête et de la tête sur l'âme...» (35). Mais c'est surtout, et plus qu'il ne le croit, dans sa création romanesque que Stendhal a suivi son plan de 1804.

S'il étudie plus tard la physiologie chez les médecins et les tempéraments chez Cabanis, c'est qu'il estime que les facultés de l'homme, ses passions, ses sensations et ses caractéristiques physiques sont étroitement liées les unes aux autres. Comme dans les pièces de Racine, comme dans les romans de Balzac, les héros des romans stendhaliens reconnaissent leurs passions aux ravages physiques qu'elles provoquent chez eux. Car la passion est à la fois destructrice et créatrice, elle rompt les habitudes intellectuelles et physiologiques; elle est avant tout déchirement, crise physique et crise morale, bouleversement de l'individu tout entier. Mme de Chasteller reconnaît son amour pour Lucien à l'intensité des douleurs physiques qu'elle ressent. Ainsi meurt d'amour le père Goriot, et les effets moraux de sa passion prennent forme d'effets physiques. La congestion cérébrale à laquelle il succombe n'est que la conséquence d'un drame passionnel. Réciproquement, la tête influe sur l'âme selon la terminologie de Lancelin. En d'autres termes, Stendhal, après Lancelin, veut montrer que l'intelligence et la raison, grâce à des calculs patients, peuvent modifier les habitudes de l'âme. Lucien oublie sa passion pour Bathilde en se lançant dans l'action, en menant jusqu'au bout, malgré les difficultés, la mission électorale qu'on lui a confiée. L'auteur de la *Chartreuse* n'aurait certes pas désavoué bien des définitions du jeune Beyle, s'il avait pris la peine de les relire. Ainsi, cette définition du caractère qui date de 1804, s'applique parfaitement au caractère des héros stendhaliens : « Le caractère est passions et habitudes; mais la tête influe beaucoup sur les habitudes, donc aussi sur le caractère. La *tête* influe donc sur le *cœur* de deux manières en donnant des moyens à ses passions. Pour les habitudes, y a-t-il habitudes du corps et habitudes de l'esprit ? Oui. Décrire bien l'habitude » (36). C'est ce que fera Stendhal, par exemple quand il analysera l'orgueil de Mme Grandet, qui n'est chez elle que vanité. Dans *Lucien Leuwen*, le romancier semble avoir gardé encore quelques traces

(34) Lancelin, *Introduction à l'analyse des sciences*, I, 63
(35) *Pensées*, II, 261.
(36) *Pensées*, II, 93, cahier portatif d'extraits, commencé le 1er messidor an XII (20 juin 1804).

de son apprentissage idéologique : « Tout à coup cette *habitude* de l'âme, l'orgueil le plus invétéré, le plus fortifié par l'habitude et la passion cruelle, qui dévorait le cœur de Mme Grandet réunirent leurs efforts pour la mettre au désespoir » (37). Car c'est l'habitude de la vanité qui avait engagé, jusqu'alors toutes les démarches de Mme Grandet et qui l'avait conduite à faire un pacte honteux avec M. Leuwen, et à simuler un intérêt calculé pour Lucien et à obtenir en échange une place de député pour M. Grandet.

⁎

Il est bien évident que Stendhal apprit chez Lancelin l'art d'analyser et de classer les idées et les passions. Pour Lancelin, l'opération de la pensée est en effet avant tout analyse et comparaison : « Le système général de nos connaissances correspond exactement au système de nos facultés (intellectuelles et mécaniques) : or, toutes les opérations de la main et de la tête consistent : 1°) à *classer, décrire, rapprocher, combiner* et *imiter* les corps; 2°) ou à *classer, comparer,* analyser, combiner ses idées, en les exprimant par un système de signes composant un langage soumis, dans sa formation, aux mêmes lois que nos idées » (37).

Stendhal exprimera cette idée sous une autre forme, lorsqu'il fera le plan de sa Philosophie Nouvelle : « Faire pour la *Filosofia Nova* deux tables analytiques, la première des faits, la deuxième des raisonnements » (38). La liste qu'il dresse des passions humaines depuis 1803 jusqu'à 1810 environ, ne fait que suivre les conseils de Lancelin. Stendhal adopte par ailleurs le système que préconise l'Idéologue : « Je ne saurais assez faire sentir ici », dit Lancelin, « la nécessité de réduire le système entier de nos vraies connaissances sous le plus petit volume possible, autrement le bon sens, le bon esprit et la raison finiront par être étouffés sous des monceaux d'écrits de toute espèce (...). Pour cela il faut : 1°) au moyen d'une sévère analyse (faite par un homme d'un grand génie, ou par une société

---

(37) *Lucien Leuwen,* introduction et notes par Henri Martineau, seconde édition revue et corrigée, éd. du Rocher, Monaco, 1945, T II, p. 295.

(37) Lancelin, *Introduction à l'analyse des sciences,* II, 52. On pourrait rapprocher ce passage de Lancelin de maints endroits de l'*Idéologie* de Destutt de Tracy. Il est à remarquer que Lancelin, qui disait n'avoir lu que Locke et Condillac avant de composer son *Introduction,* devait cependant connaître l'Idéologie de Destutt de Tracy puisqu'il écrit : « ...En remontant, comme je l'ai fait dans cet ouvrage, à la génération des sensations, des idées, des sentiments, des habitudes et des facultés humaines ; en dressant un tableau exact de tous ces éléments, on jette les vrais fondements d'une science qui a longtemps porté le nom de *métaphysique,* et à laquelle on a donné depuis celui d'*idéologie* » (*Introduction à l'analyse des sciences,* II, 30).

(38) *Journal,* I, 187, lettre datée du 12 thermidor an XII (31 juillet 1804).

d'hommes supérieurs), extraire de chacun de nos livres philosophiques ce qu'il renferme de vrai, d'utile, en un mot de
bon : alors cet extrait analytique très simple, très court, pourra
tenir lieu de l'ouvrage lui-même; 2°) réduire autant que possible toutes les sciences en tableaux » (39). Aussi, à tout instant, Stendhal prendra-t-il la résolution d'étudier les écrivains
au moyen d'une stricte analyse. Nous trouverons dans les *Pensées* des extraits de Hobbes (40), d'Helvétius (41), de Vauvenargues (42), dans la *Correspondance* des extraits de Tracy (43), mais Stendhal était surtout l'analyste du cœur humain,
et, tout en suivant la méthode de Lancelin, il se montrera bien
plus orienté vers la psychologie que vers la philosophie.

S'il ne tente pas de mettre toutes les sciences en tableaux,
il cherchera du moins à mettre en tableaux la science de
l'homme, il le conseille à Pauline : « Voici un travail qui est le
plus utile de tous et que je t'engage à commencer le 26 prairial
(15 juin 1804) : tu feras la liste des vertus et des vices et
comme ceci :

Ambition	Intrépidité
Envie	Patience
Colère	Magnanimité

(Scaevola se brûle la main.
Vertot, chapitre XVIII, page 512).

Tu mettras chacun de ces noms en haut d'une grande page
in-4°, et tu mettras en abréviation au-dessous le trait d'histoire
en deux lignes au plus, et en citant l'endroit d'où tu le
tires » (44).

Si Stendhal met tant de soin et d'amour à former l'éducation de sa sœur, c'est qu'il croit, suivant encore ici Lancelin,
que l'on peut former un esprit juste, à condition d'appliquer
certains principes.

Lancelin n'a-t-il pas écrit : « Les avantages de la méthode
analytique développée dans cet ouvrage sont tels à mes yeux,
ses effets me paraissent si étendus, et son influence si grande,
que l'on pourrait, ce me semble, l'intituler : « *L'art de construire régulièrement les têtes humaines* » (...). En effet, l'esprit
humain étant composé d'idées, plus la faculté de les exprimer,
de les retracer et de les combiner, et d'ailleurs chacun étant à
peu près le maître de faire entrer dans sa tête et dans celle des
autres, tels éléments qu'il lui plaît, de les ranger dans l'ordre
qu'il veut, et d'en faire toutes sortes d'associations, de combinaisons et d'analyses, au moyen d'une bonne théorie de si-

(39) Lancelin, *Introduction à l'analyse des sciences,* I, 409-410.
(40) Voir *Pensées*, I, 116, 226, 267, 268.
(41) Voir *Pensées*, I, 128.
(42) Voir *Pensées*, I, 8-9.
(43) Voir *Pensées*, I, 182.
(44) *Corr.*, I, 184, lettre datée de mai 1804.

gnes ou d'une langue exacte ; il est clair qu'il existe un art
de composer, ou, ce qui revient au même, de *construire* comme
il faut les têtes humaines, à l'aide de matériaux choisis et mis
régulièrement en œuvre » (45).

Ce sera précisément cette méthode d'analyse, appliquée, il
est vrai à la psychologie, que Stendhal préconise à Pauline :
« Envoie-moi vite trois ou quatre caractères peints par les
faits ; raconte-les exactement, ensuite tire les conséquences.
Cette méthode se nomme analyse, c'est la bonne » (46). Lancelin ne fait d'ailleurs que reprendre une idée du temps ;
la plupart des Idéologues, mettant toute leur confiance dans
la raison humaine, estiment que le jugement et l'intelligence
se forment à partir de principes vrais. Helvétius, nous le
verrons, montrera au jeune Beyle comment on se donne un
esprit juste.

*

Davantage qu'Helvétius, Lancelin s'attache à la formation
des bonnes habitudes. Le chapitre V du tome II de son
« *Introduction* » est intitulé : *De l'art de bien former le système de nos habitudes,* ou *idées fondamentales sur un bon
plan d'éducation* (47). C'est toujours le sensualisme qui domine ce système, puisqu'il s'agira de choisir les habitudes
qui donnent à l'homme les sensations les plus agréables :
« Tout se réduit donc à saisir parmi toutes les habitudes possibles celles qui, pour chaque état, peuvent donner à l'homme
qui les a contractées la plus forte dose de bien-être, et le conduire à ce but souhaité par le plus sûr et le plus court chemin, en économisant le temps le plus possible » (48).

Dans le plan d'éducation que Stendhal élabore pour sa sœur
Pauline, il se souviendra lui-même des conseils de Lancelin :
« Tout l'homme est habitude, songe donc à t'en donner de
bonnes. Celles du travail, avoir du travail pour les moments
d'ennui (...). Lorsque tu te connaîtras bien, tu verras les passions qu'il faut arracher et tu tâcheras de parvenir à un genre

---

(45) Lancelin, *Introduction à l'analyse des sciences,* II, 435.
(46) *Corr.,* I, 231, lettre datée de thermidor an XII (juillet ou
août 1804).
(47) Par ailleurs Lancelin définit ainsi, sous une forme plus développée, ce qu'il appelle éducation : « En triant ou en choisissant parmi
toutes les habitudes possibles du corps, de l'esprit et du cœur, celles qui
(pour chaque condition) peuvent le plus contribuer au bonheur de l'individu et de ses semblables ; en soumettant à des règles réduites des
principes précédents, l'art de les former d'une manière prompte et sûre,
on donne naissance : 1°) à la gymnastique ou science des habitudes du
corps ; 2°) à l'instruction ou science des habitudes de l'esprit ; 3°) à
la morale élémentaire ou science des habitudes du cœur et ce ne sont là
que les trois branches d'une science unique que j'appelle éducation »
(*Introduction à l'analyse des sciences,* II, 31).
(48) *Ibid.,* II, 88.

de vie dans lequel tu puisses satisfaire les bonnes. Tu chercheras de quel genre d'agrément ton esprit est susceptible » (49).

Arracher de son cœur les mauvaises passions (50), cultiver les passions qui vous rendent heureux (51), voilà les premières leçons que le jeune Beyle donne à sa sœur, au cours de son enseignement de morale toute théorique. Ainsi, grâce aux apports d'Helvétius et de Lancelin, s'élaborent peu à peu les bases de l'art de vivre stendhalien, que l'expérience pourra peut-être modifier sans en altérer toutefois les éléments essentiels.

Pour Stendhal à la fin de sa vie, comme pour Fabrice, le bonheur sera toujours de s'abandonner aux sensations les plus agréables, qui sont pour eux la rêverie et la tendresse. Cependant, la connaissance théorique de l'homme, la mise en application de bons principes, ne peuvent suffire ni à Stendhal ni à Lancelin ; il serait trop facile que des règles soigneusement étudiées donnent naissance à un individu heureux, libre, intelligent ; l'éducation n'est pas seulement le fruit de la science, elle est aussi le produit d'une infinité de hasards ! « Quoique l'on fasse, l'homme sera donc toujours, jusqu'à un certain point, l'élève et le produit du *hasard* (j'entends par ce mot l'ensemble des leçons naturelles et l'enchaînement des causes dont on ne peut ni prévoir l'action, ni empêcher ou diriger l'influence) ; et c'est à lui qu'il devra parfois ses plus belles idées, ses projets les plus hardis, ses conceptions les plus heureuses, en un mot, ses succès, sa fortune et sa gloire, et souvent aussi ses chagrins, ses revers, ses malheurs » (52).

Nous verrons, dans l'éducation des héros stendhaliens, comment des circonstances imprévues viennent anéantir en un jour le résultat de règles patiemment élaborées ; mais ce terme de hasard qui, par lui-même, est sans signification précise, veut à la fois tout dire et ne rien dire. Lancelin l'éclaire dans le sens de la psychologie stendhalienne avant la lettre, en lui donnant la forme de la spontanéité et de l'instinct, et en l'opposant par ce fait même aux règles : « ce hasard qui produit quelquefois des effets assez singuliers, surtout dans les premiers âges de la vie, où une sensibilité trop vive nous fait trop souvent céder à la première impulsion des sens et de l'imagi-

(49) *Corr.*, II, 148-149, lettre datée du 4 mars 1806.

(50) *Ibid.*, I, 344. Voir lettre adressée à Pauline le 19 avril 1805 : « Une fois qu'on a déraciné de son cœur les mauvaises passions, ce qui, je crois, est aisé en le voulant fermement... » (*Ibid.*, I, 344).

(51) Voir lettre adressée à Pauline le 19 avril 1805 : « Le bonheur consiste à pouvoir satisfaire ses passions, lorsqu'on n'a que des passions heureuses » (*Corr.*, I, 342-343).

(52) *Introduction à l'analyse des sciences*, II, 257-258.

nation ; ce hasard qui souvent fait naître nos penchants (53),
préside à nos déterminations, au choix d'un état, d'une femme,
d'une maîtresse, d'un ami, peut influencer beaucoup sur notre
conduite et sur ses résultats en bien ou en mal » (54).

(53) Lancelin montre l'influence du hasard sur le développement des
sentiments et sur la conduite de l'homme en général ; contrairement à
Helvétius, il attribue peu d'importance au hasard sur la formation de
nos idées. Lancelin remarque en effet que le hasard « influe bien moins
sur la force de la tête et l'étendue des lumières, et sous ce rapport il
ne me semble pas avoir, à beaucoup près, autant d'influence qu'un
écrivain distingué lui en a donné ». (Il s'agit ici d'Helvétius, comme
Lancelin le mentionne en note). Lancelin ajoute d'autre part : « En effet,
les connaissances et les talents ne s'acquièrent que par des efforts d'attention, par une application longue et sans interruption, par l'usage
journalier d'une excellente méthode d'instruction, par un sage emploi
du temps, etc... » (*ibid.*, II, 259).
(54) *Ibid.*, II, 258.

CHAPITRE II

LA PREMIERE VISION STENDHALIENNE DE L'HOMME D'APRES HELVETIUS

1. — *HELVETIUS ET L'EDUCATION DE L'HOMME : Helvétius et son influence sur Stendhal. — Réhabilitation de la passion. — Valeur positive de l'ennui. — L'esprit sous la dépendance des passions. — Retour à une morale positive : rôle de l'intérêt. — La vertu, facteur de conciliation entre l'intérêt personnel et l'intérêt général. — La première conception du bonheur chez Stendhal. — L'éducation en tant que science du bonheur. — Recherche d'une vérité théorique : une éducation idéale soustraite au hasard. — Un régime politique au service des hommes de génie. — D'une morale de la vertu à une morale de la force.*

2. — *HELVETIUS ET LES ACQUISITIONS STENDHALIENNES : Origine idéologique de l'Histoire de la peinture en Italie. — Origine idéologique de la « vanité » dans l'œuvre de Stendhal. — Une terminologie poétique tirée d'Helvétius. — Les prédictions d'Helvétius.*

1. — HELVETIUS ET L'EDUCATION DE L'HOMME

Toujours guidé dans ses lectures par le désir de la connaissance de l'homme, Stendhal devait être attiré par Helvétius, dont le livre *De l'Esprit* avait paru en 1758, condamné d'ailleurs la même année par la Cour et par l'Eglise, ce qui explique la publication posthume du second ouvrage d'Helvétius, *De l'Homme, de ses facultés intellectuelles et de son éducation*, qui ne parut qu'en 1772.

C'est le 9 janvier 1803 que Stendhal commença, pour la première fois, à lire Helvétius : « J'ai eu des étourdissements à quatre heures après un excellent travail. Helvétius m'a ouvert la porte de l'homme à deux battants » (1). Stendhal, il est vrai, avait déjà étudié l'homme dans Condillac, et par là même avait été amené à le définir en fonction de la sensation. Mais le système d'Helvétius l'attachera bien davantage que le sensualisme de Condillac. Condillac a cependant préparé le jeune « autodidacte » à la lecture d'Helvétius, et dans Helvétius lui-même Stendhal trouvera bien autre chose qu'une définition théorique de l'homme, mais les rapports de l'homme avec la société, les mobiles des actions humaines, le comportement en un mot de l'individu dans des groupes sociaux différents, et les moyens d'améliorer ce comportement. Voilà autant de sujets qui ne manqueront pas d'être sensibles à Stendhal pendant sa vie, et qu'il a eu le plaisir d'approfondir chez Helvétius. La science de l'homme ne paraît pas toujours lui suffire, même lorsqu'il prétend qu'elle lui est seule nécessaire pour devenir un grand poète comique ; le romancier futur qui est en lui tient, malgré tout, à la préciser par la science des rapports humains. Cette science si complexe, il l'a trouvée chez Helvétius sous une forme assez simple ; il la redécouvrira ensuite dans la vie et la transportera dans ses romans avec beaucoup plus de subtilité et de nuances, et il en sera quitte, alors, pour contredire Helvétius. Mais, dans ces années de formation intellectuelle qui nous occupent ici, Stendhal cherche, pour le moment, à retenir quelques principes, qui lui serviront de jalons au cours de la lente élaboration de sa psychologie sociale. Dépouillant Helvétius, il en fait une sorte de résumé, et une vingtaine de jours après avoir commencé la lecture d'Helvétius, il écrit à Pauline : « Je puis te donner comme des vérités générales :

1° — Que toutes nos idées nous viennent par nos sens ;

2° — Que la finesse plus ou moins grande des cinq sens ne donnent ni plus, ni moins d'esprit » (2).

La première affirmation reproduit le titre même d'un des chapitres de *l'Homme,* ainsi conçu : « Que toutes nos idées nous viennent par les sens » (3). La seconde affirmation est tirée de la conclusion même d'Helvétius à la fin de ce chapitre : « ...J'en conclurai que la supériorité de l'esprit n'est le produit ni du tempérament, ni de la plus ou moins grande finesse des sens... » (4).

En effet, pour Helvétius, la sensibilité seule produit toutes nos idées. Il définit par ailleurs la sensibilité comme étant la

---

(1) *Pensées,* I, 69, pensées extraites d'un cahier daté du 19 nivôse an XI (9 janvier 1803) qui se trouve dans les manuscrits de la Bibliothèque de Grenoble, sous la côte R. 5896.

(2) *Corr.,* I, 98, lettre datée du 10 pluviôse an X (30 janvier 1803).

(3) *Œuvres complètes d'Helvétius — De l'Homme, de ses facultés intellectuelles et de son éducation,* Londres, 1781, III, Section II, chap. I, p. 89.

(4) *Ed. citée,* III, 94.

faculté de recevoir les impressions différentes que font sur nous les objets extérieurs (5).

*

Non seulement les idées, mais encore les passions trouvent leurs origines dans la sensibilité physique : « Un principe de vie anime l'homme. Ce principe est la sensibilité physique, principe qui produit en lui un sentiment d'amour pour le plaisir, et de haine pour la douleur. C.est de ces deux sentiments réunis dans l'homme et toujours présents a son esprit, que se forme ce qu'on appelle en lui le sentiment de l'amour de soi. Cet amour de soi engendre le désir du bonheur ; le désir du bonheur celui du pouvoir ; et c'est ce dernier qui donne naissance à l'envie, à l'avarice, à l'ambition, et généralement à toutes ces passions factices qui, sous des noms divers, ne sont en nous qu'un amour du pouvoir déguisé, et appliqué aux divers moyens de se le procurer » (6).

La passion seule donne un sens à la vie humaine et la transforme : « Ce sont les passions », dit Helvétius « qui, fixant fortement notre attention sur l'objet de nos désirs, nous le font considérer sous des rapports inconnus aux autres hommes ; et qui font, en conséquence, concevoir et exécuter aux héros ces entreprises hardies, qui, jusqu'à ce que la réussite en ait prouvé la sagesse, paraissent folles et doivent réellement paraître telles à la multitude » (7).

Stendhal, dans ce mois de janvier où il lit Helvétius, établit en ces termes la primauté de la passion, primauté qui se trouvera prouvée dans maints de ses romans : « Les grandes passions viennent à bout de tout : de là, on peut dire que, quand un homme veut *vivement* et *constamment,* il parvient à son but » (8). Stendhal reprend d'ailleurs dans cette lettre à Pauline une idée qu'il avait notée dans ses cahiers quelques jours auparavant sous cette forme : « Les passions peuvent tout » (9). Dans ce même cahier, daté du 9 janvier 1803, il relève une phrase d'Helvétius qu'il recopie presque textuellement : « Helvétius 317. C'est aussi dans l'âge des passions,

---

(5) Il écrit en effet : « Je ne m'arrête donc pas davantage à cette question ; je viens à mon sujet ; et je dis que la sensibilité physique et la mémoire, ou, pour parler plus exactement, que la sensibilité seule produit toutes nos idées. En effet, la mémoire ne peut être qu'un des organes de la sensibilité physique : le principe qui sent en nous doit être nécessairement le principe qui se ressouvient ; puisque *se ressouvenir,* comme je vais le prouver, n'est proprement que *sentir* » (*De l'Esprit,* Paris, 1758, chez Durand, libraire, pp. 5-6).
(6) Ed. citée, III, 344.
(7) *De l'Esprit,* 303-304.
(8) *Corr.,* I, 88, lettre datée du 9 pluviôse an XII (29 janvier 1803).
(9) *Pensées,* I, 62-63 (pensée extraite d'un cahier daté du 19 nivôse an XI, 9 janvier 1803).

c'est-à-dire depuis vingt-cinq jusqu'à trente-cinq ou quarante,
qu'on est capable des plus grands efforts, et de vertu et de
génie » (10). Helvétius lui-même avait écrit : « Il paraît donc
que l'activité de l'esprit dépend de l'activité des passions. C'est
aussi dans l'âge des passions, c'est-à-dire depuis vingt-cinq
jusqu'à trente-cinq et quarante ans, qu'on est capable des
plus grands efforts, et de vertu et de génie » (11). Cette supériorité accordée à l'homme passionné, nous la verrons exploi-
tée et largement développée dans les romans de Stendhal ;
aussi devons-nous noter dès maintenant que ce concept de la
passion est tout d'abord d'ordre idéologique chez lui, et
qu'après l'avoir emprunté à l'auteur de *l'Homme,* il lui donnera une forme nouvelle en lisant Rousseau et Madame
de Staël. Stendhal reniera les Idéologues et leur méthode positive et ne formulera que plus tard son éthique du naturel. Cependant dans ces *Pensées,* dans ces brouillons d'écolier où sont
recopiées et parfois maladroitement transposées les phrases
d'Helvétius, s'esquissent déjà les problèmes stendhaliens et la
réponse que leur donnera l'auteur de la *Chartreuse.* Sous l'influence de l'Idéologie s'élabore une vision stendhalienne de
l'homme qui donne la première place aux forces instinctives
de la passion, envisagée ici de la façon la plus élémentaire :
Helvétius et son disciple Beyle ne tiennent compte ni de ses
nuances, ni de ses gradations, ni des conflits entre les différentes passions et des conséquences qu'ils entraînent. Mais Helvétius montre à Stendhal que tout psychologue doit tenir compte
de l'irrationnel : « Les passions peuvent tout », dit Helvétius.
Il n'est point de fille idiote que l'amour ne rende spirituelle.
Que de moyens ne lui fournit-il pas pour tromper la vigilance
de ses parents, pour voir et entretenir son amant ? La plus
sotte est alors la plus inventive » (12). Dans un cahier daté du
19 nivôse an IV, Stendhal transcrit de cette manière la phrase
précédente : « Les passions peuvent tout. Qu'une fille de seize
ans, élevée par ses parents, bourgeois d'une petite ville, est
sotte ! Elle est amoureuse, que de génie ! » (13).

Nous ne voulons pas dire par là que les femmes et les jeunes
filles de Stendhal soient absolument dépourvues d'esprit. Mais
comment ne pas remarquer la transformation du caractère
chez les héroïnes stendhaliennes, sous l'influence de la passion : une Clélia Conti, jeune fille timide et modeste, se livrera
à « des entreprises hardies » ; et que de moyens ne lui fournira

---

(10) *Pensées,* I, 51.
(11) *De l'Esprit,* 317.
(12) *Œuvres complètes, De l'Homme,* III, 224.
(13) *Pensées,* I, 62-63 (Pensées extraites d'un cahier daté du 19 nivôse,
an XI, 1ᵉʳ janvier 1803).

pas sa passion « pour tromper la vigilance de ses parents, pour voir et entretenir son amant » ! (14).

Ce sera la force de sa passion pour Fabrice, qui permettra à la Sanseverina de se livrer à ses projets audacieux, et d'obtenir le succès au cours d'aventures périlleuses, de susciter et d'obtenir la délivrance de Fabrice, son évasion, l'inondation de la ville de Parme, l'assassinat de Ranuce-Ernest.

« Ce sont, en effet, les fortes passions », dit Helvétius, qui, plus éclairées que le bon sens, peuvent seules nous apprendre à distinguer l'extraordinaire de l'impossible que les gens sensés confondent presque toujours ensemble ; parce que, n'étant point animés de passions fortes, ces gens sensés ne sont jamais que des hommes médiocres... » (15).

La passion est donc une condition — et la principale — du succès dans les actions périlleuses ou extraordinaires. Stendhal romancier appliquera ce principe, qu'il a relevé dans Helvétius, et qu'il exprime sous cette forme, dès le mois de janvier 1803, à la suite de la lecture de *l'Homme* : « L'homme ne doit réellement bien faire que ce qui est en rapport avec sa passion, celui qui est animé d'une faible passion ne fera pas le grand, et celui qui est animé par une grande passion méprisera le petit, et le fera par conséquent moins bien que l'homme médiocre qui y consacrera tous ses efforts » (16).

Cette distinction met déjà en jeu les thèmes chers à Stendhal romancier. Elle nous permet d'entrevoir l'optique stendhalienne, et la vision de la société chez l'auteur de *La Chartreuse* : distinction qui oppose d'un côté les âmes d'élite, agissant avec succès parce qu'elles se laissent aller à leur naturel, c'est-à-dire à la spontanéité de leurs passions, mais incapables de réussir par l'intrigue, et de l'autre les individus médiocres, par exemple les courtisans, très habiles à mener à bien leurs affaires, mais ignorant les élans généreux.

Ainsi, pour Stendhal comme pour Helvétius, les passions sont à l'origine de l'activité humaine dans tous les domaines ; ce sont elles qui sont les principaux mobiles des actions des hommes. Nous verrons aussi qu'elles expliquent l'activité de l'esprit. Helvétius écrit en effet : « On voit donc que ce sont les passions et la haine de l'ennui qui communiquent à l'âme son mouvement, qui l'arrachent à la tendance qu'elle a naturellement vers le repos, et qui lui font surmonter cette force d'inertie à laquelle elle est toujours prête à céder (17).

(14) *Œuvres complètes, De l'Homme*, III, 224.

(15) *De l'Esprit*, 304.

(16) *Pensées*, I, 59-60 (pensée extraite d'un cahier daté du 19 nivôse, an XI, 9 janvier 1803).

(17) *De l'Esprit*, 295-296.

*
**

L'absence de passions fortes engendre donc l'ennui (18).
Helvétius, aussi bien dans *l'Esprit* que dans *l'Homme*, examine
ce concept de l'ennui, en étudie les causes, y cherche des remèdes. En tant que sensualiste, il donne toujours la primauté
à la passion ; si le plaisir est la conséquence de sensations
agréables, les sensations monotones cessent bientôt de faire
sur nous une impression vive et agréable. « Il n'est point de
beaux objets, dont, à la longue, la contemplation ne nous
lasse (...). La haine de l'ennui, le besoin de sensations agréables nous en fait sans cesse souhaiter de nouvelles » (19). Un
homme comme Stendhal, qui reconnaissait que sa principale
maladie était l'ennui et qui passait une bonne partie de sa vie
à chercher des remèdes contre lui, ne pouvait manquer d'être
frappé par l'étude d'Helvétius.

Appliquant les principes d'Helvétius, il cherche des sensations nouvelles pour se soustraire à l'ennui. En mai 1804, il
écrit à sa sœur Pauline, qui souffre de la même maladie que
lui : « Les hommes ont diverses ressources contre l'ennui :
d'abord, il faut remuer le corps quand on est ennuyé, c'est là
le moyen le plus sûr. Je montais donc souvent à cheval ; je
cherchais à me rendre témoin dans les duels, à me passionner
enfin ; avec les passions, on ne s'ennuie jamais ; sans elles,
on est stupide » (20).

C'est sans doute chez Helvétius que Stendhal, comme nous
aurons l'occasion de le vérifier à maintes reprises, apprit à
composer avec la mélancolie et à bien vivre avec ses maux.
L'ennui n'est pas seulement une maladie, « c'est une faim de
l'âme », comme il le dira plus tard à Pauline. Car l'ennui est
un principe d'activité, puisqu'il nous porte à désirer des sensations nouvelles. « Pour connaître encore mieux tout ce que
peut sur nous la haine de l'ennui, et quelle est quelquefois
l'activité de ce principe, qu'on jette sur les hommes un œil
observateur ; et l'on sentira que c'est la crainte de l'ennui qui
fait agir et penser la plupart d'entre eux ; que c'est pour s'arracher à l'ennui qu'on risque de recevoir des impressions trop
fortes et par conséquent désagréables, que les hommes recherchent avec le plus grand empressement tout ce qui peut les
remuer fortement » (21).

(18) Etudiant le comportement humain, Helvétius écrit : « Ils [les
hommes] se ressemblent tous en ce point : c'est que tous veulent se
soustraire à l'ennui ; c'est qu'en conséquence tous veulent être émus ;
c'est que plus une impression est vive, plus elle leur est agréable, si cette
impression néanmoins n'est pas portée jusqu'au terme de la douleur »
(*Œuvres complètes, De l'Homme*, III, 162).
(19) *Ibid.*, IV, 222-223.
(20) *Corr.*, I, 182, lettre du mois de mai 1804.
(21) *De l'Esprit*, 292.

En analysant ce concept de l'ennui chez Helvétius, nous en
pouvons trouver une application directe chez Stendhal et chez
les héros stendhaliens. Henri Beyle a tout d'abord commencé
par vérifier sur lui-même les principes d'Helvétius dont il reconnaît ainsi l'exactitude : « C'est l'envie de m'amuser ou la
crainte de l'ennui qui m'ont fait aimer la lecture dès l'âge de
douze ans. La maison était fort triste ; je me mis à lire et je
fus heureux : les passions sont le seul mobile des hommes ;
elles font tout le bien et tout le mal que nous voyons sur la
terre » (22).

Après la lecture d'Helvétius, Stendhal est donc amené à
considérer le rôle positif de l'ennui. Certes, il ne mettra pas
toujours en application les principes d'Helvétius. Il se plaindra
souvent de ne pouvoir trouver les sensations ou les passions
fortes qui l'aideraient à vivre. Mais, à la fin de l'année 1804, il
se faisait encore le fidèle interprète des théories d'Helvétius,
lorsqu'il écrivait à Pauline : « ...Ne te décourage pas si tu
t'ennuies, mais songe que c'est à son ennui que la grande
Catherine (...) dut l'Empire. Aie autant de force qu'elle. Cet
ennui, à ton âge, est ce qui peut t'arriver de plus heureux
pour le reste de ta vie, si tu l'emploies » (23).

Dans ces années de formation intellectuelle, ce jeune néophyte plein d'ardeur, tout imbu du savoir de ses maîtres, fait
une application encore assez théorique de leurs préceptes. Son
art de vivre ressemble à un recueil de maximes plus qu'à une
chasse au bonheur. Quoi qu'il en soit, c'est bien dans cette
analyse des concepts idéologiques, dans ce premier bréviaire
stendhalien enfin, que nous pouvons trouver une des explications du beylisme et de la psychologie de Fabrice, de Julien
ou de Lamiel. C'est la crainte de l'ennui qui conduit Lamiel
à ses entreprises folles et hasardeuses, c'est le désir de sensations fortes et nouvelles qui amènera Fabrice à la bataille de
Waterloo, c'est l'envie d'échapper à la monotonie des salons
parisiens qui poussera Lucien à la carrière des armes. C'est
pour fuir l'ennui que les héros stendhaliens se livreront à
une recherche et plus tard à une création : celle du naturel.

Ce besoin d'impression nouvelle, que Stendhal romancier
montrera à l'origine des passions et actions de ses héros,
Helvétius en avait déjà signalé l'importance. Mais en philosophie sensualiste, il étudie les rapports des passions avec le
développement de l'esprit humain : « C'est ce besoin d'être
remué, et l'espèce d'inquiétude que produit dans l'âme l'absence d'impression, qui contient, en partie, le principe de l'in-
constance et de la perfectibilité de l'esprit humain » (24).

(22) *Corr.*, I. 87-88, lettre datée du 9 pluviôse an XI, 29 janvier 1803.
(23) *Corr.*, I, 293-294.
(24) *De l'Esprit*, 291.

*
**

« Ce sont les passions », dit Helvétius, « qui mettent en action l'égale aptitude que les hommes ont à l'esprit. Sans elles, cette aptitude n'est en eux qu'une puissance morte » (25). Ce sont elles en effet qui fixent notre attention. L'attention seule permet la comparaison des objets entre eux, et par suite le jugement. Stendhal au moment où il cherchait, en élaborant la *Filosofia Nova*, la définition des principaux concepts qui l'intéressaient, fut frappé par la définition que donnait Helvétius de l'esprit, et il la transcrivit dans ses cahiers sous cette forme : « H. l'esprit est l'aptitude à voir les ressemblances et les différences, les convenances et les disconvenances qu'ont entre eux les objets divers » (26).

Cette citation est évidemment empruntée à Helvétius, qui avait en effet écrit dans *l'Homme* : « Qu'est-ce que l'esprit en lui-même ? *l'aptitude à voir les ressemblances et les différences, les convenances et les disconvenances qu'ont entre eux les objets divers* » (27). En étudiant dans ses œuvres les facultés intellectuelles, Helvétius démontre que la sensation en est toujours l'origine. L'esprit est la faculté de comparer des objets entre eux, ou plus exactement, les impressions que font sur nous ces objets. Mais c'est l'intérêt, le désir de nouveauté, ou comme dit Helvétius, l'amour de notre bonheur qui nous pousse à cette comparaison (28).

Comme nous l'avons vu, Stendhal a fait sienne cette définition de l'esprit, et lorsqu'il cherche à former le petit Gaëtan, il écrit à son sujet : « Qu'il apprenne donc les vrais rapports des choses entre elles; secundo, des hommes avec les choses » (29). On peut donc penser qu'en 1806, Stendhal avait donc encore présentes à l'esprit les idées d'Helvétius et par-

(25) *Œuvres complètes, De l'Homme*, III, 261.
(26) *Pensées,* I, 62, (Cahier daté du 19 nivôse an XI (19 janvier 1803)
(27) *De l'Homme*, III, 171. On pourrait comparer cette dernière citation à un autre passage de *l'Homme*, où Helvétius étudie les causes de l'inégalité des esprits : « L'inégalité des esprits doit donc être principalement regardée comme l'effet du degré différent d'attention portée à l'observation des ressemblances et des différences, des convenances qu'ont entre eux les objets divers. Or, cette inégale attention est en nous le produit nécessaire de la force inégale de nos passions » (*ibid.*, III, 257).
(28) Dans un chapitre de *l'Homme* intitulé *Point d'intérêt, point de comparaison des objets entre eux*, Helvétius écrit en effet : « Il résulte de ce chapitre que tous les jugements occasionnés par la comparaison des objets entre eux, supposent en nous intérêt de les comparer. Or, cet intérêt nécessairement fondé sur l'amour de notre bonheur, ne peut être qu'un effet de la sensibilité physique ; puisque toutes nos peines et nos plaisirs y prennent leurs sources. Cette question examinée, j'en conclurai que la douleur et le plaisir physique est le principe ignoré de toutes les actions des hommes » (*Ibid.*, III, 118-119).
(29) *Corr.*, II, 134, lettre datée du 7 février 1806.

ticulièrement ce passage : « Veux-je connaître les rapports de certains objets entre eux ? Que fais-je ? Je place sous mes yeux ou rends présents à ma mémoire plusieurs, ou du moins deux de ces objets : ensuite, je les compare » (30).

Bien souvent Stendhal est revenu sur les amours intellectuelles de sa première jeunesse; il a renié Helvétius, signalé des erreurs dans ses œuvres, lui a reproché sa froideur. Mais il n'a jamais cessé de considérer les Idéologues et Helvétius comme ses maîtres et il a utilisé leurs concepts idéologiques. Cet autodidacte passionné n'est point tombé dans l'erreur commune aux néophytes; avant de jeter les bases d'une philosophie personnelle (qui se réduit, à dire vrai, plutôt à un recueil de pensées), il a voulu connaître la signification exacte et précise des concepts qu'il utiliserait; avant d'étudier les passions en romancier, il aura donc connu l'acception du mot « passion » dans le langage psychologique et sensualiste.

Dix ans après le premier enthousiasme provoqué par la lecture d'Helvétius, alors que Stendhal rejette la méthode idéologique, il cite encore Helvétius, sans doute parce que ce sensualiste avait su aussi réhabiliter les passions. Dans un passage de son *Journal* daté du 6 mars 1813, après avoir étudié le caractère des personnages de tragédie, il établit les définitions suivantes : « Définitions : La science est le souvenir des faits ou des idées d'autrui (Helvétius, 1, 175) (...). Esprit : assemblage d'idées neuves et intéressantes (H(elvétius), 1, 175) » (31).

C'est donner le premier rôle, dans le domaine intellectuel, à la valeur créatrice de l'esprit. La conception du naturel s'exprime déjà dans cette confiance accordée au pouvoir spontané et créateur qui permet de lier de façon personnelle les idées communément admises. Mais l'anti-intellectualisme stendhalien est toujours limité. Il y a sans cesse chez Stendhal ce retour sur soi-même, qui contrôle les initiatives intellectuelles engendrées par l'émotion, qui les soumet à une organisation méthodique et rationnelle. C'est ainsi que le touriste italien n'accorde pas une confiance aveugle à des émotions artistiques pourtant créatrices et fécondes; tout en les admettant, il garde la volonté de les compléter par une science méthodique et livresque : « Je pense qu'un voyageur qui s'amuse à écrire tout ce qu'il a lu sur le pays qu'il parcourt peut faire un journal en cent volumes in-folio. Celui qui se borne à noter ce qu'il a senti réellement, est très borné. Il n'a que *l'esprit, l'autre* a la *science* (définition *of Elvezio*) » (32).

(30) *De l'Homme*, III, 107.

(31) *Journal*, V, 131, passage daté du 6 mars 1813.

(32) *Ibid.*, V, 150, passage daté du 21 mars 1813.

Nous pouvons découvrir chez Helvétius aussi bien que chez
Stendhal un essai avorté d'anti-intellectualisme; mais cet
anti-intellectualisme qui s'ignore se trouve par là même fort
limité. Dans une certaine mesure le philosophe sensualiste
fait confiance à la passion et donne donc valeur à l'irrationnel dans son système philosophique. Car toute pensée, même
matérialiste et déterministe, dans l'emploi qu'elle fait d'une
méthode positive ou rationaliste, doit cependant reconnaître
que la raison est seulement un instrument au service d'une
cause qui n'est pas toujours logique ou rationnelle. Déjà au
cours de sa formation idéologique et à travers Helvétius,
Stendhal se demande s'il n'y a pas une façon « naturelle »
de penser. Ne saurait-il y avoir dans le domaine des idées,
une attitude intellectuelle qui fasse place à une pensée spontanée tout en la soumettant à une sorte de vérification expérimentale à l'aide de l'expérience et du raisonnement ? Le
héros stendhalien cherche le naturel dans l'action : et la première exigence de Stendhal a été le naturel dans l'exercice du
raisonnement et de la pensée. Sa première tendance, lorsqu'il
se dit penseur et philosophe, serait au fond de croire aux forces irrationnelles de la passion. Mais l'Idéologue Helvétius
ramène son disciple à une méthode positive : les hommes ne
pensent, et par conséquent n'agissent, qu'en fonction de leur
intérêt, ou de l'amour de soi. Il y eut une époque où Stendhal, avant de créer des héros naturels, s'occupait de l'éducation de jeunes êtres, de sa sœur et de son neveu. Le disciple d'Helvétius devenu maître veut fonder une école du naturel. Il n'a pour le moment que deux élèves, Pauline et
Gaëtan, mais il les surveille avec un soin jaloux. Il les met en
classe de sixième pour leur apprendre tout d'abord à raisonner selon la méthode d'Helvétius, et plus tard de Tracy. Il a
déjà l'ambition d'en faire des êtres d'exception, des êtres
d'élite. Cet enseignement ne donnera pas, il est vrai, les résultats qu'en escomptait Stendhal. Aussi Stendhal créera-t-il
des Julien Sorel, des Lucien Leuwen, des Fabrice et des Lamiel, fidèles adeptes d'une école du naturel où l'enseignement
idéologique sera singulièrement limité, assoupli et transformé
par l'éthique stendhalienne. Mais en 1804, Beyle, qui n'a
d'autre but que d'établir des cours par correspondance, croit
fort naïvement former de bons élèves en leur apprenant à
raisonner selon Helvétius. Il s'informe auprès de Pauline des
progrès de son neveu : « Dis-moi en détail l'effet que mes lettres font sur lui. T'en parle-t-il ? Est-il discret ? S'il va dire
partout : « Mon cousin dit que l'intérêt guide les hommes,
etc., etc., » j'y renonce. Je me suis déjà assez nui en parlant

d'Helvétius, surtout devant mon oncle, qui dit du mal de moi
à tout le monde... » (33).

En effet, comme nous l'avons vu, Helvétius montre que
nos passions, nos idées, et par conséquent nos actions dépendent de la sensation. Comme l'homme recherche la sensation
de plaisir ou de bonheur, il pense, agit et se passionne en
fonction de son intérêt ou de son plaisir. Il juge utile, dit
Helvétius, ce qui lui est agréable; l'intérêt ainsi défini se ramène donc à la somme des sensations les plus agréables que
l'être humain est sans cesse amené à rechercher.

En étudiant Helvétius, Stendhal est frappé par sa définition
de l'idée « d'intérêt ». Il s'attache peu, par ailleurs, à la formation idéologique de ce concept chez Helvétius; il n'en retient que les conséquences. Le principe défini par Helvétius
est pour le jeune Beyle, pendant les années 1803 et 1804, la
seule manière de comprendre (théoriquement) les hommes en
société. Il fait de ce principe une véritable méthode de travail, la considérant comme seule efficace : « J'ai trouvé une
bonne manière de l'étudier [l'histoire], et cela par une conséquence de cette maxime qui est en gros caractères sur ma
cheminée : « Quand un homme te parle, fais-toi avant tout
ces questions : 1° - *Quel intérêt a-t-il à te parler ?* 2° - *Quel
intérêt a-t-il à te parler dans ce sens ? Ne le crois que quand
il a intérêt à te dire la vérité.* J'ai besoin de m'inculquer ces
maximes ; car mon caractère passionné m'en éloigne sans
cesse, je suis toujours porté à croire les gens que j'aime. Mais
je vois, chaque jour, qu'il n'y a point de bonheur sans connaissance de la vérité. Crois cela et agis en conséquence » (34).

De même, selon Helvétius, tout peut s'expliquer par l'intérêt : « Que nous présente en effet le théâtre de ce monde ?
rien que les jeux divers et perpétuels de cet intérêt » (35). Il
est ainsi amené à étudier l'influence de l'intérêt aussi bien
dans le domaine intellectuel que dans le domaine moral, dans
les petites sociétés comme dans les grandes, au point de vue
d'un particulier comme au point de vue des nations : « Or,
sous cet aspect, je dis que le public, comme les sociétés particulières, est, dans ses jugements, uniquement déterminé par
le motif de son intérêt; qu'il ne donne le nom d'honnêtes, de
grandes ou d'héroïques, qu'aux actions qui lui sont utiles; et
qu'il ne proportionne point son estime pour telle ou telle action sur le degré de force, de courage, ou de générosité nécessaire pour l'exécuter, mais sur l'importance même de cette
action et l'avantage qu'il en retire » (36).

(33) *Corr.*, I, 233-234, lettre datée de thermidor an XII (juillet ou
août 1804).
(34) *Corr.*, I, 236, lettre datée d'août 1804.
(35) *De l'Homme*, IV, 346.
(36) *De l'Esprit*, 119.

Il est significatif de confronter ce passage avec une lettre de Stendhal qui s'en rapproche sur de nombreux points. En février 1803, donc après la lecture d'Helvétius, Stendhal écrit : « *Tout homme regarde les actions d'un autre homme comme vertueuses, vicieuses* ou *permises*, selon qu'elles lui sont *utiles, nuisibles*, ou *indifférentes* ». Il conclut en adressant ces conseils à Pauline : « Applique ce raisonnement à tous les grands hommes, et tu verras combien il est vrai que chaque homme juge tout par son intérêt » (37).

*
**

Ainsi l'intérêt explique les jugements que chacun de nous porte sur les actes d'autrui. De même, il explique les jugements que portent les sociétés sur les actions de leurs membres. Le public en effet, dit Helvétius, n'estime que les actions qui lui sont utiles. N'est appelé vertu que le désir du bien général. Il doit donc y avoir conciliation, et non opposition, entre l'intérêt personnel et l'intérêt général. Car tout être humain recherche l'estime d'autrui comme la chose qui lui est le plus agréable; ses actes seront donc dictés par le désir de mériter cette estime; l'homme ne peut trouver le bonheur s'il y a désaccord entre l'intérêt personnel et l'intérêt public » (38). C'est bien là l'idée que Stendhal emprunte à Helvétius : « En un mot tout consiste à faire coïncider nos intérêts et ceux des autres » (39).

Nous avons vu que, pour Helvétius, tout homme recherche des sensations de plaisir, c'est-à-dire le bonheur (40); de même tout intérêt se réduit chez l'homme à la recherche du plaisir. Or l'homme ne peut trouver le bonheur si son intérêt va à l'encontre de l'intérêt général; il ne peut être heureux en effet, si ses actes encourent la réprobation d'autrui. Ainsi donc, le bonheur défini par Helvétius coïncide avec la vertu : « Je ne m'étendrai pas davantage sur cet article; je rentre dans mon sujet; et je dis que tous les hommes ne tendent qu'à leur bonheur; qu'on ne peut les soustraire à cette tendance; qu'il serait inutile de l'entreprendre, et dangereux d'y réussir; que par conséquent, l'on ne peut les rendre vertueux

(37) *Corr.*, I, 106.
(38) Il ne peut y avoir de bonheur, et par suite de vertu, sans cet accord, dit Helvétius : « C'est l'heureuse conformité qui se trouve entre notre intérêt et l'intérêt public, conformité ordinairement produite par le désir de l'estime, qui nous donne pour les hommes ces sentiments tendres dont leur affection est la récompense » (*De l'Esprit*, 373).
(39) *Pensées*, I, 108, fragment tiré du cahier daté du 30 germinal an XI (20 avril 1803).
(40) Nous pouvons lire en effet dans Helvétius : « Or, si l'amour de notre être est fondé sur la crainte de la douleur et l'amour du plaisir, le désir d'être heureux est donc en nous plus puissant que le désir d'être » (*De l'Esprit*, 446).

qu'en unissant l'intérêt personnel à l'intérêt général » (41).
Alors qu'Helvétius avait démontré que le plaisir était attaché
à la satisfaction des désirs, il en vient, à la suite d'un habile
paradoxe, à le confondre avec le désir du bonheur général. Ce
raisonnement s'explique, si l'on songe à l'importance qu'Helvétius attache à la société : étudiant l'homme en société, il
constate que le désir de sociabilité, et par conséquent le besoin de l'estime d'autrui, finit par se confondre avec l'intérêt
personnel. Stendhal, dans ses années de formation intellectuelle, retient d'Helvétius l'idée de l'utilité publique, qui est
pour ce philosophe le principe de toutes les vertus humaines.
« Tu dois t'appliquer », écrit-il à Pauline, « à chercher quelles sont les choses qui peuvent faire ton bonheur; tu verras
enfin que c'est la vertu et l'instruction; quand tu seras convaincue de ces deux vérités, je ne suis plus en peine de toi,
tu te trouveras vertueuse et instruite sans t'en douter » (42).
    Voilà donc Stendhal, essayant déjà de définir la qualité
première des êtres d'élite, cette qualité qu'il appellera plus
tard noblesse de l'âme en la découvrant chez Corneille. Mais
la morale stendhalienne tirée d'Helvétius reste une morale
sociale, la vertu cornélienne ne peut être qu'individuelle et
héroïque. L'idéologue Helvétius ne rejoint-il pas d'ailleurs
temporairement Corneille pour s'en séparer aussitôt lorsqu'il
fait allusion à la noblesse de l'âme : « Il faut donc pour être
honnête, joindre à la noblesse de l'âme les lumières de l'esprit. Quiconque rassemble en soi ces différents dons de la
nature se conduit toujours sur la boussole de l'utilité publique. Cette utilité est le principe de toutes les vertus humaines » (43). La noblesse de l'âme n'est donc point tout d'abord
aux yeux de Stendhal une vertu cornélienne, puisqu'il exige
pour lui-même et les autres non point le dépassement de soi,
mais le bonheur. Il accorde plus de foi à la philosophie du
XVIIIᵉ siècle qu'à un moraliste comme Corneille, qui vivait
dans l'époque ardente et fiévreuse de Louis XIII et s'en ins-
pirait. La vertu n'est pas encore pour lui le sentiment de
l'honneur, mais elle est liée au bonheur. Nous étudierons plus
tard l'évolution et la transformation de cette notion du
bonheur chez Stendhal, et nous pourrons constater que ce
terme, en entrant dans l'éthique stendhalienne du naturel,
prend un sens différent, parfois même contraire à celui qui
lui était attribué en 1803. Mais, pour le moment, en établissant la définition suivante de la vertu : « La vertu est le désir
de rendre les hommes aussi heureux qu'il vous est possible » (44), Stendhal ne fait que répéter les leçons d'Helvé-

(41) *Ibid.*, 161.
(42) *Corr.*, I, 90, lettre datée du 9 pluviôse an XI (29 janvier 1803).
(43) *De l'Esprit*, 80.
(44) *Corr.*, I, 227, lettre datée du 23 messidor an XII (12 juillet 1804).

tius (45). Ce travail préliminaire de classification servira au futur romancier, ce sont les mêmes concepts que nous retrouverons étudiés dans les romans, mais avec les corrections et les remaniements que leur auront apportés la vie, son expérience personnelle, l'étude et la pratique de diverses sociétés européennes. Dans ces années de jeunesse où il se fait élève pour être meilleur professeur, il ne saurait appliquer la méthode idéologique sans en montrer l'impérieuse nécessité à sa sœur : « Les divers sens que nous attachons aux mots dont nous nous servons souvent, sont une grande source d'erreurs. Attachons-nous donc à voir ce que disent ces mots. Fais-donc bien vite un cahier d'application, ne prononce jamais le mot de vertu sans te dire *tout ce qui est utile au plus grand nombre* » (46).

L'art de vivre stendhalien repose donc à l'origine sur la notion d'altruisme. C'est qu'avant de mettre en pratique la chasse au bonheur, Stendhal en étudie la signification théorique. On a insisté bien souvent sur l'égocentrisme de Stendhal; pourtant, il faut bien noter que celui-ci se développe d'abord en fonction d'une morale tout utilitaire.

Trois ans après sa première lecture d'Helvétius, Stendhal se souvient encore des leçons du philosophe, lorsqu'il prêche à Pauline le désintéressement personnel et l'amour d'autrui comme étant un des secrets du bonheur : « Songe au vif bonheur qu'on éprouve à voir un heureux, et un heureux que l'on a fait. C'est le secret du bonheur. Les plaisirs égoïstes ne sont jamais enivrants, ce qui l'est, c'est de voir un être qu'on aime aussi heureux qu'on peut le rendre. C'est ce qui a fait inventer la vertu » (47).

Cette notion du bonheur que formule ici Stendhal est encore applicable à certains de ses romans : Mosca mettra le bonheur de la Sanseverina au-dessus du sien, Clélia et la duchesse chercheront avant tout le bonheur de Fabrice; quant à Fabrice, il s'appliquera à satisfaire les volontés de Clélia. C'est seulement la notion de société qui s'est transformée ; Helvétius ne voit que le bien public et étudie les lois qui permettent de faire coïncider l'intérêt personnel et l'intérêt général ; les héros stendhaliens ne peuvent limiter leur vie à une

(45) « La conclusion générale de tout ce que je viens de dire, c'est que la vertu n'est que le désir du bonheur des hommes » (*De l'Esprit*, 140).
(46) *Corr.*, I, 178, lettre datée du 21 floréal an XII (11 mai 1804). On peut rapprocher cette citation du passage suivant d'une lettre datée du 29 janvier 1803 : « Les peuples les plus heureux sont les peuples pauvres, et il n'y a qu'un chemin au bonheur sur la terre, c'est la vertu » (*ibid.*, I, 86).
(47). *Ibid.*, II, 175, lettre datée du samedi 22 mars 1806.

société restreinte d'individus d'élite; ils ont à lutter contre tous ceux qui leur sont dissemblables, qui manquent de générosité et de naturel. Ainsi, pour mieux se défendre contre leurs ennemis, confondront-ils leurs intérêts dans un même idéal : ils chercheront inconsciemment les lois qui peuvent procurer à leur groupe le maximum de bonheur et de joie. Les intérêts de Mosca, de la duchesse, de Clélia et de Fabrice, si opposés qu'ils soient à l'origine, finiront par se soumettre à l'intérêt général de leur groupe (48).

Nous verrons plus tard et plus en détail, comment une réflexion de Stendhal faite en 1803 peut s'appliquer à ses romans. Le jeune Beyle écrivait en effet, en août 1803 : « Influence sur nous de l'idéal du bonheur montré par H (elvétius) » (49).

Cette influence n'est pas la seule. Cherchant le bonheur d'un côté, Stendhal, d'autre part, cherchera aussi la gloire. Là encore, dans son effort pour trouver une méthode, il s'inspire d'Helvétius. Car le philosophe qui fonde son système sur l'utilité publique, qui demande des lois propres à favoriser le bonheur général, est obligé, malgré tout, de constater que certaines conditions sont, plus que d'autres, favorables au génie, aux grandes découvertes, à la supériorité de l'esprit.

Le bonheur par ailleurs ne saurait qu'aller de pair avec l'utilisation d'une méthode rationnelle pour le découvrir et l'exploiter. Comme tous les philosophes de son temps, Helvétius pense que les grands talents et les progrès de l'esprit humain sont une des conditions de la marche ascendante de l'humanité. Lorsqu'il étudie l'éducation et les moyens qui permettent à l'homme d'être heureux, il accorde une place importante à l'acquisition des talents. « C'est l'émulation qui produit les génies, et c'est le désir de s'illustrer qui crée les talents. C'est du moment où l'amour de la gloire se fait sentir à l'homme, et se développe en lui, qu'on peut dater les progrès de son esprit. Je l'ai toujours pensé, la science de l'éducation n'est peut-être que la science des moyens d'exciter l'émulation. Un seul mot l'éteint ou l'allume. L'éloge donné au soin avec lequel un enfant examine un objet, et au compte exact qu'il en rend, a quelquefois suffi pour le douer de cette espèce

(48) Il ne saurait être question de comparer la morale stendhalienne (en ce qui concerne l'œuvre romanesque) et la morale d'Helvétius, mais de montrer que leur point de départ est identique. Il faut cependant constater que la morale d'Helvétius ne peut se définir qu'en rapport avec la politique et la législation.
(49) *Pensées* I, 147, pensée extraite d'un cahier qui porte en tête la date du 21 Thermidor an XI (9 août 1803).

d'attention à laquelle il a dû dans la suite la supériorité de son esprit. L'éducation reçue, ou dans les collèges, ou dans la maison paternelle, n'est donc jamais la même pour deux individus » (50).

En étudiant la supériorité de l'esprit propre au génie, Helvétius met en valeur les principaux facteurs qui sont à l'origine de son développement. Ce sont tout d'abord le besoin, ou désir de la gloire, l'application et l'attention extrême portée sur un objet exclusif, et aussi le hasard, élément important de l'éducation, qui représentent ces mille circonstances insignifiantes au premier abord, mais qui permettent de mettre en jeu des puissances insoupçonnées, de polariser l'attention et l'intérêt sur un objet déterminé. Ce n'est pas seulement à travers Helvétius, c'est à travers tous les auteurs qu'il étudie, Cabanis, ou Madame de Staël, que Stendhal cherche ce que peut être le génie. Une bonne partie de sa formation intellectuelle consiste à épuiser toutes les définitions de ce terme, sans les compléter l'une par l'autre. Il passe son temps à chercher une méthode qui permette de devenir créateur, car il croit que l'on apprend à devenir un génie. Ce n'est pourtant pas en se mettant à l'école d'Helvétius et des Idéologues qu'il se montre original. C'est lorsqu'il veut acquérir un talent génial qu'il se montre le plus dépourvu d'invention. Pour être heureux, il faut devenir un être d'exception, pense-t-il, et l'homme ne devient un être supérieur qu'en observant la méthode idéologique d'Helvétius : « Je crois qu'en quelque genre que ce soit le génie n'est qu'une plus grande dose de bon sens, or le bon sens s'acquiert à force de travailler, c'est-à-dire à force d'observer et de réfléchir sur ses observations. L'homme qui a pour but de réussir dans une partie quelconque doit donc en faire l'unique objet de ses méditations » (51).

Nous avons vu l'importance qu'Helvétius attache à l'attention, qui est pour lui la faculté de réfléchir sur les sensations que produisent sur nous les objets divers. Certes, tous les hommes, pour Helvétius, naissent avec une disposition égale à l'acquisition de l'esprit et des talents, puisqu'ils ont tous la possibilité de porter des jugements sur les différentes sensations qu'ils éprouvent, et que l'esprit ne tient pas à la finesse plus ou moins grande des sens. Mais l'homme de génie est celui qui sera placé dans les circonstances les plus propres à favoriser ses possibilités d'observation : « Le génie, selon nous, ne peut être que le produit d'une attention forte et concentrée dans un art ou une science; mais à quoi rapporter

---

(50) *De l'Homme*, III, 23-24.
(51) *Pensées*, I, 37. Cette réflexion est extraite d'un cahier formé de quelques feuillets non datés et perdus sans doute de 1803, ou un peu plus tôt.

cette attention ? au goût vif que l'on sent pour cet art ou
cette science. Or, ce goût n'est pas un pur don de la nature.
Naît-on sans idées ? on naît aussi sans goût. On peut donc les
regarder comme des acquisitions dues aux positions où l'on
se trouve » (52).

*

L'art de développer les talents aura des rapports étroits
avec l'art de l'éducation. Helvétius donne à ce concept une
signification beaucoup plus large que celle qu'on lui attribue
couramment : « Si, *par éducation,* on entend simplement celle
qu'on reçoit dans les mêmes lieux, et par les mêmes maîtres,
en ce sens l'éducation est la même pour une infinité d'hommes. Mais si l'on donne à ce mot une signification plus vraie
et plus étendue, et qu'on y comprenne généralement tout ce
qui sert à notre instruction; alors je dis que personne ne reçoit la même éducation; parce que chacun a, si je l'ose dire,
pour précepteurs, et la forme du gouvernement sous lequel il
vit, et ses amis, et ses maîtresses, et les gens dont il est entouré, et ses lectures, et enfin le hasard, c'est-à-dire une infinité d'événements dont notre ignorance ne nous permet pas
d'apercevoir l'enchaînement et les causes. Or, ce hasard a
plus de part qu'on ne pense dans notre éducation. C'est lui
qui met certains objets sous nos yeux, nous occasionne, en
conséquence, les idées les plus heureuses, et nous conduit
quelquefois aux plus grandes découvertes » (53).

Stendhal transformera ce concept de l'éducation en lui con-
férant une forme plus large et plus mouvante, en lui donnant vie dans ses œuvres. Nous reviendrons plus tard sur ce
point, mais, notons-le au passage, Stendhal s'attache, dans
ses romans, à étudier les mille petites circonstances, tributai-
res du hasard, qui formeront peu à peu le caractère de Julien, de Fabrice ou de Clélia. Les précepteurs de Julien, ce
seront et la forme du gouvernement où il vit (permettant aux
classes sociales inférieures de s'élever soit par les armes, soit
par le clergé), ses amis (le curé Chélan), ses maîtresses et les
gens dont il est entouré, ses lectures enfin (le *Mémorial de
Sainte-Hélène*). Stendhal étudie avec une patience et une minutie infinies tous les changements que produisent ces diverses circonstances sur le comportement de Julien. Le cas est

---

(52) *De l'Homme,* III, 31-32.
(53) *De l'Esprit,* 252-253. Dans son ouvrage postérieur et posthume,
De l'Homme, Helvétius remarque de même l'influence du hasard sur
l'éducation : « Le hasard a donc sur notre éducation une influence nécessaire et considérable. Les événements de notre vie sont souvent le produit des plus petits hasards. Je sais que cet aveu répugne à notre vanité.
Elle suppose toujours de grandes causes à des effets qu'elle regarde comme
grands » (III, 27-28).

encore plus net pour Fabrice et pour Lamiel, dont le caractère
ne semble guère déterminé à l'origine, mais Stendhal montre
chez eux l'éducation donnée par la vie, et comment un jeune
homme un peu rêveur devient un ascète, comment une petite
campagnarde se révèle peu à peu une aventurière à la fois
intelligente, hardie et désabusée.

A ce sujet, une réflexion d'Helvétius éclaire parfaitement
la psychologie des héros stendhaliens : « Les caractères les
plus tranchés sont quelquefois le produit d'une infinité de
petits accidents. C'est d'une infinité de fils de chanvre que se
composent les plus gros câbles. Il n'est donc point de changement que le hasard ne puisse occasionner dans le caractère
d'un homme » (54).

Mais si Helvétius revient tant de fois sur l'importance et
le rôle du hasard dans l'éducation, c'est parce qu'il remarque l'inégalité de l'esprit parmi les hommes. Après avoir répété que les idées ne venaient que des sens, et que, par conséquent, tous les hommes avaient, à l'origine, des dispositions
semblables dans le domaine intellectuel, il cherche les moyens
et les lois qui pourront atténuer, sinon supprimer, cette inégalité des esprits. Il est ainsi amené à se demander : « Mais
est-il un moyen de rendre l'éducation de l'homme plus indépendante du hasard, et comment faire pour y réussir ? » (55).

En philosophe du XVIIIᵉ siècle, Helvétius formule une réponse à cette question : « *N'enseigner que le vrai*. L'erreur se
contredit toujours; la vérité jamais » (56). Mais qu'est-ce que
cette vérité dont se réclame Stendhal aussi bien qu'Helvétius ? Un concept bien élémentaire qui ne prouve chez l'Idéologue et son disciple qu'un désir d'absolu. Leurs exigences
morales les contraignent à des exigences intellectuelles qui se
satisfont aisément : pour eux les jugements qui reposent sur
des faits sont vrais; et ils laissent de côté tous les faits qui
ne sont pas réductibles à la seule raison. Seuls les jugements
vrais permettront à l'homme de distinguer entre les passions
funestes à l'intérêt général et les passions nuisibles à l'intérêt
général. Ils traitent le bonheur comme un problème; ils le ré-
solvent par une démonstration : « Je crois », écrit Stendhal à
Pauline », et je te le démontrerai par la suite, que tout

(54) *De l'Homme*, III, 27.
(55) *Ibid.*, 47.
(56) *De l'Homme*, III, 47. Pour Helvétius, en effet, tous les hommes
naissent avec l'esprit juste, et l'erreur est une conséquence des passions
humaines, de mauvaises lois, ou d'une mauvaise application des lois :
« Il ne me reste (...) qu'à rappeler ici que l'erreur, comme je l'ai dit dans
mon premier discours, toujours accidentelle, n'est point inhérente à la
nature particulière de certains esprits; que tous nos faux jugements sont
l'effet, ou de nos passions, ou de notre ignorance : d'où il suit que les
hommes sont, par la nature, doués d'un esprit également juste, et qu'en
leur présentant les mêmes objets, ils en porteraient tous les mêmes jugements » (*De l'Esprit*, I, 287).

malheur ne vient que d'erreur, et que tout bonheur nous est prouvé par la vérité : faisons donc tous nos efforts pour connaître cette vérité » (57). Stendhal fait semblant d'ignorer qu'il y a des postulats que l'on ne peut démontrer. Faire de la vérité un postulat, s'appuyer sur elle pour traiter de façon logique tous les problèmes humains, telle est la première attitude beyliste; elle recouvre, sous ses apparences rationalistes, une foi aveugle dans l'homme et dans ce que le XVIIIᵉ siècle a appelé ses « lumières ». La philosophie matérialiste d'Helvétius, qui est celle même du siècle de Voltaire, cache bien sa mystique. Elle veut ignorer tout ce qui ne se rattache point au domaine des faits prouvés par l'expérience, mais elle montre une confiance irraisonnée et aveugle dans l'homme et dans ses facultés, confiance que jusqu'alors nul fait n'est venu prouver ou démontrer. Quand l'homme est devenu un dieu pour l'homme, on l'adore avec une passion que rien ne vient jamais limiter; on justifie même les erreurs de ce faux dieu : elles ne sont que les étapes d'une marche ascendante vers le progrès. Ce sont seulement des esprits non avertis, qui, selon Helvétius, admettent que l'erreur humaine est une tare originelle. Stendhal, comme Helvétius, estime que l'erreur et le mal ne sont que des accidents et qu'ils ne sauraient mettre en cause la perfection humaine, individuelle et sociale. Les philosophes comme Helvétius recherchent une commune mesure, un dénominateur commun qui permette à tous les hommes de concilier leurs jugements, de s'entendre, et par suite d'être heureux. Beyle veut faire de son neveu Gaëtan un dieu pour lui-même et pour autrui, lorsqu'il l'oblige à soumettre tous ses jugements à la démonstration fondée sur l'évidence : « Songe au plaisir que nous en aurons si nous en [de Gaëtan] faisons autre chose qu'un provincial. Pour cela il n'y a qu'une voie, c'est de l'accoutumer (religion à part) à ne croire que ce qui lui sera démontré comme les trois angles d'un triangle, égaux à deux droits » (58). Sept ans plus tard, en 1812, Stendhal note avec satisfaction l'absence d'idées fausses chez Gaëtan, et les idées nouvelles et justes que l'Idéologie lui a donné l'occasion d'acquérir : « Ses pensées sont neuves parce qu'il a refait à neuf beaucoup d'idées générales qui servent de mesure, comme : gloire, grandeur, bonheur, etc. Les autres mesurent ce qu'ils aperçoivent dans la nature avec une aune qui a quarante-deux pouces. Celle qu'il s'est faite au moyen d'Hel(vétius), de Tra(cy) et de l'expérience est de trente-neuf. Il n'est donc nullement extraordinaire que le résultat de la mesure ne soit pas le même » (59).

(57) *Corr.*, I, 178, lettre datée du 21 floréal an XII, 11 mai 1804.
(58) *Corr.*, II, 32, lettre du 22 fructidor an XIII (9 septembre 1805).
(59) *Journal*, V, 89, passage daté du 20 janvier 1812.

Si Stendhal s'attache avec tant de force à la recherche de la vérité, s'il est sans cesse possédé par ce souci de logique, de clarté dans les pensées, de netteté dans l'expression, il ne fait qu'utiliser sur un plan personnel les principes qu'Helvétius applique à l'étude et à l'amélioration de la société. Car, pour Helvétius, le législateur doit être aussi philosophe, et en étudiant les hommes et leurs passions, il ne doit s'appuyer que sur les faits : « Le philosophe doit donc s'élever jusqu'au principe simple et productif de leurs facultés intellectuelles et de leurs passions, ce principe seul qui peut lui révéler le degré de perfection auquel peuvent se porter leurs lois et leurs instructions, et lui découvrir quelle est sur eux la puissance de l'éducation » (60).

Le philosophe ou le moraliste ne peut donc être que sensualiste. Car ce principe simple et productif des facultés intellectuelles et des passions humaines est le suivant : toutes les idées viennent des sens, et toutes les passions reposent à l'origine sur la sensation. C'est évidemment la sensation de bonheur que recherchent les hommes : « Tout intérêt ne se réduit-il pas en nous à la recherche du plaisir ? » écrit Helvétius (61).

Mais les sociétés changent : elles n'ont plus aujourd'hui le même intérêt qu'hier, et n'auront pas demain le même intérêt qu'aujourd'hui. Le législateur et le moraliste suivront donc l'intérêt public dans ses changements; à chaque déplacement de l'intérêt public doit correspondre une transformation dans les lois.

Car il est évident que pour Helvétius le moraliste et le législateur doivent se confondre; on ne saurait rendre les hommes meilleurs et plus heureux si on ne connaît leurs passions. Sur un autre plan, c'est également la forme du gouvernement qui, par le moyen de l'éducation, permet aux grands talents de naître et de se développer. Parlant des hommes de génie, Helvétius écrit : « En veut-on augmenter le nombre dans une nation ? qu'on observe les moyens dont se sert le hasard, pour inspirer aux hommes le désir de s'illustrer. Cette observation faite, qu'on les place à dessein et fréquemment dans les mêmes positions, où le hasard les place rarement, c'est le seul moyen de les multiplier » (62).

(60) *De l'Homme*, III, 2.
(61) *Ibid.*, III, 180.
(62) *Ibid.*, 35-36. Dans *l'Esprit*, Helvétius reprend cette idée sous une forme différente : « L'inégalité d'esprit qu'on remarque entre les hommes dépend donc et du gouvernement sous lequel ils vivent, et du siècle plus ou moins heureux où ils naissent, et de l'éducation meilleure ou moins bonne qu'ils reçoivent... » (*Ibid.*, 472-473).

Helvétius étudie ainsi l'éducation sur différents plans; l'éducation doit être l'objet et le souci aussi bien du précepteur, sur le plan individuel, que du législateur sur le plan collectif et social. La vivacité des passions dépend en effet des moyens que le législateur emploie pour les allumer, et puisque les grandes passions font naître les hommes de génie, de bonnes lois pourront permettre aux hommes supérieurs de montrer leurs talents : « L'expérience prouve donc que le caractère et l'esprit des peuples changent avec la forme de leur gouvernement; qu'un gouvernement différent donne tour-à-tour à la même nation un caractère élevé ou bas, constant ou léger, courageux ou timide » (63).

Mais Helvétius ne légifère ni dans l'absolu, ni dans l'universel; il appuie toujours ses constatations sur des faits, qui, dans ce cas, sont des faits historiques. Eloigné de tout dogmatisme, son système est avant tout opportuniste. Certes, un régime qui garantit la liberté de tous est souhaitable; et cependant, d'après Helvétius, une certaine forme de despotisme est aussi susceptible, plus qu'un gouvernement républicain, de faire naître les grands talents, d'encourager, de favoriser les sciences et les arts. Sur ce point, nous retrouvons chez lui les contradictions que nous avons déjà signalées. En tant que philosophe, moraliste et Idéologue, il ne peut que désirer le bonheur du plus grand nombre, donc le maximum de liberté pour tous. En tant qu'homme de lettres, il constate qu'un état où tous les citoyens sont libres ne donne guère le premier rang à l'artiste, au philosophe ou au savant; que le despotisme ou la monarchie éclairée encouragent, au contraire, les progrès des lettres et des sciences. En tant qu'homme enfin, désireux de mener avant tout une vie indépendante, en tant qu'esthète aussi, comment ne préfèrerait-il pas une forme de gouvernement qui, n'étant pas strictement égalitaire, cherche avant tout à exciter l'émulation des sujets, à favoriser les hommes supérieurs, à combler d'honneurs ceux qu'il appelle « les hommes de génie », quitte à sacrifier, évidemment, le bonheur du plus grand nombre, car il est fort difficile de faire coïncider les droits de l'élite avec les droits de tous ?

**

Ces contradictions, nous les retrouverons chez Stendhal, dans la mesure même où il s'est inspiré d'Helvétius, dans son mépris pour la « canaille », ses tendances aristocratiques, et son horreur du despotisme, son amour pour la liberté; dans l'*Histoire de la peinture en Italie*, il aura l'occasion d'utiliser

(63) *Œuvres complètes*, *De l'Homme*, III, 272.

de nombreuses constatations d'Helvétius; parmi elles la réflexion suivante : « En tout pays où ces événements s'enchaînent et se succèdent, le seul instant favorable aux lettres est
malheureusement celui où les guerres civiles, les troubles, les
factions s'éteignent; où la liberté expirante succombe comme
au temps d'Auguste sous les efforts du despotisme. Cette époque précède de peu celle de la décadence d'un empire. Cependant les arts et les sciences y fleurissent. Il est deux causes
de cet effet. La première est la force des passions; dans les
premiers moments de l'esclavage, les esprits encore vivifiés
par le souvenir de leur liberté perdue, sont dans une agitation
assez semblable à celle des eaux après la tourmente » (64).
Nous avons, une fois de plus, l'occasion de voir l'importance
qu'Helvétius accorde aux passions qui font toute la force d'un
homme, comme celle d'une nation : « Aussi, les succès, comme
le prouve toute l'histoire, accompagnent toujours les peuples
animés de passions fortes...» (65).

Helvétius explique par ailleurs comment, dans le gouvernement despotique, l'intérêt du souverain coïncide précisément avec l'intérêt de l'élite, c'est-à-dire des hommes supérieurs, des hommes de talent ou de génie : « Au moment où
le despotisme s'établit, que désire le monarque ? D'inspirer
l'amour des arts et des sciences à ses sujets. Que craint-il ?
Qu'ils ne portent les yeux sur leurs fers; qu'ils ne rougissent
de leur servitude, et tournent encore leurs regards vers la liberté. Il veut donc leur cacher leur avilissement; il veut occuper leur esprit. Il leur présente à cet effet de nouveaux objets de gloire. Hypocrite amateur de sciences, il marque d'autant plus de considération à l'homme de génie qu'il a plus besoin de ses éloges » (66).

2. — HELVETIUS ET LES ACQUISITIONS STENDHALIENNES

Stendhal se souviendra d'Helvétius lorsqu'il écrira, de 1814
à 1817, *l'Histoire de la peinture en Italie*. Cette œuvre nous
paraît avoir deux origines, une origine idéologique que nous
relevons dès maintenant, et une origine cornélienne, que nous
noterons plus tard. Stendhal étudie le XVIe siècle italien en
fonction de l'optique d'Helvétius, c'est-à-dire en fonction d'un
système législatif qui tend à assurer, non point le bonheur de
tous, mais une production intensive dans le domaine artistique, littéraire et scientifique.

(64) *Œuvres complètes, De l'Homme*, IV, 47.
(65) *De l'Esprit*, 430.
(66) *Œuvres complètes, De l'Homme*, IV, 48.

Helvétius et Stendhal, démocrates par amour de la vérité, c'est-à-dire de la justesse dans le raisonnement, passent du côté de la tyrannie et du despotisme lorsqu'ils sacrifient l'intérêt de tous à la gloire des êtres d'exception. A la fin du XV° siècle et au début du XVI°, l'Italie morcelée en petits états, était gouvernée, à l'intérieur de chacun d'eux, par des tyrans qui favorisaient les arts et les sciences : « l'heureuse Italie n'avait à obéir qu'à ses princes naturels, nés et habitant dans son sein, passionnés pour les arts comme ses autres enfants » (67). Helvétius avait déjà donné à Beyle, en 1803 et en 1804, la réponse à la question que se pose Stendhal dans *l'Histoire de la peinture en Italie* : « Pourquoi », se demande Stendhal au sujet des arts en Italie, « la nature si féconde pendant ce petit espace de quarante-deux ans, depuis 1452 jusqu'en 1494, que naquirent ces grands hommes, a-t-elle été depuis d'une stérilité si cruelle ? » (68). Mais Helvétius n'a-t-il pas déjà appris à Beyle que l'énergie est exaltée lorsque les peuples essaient de triompher de tout obstacle qui s'oppose à leur liberté, que ce soit la monarchie ou le despotisme : « Ainsi l'époque brillante de la peinture fut préparée par un siècle de repos, de richesses et de passions ; mais elle fleurit au milieu des batailles et des changements de gouvernements » (69).

Mais si le despotisme exalte les passions, la monarchie tempérée les annihile. Helvétius, et Stendhal avec lui, semblent n'admettre que deux formes de gouvernements : celui où toute liberté est supprimée, celui où la liberté absolue existe.

Dans un état où la liberté est limitée, les passions sont étouffées, dit Helvétius. Dans un pays où il n'y a point de petits princes pour favoriser les arts, dans un gouvernement où l'intérêt personnel n'est pas non plus lié à l'intérêt général, les hommes ne s'occupent pas d'eux-mêmes. Chacun cherche à s'assurer la protection des puissants : l'hypocrisie et la flatterie seront les seuls moyens de se procurer des avantages, et non le libre exercice des facultés de l'homme, puisque ces facultés sont entravées par l'indifférence de la monarchie. Au XVIII° siècle et sous Louis XV, « la frivolité des Français, l'inquisition de leur police, le crédit de leur clergé les rend en général plus semblables entre eux qu'on ne l'est partout ailleurs » (70). C'est qu'au lieu de s'opposer aux puissants,

(67) *Histoire de la peinture en Italie,* éd. Martineau, le Divan, Paris, 1929, I, 39.
(68) *Ibid.,* I, 37-38.
(69) *Ibid.,* I, 40-41.
(70) *Œuvres complètes, De l'Homme,* III, 272.

les Français flattent ceux qui sont au pouvoir pour en obtenir des faveurs : « C'est que les Français ne jugent et pensent point d'après eux, mais d'après les gens en place ; leur manière de voir par cette raison doit être assez uniforme » (71). Helvétius a fourni à Stendhal sous forme abstraite, le concept de vanité que développera concrètement le romancier. La vanité mène les hommes lorsqu'ils n'obéissent qu'à l'amour de soi, sans le relier à l'amour d'autrui, lorsque l'intérêt personnel n'est pas rattaché à l'intérêt général : « On ne peut supporter son ridicule dans autrui ; on s'injurie réciproquement ; et, dans ce monde, ce n'est jamais qu'une vanité qui se moque de l'autre » (72).

La vanité, devenue thème romanesque dans les œuvres stendhaliennes, a une origine conceptuelle idéologique. C'est en 1804, lorsqu'il lit Helvétius, que Stendhal note dans ses cahiers la réflexion suivante : « Mante croit avec moi que la vanité était la suite inévitable de toute civilisation perfectionnée » (73). Il constate par ailleurs, remarquons-le, que la vanité est un trait beaucoup plus marqué chez les femmes que chez les hommes. C'est Helvétius encore qui l'a amené à faire cette constatation : « Il croit les femmes tout vanité. Au reste relire très attentivement et discuter la partie de son *Esprit* intitulée philosophie. Relire ensuite ses ouvrages pour glaner » (74).

Une page de la *Correspondance* pourrait de même servir de préface à *Lucien Leuwen* et au *Rouge et Noir* : la vanité, « voilà tout le secret de nos mœurs et ce qui fait qu'un Français craint moins d'avoir tort que d'être ridicule » (75).

Cette peur constante d'être ridicule entraîne une extrême politesse dans les manières, qui n'est que la crainte de déplaire ou de choquer autrui. Une monarchie encourage donc, par son système législatif et judiciaire, l'égoïsme ou intérêt personnel défini par Helvétius ; on n'ose plus alors se livrer aux passions ni à l'exaltation, car on en prévoit déjà les conséquences funestes pour l'intérêt personnel. « L'extrême politesse, dis-je, est une suite nécessaire de l'extrême *égoïsme* (se préférer à tous les autres plus ou moins (...). L'égoïsme vient du gouvernement monarchique » (76).

Ainsi nous voyons très nettement établies, dans l'esprit de Stendhal, dès sa jeunesse, les notions de vanité, de crainte du ridicule, notions dont la lecture d'Helvétius et l'expérience

---

(71) *Ibid.*, III, 272.
(72) *De l'Esprit*, 569.
(73) *Pensées*, I, 297.
(74) *Ibid.*, II, 106 (Cahier portatif d'extraits commencé le 1er messidor, an XII, 20 juin 1804).
(75) *Corr.*, I, 207, lettre adressée à Pauline, datée de juin 1804.
(76) *Ibid.*, I, 206.

lui ont permis de vérifier la valeur ; ces notions sont donc des acquisitions dues à l'Idéologie, et elles formeront le support de la psychologie stendhalienne : les romans de Stendhal seront une mise en œuvre de ces concepts. Les sociétés stendhaliennes, formées d'hommes du monde, de courtisans, de petits ambitieux ou d'hypocrites, seront guidées par un seul intérêt : la vanité, ou encore ce qu'Helvétius appelait l'amour de soi, quand cet amour est exclusif, et ne s'attache qu'à favoriser les désirs et appétits personnels, et n'utilise jamais son pouvoir d'action pour aider autrui. Les âmes d'élite, les hommes généreux qui laissent s'épanouir entre eux le naturel et les passions, seront en butte à l'hostilité de ces sociétés, qui ne tolèrent chez elles ni la manifestation de la spontanéité, ni un comportement contraire aux règles de la politesse et du bon goût qu'elles ont despotiquement et hypocritement érigées.

Le Rouge et le Noir représente le conflit qui oppose l'homme d'élite à une société d'intrigants. Sorel se soumettra pendant un temps aux règles du jeu propres à cette société. Pour obtenir le succès, il mettra en pratique les moyens d'action dont se servent les ambitieux de son siècle. Comme eux, il sera hypocrite et lâche, il flattera les puissants, cachera son naturel, et, ainsi que l'a dit Helvétius, « pensera d'après les gens en place ». Jusqu'au jour où la passion l'emportera sur le calcul, où il sacrifiera une belle position ; au moment même où ses chances de succès ont atteint leur maximum, il se laissera emporter par la jalousie, par sa passion envers Madame de Rênal, mais en rompant avec la société, en oubliant l'ambition et l'intérêt, il retrouvera l'amour et le bonheur dans la prison.

Quant à Fabrice, il représente le naturel pur ; méprisant les convictions des groupes sociaux où il vit, il ne s'y plie que pour ne pas décevoir les espoirs que la Sanseverina a mis en lui.

De même, les héros des *Chroniques italiennes* évoluent avec une fierté pleine de spontanéité et d'aisance au milieu d'aventuriers et de mondains, de courtisans et carbonari. C'est que Stendhal place ses *Chroniques* en un temps où la civilisation n'a point encore atteint son point culminant ; c'est dans les époques troublées et privées de pouvoir central que les âmes ont encore assez d'audace pour affronter les préjugés naissants et le despotisme des puissants.

*
**

Ainsi s'explique la préférence de Stendhal pour les XVII° et XVIII° siècles italiens, époques de troubles et de dangers, comme il l'a dit lui-même. Les petits états, à l'égal des principautés italiennes dominées par de petits tyrans, ignorent la crainte du ridicule, car ils appartiennent encore à des temps primitifs : les grandes monarchies ne se développent que dans des époques plus civilisées : aussi connaissent-elles la vanité et ses corollaires, le bon ton et le bon goût. Lorsque les conventions et les préjugés se sont depuis longtemps établis dans une nation, toute dérogation aux règles fixées semble de mauvais goût, et le bon ton est celui-là seul que les membres de la société reconnaissant tacitement comme tel : « C'est par un effet de la même vanité que les gens du monde se croient les seuls possesseurs du *bel usage,* qui, selon eux, est le premier des mérites, et sans lequel il n'en est aucun. Ils ne s'aperçoivent pas que cet usage qu'ils regardent comme l'usage du monde par excellence, n'est que l'usage particulier de leur monde » (77).

Helvétius dit de même du bon ton : « Le *bon ton* est celui que chaque société regarde comme le meilleur après le sien; et ce ton est celui des gens d'esprit » (78). Il n'y a donc pas de bon ton ni de goût absolu, et le sens de ces concepts varie selon les sociétés dont ils sont une des manifestations. C'est donc en voyant la relativité de ces concepts qu'Helvétius est amené à étudier le « bel esprit », le goût, et, comme nous le verrons plus tard, à faire l'analyse de termes comme « le sublime ».

Chaque nation attache des idées différentes à l'expression de bel esprit, dit Helvétius, il en est de même pour le goût : « Tout changement arrivé dans le gouvernement ou dans les mœurs d'un peuple, doit nécessairement amener des révolutions dans son goût. D'un siècle à l'autre, un peuple est différemment frappé des mêmes objets, selon la passion différente qui l'anime » (79).

Stendhal retient cette analyse d'Helvétius, puisqu'il note dans ses cahiers cette réflexion sur le goût, datée du 19 janvier 1803, donc de ce même mois où il se consacre à la lecture de l'Idéologue : « Qu'est-ce que le goût ? Quel est le meilleur goût ? Quel est le goût qui doit durer le plus longtemps ? ».

Et il ajoute quelques lignes plus loin : « On peut chercher

---

(77) *De l'Esprit*, 105-106.

(78) *Ibid.*, 101. Dans ses cahiers, Stendhal exprime ainsi son avis sur la conception du bon ton formulée par Helvétius : « Dans ce qu'Helvétius dit sur le bon ton, il n'approfondit pas la question, il montre tant bien que mal que nous ne devons estimer dans les autres que le ton que nous avons, mais il ne dit pas ce qu'est le bon ton. Cette question est essentielle pour l'art de la comédie ». (*Pensées*, II, 186. Cette pensée est extraite du cahier intitulée « Caractères », daté du 15 messidor an XII, 4 juillet 1804).

Dans une note, Stendhal ajoute cette critique sur Helvétius : « Je viens de relire le chapitre du *bon ton* d'Helvétius. Il est mauvais et son style, d'une élégance froide, sans trait, sans physionomie et offensant la vanité » (*ibid.*, II, note de la page 186).

(79) *De l'Esprit*, 187.

le type du goût moral dans la capacité de l'homme pour une même sensation » (80).

Pour Helvétius comme pour lui, le goût est donc une résultante des sensations; c'est ce qui explique la relativité du goût chez les individus et chez les nations. En étudiant le goût, Stendhal sera amené à s'attacher à l'étude des concepts idéologiques analysés par l'auteur de *l'Esprit*, comme le beau, le grand, le fort, le sublime. Ces notions en effet permettent de définir et de préciser la qualité et l'étendue de l'émotion, ou, comme le dit Helvétius, de la sensation produite par les œuvres d'art.

Ces concepts, qui ont une si grande extension au XVIIIᵉ siècle, trouvent donc leur origine dans la philosophie sensualiste : leur succès et leur vogue seront tels, au siècle suivant, que les romantiques en feront un constant usage; leur trop fréquent emploi finira par leur faire attribuer une signification bien différente de leur sens premier. Nous aurons l'occasion de voir, dans les romans de Stendhal, l'importance accordée à ces termes. Mais, il demeure bien significatif de constater que c'est en 1803, à la suite de la lecture d'Helvétius, que Stendhal relève l'origine sensualiste de ces concepts.

Le 9 août 1803, il note dans ses cahiers la définition de la beauté selon Helvétius : « H(elvétius), *H(omme)*, 294 (II vol.) dit : 61. La beauté d'un ouvrage a pour mesure la sensation qu'il fait sur nous. Plus cette sensation est nette et distincte, plus elle est vive. Toute poétique n'est que le développement de ce principe » (81).

Helvétius distingue le beau du sublime au degré de la sensation que le sublime (82) produit sur nous : « A quelle espèce de sensation donne-t-on le nom de sublime ? A la plus forte, lorsqu'elle n'est pas, comme je l'ai déjà dit, portée jusqu'au terme de la douleur (...). De toutes les passions, la crainte est la plus forte. Aussi le sublime est-il toujours l'effet du sentiment d'une terreur commencée » (83).

Deux ans après la lecture de *l'Homme*, Stendhal, en étudiant le sublime dans les sentiments, se souviendra de la définition

---

(80) *Pensées*, I, 70-71, pensée extraite d'un cahier daté du 19 nivôse an XI (19 janvier 1803).

(81) *Pensées*, I, 174, pensée extraite du cahier portant en tête la date du 21 thermidor an XI (9 août 1803).Stendhal ne fait que répéter Helvétius que nous citons ici dans l'édition de 1781 (*Œuvres Complètes*) : « Le beau est ce qui nous frappe vivement. Et par le mot de *connaissance du beau*, l'on entend celle des moyens d'exciter en nous des sensations d'autant plus agréables, qu'elles sont plus neuves et plus distinctes » (*De l'Homme*, IV, 211-212).

(82) Helvétius, en parlant de la poésie, dit d'un vers qu'il devient sublime « lorsqu'il fait sur nous la plus forte impression possible. C'est donc à la force, plus ou moins grande, qu'on distingue le beau du sublime » (*ibid., IV*, 213).

(83) *Ibid.*, IV, 214.

du philosophe : « Dès qu'on fait sur un homme des impressions plus ou moins sublimes (terreur commencée), le charme de la grâce disparaît pour toujours » (84).

Dans le même passage, Stendhal distingue les différents degrés par lesquels peuvent passer les sentiments de l'amitié et de l'amour, et montre à quel moment ils peuvent arriver au sublime. La phrase suivante ne contient-elle pas en germe ses théories sur l'amour, qu'il reprendra ensuite sous le nom de cristallisation : « Il me semble par la théorie, et non d'après l'exemple, que l'amour et l'amitié ne peuvent pas parvenir subitement, dès les premiers moments de leur existence, à leur sublime. Ces passions ont besoin de quelque temps de durée pour qu'on puisse parvenir à chérir non seulement l'instrument pour l'effet, mais encore même aux dépens de l'effet » (85). Nous verrons, dans l'*Histoire de la peinture en Italie,* combien Stendhal fait une application fréquente de ce terme, « le sublime », pour qualifier les émotions ressenties à la vue des œuvres d'art qu'il nous décrit.

Ainsi dans une sorte de dictionnaire à son usage personnel, tiré d'Helvétius, Stendhal établit une définition des notions qu'il a l'intention d'utiliser soit dans le domaine artistique, soit dans le domaine romanesque. Ces différents termes trouveront une transposition dans son œuvre; la vie, le talent, la création romanesque lui permettront de donner à des concepts idéologiques un peu vieillis une force et une vitalité nouvelles ; et son art consistera précisément à régénérer la philosophie sensualiste, à utiliser des notions privées de sève pour les gonfler d'un suc plus généreux en les introduisant dans sa psychologie et dans sa conception du beylisme, en les dépouillant de leur sécheresse et de leur abstraction primitives. Mais, pour le moment, dans ces années de formation intellectuelle, Stendhal se plaît à jouer le rôle d'un écolier appliqué et consciencieux, qui recopie les leçons du maître.

Dans ces fameux « cahiers », réunis sous le nom de *Pensées,* qui ne sont guère que des cahiers d'élève, il ne fait guère au fond que retranscrire les pensées des Idéologues ; le plus souvent d'ailleurs, il les interprète et les modifie selon l'humeur du moment. En étudiant la peinture des passions en littérature, il note, au cours de ses réflexions, la distinction établie par Helvétius entre le grand et le fort : « Helvétius dit : « En fait d'idées le grand est plus généralement, et le fort plus vivement intéressant, voilà la différence » (86).

---

(84) *Journal,* I, 323, passage daté du 27 nivôse, 17 janvier 1805.
(85) *Ibid.,* I, 324-325, passage daté du 27 nivôse, 17 janvier 1805.
(86) *Pensées,* I, 70, pensée extraite du cahier daté du 19 nivôse an XI, 9 janvier 1803. Stendhal reproduit presque textuellement la phrase d'Helvétius que nous citons ici : « En fait d'idées, la seule différence entre le grand et le fort, c'est que l'un est plus généralement et l'autre plus vivement intéressant. (*De l'Esprit,* 511).

Helvétius, en effet, en analysant le concept du fort, en donne
la définition suivante : « Le fort est donc le produit du grand
uni au terrible, or, si tous les hommes sont plus sensibles à la
douleur qu'au plaisir ; si la douleur violente fait taire tout
sentiment agréable, lorsqu'un plaisir vif ne peut étouffer en
nous le sentiment d'une douleur violente, le fort doit faire sur
nous la plus vive impression... » (87).

Ce sont justement ces impressions que Stendhal analysera
au cours de ses romans ; suivant la terminologie d'Helvétius,
il montrera des impressions fortes ou sublimes, selon l'intensité
et le degré de l'émotion causée. Disciple fidèle d'Helvétius pendant l'année 1803, plein d'enthousiasme pour les œuvres du
philosophe, il conservera longtemps cette ferveur.

*
**

Dans *Henry Brulard*, écrit dans les années 1835 et 1836,
Stendhal reconnaît le secours que lui a apporté Helvétius :

« Je n'avais pour appui que mon bon sens et ma croyance
dans *l'Esprit* d'Helvétius. Je dis croyance exprès, élevé sous
une machine pneumatique, saisi d'ambition, à peine émancipé
par mon envoi à l'Ecole Centrale. Helvétius ne pouvait être
pour moi que *prédiction des choses que j'allais rencontrer*.
J'avais confiance dans cette longue prédiction parce que deux
ou trois petites prédictions, aux yeux de ma si courte expérience, s'étaient vérifiées » (88).

L'auteur de *l'Esprit* conduit Stendhal à d'autres découvertes. C'est pour avoir appris à connaître l'homme dans Helvétius
qu'il désirera développer ses connaissances sur l'homme à
travers tous les Idéologues que nous mentionnerons par la
suite (89). Cependant, la première influence directe d'Helvétius
sur Stendhal fut de lui faire connaître le philosophe anglais
Hobbes : nous trouvons en effet dans les *Pensées* les noms

---

(87) *De l'Esprit*, 512-513.

(88) *Vie de Henry Brulard*, 402-403. Stendhal, dans un passage précédant le passage cité, s'attribue seize ans et demi au moment où il subit
l'influence d'Helvétius. On ne saurait prendre cette affirmation au sérieux. C'est un fait incontestable que les dates que donne Stendhal dans
Henry Brulard sont souvent erronées. Nous devons nous en tenir plutôt
à cette déclaration de Stendhal formulée dans ses cahiers : « Voilà ce que
je pensais en t(hermidor) an X, aujourd'hui 9 pluviôse en XI, je pense un
peu différemment. Je connais mieux l'homme surtout depuis 20 jours que
je médite Helvétius » (*Pensées*, I, 54-55).

(89) Helvétius et les Idéologues en général devaient également amener
Stendhal à lire le philosophe anglais Hume. Mais l'objet de son étude,
c'est *l'Histoire* de Hume, et non point l'*Essai sur l'entendement* (Voir
Journal, III, 68). Stendhal montre en 1811 pourquoi il s'intéresse aux
œuvres historiques de Hume : « Je viens de lire avec application les deux
premiers volumes de Hume (...). Je ne retiens que ce qui est *peinture du
cœur humain*. Hors de là je suis nul » (*Ibid.*, IV, 190).

d'Hobbes et d'Helvétius cités côte à côte (90). Beyle écrit à
Pauline : « Mais surtout tâche de te procurer Hobbes : *De la*
nature humaine. C'est la fin de l'édifice dont Helvétius a jeté
les fondements. C'est l'analyse et la description de nos passions » (91). Le philosophe anglais a pourtant vécu au XVII*
siècle, l'Idéologue français au XVIIIᵉ siècle ; et en fait l'école
empiriste anglaise que représente Hobbes inspire l'Idéologie
d'Helvétius. Mais Stendhal se crée une idéologie personnelle
et ne voit dans les philosophes que ce qu'ils lui apportent.
Nous étudierons donc à notre tour, en nous mettant à l'école
beyliste, la philosophie d'Helvétius et non point celle de Hobbes,
puisque Stendhal, commettant un anachronisme volontaire, ne
voit dans la *Nature Humaine* que le prolongement de l'*Esprit*
et de l'*Homme.*

Hobbes ne s'est fait métaphysicien, logicien, physicien, psychologue que pour mieux établir une doctrine de l'Etat qui est
son but principal. Cependant, Beyle passe sous silence ses principes politiques aussi bien que sa théorie des « conatus » :
selon l'empiriste, la matière en mouvement se projette sur les
sens, les impressionne, et ces impressions déterminent à leur
tour des mouvements opposés de l'intérieur à l'extérieur. Mais
Stendhal ne voit dans Hobbes qu'un complément d'Helvétius.
L'auteur anglais n'a point eu autant d'influence sur lui que
les Idéologues français. Si Helvétius et Cabanis ont fourni à
Stendhal certaines des thèses de l'*Histoire de la peinture en*
Italie, si Tracy lui a appris l'art de raisonner, la lecture de
Hobbes n'alimente que quelques pages des *Pensées* ou de la
Correspondance.

Aussi bien n'y a-t-il pas une interprétation stendhalienne de
Hobbes. Beyle se borne à résumer la *Nature Humaine.* Il rédige
un cahier formé de réflexions sur le Rire empruntées à l'auteur
anglais (92). Il traduit ou commente la psychologie sous forme
de Pensées extraites (93). C'est en s'inspirant de lui qu'il com-

(90) « Hobbes a fait un excellent ouvrage intitulé *De la Nature humaine*
que je lis pour la première fois le 26 prairial an XII, à la Bibliothèque
Nationale » (*Pensées*, I, 266).
(91) *Corr.*, II, 111-112.
(92) « Dans ces papiers il doit y avoir un grand cahier in-folio, intitulé *Letellier*, ou le *Pervertisseur* ou le *Vaniteux*, je ne me rappelle plus
lequel. C'est un extrait et une appréciation de tout ce que j'ai lu dans
Hobbes sur *le rire* » (*Corr.* II, 108, lettre à Pauline, datée de Marseille,
datée du 19 janvier 1806). Si Hobbes a eu de l'influence sur l'œuvre de
Beyle ce n'est donc que sur ses comédies.
(93) Voir *Pensées*, I, 274 à 282. Stendhal, en toute honnêteté, reconnaît
par ailleurs qu'il traduit Hobbes. Il écrit : « La nature de l'homme est
la somme de ses facultés telles que la nutrition, le mouvement, la génération, la sensibilité, la raison, etc. (*ibid.*, I, 274). Hobbes avait donné la
définition suivante de la nature humaine : « Man's *nature* is the *sum of*
his natural faculties and powers as the faculties of *nutrition, motion, ge-*
neration, sense, reason, etc...» (*The English works of Thomas Hobbes of*

pose un « dictionnaire des passions » (94). Ainsi l'influence
de Hobbes sur Stendhal nous paraît singulièrement restreinte
et limitée à l'époque où il le lit. Il ne tire de Hobbes ni une
méthode, ni une morale, fussent-elles provisoires. Ce n'est
point en recopiant Hobbes que Stendhal parviendra à formuler cet art de vivre qui est tout d'abord orienté vers l'épicurisme.

Hobbes n'a guère contribué à la formation intellectuelle
et morale de Stendhal, comme l'ont fait Lancelin et Helvétius,
comme le fera plus tard Tracy. Helvétius par contre a montré
à Stendhal l'influence des apports extérieurs sur l'homme
(apports sociaux, apports intellectuels, etc.) et la réaction des
individus à ces apports. Stendhal tiendra constamment compte
de cette éducation au sens large du terme, de cette éducation
que donne la vie. Quatre ans après sa première lecture d'Helvétius, il note dans son *Journal* : « Je relis *l'Homme* à mon
entrée dans le monde en l'an VIII, venant de Grenoble à Paris.
Quel a été mon état dans le monde ? Mes maîtresses ? Mes
lectures ? Réfléchir profondément à cela » (95).

Mais comme tout disciple, Stendhal a parfois des doutes à
l'égard du maître : tout en admettant comme certains les
principes d'Helvétius, il reproche au philosophe sa froideur,
sa sécheresse. En 1804, il note dans ses cahiers : « Helvétius
n'a pas assez considéré la différence entre notre intérêt réel
et notre intérêt apparent. Il a jugé les hommes trop raisonnables, d'après lui ; et ils sont presque toujours dominés par
leurs passions, faibles si vous voulez absolument parlant, mais
fortes dans des individus sans caractère » (96).

Il ne faut voir dans cette réflexion que le mouvement d'humeur du jeune néophyte contre un enseignement auquel il

Malmesbury; now first collected and edited by Sir William Molesworth,
Bart. London, 1840, Vol. IV, p. 2). Stendhal ne se limite pas à traduire une
définition de Hobbes. Dans la suite de ses *Pensées extraites,* il continue
à traduire l'auteur anglais en le commentant à l'aide d'exemples.

(94) Voir *Pensées,* II, 148 à 156. Dans ce dictionnaire Stendhal traduit
textuellement Hobbes ou le commente. La définition stendhalienne du
courage est une traduction littérale de Hobbes. Stendhal écrit : « *Courage* dans une signification étendue est l'absence de la crainte en présence
d'un mal quelconque; mais pris dans un sens plus commun et plus strict
c'est le mépris de la douleur et de la mort lorsqu'elles s'opposent à un
homme dans le chemin qu'il prend pour parvenir à une fin (Hobbes) »
(*Pensées,* II, 149). Alors que Hobbes avait écrit « *Courage,* in a *large* signification, is the *absence* of *fear* in the presence of any evil whatsœver :
but in a *strict* and more common meaning, it is a *contempt* of *wounds*
and *death,* when they oppose a man in the way to his end » (Hobbes,
ibid., p. 42). Les autres définitions stendhaliennes des passions établies
dans les *Pensées* sont également tirées de Hobbes (Cf. *Pensées,* II, 40 à
52).

(95) *Journal,* III, 142.

(96) *Pensées,* II, 349, pensée extraite de feuillets isolés d'un manuscrit
non daté et considéré comme probablement de la même époque que celui
auquel il est joint : celui sur Mirabeau, du 9 fruct. XII (27 août 1804).

adhère pleinement d'un côté, mais contre lequel, d'autre part, son esprit critique et sa volonté se doivent de formuler quelques réserves. Car Helvétius, Stendhal a pu le constater, n'estime guère que les hommes soient raisonnables. Certes il montre que les hommes devraient être guidés par des motifs altruistes, mais il a soin de faire remarquer aussi que ce sont des passions comme l'amour-propre, l'ambition, l'envie, qui mènent les hommes. Quant à cette différence entre l'intérêt réel et l'intérêt apparent, Helvétius l'a également montrée, en étudiant les différentes sortes d'intérêts qui sont à la base de nos actions. Selon Helvétius, notre intérêt réel réside bien dans la sensation du plus grand bonheur ou plaisir possibles, mais il peut prendre plusieurs formes, se travestir de mille manières, et se trouver ainsi en contradiction avec l'intérêt apparent. Les hommes peuvent trouver dans l'ambition, qui exige d'eux des efforts pénibles, un intérêt qui semble ne pas se concilier avec notre intérêt réel, qui est celui de trouver les plus grandes jouissances possibles.

Stendhal n'a pas manqué de voir ces contradictions entre nos divers intérêts (contradictions constatées par Helvétius) puisqu'il les étudiera dans ses romans. Cependant, en 1805 encore, il taxe de fausseté certains ouvrages d'Helvétius : « Helvétius », dit-il à Pauline « a peint vrai pour les cœurs froids et très faux pour les âmes ardentes. On peut, d'après son livre, deviner à peu près les actions des cœurs froids qu'on a dans sa société » (97).

Ce jugement de Stendhal porté contre son maître, s'explique fort bien, si on le replace à l'époque où il a été formulé : le disciple n'est pas encore romancier ; il n'a pas mis en œuvre les concepts formulés par Helvétius. Ces concepts ne lui apparaissent que sous leur aspect philosophique. C'est dans la *Chartreuse de Parme* qu'ils s'épanouiront et prendront toute leur force. Nous aurons l'occasion de voir que Stendhal, à son insu, utilise inconsciemment les concepts d'Helvétius pour dépeindre les âmes ardentes. Fabrice, la Sanseverina, Clélia chercheront avant tout les plus grandes sensations de bonheur possibles. Mais il est évident aussi que cette conception du bonheur stendhalien sera différente de celle d'Helvétius. Il est assez inexact de dire qu'Helvétius a peint vrai pour les cœurs

---

(97) *Corr., II*, 86-87, lettre à sa sœur Pauline datée de l'année 1805. On peut rapprocher ce passage d'une réflexion de Stendhal sur le poème d'Helvétius, *le Bonheur,* où il critique, non sans raison d'ailleurs, — car le philosophe n'a guère de génie poétique —, sa sécheresse, son absence d'attendrissement : « *Le Bonheur,* poème par Helvétius, n'attache pas et n'est point lu parce qu'il a ignoré qu'il n'y a point d'attendrissement sans détails et point de poème là où le cœur n'est pas ému » (*Pensées,* II, 71, Cahier portatif d'extraits commencé le 1er messidor an XII, 20 juin 1804).

froids et très faux pour les âmes ardentes ; il serait plus juste
de dire qu'Helvétius étudie les hommes en philosophe et que
Stendhal a rénové, en leur donnant dynamisme et vie, des
concepts idéologiques que le temps aurait laissé tomber dans
l'oubli.

CHAPITRE III

LA RENCONTRE D'UN MAITRE

*A la recherche d'un Maître. — Prise de contact avec Tracy. —
Acquisition d'une méthode positive : l'observation des
faits. — Rôle de la physiologie dans la Logique. — Définition de la pensée selon Tracy. — Les leçons de
Tracy : importance du jugement. — La conception de
la volonté chez Tracy. — La première notion stendhalienne de l'énergie. — Tracy et le perfectionnement de
l'homme.*

Chez Lancelin, Stendhal avait été frappé par la distinction,
qui nous semble un peu élémentaire, entre la tête et le cœur.
Mais aussi avec Lancelin, tout nourri des sensualistes, de
Hobbes et de Destutt de Tracy, il avait entr'aperçu ce que
pouvait être le système idéologique ; au moyen de cette distinction entre la tête et le cœur, il avait appris, non pas à distinguer le domaine sentimental du domaine intellectuel, mais
à voir les rapports qui unissent ces deux domaines, à constater l'influence de la tête sur le cœur, et réciproquement du
cœur sur la tête, ou autrement dit, les relations qui existent
entre les sensations, les sentiments et les idées.

C'est pour approfondir ces notions et se familiariser avec
l'étude des sensations qu'il lit Helvétius. Il voit dans l'auteur
de *l'Homme*, l'importance que le philosophe attache à l'éducation, puisque nos sensations, et par suite nos idées, se développent d'une manière différente selon le milieu où nous
vivons, si nous entendons par ce mot, comme l'entend Helvétius, nos parents, nos amis, la société dont nous faisons partie,
et les apports de cette société.

Selon les sensations que nous recevons du milieu qui nous
entoure, nos idées s'orienteront vers des domaines différents.
Mais cette constatation ne lui suffit pas, ou plutôt, elle en
appelle une autre : la science du comportement doit reposer
sur une science de la pensée. Accordant une place primor-

diale à l'éducation, Stendhal cherchera constamment des règles de conduite ; mais il commencera d'abord par étudier les règles auxquelles doit se plier la pensée pour être juste. Après avoir établi les lois du jugement, il pourra enfin établir avec rigueur et précision les lois du comportement.

Suivant le procédé inverse de ses contemporains, Stendhal est sans cesse en quête de disciplines nouvelles, d'une méthode de pensée formatrice de l'esprit, tout en désirant aussi que cette méthode de pensée constitue une méthode de vie et puisse lui fournir des directives dans sa conduite et dans son comportement. Au moment où les jeunes gens de l'époque se penchaient avec complaisance sur leur moi, pour étudier ce que leurs émotions avaient de particulier, Stendhal ne s'étudie lui-même que pour mieux étudier l'homme en général.

Avec Helvétius, Stendhal aura appris à connaître les passions humaines, leur origine et leur développement. Jusqu'à présent, cet écolier studieux a cherché à augmenter la somme de ses acquisitions intellectuelles ; mais il sent obscurément qu'il manque d'une méthode, d'une discipline qui lui permettent de les ordonner sans commettre d'erreur. Il arrive un moment où l'étude de l'homme ne suffit plus aux esprits à la fois inquiets et méthodiques, si cette étude se développe sans points de repère précis.

Ces points de repère, Stendhal les cherche dans la logique et l'Idéologie. Les arts, la philosophie et la science, qui lui présentent l'homme sous tant d'aspects divers, ne lui suffisent plus ; épris de rigueur, il cherchera une science qui puisse ramener ces aspects différents à une seule et même réalité. Après avoir étudié l'homme tel que le dépeignent les tragédies, les comédies, les œuvres philosophiques comme *De l'Homme*, Stendhal éprouve le besoin de codifier ses constatations et ses remarques en empruntant à l'Idéologie sa rigueur, à la logique des formes d'expression dont la précision écarte toute confusion et tout désordre dans les idées. Il ne se contente plus de connaître les passions, il lui faut encore raisonner juste sur ses connaissances, soit livresques, soit empiriques — sans attacher à ces mots aucun sens péjoratif. La logique de Tracy lui permettra d'enfermer dans des cadres précis et bien déterminés, séduisants certes pour ce jeune « polytechnicien » formé aux disciplines mathématiques, toutes les observations, qui en s'accumulant peu à peu, lui permettront d'élaborer cette science de l'homme, que l'on appellera plus tard beylisme.

C'est au dernier jour de l'année 1804, que Stendhal commence à lire Tracy : « L'enthousiasme de vertu est si fort, et

je sens si bien qu'on ne peut avoir de la vertu qu'en proportion de son esprit, et que, dans les ouvrages, la vertu des personnages est une grande partie, que, malgré la neige, je vais
chez Courcier, quai de la Volaille, acheter la première partie
de Tracy, et que, sans feu, je viens d'en lire les soixante premières pages » (1). Depuis ce jour, Stendhal ne cessera de lire
et de relire Tracy, et de constater l'heureuse influence que
l'auteur de l'*Idéologie* a eue sur son esprit (2). Tracy lui apprit
en effet à raisonner juste. En 1805 c'est là l'essentiel pour
Stendhal ; il consacre tous ses efforts à porter des jugements
vrais. Dans une lettre datée du 1ᵉʳ janvier 1805 et adressée à
Pauline, il révèle ses préoccupations intellectuelles et l'importance qu'a pour lui *l'Idéologie* de Tracy : « Pour arriver à leur
but, les hommes ont une conduite à tenir, c'est le raisonnement qui chez tous trace cette conduite (...). Tu vois donc
qu'il importe de bien raisonner : tout le monde sent cette
vérité qui est triviale, mais beaucoup d'entre eux croient raisonner parfaitement et se trompent » (3). Or seule l'Idéologie
peut apprendre à bien raisonner : « La science qui nous
occupe, cet épouvantail si terrible aux tyrans, cette science
si détestée des charlatans de toutes les espèces, est la chose
du monde la plus enfantine, la plus simple. Nous la nommerons idéologie ; *idée,* veut dire idée ; *logie,* discours, le mot
entier veut dire discours sur les idées. Locke a trouvé cette
science en 1720, je crois. Condillac a commencé à lui donner
un corps en 1750. Destutt de Tracy l'a portée à la perfection
actuelle, il y a deux ans ; tu vois qu'elle n'est pas vieille.
Avant ces grands hommes, on avait fait beaucoup de bons
raisonnements, mais sans s'occuper de la manière de les faire ;
chaque homme était obligé de se créer une idéologie » (4).

S'il arrive parfois à Stendhal d'adresser quelques légères
critiques à Tracy (5), son admiration pour lui ne cessera
jamais. Depuis 1805 jusqu'en 1811, et même bien plus tard,
il aura sans cesse recours à Tracy. Il appliquera la méthode
de Tracy, non seulement à la formation de son esprit, mais
encore à celle de son caractère. Après avoir vu, en 1811, un
jeune homme autrefois éditeur et devenu depuis quelque peu
neurasthénique, il a brusquement peur de tomber dans la

(1) *Journal,* I, 279 passage daté du 10 nivôse, dernier jour de l'année
1804. A partir de janvier 1805, le nom de Tracy reviendra sans cesse
dans le *Journal* ou la *Correspondance.* Le 1ᵉʳ janvier 1805, Stendhal
écrit : « Je lis avec la plus grande satisfaction les cent douze premières
pages de Tracy aussi facilement qu'un roman » (*ibid.,* I, 294).
(2) « Je relis la *Logique de Tracy,* j'ai commencé cet auteur le 31 décembre 1804. Il m'aura été de la plus grande utilité » (*ibid.,* II, 300,
passage daté du 24 décembre 1805).
(3) *Corr.,* I, 302, lettre datée du 11 nivôse an XIII, lundi 1ᵉʳ janvier 1805.
(4) *Ibid.,* 303-304.

même mélancolie que lui : « Effrayé de cet exemple, et bien convaincu que, *sans esprit juste, il n'y a pas de bonheur solide,* j'ai fait acheter hier soir une *Logique* de Tracy (...). J'ai le projet de la lire ou de la parcourir au moins tous les ans, afin que mon esprit soit toujours ouvert à la lumière » (6).

Néophyte plein de zèle, Stendhal, après avoir constaté l'heureuse influence que Tracy exerce sur son esprit, veut gagner sa sœur à sa cause. Il cherche à lui faire partager son enthousiasme, il se fait le professeur de cette élève, sans doute docile, et qu'il aime tendrement, mais dans laquelle il a le tort de vouloir retrouver un autre lui-même. Croyant rencontrer en sa sœur un esprit souple et malléable, qui n'a pas encore été déformé par de mauvaises méthodes ou des disciplines surannées, il s'écrie : « Tu as un grand bonheur, ingrate Pauline, en idéologie (science des idées) : n'en ayant jamais eu une fausse, tu n'auras point d'habitudes à vaincre (...). Tu dois donc t'attacher, par dessus tout, à prendre l'habitude des jugements vrais » (7). En effet, Destutt de Tracy, en nous donnant, dans ses *Eléments d'Idéologie,* une définition de la logique, nous montre que cette science seule nous permet d'éviter des erreurs dans les opérations de la pensée. Et s'il a l'air de croire que la logique n'est pas encore strictement constituée en tant que science, on peut penser que c'est par pure modestie de sa part.

« Quand cette science », écrit-il, « sera faite et bien faite, et quand elle possèdera des vérités incontestables, alors on pourra, avec assurance, en déduire les principes de l'art de raisonner, c'est-à-dire de l'art de conduire son esprit dans la recherche de la vérité, qui comprend également l'art d'étudier ou celui d'enseigner, ou, en d'autres termes, celui d'acquérir des connaissances vraies, et celui de les communiquer clairement et exactement, soit par des leçons parlées ou écrites, soit dans la simple conversation » (8).

---

(5) En 1806, Stendhal reproche à Tracy d'être prolixe, de se répéter : « Tracy a le beau défaut d'être trop bavard, de présenter successivement son idée sous cinq ou six formes différentes, mais il expose des inventions... » (*Corr.*, II, 173, lettre adressée à Pauline, datée de Marseille, samedi 22 mars 1806).

(6) *Ibid.*, III, 304, lettre adressée à Pauline, datée du 1ᵉʳ février 1811.

(7) *Ibid.*, II, 180-182, lettre datée de Marseille, le 4 avril 1806. Dans une lettre précédente, Beyle avait montré à sa sœur l'utilité de Tracy : « Tu sens combien Tracy est utile : il montre comment on fait mal et comment on fait bien l'opération que nous répétons presque sans relâche pendant les seize heures de veille que nous avons tous les jours » (*ibid.*, II, 172, lettre à Pauline, datée de Marseille, datée du 1ᵉʳ février 1811).

(8) *De la Logique,* Discours préliminaire, p. 12 dans *Eléments d'Idéologie,* III. Paris, chez Mme Lévi, Librairie, Quai des Augustins n° 25, 1825.

*
**

Cherchant les principes de l'art de raisonner, Destutt de Tracy constate qu'il doit avant tout partir des faits. Toute science ne peut se fonder pour lui que sur des faits positifs, et la logique ou science de la pensée, en étudiant les opérations de l'entendement, doit tenir compte uniquement des faits, sans chercher à en tirer des conséquences prématurées : « Voilà les faits : c'est toujours d'eux que nous devons partir, car ce sont eux seuls qui nous instruisent de ce qui est ; les vérités les plus abstraites ne sont que des conséquences de l'observation des faits » (9).

Nous verrons en quoi consiste chez Tracy l'observation des faits. Mais ne devons-nous pas remarquer tout d'abord combien Stendhal fut frappé par la méthode positive de Tracy ? Epris lui-même de rigueur dans le raisonnement et cherchant avant tout à appuyer ses jugements sur des bases réelles, il ne pouvait que rechercher une méthode qui lui permît de mieux observer : « Je sens que les lectures (je suis à la deuxième de la *Logique* de Tracy) augmentent singulièrement la force de ma tête, c'est-à-dire, sans figure, me font remarquer beaucoup de nouvelles circonstances dans les faits et me forcent à en tirer les conséquences naturelles et légitimes sans rien exagérer (...). Ce sont des ouvrages nouveaux pour moi » (10).

Fondant son système sur l'observation des faits, Tracy donne la primauté aux sensations, faits sur lesquels nous pouvons nous appuyer avec la plus grande certitude. Deux siècles plus tôt, Descartes s'était écrié : « Je pense, donc je suis », montrant par là que la pensée seule suffisait à établir la preuve de l'existence. Avec la même certitude, Tracy dira : je sens, donc je suis, donc je pense, — établissant ainsi que la sensibilité seule est l'unique fait dont nous soyons assurés : « Actuellement, venons à ce premier fait dont nous pouvons prononcer avec assurance que nous en sommes certains. Il m'est fourni par la première et la plus remarquable des propriétés dont nous sommes doués, par celle qui constitue notre existence, qui la comprend toute entière, et au-delà de laquelle il nous est impossible de remonter, par notre *sensibilité,* par cette faculté que nous avons de recevoir des impressions et d'en être affectés, d'avoir des sensations, des idées, des sen-

(9) *Introduction aux Eléments d'Idéologie,* dans *Eléments d'Idéologie,* I, 5.
(10) *Corr.,* II, 102, lettre datée de Marseille, le 28 décembre 1805. Dans cette même lettre, Stendhal conseille à Pauline d'appliquer la méthode préconisée par Tracy : « Apprends dans Tracy à disséquer chaque fait et à y remarquer toutes les circonstances qui peuvent être utiles » *(Ibid.,* 100).

timents, en un mot des perceptions de tout genre, et d'en avoir la conscience. En partant de là, tout va se développer sans effort » (11).

***

Destutt de Tracy reprend donc le système de Condillac ; nous verrons toutefois plus tard sur quels points il s'en écarte. D'une manière générale, ses théories restent en accord avec les différents systèmes des Idéologues, sensualistes et physiologistes de son temps. Certes, Tracy s'est limité à l'Idéologie rationnelle, mais il n'a pas renoncé à l'éclairer par les indications de la physiologie. A son avis, les physiologistes comme Cabanis ne peuvent faire progresser l'Idéologie. Lorsqu'il étudie les modes de la sensibilité, Tracy se sent obligé de tenir compte des résultats fournis par nos organes et nos fonctions (12). « De plus, en comprenant, comme on le doit, dans la connaissance de nos organes et de leurs fonctions, la connaissance du centre sensitif et de nos fonctions intellectuelles, la Physiologie nous apprend directement quels sont nos moyens de connaître leur force et leur faiblesse, leur étendue et leur limite et leur mode d'action. Ainsi elle nous fait voir combien nous devons nous en servir, et elle est réellement la première des sciences et l'introduction à toutes les autres » (13).

Tenant compte des données de la physiologie, sans pourtant chercher à approfondir des résultats qui, à son avis, ne sauraient être définitifs, Destutt de Tracy attache autant d'importance à nos sensations internes qu'à nos sensations externes (14).

(11) *De la Logique,* 201, dans *Eléments d'Idéologie*, III. Dans ses *Principes logiques,* Tracy reprendra la même idée : « Tout ce que nous sentons et percevons est bien certain et bien réel pour nous : nous ne sommes pas même susceptibles d'autre certitude et d'autre réalité » (*Principes logiques ou Recueil des faits relatifs à l'intelligence humaine.* Mme Vve Courrier, Imprimeur, Librairie, Rue du Jardinet n° 12, Quartier Saint-André des Arts, Paris 1817, p. 70).

(12) Dans ses *Principes Logiques,* Destutt de Tracy écrit en effet : « Quel que soit le principe de notre sensibilité, elle est intimement unie à un ensemble de parties, à un corps, à des organes. Elle s'exerce principalement par notre système nerveux, et surtout par le centre cérébral, qui est éminemment l'organe sécréteur de la pensée » (*ibid.*, 29).

(13) *Ibid.*, 97-98. Mais, constatant que la physiologie est encore une science bien jeune, Tracy ajoute que, pour le moment, ses résultats ne sauraient être tenus pour définitifs et certains : « La Physiologie, en un mot, est encore une science trop difficile pour servir de préparation et pour ainsi dire d'apprentissage. Il faut se contenter d'en connaître les principaux résultats pour s'en servir comme des guides, mais n'aspirer à en reculer les bornes que quand l'esprit est dans toute sa force » (*ibid.*, 99).

(14) « Nos sensations sont internes ou externes », dit Tracy, puisqu' « elles ont pour cause soit les impressions des corps sur nos organes extérieurs, ou l'action et la réaction de nos organes internes les uns sur les autres » (De la *Logique*, 212, dans *Eléments d'Idéologie*, III).

Sentir est tout pour nous, c'est la même chose qu'exister, et nos perceptions et impressions ne sont que des manières d'être ou d'exister. Partant de la sensibilité comme premier fait, Destutt de Tracy, comme Cabanis, ne néglige pas les sensations internes, nausée, faim, mal de tête, fatigue, sensations de mouvements, etc., mais il range aussi dans cette catégorie ce que nous appelons vulgairement sentiments : « Dans nos sensations internes, il faut comprendre toutes les impressions ou manières d'être que l'on appelle communément *sentiments,* ou affections de l'âme, telles que les sentiments de contentement ou de tristesse, de confiance ou de découragement, de force ou de faiblesse, d'activité ou de langueur, de calme ou d'agitation, etc., etc. Car ce sont là de simples actes de notre sensibilité, comme le sentiment de la faim, de la soif, ou d'une douleur de colique » (15).

Destutt de Tracy, qui part des mêmes constatations que Cabanis et Condillac, se sépare d'eux cependant dans sa manière de les développer et de les mettre en œuvre. La faculté de penser ou de sentir est pour lui la faculté d'avoir des idées ou des perceptions, sensations proprement dites, souvenirs, rapports ou désirs : « Ainsi, quoique tout effet de notre sensibilité, tout acte de notre pensée, tout mode de notre existence consiste toujours à sentir quelque chose, nous pouvons distinguer quatre modifications essentiellement différentes dans cette action de *sentir,* celle de *sentir simplement,* de se *ressouvenir,* de *juger* et de *vouloir,* et nous nommerons leurs effets *sensations* (dans le sens de perceptions directes), *souvenirs, jugements* et *désirs.* Ces distinctions sont autant de nouveaux faits dont je suis tout aussi certain que du premier fait général, je sens ; et j'en suis certain de la même manière ; c'est-à-dire parce que je les sens : ce qui est ma seule manière d'être sûr de quoi que ce soit » (16).

Pour Destutt de Tracy comme pour les sensualistes de l'époque sentir est la même chose que penser ; ce sont deux termes synonymes. A la façon de Cabanis, il subordonne la faculté de penser à la motilité, sans donner à ce sujet cependant des explications très précises. Seul le mouvement, qui suit ou

(15) *Ibid.,* III, 213-214.
(16) *Principes logiques,* 17-18. Tracy restera toujours fidèle à sa position et exprimera ce même principe dans toutes ses œuvres. Ainsi, dans les *Eléments d'Idéologie* : « Je vis de plus, et plus tard, que, d'après notre organisation, les opérations de se ressouvenir, de juger et de vouloir, suivent nécessairement de celles de sentir simplement ; et que ces trois dernières facultés entrent en action par le seul fait de la première » (*De la Logique,* III, 349).

précède la sensation, nous permet de nous rendre compte
de notre existence. Les corps qui sont hors de nous, et s'opposent à nous, nous permettent par la sensation du mouvement
et par la volonté combinées, d'éprouver à la fois le sentiment
de notre propre existence, et de leur existence. C'est, par exemple, le désir de toucher un corps qui nous permet d'assurer
que ce corps existe, et par suite de juger qu'il existe (17).

Stendhal, dans ses années de jeunesse, adopte le sensualisme
de Tracy avec une conviction dépourvue de tout esprit critique : « Nous ne connaissons rien que par nos sens, donc les
choses n'existent pour nous que dans les perceptions qu'elles
nous causent. Nos perceptions sont tout pour nous » (18).

La faculté de penser est liée, pour Tracy, à la faculté de se
souvenir et à celle de juger. Sentir une impression actuelle à
l'occasion d'une impression passée, c'est là le propre de la
mémoire. Mais dans le souvenir, il y a autre chose que la
simple opération de la mémoire, il y a aussi l'opération de
juger. Pour reconnaître qu'une impression actuelle est une
représentation d'une impression passée, en est le souvenir, il
faut établir un rapport de ressemblance entre ces deux impressions. Or, dit Tracy, sentir un rapport est un acte de jugement : « Sentir une sensation est un acte de la sensibilité proprement dite ; et sentir que cette sensation nous vient d'un
tel corps et par tel organe, c'est sentir un rapport entre cette
sensation et ce corps ou cet organe ; c'est un acte du jugement » (19). La faculté de juger ou le jugement est donc « la
faculté de sentir des rapports entre nos idées » (20).

Ce sont ces définitions que Stendhal exposera longuement
à Pauline, dans sa lettre du 19 novembre 1805, où il lui annonce qu'il va lui parler pendant quelques jours de la *Logique* de

(17) Il n'y a donc pas contradiction chez Tracy, puisque le désir est
aussi pour lui sensation. En d'autres termes, exister c'est sentir, mais
on ne saurait étudier la faculté de sentir en elle-même, puisqu'elle est
inévitablement liée au désir, jugement et mouvement : « Il est difficile,
peut-être même impossible, de concevoir une sensation, une impression
sensible quelconque existante en nous, sans qu'elle donne lieu à quelque
jugement et à quelque désir, au moins au jugement qu'elle est agréable
ou désagréable, et au désir de l'éprouver ou de l'éviter. Ces perceptions
paraissent faire, pour ainsi dire, partie de la sensation elle-même, et
en naître nécessairement et presque simultanément » (*Idéologie proprement dite*, 193-194, dans *Eléments d'Idéologie*, I).
(18) *Corr.*, II, 78-79, lettre à Pauline, datée du 19 novembre 1805.
(19) *Idéologie proprement dite*, 31, dans *Eléments d'Idéologie*, I.
(20) *Ibid.*, I, 34. En analysant la faculté du jugement, Tracy donne la
définition du mot rapport : « Le rapport est cette vue de notre esprit,
cet acte de notre faculté de penser par lequel nous rapprochons une
idée d'une autre, par lequel nous les lions, les comparons ensemble
d'une manière quelconque » (*ibid.*, 34).

Tracy qu'il a lue « avec autant de plaisir et autant de facilité que jadis *Roland le furieux* » (21). S'il a l'habitude de faire partager à sa sœur ses passions intellectuelles, il ne sera jamais aussi éloquent et sérieux que lorsqu'il lui parlera de Tracy. Cherchant à lui faire éprouver la vive admiration qu'il ressent pour l'auteur de la *Logique,* voulant faire de sa sœur une future « Idéologue », il est un professeur aussi enthousiaste que consciencieux. Ses lettres sont de véritables cours d'Idéologie, où il reprend les idées de Tracy, les développe avec de nombreux exemples à l'appui pour les rendre plus compréhensibles. Ces cours par correspondance s'accompagnent de précautions naïves et touchantes, Beyle recommandant de cacher ses lettres, toutefois de ne pas les brûler, mais de ne pas les laisser tomber entre les mains de ses parents, fort hostiles à une théorie qu'ils jugeraient révolutionnaire. Résumant l'*Idéologie,* il apprend à Pauline les principes de Tracy : « Tu vois donc *qu'un jugement consiste toujours à voir qu'une idée en renferme une autre,* deuxième grand principe de Tracy » (22).

Un mois plus tard il reprendra ses explications, avec une bonne volonté désarmante, vis-à-vis d'une élève qui n'en mérite pas tant, et au milieu de nombreux commentaires de *l'Idéologie,* il ajoute : « Porter un jugement n'est jamais que remarquer une circonstance dans une idée » (23).

Car en 1805, le jeune Beyle, plus qu'aux faits psychologiques, s'intéresse à la logique et cherche avec Tracy comment se forment nos jugements et se lient nos idées : « Pendant le peu de temps que je passerai à Grenoble et qui est peut-être le dernier pour bien longtemps, je veux te faire : 1° un cours d'idéologie (science des idées, art de les expliquer en grammaire, art de les lier de manière à produire une idée vraie, c'est-à-dire exprimant ce qui est, ou logique (...). La logique (...) apprend la manière dont on doit lier ses idées pour ne parvenir qu'à la vérité » (24).

Etudiant chez Tracy ce qu'est le jugement, Stendhal apprend également à bien juger, c'est-à-dire à bien lier nos

(21) *Corr.,* II, 75, lettre datée de Marseille, 28 brumaire an XIV, mardi 19 novembre 1805.
(22) *Ibid.,* II, 77 (lettre déjà citée). Stendhal reprend, dans cette citation presque textuellement une note de Tracy : « Nous expliquerons dans la suite avec plus de précision que l'acte de juger consiste toujours et uniquement à voir qu'une idée est comprise dans une autre, fait partie de cette autre, est une des idées qui la composent ou doivent la composer » (*Idéologie proprement dite,* 35, dans *Eléments d'Idéologie,* I, note explicative ajoutée au bas de la page 35).
(23) *Corr.,* II, 98, lettre datée de Marseille, le 2 nivôse an XIV, lundi 23 décembre 1805.
(24) *Ibid.,* I, 315-316, lettre datée du 25 pluviôse, an XIII, jeudi 14 février 1805.

idées entre elles, à rattacher une idée à une autre sans commettre d'erreur. Lui qui a cherché toute sa vie à raisonner avec justesse, il a trouvé dans l'*Idéologie* les principales causes de nos erreurs de jugement. Esprit vif et parfois hâtif dans ses conclusions, il se soumet aux règles de Tracy, qui lui permettront d'assurer en lui un certain équilibre intellectuel, une certaine maîtrise de la pensée, puisque, comme le dit Tracy lui-même en parlant de la logique, « rien n'est plus capable de nous apprendre à nous défier de tous nos premiers aperçus, et de nous montrer que *la cause prochaine et pratique de toutes nos erreurs est notre précipitation à juger* » (25).

Tracy développe par ailleurs cette réflexion, lorsqu'il constate, avec les philosophes de son temps, et suivant en cela les écrivains du XVIII° siècle, qu'une révision des valeurs est à faire, qu'il faut remettre en question les principes qui jusqu'ici ont été acceptés aveuglément et sans réflexion préalable : « La plupart des erreurs des hommes, comme nous avons dit ailleurs, viennent plus de ce qu'ils raisonnent sur de faux principes (*entendez sur des idées dont ils ne se sont pas rendu compte*) que de ce qu'ils raisonnent mal suivant leurs principes » (26).

Mais le jugement ne saurait exister sans la faculté de se souvenir; poursuivant ses déductions, Tracy en conclut que si les hommes raisonnent mal, ce fait est dû aussi à des souvenirs inexacts : « On voit bien que l'imperfection du rappel de nos idées est une grande cause d'erreurs » (27).

Cette constatation de Tracy est une véritable révélation pour Stendhal. Désormais, après avoir lu l'*Idéologie*, il découvre la seule manière de raisonner juste, qui est de nous assurer de l'exactitude de nos souvenirs. Et le jeune Beyle, avec l'enthousiasme d'un néophyte, estime avoir trouvé la clef d'un domaine où l'on peut s'aventurer sans risque de faux pas, où il suffit, pour marcher dans la bonne voie et ne pas s'égarer dans des sentiers impraticables ou dangereux, de prendre quelques précautions, de bien se rappeler le chemin que l'on a déjà parcouru. Le Poucet de la fable semait des cailloux sur son chemin pour être sûr de le reconnaître au retour; et c'est parce que nous ne prenons pas cette méthode d'ordinaire que nous nous trompons; pour bien se conduire dans la vie, il faut avant tout s'assurer de ce que l'on a laissé derrière soi, et se le rappeler avec exactitude.

C'est avec un véritable cri de triomphe que Beyle vérifie sur lui-même les résultats de la méthode sensualiste : « J'ai

(25) *De la Logique*, 190, dans *Eléments d'Idéologie*, III.
(26) *Ibid.*, III, 42.
(27) *Ibid.*, III, 313.

à Paris un ami froid qui, quoique idéologue et ami de Tracy, ne m'envoyait point la *Logique* de cet homme extraordinaire. Je me la suis procurée; je n'en suis encore qu'à la moitié, et j'éprouve un changement étonnant dans toutes mes idées. Au bout de toutes mes connaissances, je voyais un voile qui me désespérait. Ce voile était : peu d'exactitude dans les *souvenirs des premiers faits*. Ce peu d'exactitude m'empêchait d'y voir de nouvelles circonstances, car faire des jugements, raisonner sur une idée (qui est le souvenir d'une sensation), c'est, comme tu sais, *y voir de nouvelles circonstances* » (28).

Ainsi, à la suite de la lecture de Tracy, il accorde une place prépondérante à la mémoire, phénomène paradoxal chez un écrivain qui se plaint sans cesse d'en manquer. Pourtant, ce souci de l' « exactitude dans les souvenirs des premiers faits », a peut-être dans l'évolution de sa pensée plus d'importance qu'on ne pourrait le croire. Nous ne saurions dire que Destutt de Tracy a inspiré à Stendhal cet amour du « petit fait précis », qu'on s'est tellement plu à souligner chez lui. Mais le logicien a attiré l'attention de son disciple sur la nécessité d'une certaine précision en ce qui concerne les souvenirs. Il revenait au romancier d'utiliser cet esprit de rigueur dans un sens bien différent de l'Idéologie pure, de l'utiliser en le transposant dans un autre domaine, celui des sentiments et des émotions. Souvent incapable de situer un fait en son lieu et en sa date exacte, Stendhal par contre s'efforcera de se rappeler avec la plus stricte exactitude les moindres nuances des sentiments qui ont accompagné ce fait. Mais, il faut bien reconnaître que c'est chez Tracy que ce logicien du cœur humain a trouvé les éléments de sa méthode et que la lecture de l'*Idéologie* n'a pu que développer en lui le goût de l'observation et le désir de la précision.

Etudiant le jugement, Tracy ne peut qu'étudier en même temps la liaison des idées, qui est pour lui une conséquence plus ou moins directe de la liaison des sensations, et la résultante normale du rappel des souvenirs : « Ainsi, plus un souvenir se renouvelle, plus il éveille aisément tous les souvenirs collatéraux, quoiqu'ils deviennent moins frappants. C'est

---

(28) *Corr.*, II, 72, lettre adressée à Pauline, datée de Marseille le 24 brumaire an XIV, vendredi 15 novembre 1805. Dans cette année 1805, Stendhal fut constamment préoccupé par la méthode de Tracy, comme nous pouvons le constater d'après cette réflexion, écrite un mois après la lettre déjà citée : « Les règles que Tracy prescrit à la suite de sa *Science de nos moyens de connaître* sont si simples que je puis fort bien tâcher de les mettre en pratique. Elles consistent à bien se retracer le souvenir de la chose sur laquelle on veut raisonner, et ensuite à prendre garde que le sujet contient toujours l'attribut qu'on lui donne. Toutes nos erreurs viennent de nos souvenirs. C'est donc un immense avantage que d'avoir une bonne mémoire » (*Journal*, II, 296, passage daté du 19 frimaire, 10 décembre 1805).

ainsi que s'établit cette liaison des idées, phénomène idéologique si important, dont l'observation a été si justement van-
tée, puisqu'elle jette le plus grand jour sur nos opérations
intellectuelles, et qui n'est lui-même que la liaison mécanique ou chimique des mouvements organiques qui produisent
nos idées » (29).

Ainsi pour le logicien le terme « liaison des idées » n'a de
sens et de valeur que si l'on entend par là une réunion de
sensations, ou de souvenirs de sensations. Cette combinaison
de sensations ou d'idées simples formera ce que l'on appelle
idées composées : « Nos idées simples sont nos pures *sensations;* nous ne faisons absolument que les sentir. Nos idées
composées sont d'abord toutes nos *idées des êtres, de leurs
qualités, de leurs modes, et des différentes classes et espèces
des uns et des autres ;* nous formons toutes ces idées en réunis-
sant, séparant, et combinant les idées simples que ces différents êtres nous causent » (30).

Mais, comme nous l'avons dit, Stendhal ne cherche pas
seulement à trouver chez Tracy les lois de la pensée juste,
celles du raisonnement et du jugement; l'*Idéologie* sera pour
lui un manuel de base, un guide intellectuel et moral sans
cesse lu et relu, qui lui permettra d'élaborer cette science

(29) *Idéologie proprement dite,* 178-179, dans *Eléments d'Idéologie,* I.
Destutt de Tracy, en faisant reposer la faculté de penser sur le rappel
de la sensation, s'oppose nettement aux philosophes comme Lancelin que
nous avons déjà étudié ; Tracy d'ailleurs souligne cette opposition en ces
termes : « Cette analyse approfondie de nos souvenirs nous montre pourquoi on a cru devoir faire deux choses essentiellement différentes de
sentir et de *penser,* de ce que l'on appelle l'*esprit* et le *cœur,* des impressions que l'on nomme *affectives* et *perceptives.* C'est l'effet d'un examen
superficiel. Il n'y a entre ces deux classes de perceptions, d'autre différence
que celle d'un degré plus ou moins grand d'énergie et de vivacité ; mais
c'est toujours sentir » (*De la Logique,* 219-220, dans *Eléments d'Idéologie,*
III). La critique formulée ici par Tracy ne peut s'adresser qu'à Lancelin,
qui a justement établi une distinction fort nette entre l'esprit et le cœur.
(30) *Idéologie proprement dite,* 212, dans *Eléments d'Idéologie,* III.
Destutt de Tracy, montrant que les idées composées sont formées de la
combinaison de divers éléments, sensations, souvenirs, jugements et désirs,
dit : « C'est ainsi que l'idée de rouge n'est plus pour nous le souvenir de
l'impression causée par tel corps rouge, mais de celle produite également
par tous les corps rouges (...). Il en est de même de nos idées des êtres
réels : celles-là sont toujours composées. Nous les formons de la réunion
des impressions qu'ils nous font » (*Extrait raisonné de l'Idéologie,* dans
Eléments d'Idéologie, I, 287).
Stendhal expliquant à sa sœur la formation de nos idées d'après Tracy,
se souviendra de l'exemple du logicien, lorsqu'il écrira : « Je te prie
d'observer que l'idée *de rougeur* n'a point de modèle dans la nature, est
l'idée extraite, abstraite de tous les corps rouges » (*Corr.,* II, 77, lettre à
Pauline, datée de Marseille, 28 brumaire an XIV, mardi 19 novembre 1805).

du comportement qu'il développera et amplifiera au cours de sa vie. Tracy, son maître de logique, lui apprendra à diriger sa pensée selon des règles précises et déterminées, et par suite, à diriger sa volonté et ses désirs. En 1807, Stendhal adjoint titulaire aux commissaires à Berlin, a satisfait en partie son ambition. Son titre lui donne ce prestige que le charme encore insuffisant de sa personne ne lui aurait pas permis d'acquérir; il a trouvé un moyen d'expression à son désir de plaire dans des aventures galantes avec les belles Allemandes, aventures un peu difficiles d'ailleurs, et qui n'ont dû leur succès qu'à bien des calculs et des combinaisons savantes; il voyage enfin, il parcourt toute l'Europe, avec le même esprit de domination et de jouissance que ces armées triomphantes; et pourtant, cette réussite momentanée ne lui fait pas oublier les leçons de son maître; dans cette randonnée mouvementée qui lui fera connaître l'Allemagne et le mènera ensuite en Autriche, en Russie et en Italie, Stendhal emportera toujours avec lui son bréviaire; la bible de cet épicurien, de ce dilettante réfléchi sera l'*Idéologie* : « Je relis la *Logique* de Tracy avec un vif plaisir; je cherche à raisonner juste pour trouver une réponse exacte à cette question : « Que désiré-je ? ». Chamfort donne pour une raison des succès du maréchal de Richelieu, qui n'avait aucune grande qualité, qu'il sut de bonne heure ce qu'il voulait » (31).

Tracy, en effet, a orienté la pensée de son disciple sur le rôle de la volonté, en étudiant comment la faculté de vouloir est inséparable des autres facultés, qui sont pour lui la faculté de sentir, celle de se souvenir et la faculté de juger. « Pour le moment », écrit-il dans la première partie de son traité, « retenez seulement que, de même que sans la faculté de juger nous ne saurions rien, sans celle de vouloir nous ne ferions rien; que nos désirs dirigent nos actions, et sont la cause de presque tous nos plaisirs et chagrins, et que, puisqu'ils sont la suite nécessaire des jugements que nous portons des choses, le seul moyen de les bien régler est de porter des jugements justes et vrais » (32).

La faculté de vouloir par elle-même n'est qu'un mot; celui-ci ne signifie rien si nous ne ramenons pas l'étude de la volonté à l'étude des désirs : « On donne le nom de volonté à cette admirable faculté que nous avons de sentir ce qu'on appelle des désirs. Elle est une conséquence immédiate et nécessaire de la singulière propriété qu'ont certaines sensations de nous faire peine ou plaisir et des jugements que nous en

---

portons » (33). Quant aux désirs, ils sont inséparables des facultés que nous avons précédemment étudiées chez Tracy, faculté de sentir, de se souvenir, et de juger; autrement dit, ils sont le résultat de nos sensations et du jugement que nous portons sur elles, ils sont indirectement le produit de la sensibilité : « Souffrir est une manière d'être, un produit de la sensibilité; c'est l'effet d'une impression reçue; et cette impression est telle, qu'elle me fait porter le jugement distinct ou implicite que je dois l'éviter : d'où il suit que j'en conçois le désir. Dans la puissance de concevoir des désirs consiste uniquement ce que j'appelle *volonté* » (34). Par une distinction un peu arbitraire et purement verbale entre désirs et besoins, Tracy établit l'antériorité du désir par rapport au besoin : « Ainsi l'on peut dire, en thèse générale, que *nos désirs sont la source de tous nos besoins, dont aucun n'existerait sans eux* » (35).

Or chaque être humain est la somme de ses désirs ou de ses besoins ; ce sont les désirs qui le rendent heureux ou malheureux, qui déterminent ses actions, et lui permettent par là d'affirmer sa puissance dans le monde ; c'est ainsi que l'homme est amené à confondre son moi avec sa volonté.

Les désirs et la volonté, d'autre part, ne sont que l'expression de sentiments : « *Aimer* et *haïr* sont des mots uniquement relatifs à cette faculté, qui n'auraient aucune signification si elle n'existait pas ; et son action a lieu toutes les fois que *notre sensibilité éprouve une attraction ou une répulsion quelconque.* Du moins, c'est ainsi que je conçois la volonté dans toute sa généralité » (36).

Il faut bien ici constater une certaine confusion chez le logicien qui cherche avant tout l'esprit de rigueur dans le raisonnement. Car, pour Destutt de Tracy, la volonté est le désir, mais aussi l'acte qui permet l'accomplissement de ce désir. Il définit la volonté par les sentiments et l'action, sans expliquer le passage des uns à l'autre, sans montrer comment les deux plans, plan de la sentimentalité et domaine de

---

(33) *Ibid.,* I, 46.
(34) *Ibid.,* I, 151. Dans la *Logique,* Tracy donne une définition à peu près semblable des désirs : « ...notre nature, notre organisation est telle, que chaque impression que nous recevons, chaque perception que nous avons, peut donner lieu à une de ces modifications internes que nous appelons *volontés* ou *désirs,* soit par la manière directe dont cette perception nous affecte, soit par les circonstances que nous y remarquons, et les conséquences que nous en déduisons » (*Ibid.,* 370, dans *Eléments d'Idéologie,* III).
(35) *Traité de la volonté et de ses effets,* 27, dans *Eléments d'Idéologie* IV et V parties, T. V. Tracy affirme par ailleurs en des termes semblables, l'antériorité du désir : « Mais il y a plus : tous nos besoins, depuis le plus purement machinal jusqu'au plus spiritualisé, ne sont jamais que le besoin de satisfaire un désir » (*ibid.,* 26).
(36) *Ibid.,* V, 6-7.

l'action pure, peuvent se confondre pour donner naissance à l'acte volontaire.

Ne nous attardons pas sur ces incertitudes ; ce qui a attiré l'attention de Stendhal, ce ne sont pas les contradictions de son maître, c'est l'importance que le logicien accorde à la volonté : car, mesure de l'homme, la volonté est aussi possibilité de parvenir au bonheur, effort sur soi-même, moyen de puissance et de domination sur autrui, recherche et conquête perpétuelles.

*
**

Nous pouvons déjà trouver chez le grammairien Destutt de Tracy, formulée dans le langage un peu sec et souvent imprécis de l'idéologie conventionnelle, la future science du comportement chez Stendhal.

La volonté, dit Destutt de Tracy (et il entend par là acte volontaire, et non pas désir), la volonté ou faculté de vouloir nous permet de régler nos autres facultés : « Mais lorsqu'une volonté est née dans l'être animé, lorsqu'il a conçu une détermination quelconque, ce sentiment de vouloir, qui est toujours une souffrance, tant qu'il n'est pas satisfait, a, en récompense, l'admirable propriété de réagir sur les organes, de régler la plupart de leurs mouvements, de diriger l'emploi de presque toutes les facultés, et par là de créer tous les moyens de jouissance et de puissance de l'être sensible, quand aucune force étrangère ne l'en empêche, c'est-à-dire quand l'être *voulant* est *libre* » (37).

La volonté ainsi définie est donc un instrument subtil et précieux, tout au service de l'homme qui sait bien le manier et en faire jouer tous les ressorts avec assez d'habileté et de souplesse pour être capable de les utiliser à bon escient. C'est, formulée en termes idéologiques, la conception stendhalienne de la volonté, ou, comme on s'est si souvent plu à l'appeler, de l'énergie. Mais Stendhal saura donner vie à cette définition et, à travers ses romans, l'appareil pédantesque de la philosophie du XVIIIᵉ siècle s'émiettera peu à peu.

Au sens beyliste du terme, énergie signifie énergie employée à satisfaire les désirs ou les passions fortes ; c'est bien ce que Tracy entend par volonté. Dans son *Traité de la volonté*, il montre comment l'action volontaire permet d'atteindre le bonheur : « Dans tous les cas divers, nous avons différentes manières de nous conduire pour échapper à la *souffrance de la contrainte*, pour effectuer *l'accomplissement de nos désirs* ; en un mot pour parvenir à *notre satisfaction, à*

(37) *Ibid.*, V, 43-44.

notre bonheur ; car encore une fois, ces trois choses sont une
seule et même » (38).

C'est bien là le sens stendhalien du mot bonheur, lié étroitement à l'action volontaire et à la sensation. Fabrice trouvera
le bonheur en se livrant à ses instincts généreux ; ce nouveau
Julien, si différent du premier parce qu'épanoui et libéré de
la servitude sociale, ce Julien à qui la chance a souri dès son
berceau, n'aura plus la raideur et les premières gaucheries
de son frère cadet, il obéira à ses passions qui sont celles
« d'une âme bien née », il satisfera ses désirs qui sont ceux
d'une âme d'élite ; la seule manière de se conduire pour échapper à la « souffrance de la contrainte », comme dit Tracy, sera
le libre jeu de ses instincts naturels, en un mot la spontanéité.
Spontanéité, en ce qui concerne Fabrice, c'est bien un terme
qui convient plus que volonté ou énergie. C'est en exerçant
librement ses facultés naturelles, avec une maîtrise qui, bien
plus qu'à l'application de règles de conduite et au calcul, est
due au détachement de soi et au désintéressement, que Fabrice trouvera sa plus parfaite forme d'expression.

Mais Fabrice représente l'être d'exception, le fils adoptif de
Stendhal, doté de la grâce suprême, qui est celle d'exercer sa
volonté sans effort, et comme nous l'avons montré précédemment, de faire concilier ses désirs avec ceux des autres. Fabrice
arrive à obtenir puissance et crédit en se jouant ; il y renonce
sans déchirement et sans conflit ; Fabrice plaît en société,
persuade en chaire, émeut, trouble, bouleverse, sait être éloquent, dominateur et tendre. Mais, pour Julien, pour Lucien,
pour ces autres héros stendhaliens, frères en esprit de Fabrice,
mais spirituellement moins bien doués, la puissance sera la
mise en œuvre, laborieuse et calculée, de règles de conduite,
ou, pour employer les expressions de Tracy qui expliquent
Stendhal avant la lettre, leur puissance ne consistera qu'en
l'observation de règles strictes permettant de développer la
domination sur soi-même ou sur autrui. Alors que Stendhal
parlera de règles de conduite, Destutt de Tracy emploie le
mot manière, ou moyens, mais tous deux partent des mêmes
observations bien qu'arrivant à des conclusions différentes.
Nous trouvons chez le logicien une première définition de la
conception du devoir selon Stendhal : « les droits d'un être
sensible sont tous dans ses besoins, et ses devoirs dans ses
moyens, et il est à remarquer que la faiblesse dans tous les
genres est toujours et essentiellement le principe des droits ;
et que la puissance, dans quelque sens que l'on prenne ce
mot, n'est et ne peut jamais être la source que de devoirs,

(38) *Ibid.*, V, 45.

c'est-à-dire de règles de la manière d'employer cette puissance » (39).

Pour l'auteur de *l'Idéologie* la manière dont nous employons notre volonté est donc l'objet le plus important de la psychologie; l'étude de la volonté doit être le but des sciences morales, et en effet cette étude, pour le moraliste, le philosophe ou le romancier, n'est-elle pas une véritable science, la science du comportement ? En effet, c'est la volonté, dit Tracy, qui est la condition déterminante de la liberté chez l'homme : « Je dis que l'idée de *liberté* naît de la faculté de vouloir; car, avec Locke, j'entends, par liberté, la puissance d'exécuter sa volonté, d'agir conformément à son désir; et je soutiens qu'il est impossible d'attacher une idée nette à ce mot, quand on veut lui donner un autre sens. Ainsi il n'y aurait pas de liberté s'il n'y avait pas de volonté; et il ne peut pas exister de liberté avant la naissance de la volonté. C'est donc un véritable *non-sens* de prétendre que la volonté est libre de naître » (40).

On ne peut que constater ici la contradiction de Tracy, contradiction apparente, mais qu'il se refuse à avouer, ou plus exactement, qu'il résout habilement, au moyen d'explications purement gratuites, dont l'absence de précision laisse place à l'équivoque, et permet cependant de masquer une certaine incertitude dans la pensée.

Comment la volonté peut-elle être à la fois passive et active, objet et sujet de détermination, puisque tout en déterminant nos désirs, elle est aussi déterminée par eux ? Comment la volonté peut-elle engendrer la liberté, puisque cette volonté même dépend de la sensibilité, et que nos actes ne sont, en partie, que le reflet de nos sensations ?

Les conclusions de Tracy, pour si définitives qu'il les donne, ne nous éclairent guère sur ces divers points : « Concluons donc que notre volonté n'a pas le pouvoir de former tel ou tel désir sans motif et par un acte purement émané d'elle; mais qu'ayant, jusqu'à un certain point (quelle que soit la cause qui la mette en action), le pouvoir d'appliquer notre attention à une perception plutôt qu'à une autre, de nous faire retrouver un souvenir plutôt qu'un autre, de nous faire examiner tel rapport d'une chose plutôt que tel autre, tous actes qui sont les éléments de ses déterminations, elle influe, non immédiatement, mais médiatement, sur sa direction ultérieure » (41).

Il resterait à préciser, ce que le logicien semble bien oublier de faire, jusqu'à quel point la volonté peut modifier nos dé-

(39) *Ibid., Introduction*, 3, dans *Eléments d'Idéologie*, V.
(40) *Ibid., Introduction*, 42, dans *Eléments d'Idéologie*, V.
(41) *Idéologie proprement dite*, 171, dans *Eléments d'Idéologie*, I.

sirs, jusqu'à quel point également elle demeure dépendante de la sensibilité, puisque Tracy affirme d'autre part : « Sans nul doute, on ne saurait trop le redire, l'être sensible ne peut vouloir sans motif; il ne peut vouloir qu'en vertu de la manière dont il est affecté; ainsi sa volonté suit de ses impressions antérieures, tout aussi nécessairement que tout effet suit de la cause qui a les propriétés nécessaires pour le produire » (42).

Ne s'attachant guère aux contradictions de son maître, Stendhal ne cherche chez lui qu'une discipline de vie; et Tracy lui apprend qu'une science du comportement ne peut être juste que si elle repose sur une discipline de la pensée; il faut raisonner juste pour bien vivre; voilà le principe que retient Stendhal, sans se demander d'ailleurs, si Tracy raisonne juste. Le jugement et le raisonnement, ces mécanismes délicats et toujours prêts à se fausser, sont les auxiliaires indispensables de l'art de vivre stendhalien. Cet épicurisme patiemment élaboré ne saurait trouver sa plus complète expression s'il n'admettait comme impératifs la nécessité de la passion aussi bien que celle du jugement. Avant le beylisme, Tracy formule en son langage obscur d'Idéologue, l'impératif de l'épicurisme stendhalien : « De même que de la connaissance de la formation de nos idées et de celle de leurs signes, sort naturellement celle de la manière de les combiner, qui conduit l'être pensant à la vérité; de même aussi de la connaissance raisonnée de nos penchants et de nos actions, résulte directement la science de les diriger de manière à produire le bonheur de l'être voulant; car le bonheur est le but de la volonté, comme la vérité celui du jugement » (43).

C'est par l'intermédiaire des mouvements que la volonté donne naissance aux actes, et par suite à la liberté. Cependant, ces mouvements ne dépendent pas tous de la faculté de vouloir, ils « sont soumis à notre volonté à des degrés différents, c'est-à-dire sont plus ou moins dépendants de ceux qui produisent en nous la perception d'un désir » (44).

---

(42) *Traité de la volonté et de ses effets*, 43, dans *Eléments d'Idéologie*, V.

(43) *De la Logique*, 373, dans *Eléments d'Idéologie*, III.

(44) *Idéologie proprement dite, extrait raisonné de l'Idéologie*, 308, dans *Eléments d'Idéologie*, I. Les mouvements, dit Tracy, résultent de nos sensations internes ou externes, de nos souvenirs, de nos jugements, et de nos désirs, mais dans la mesure où nous pouvons agir sur nos souvenirs, nos jugements et des désirs, nous avons la possibilité de modifier tel ou tel mouvement ; car, par exemple, « un jugement naît nécessairement des impressions qui en sont l'objet ; mais ces impressions, il est jusqu'à un certain point des moyens de les éprouver ou de les éviter à volonté » (*ibid.*, I, 309).

*
**

Etudiant l'homme et aussi le perfectionnement de l'être humain, Tracy ne saurait négliger les effets de la répétition des mouvements ou habitude : « Je crois donc que c'est une loi générale de tous nos mouvements, *que, plus ils sont répétés, plus ils deviennent faciles et rapides; et que, plus ils sont faciles et rapides, moins ils sont perceptibles, c'est-à-dire plus la perception qu'ils nous causent diminue, jusqu'au point même de s'anéantir, quoique le mouvement ait toujours lieu* » (45).

C'est grâce à l'habitude que nous pouvons modifier notre comportement, « et la cause générale du perfectionnement de l'homme et de l'accroissement de sa capacité est cette propriété qu'ont ses organes de recevoir une disposition permanente à l'occasion d'une impression passagère, et de devenir capables de faire très promptement et très facilement ce qu'ils avaient d'abord exécuté avec beaucoup de peine » (46).

Cependant, dit Tracy, le perfectionnement de l'homme est limité, le milieu extérieur et la société viennent sans cesse apporter des modifications à ses tendances naturelles; le progrès de l'intelligence, sur le plan individuel, et non sur le plan de la civilisation, ne suit pas de ligne continue; les apports extérieurs brisent à tout instant les efforts de l'homme « (...) à quoi il faut ajouter cette réflexion, que c'est par leur influence et par la communication des idées, dont ils sont l'unique moyen qu'il arrive que, quoique toutes nos idées nous viennent par les sens et soient élaborées par nos facultés intellectuelles, la perfection des sens, et même celle de ces facultés, est cependant bien loin d'être la mesure de la capacité des esprits, comme elle le serait dans des individus isolés, et qu'au contraire nous sommes presqu'entièrement les ouvrages des circonstances qui nous environnent » (47).

Mais nous avons aussi le pouvoir d'échapper aux circonstances grâce à la volonté, comme nous avons, par nos décisions et nos actes, le moyen d'influer sur autrui. En conclusion, l'homme défini par Tracy, par le logicien (48) qui se

---

(45) *Idéologie proprement dite*, 181, dans Eléments d'Idéologie, I.

(46) *Ibid.*, I, 201.

(47) *Ibid.*, I, 271.

(48) Remarquons que Tracy ne réduit jamais l'homme à une seule de *ses facultés*, que ce soit la faculté de sentir ou la faculté de penser. De même, l'union entre les êtres, la possibilité de communication avec nos semblables, ne peut s'expliquer que si on étudie l'homme dans sa totalité : « Voilà le lien entre notre *moi* et les autres êtres ; c'est la *volonté* et l'action senties réunies. L'une sans l'autre ne suffirait pas. Un être sentant et même voulant qui n'agirait pas et ne pourrait connaître que lui-

plaît à décomposer les rouages de la nature humaine, est une résultante de divers éléments ; *dans le jeu subtil de cette mécanique humaine ainsi démontée, Tracy ne laisse guère place au naturel; ce sera le rôle de Stendhal de donner la vie à ce robot,* d'assouplir ses articulations un peu raidies, de lui permettre de courir librement dans le temps et l'espace, en le faisant pénétrer dans des époques historiques mouvementées, en le confrontant directement avec le réel, l'aventure, la société et toutes les formes de la vie, cette réalité parfois âpre et dure, dont il supportera souvent difficilement le choc, mais dont son « naturel » triomphera sans peine.

même, que sa vertu sentante et voulante ; et un être qui agirait, mais sans le vouloir ou sans le sentir, ne s'apercevrait pas encore que quelque chose lui résiste, et par conséquent existe » (*Idéologie proprement dite,* dans *Eléments d'Idéologie,* I, 105).

DEUXIÈME PARTIE

LES CONCEPTIONS DU NATUREL
DANS L'ÉTHIQUE STENDHALIENNE

A. – UN ÉPICURISME SCIENTIFIQUE

CHAPITRE IV

UNE PSYCHOLOGIE SCIENTIFIQUE

1. — *LA PSYCHOLOGIE MATERIALISTE DE L'INSTINCT SELON CABANIS : Elargissement de la vision stendhalienne de l'homme. — L'instinct et l'inconscient selon Cabanis. — L'inconscient dans les romans de Stendhal. — Une génétique de l'homme ; la vie embryonnaire et le plexus solaire. — La génétique des sensations chez les héros stendhaliens.*

2. — *CONCEPTION BEYLISTE ET RATIONALISTE DE L'ART SELON CABANIS : La théorie des tempéraments dans le domaine artistique. — Une représentation symbolique des caractères humains. — Une classification scientifique des peintres. — Explication physiologique du génie selon Cabanis.*

3. — *BEYLE A LA RECHERCHE DE SON PROPRE TEMPERAMENT : Les réconforts de l'analyse de soi. — La connaissance de soi est impossible. — Pluralité de caractères chez Stendhal. — Le véritable tempérament de Stendhal. — Les malaises de Stendhal. — L'émotivité chez Stendhal. — Les diverses interprétations du caractère stendhalien. — L'origine morale des malaises de Stendhal. — La maladie du naturel.*

4. — *UN SYSTEME RELATIVISTE : L'homme selon l'optique sociologique de Cabanis. — Réduction de l'homme au rôle de composante et de facteur. — L'amour et son aspect sociologique. — Première définition de l'Italien chez Stendhal.*

1. — LA PSYCHOLOGIE MATERIALISTE DE L'INSTINCT SELON CABANIS

Autodidacte passionné, mais ami de la mesure, soucieux du vrai et aussi amoureux d'une beauté diverse, beauté sévèrement souriante et heureuse dans l'architecture romaine, placide dans les lacs italiens, farouche dans les combats de cosaques, celui qui avait fait sa devise de l'inscription du temple de Delphes a été le seul esprit de son temps qui fut attiré et séduit par des disciplines aussi diverses. Son œuvre est le résultat de cet effort. Le jeune Beyle s'empare avec avidité des idées de la fin du XVIIIᵉ siècle ; il fait ces idées siennes, avec d'autant plus de conviction qu'elles sont précisément opposées à celles de son père. Chérubin Beyle, « le bâtard », vit encore dans l'admiration d'une royauté morte : le désir de s'affranchir de la tutelle paternelle poussera le jeune Henri à former sa personnalité au contact de la science nouvelle.

Pendant toute cette époque de travail sur soi-même où l'adolescent cherche une discipline de vie et de pensée, il est sans cesse attiré par de nouveaux maîtres, philosophes, grammairiens ou médecins, qui lui permettent de trouver un équilibre ; toutes les disciplines le séduisent, s'il les juge propres à calmer ses angoisses d'intellectuel qui se veut libre, mais qui est pourtant encore entravé par les hésitations de la jeunesse.

Intelligent d'abord, par conséquent sensible, tel est Stendhal. On l'a fait passer — pendant un temps — pour un roué, pour un homme au cœur sec, alors que ses œuvres n'étaient point encore publiées dans leur ensemble. Un mouvement de critique contraire à la précédente l'a présenté comme un homme au cœur trop sensible, parce que Stendhal, dans son *Journal,* avouait qu'il était constamment froissé par les mille petits événements de la vie quotidienne, parce qu'il se reconnaissait amoureux, parce qu'il appliquait à son caractère les définitions chères aux Idéologues. En fait, cette prétendue « sensibilité maladive » n'est que l'expression d'une exigence : exigence d'un « clerc » qui se trouve mal à l'aise dans les salons de la Restauration, exigence d'un écrivain qui voudrait vivre dans la société de ses pairs, les « happy few ». La part d'orgueil que comporte cette exigence fait naître le romancier.

De 1802 à 1803 en effet, vivant et écrivant pour le théâtre, s'exerçant péniblement et en vain à jouer et à se faire jouer, Beyle ne trouve pas dans le milieu de Dugazon, son professeur de diction, les encouragements et le succès qui permettraient au jeune homme, encore provincial, de se sentir à l'aise dans la société parisienne. Les actrices sont pourtant assez faciles, mais elles ne sauraient le consoler de son échec auprès de Victorine Mounier, insensible aux ardeurs de son timide amant, et de l'amour violent qu'il lui porta du 3 juin 1803 au 13 janvier 1805. Le pouvoir de consolation des Idéologues est plus grand, leur influence sur Beyle est plus frappante que celle de la société féminine qui suivait avec conviction les cours de Dugazon.

Poursuivant avec hâte son éducation intellectuelle, « l'homme de l'Idéologie » découvrira, avec fièvre, mais non point sans méthode cependant, que Lancelin, Helvétius et Tracy, sont des maîtres encore incomplets. Car l'Idéologie, aussi bien, n'est qu'une étiquette, un peu ridicule mais commode comme toute étiquette, qui a le tort de grouper sous le même nom les chefs des écoles nouvelles de la fin du XVIIIᵉ siècle, grammairiens, logiciens, économistes, physiologues ou physiocrates comme Cabanis, médecins aliénistes comme Pinel.

Encouragés par Bonaparte, brisés par Napoléon, les théoriciens de l'école nouvelle ne continuaient pas moins, en 1805, à développer dans tous les domaines et dans toutes les disciplines la méthode de Condillac, fondement de leur philosophie. La curiosité de Beyle à leur égard et le déséquilibre temporaire où il se trouvait devaient le conduire sur le chemin de l'Ecole de Médecine, dans l'espoir que la bibliothèque de cette Ecole fournirait un remède à son chagrin d'amour, à son ennui, à son manque d'adaptation à la société de son temps : « Je vais à l'école de Médecine, à dix heures pour lire l'*Aliénation Mentale* de Pinel ; la bibliothèque est fermée. Je vais au Panthéon, je lis le premier Discours de Cabanis sur les rapports du physique et du moral » (1). Rencontrant Cabanis alors qu'il espérait trouver Pinel, Stendhal fut, semble-t-il, déçu. Il a, à l'égard de Cabanis, la réaction d'un véritable disciple de Tracy, amoureux des faits et de la précision du langage, et méprise au premier abord l'auteur des *Rapports* : « La manière d'énoncer les faits me semble si générale qu'elle en est vague. Cet auteur ne me plaît point, lire Bacon et Hobbes » (2).

Mais il reviendra sur ce jugement un peu hâtif. La preuve n'en est-elle pas donnée par cet aveu du 20 juillet 1813 : « Je pense en 1813 à Sagan que nous étions trop sévères envers Cabanis. Il fallait voir dans son livre des observations et non des assertions. Peut-on nier à un astronome qu'une comète par lui observée a fait tel mouvement ? Il dit l'avoir vu. La cause de ce mouvement, il l'ignore. Cabanis ne prouve pas qu'un homme à teint jaune est nécessairement ce que nous appelons le caractère moral bilieux, il dit seulement qu'il l'a vu. C'est à nous d'y regarder si nous voulons » (3).

Stendhal avait déjà appris l'art du raisonnement, il appren-

(1) *Journal*, II, 8, passage daté du 4 pluviôse, 24 janvier 1805.
(2) *Ibid.*, II, 8-9.
(3) *Journal*, V, 195-196, passage daté du 20 juillet 1813.

dra dans Cabanis l'art de l'observation. Sa vision du monde
en sera élargie. Avec Tracy, il ne regardait le monde que par
le petit côté de la lorgnette, le plus étroit, celui qui fige un
univers en mouvement, qui néglige la couleur, le volume, la
densité, la diversité des paysages et des cieux, celui qui voile
les rayons du soleil sur les ruines romaines. Tracy donnait à
l'esprit ses lois, et méprisait volontiers la chair pour enfermer
la pensée dans des moules stéréotypés. Avec Cabanis, le jeune
Beyle verra le monde par l'autre bout de la lorgnette, sans
oublier cependant les principes de son premier maître. Ce
monde ne lui en apparaît que plus dense et plus coloré. C'est un
univers en mouvement où vivent et souffrent des hommes
dont les appétits sont régis par la couleur du ciel et le degré
de latitude, la beauté des montagnes et la fraîcheur des cours
d'eau. Cabanis donne à Stendhal une vision plus complexe
et plus riche de l'espèce humaine, en la montrant soumise à
des lois à la fois poétiques et scientifiques, en la reliant à son
milieu physique et à son cadre naturel. Stendhal pourra alors
s'intéresser à une société qui cesse de se construire sur de
menues intrigues humaines pour trouver son explication dans
des réalités plus vastes et dans des rapports précis entre
l'homme et l'ambiance, le tempérament et le climat, la cou-
tume et la nature. Cette vision plus complexe permettra à
Stendhal d'observer les hommes et aussi de les aimer. Nous
verrons plus tard en les étudiant que ces moyens d'observations sont assez simples. Ce que nous notons pour l'instant,
c'est l'évolution de Beyle, ses progrès dans la connaissance
des hommes.

La lecture des *Rapports* portera ses fruits ; elle inspirera
à Stendhal une cinquantaine de pages de l'*Histoire de la peinture en Italie*, elle lui fera deviner les mobiles des actions des
hommes ; il trouvera enfin dans la théorie des tempéraments
une explication, ou une pseudo-explication de son caractère.
Cabanis met le futur romancier en face de ses divers types
sociaux. Voilà pourquoi Stendhal dans ses *Souvenirs d'égotisme,* voulant marquer sa reconnaissance attendrie envers
Cabanis et revenant sur son jugement primitif, n'hésitera pas
à commettre des erreurs de date pour dire que les *Rapports
du physique et du moral* ont été sa bible à 16 ans (4).

_____

(4) C'est sans doute dans les salons de Tracy que Beyle dut entendre
parler de Cabanis, comme semble le faire entendre ce passage des *Souvenirs d'égotisme* : « M. de Tracy avait été l'ami intime du célèbre
Cabanis, le père du matérialisme, dont le livre : *Rapports du physique
et du moral,* avait été ma bible à 16 ans. Madame Cabanis et sa fille,
haute de six pieds et malgré cela fort aimable, paraissaient dans ce
salon. M. de Tracy me mena chez elle, rue des Vieilles-Tuileries, au
diable ; j'en fus chassé par la chaleur » (*Souvenirs d'égotisme,* nouvelle
édition, établie et commentée par H. Martineau, Le Divan, Paris, 1941,
p. 52).

Mais, dans ses années de formation, selon la méthode d'Helvétius, il ne se soucie pas de son éducation et prétend la former par la connaissance de l'homme. Alors que son but apparent est d'assimiler la science nouvelle, il fait appel à tous les psychologues de son temps pour comprendre l'homme, pour former cette psychologie stendhalienne qui n'est que connaissance précise du comportement humain et qui s'épanouira dans la *Chartreuse* et dans *Lucien Leuwen*.

Eloigné de la société par sa timidité, il s'en rapprochera grâce à Cabanis. Faisant souvent piètre figure au milieu de ses semblables, il lui reste, du moins, la ressource d'interpréter leurs gestes grâce aux Idéologues. Sans recourir à une biographie minutieuse, on peut dire qu'en 1805, Stendhal ne devait guère briller par ses succès mondains, puisqu'il avoue vivre à ce moment là solitaire et fou comme un Espagnol, à mille lieues de la vie réelle, tout en vénérant Cabanis (5). Il a peur des hommes et le petit univers des mondains lui paraît d'autant plus fermé sur soi qu'il n'ose s'en approcher. Aussi préfère-t-il les connaître dans les livres. Mais le mécanisme du cœur humain une fois démonté, il soulèvera le manteau des préjugés — le seul habit de luxe pour certains — et démasquera la comédie des attitudes. Voyant que le mobile de nos actions repose sur la vanité, il aura à son tour la vanité de prendre une attitude, oubliera son air gauche et emprunté pour se montrer brillant, spirituel, caustique, il trouvera alors sa vocation, et d'essayiste deviendra romancier.

Cependant en 1805, le meilleur remède contre ses chagrins d'amour et le manque de succès mondains est de discuter des Idéologues avec ses amis, Mante, Rey (6) et Crozet. Quelques années plus tard en 1811, Beyle et Crozet s'enthousiasment encore pour Cabanis, mettent en tableaux synoptiques cette nouvelle bible, les *Rapports du physique et du moral,* et si Beyle ne peut faire partager son admiration à sa sœur, ce n'est pas faute de soins : « Tu dois être ennuyée de Cabanis. Voici un extrait que Cr (ozet) et moi avons fait de la partie la plus essentielle : les tempéraments » (7).

Cabanis apprend à Stendhal cette vérité assez élémentaire que tous les hommes sont de chair. Il lui fait redécouvrir un monde où l'on ne peut mépriser la force de l'instinct ni la

(5) « Je vénérais Cabanis (...). Je vivais solitaire et fou comme un Espagnol, à mille lieues de la vie réelle » (*Vie de Henry Brulard,* 20).

(6) D'après Stendhal, Rey fut aussi un disciple fervent des Idéologues : « Je vais à dix heures avec Mante chez Rey, qui nous conte la manière dont Destutt l'a présenté à Cabanis : Votre maître et le mien » (*Journal,* I, 242).

(7) *Corr.,* III, 306, lettre datée de Paris, le 7 février 1811.

spontanéité de la vie. Dans cette société que Tracy voulait
fidèle à l'éthique de la raison, il montre que l'instinct peut et
doit prendre place. N'est-ce point là une révélation pour
Stendhal, révélation qu'il formule dans un langage embarrassé
d'écolier : « Je vois dans Cabanis que nous agissons souvent
pour satisfaire à des besoins qui viennent d'après des idées qui
viennent de l'intérieur du corps au cerveau. La réunion des
désirs qui nous viennent de cette manière se nomme *instinct*.
Condillac a entièrement méconnu l'instinct » (8).

Plus que Tracy et Condillac, Cabanis tient compte des forces
vitales : « Vivre n'est autre chose que recevoir des impressions, et exécuter les mouvements que ces impressions sollicitent » (9). Cette définition lui permet d'élargir la conception
de la sensibilité. Sa vision du monde est plus vaste que celle
des Idéologues ; alors que Tracy s'intéressait seulement aux
impressions qui devenaient conscientes, Cabanis, précurseur
des méthodes modernes, tient compte de l'influence du subconscient sur le comportement. Il fait appel en effet pour expliquer le comportement humain aux formes inconscientes
de la sensibilité. Rompant avec le cartésianisme, comme avec
Spinoza, Kant et Leibnitz, il donne de l'homme une nouvelle
image, plus simplifiée peut-être, mais aussi plus cohérente.
Il n'établit point de séparation entre la pensée et le corps,
puisque, Idéologue et psychologue matérialiste, il ne saurait
donner de la pensée la même définition qu'en donnait jadis
Descartes. Le corps et la pensée ne suffisent plus pour expliquer l'homme : il faut tenir compte aussi des sensations internes, manifestations physiques qui influent sur le moral et
dont Cabanis montre le rôle dans les rêves, l'ivresse ou dans
la crise de la puberté : « Il est notoire que dans certaines dispositions des organes internes, et notamment des viscères du
bas-ventre, on est plus ou moins capable de sentir ou de penser (...). Ainsi donc, les idées riantes ou sombres, les sentiments doux ou funestes, tiennent alors directement à la manière dont certains viscères abdominaux exercent leurs fonctions respectives » (10).

L'importance que Cabanis attache aux sensations internes
l'amène à découvrir un élément important de la vie psychi-
que, l'inconscient, sans lui donner cependant, comme de nos

(8) *Journal*, II, 9, passage daté du 4 pluviôse, 24 janvier 1805. L'absence
de clarté ou de signification de ce passage ne saurait cependant mettre
en doute l'influence de Cabanis. Du moins, Stendhal a-t-il retenu de
Cabanis l'importance de l'instinct. Et d'autre part le style du *Journal*
en 1806 ne saurait atteindre l'aisance et la souplesse de celui de la
Chartreuse. La confrontation des deux styles ne peut que mettre en
lumière les progrès de Stendhal dans la connaissance de l'homme.
(9) Cabanis, *Rapports du physique et du moral de l'homme* — Quatrième édition, revue et augmentée de notes par E. Pariset, chez Béchet
Jeune, Paris, 1824, II, 113.
(10) *Ibid.*, I, 94-95.

jours, la primauté dans le comportement de l'homme. Il n'a
point, il est vrai, délimité les frontières qui séparaient l'inconscient du subconscient, il n'a pas dévoilé, comme nos psychologues actuels, les mille visages sous lesquels pouvait se
travestir l'inconscient pour pénétrer en voleur dans les zones
claires de la conscience. Si son vocabulaire ne possède pas la
richesse en termes techniques dont s'enorgueillissent les méthodes modernes, c'est qu'il a encore gardé la simplicité d'une
science qui s'appelait autrefois sagesse, et qui permettait d'étudier l'homme dans sa totalité, depuis Hippocrate jusqu'à Helvétius, en passant par Montaigne. Mais Cabanis a parfaitement vu
que l'homme ne se réduisait pas à une seule image, qu'un être
double nous dictait parfois des démarches que nous prenions
pour les résultats logiques de notre raison et de notre
volonté. Car « il y a dans l'homme un autre homme intérieur,
doué des mêmes facultés, des mêmes affections, susceptible
de toutes les déterminations analogues aux phénomènes extérieurs, ou plutôt dont les faits apparents de la vie ne font
que manifester au dehors les dispositions secrètes, et représenter en quelque sorte les opérations » (11).

Plus ou moins volontairement, Stendhal a utilisé les découvertes de Cabanis, et le roman stendhalien se rapproche
de nos romans modernes dans la mesure où Cabanis devance
son temps. C'est un autre « homme intérieur » qui agit à la
place de Julien Sorel, lorsque celui-ci abandonne tous les projets qui lui tenaient à cœur pour courir à l'église de Verrières.
Ce n'est plus l'être raisonnable et calculateur que nous con-
naissions, mais un nouveau Julien, qui semble mené par la
poussée de l'inconscient, lors de l'éclatement d'une crise.
Voilà, du moins selon M. Martineau, une des interprétations
possibles du coup de feu tiré sur Madame de Rênal. Julien
serait en état de somnambulisme, automate inconscient qui
a perdu tout contrôle de lui-même : « En proie à une sorte
d'hypnose, il marche vers le but à atteindre sans pouvoir être
distrait par rien au monde. Le temps ni l'espace n'ont plus de
valeur à ses yeux (...). Il n'a donc rien vu, il n'a donc rien
entendu, il n'a donc rien pensé durant son long voyage, et
cela depuis l'instant où l'indignation l'a mis en route jusqu'au
moment où il se réveille du profond sommeil dans lequel il
tombe aussitôt après son arrestation » (12).

(11) *Ibid.*, I, 158.
(12) *Introduction* de M. Martineau, p. XXV, Le *Rouge et le Noir,* texte
établi avec introduction, bibliographie, chronologie, notes et variantes
par Henri Martineau, Garnier, Paris, 1939.
Dans son *Introduction,* M. Martineau démontre que le dénouement
du *Rouge* n'a pas ce caractère d'étrangeté qu'on lui a souvent reproché,

Nous ne nous attachons ici qu'à la description de l'état second où vit Julien depuis son départ de l'hôtel du marquis de La Mole, sans mettre en cause les motifs favorables à la décomposition de son ancien personnage. Il n'en reste pas moins, comme M. Martineau l'a fait remarquer, que Julien agit dans une sorte de somnambulisme qu'on ne saurait expliquer sans l'aide de la psychiatrie. Nous ne croyons pas que Stendhal ait dû recourir à sa bible, les *Rapports du physique et du moral,* pour décrire cet état, mais comment ses lectures n'auraient-elles pas déposé en lui des traces, puisqu'elles modifiaient sa conception de l'homme ? Décantées par le temps, estompées par le souvenir, les idées du médecin Cabanis ont pris figure humaine pour le romancier Stendhal, se sont incarnées en Julien Sorel ou en Fabrice, d'abstractions elles sont devenues hommes. Il revenait à Henri Beyle, jeune essayiste, d'utiliser directement certaines théories de Cabanis, comme celles des tempéraments. Mais il appartenait au romancier de faire vivre, sous forme concrète, la nouvelle idée de la personnalité formulée par Cabanis. Car le physiologue renouvelle la conception du moi dans la mesure où il met en lumière le rôle de l'inconscient. La conscience détrônée n'a plus l'apanage à elle seule de la sensibilité, puisqu'il existe d'autres phénomènes, que nous pouvons reconnaître en Julien Sorel, qui relèvent de l'automatisme et qui ne font point partie de la conscience du moi.

« Plusieurs philosophes, et même plusieurs physiologistes,

mais était nécessaire, logique et conforme à la psychologie du héros : « Le romancier a conservé ce dénouement, soyons-en certains, non seulement parce qu'il était symbolique et marquait bien l'échec des aspirations forcenées de toute une génération, mais surtout parce qu'étant donné le caractère ardent de Julien Sorel, toujours prêt à passer de la méditation à l'acte, tout le prédisposait au crime passionnel. Beyle a noté quelque part, à propos des *Femmes Savantes,* à quel point cette comédie est « fondée solidement sur les principes médicaux des tempéraments ». Ce sont ces mêmes principes que le disciple impénitent d'Helvétius et de Cabanis a donné comme support à tous les caractères de ses romans (...). Il faut n'avoir rien lu sur les assassins par passion, et n'avoir jamais eu la plus petite lueur du mécanisme mental commun à une classe fort importante d'hallucinés. Toutes les études des spécialistes concordent. Il est une sorte de criminels à laquelle appartient Julien Sorel, qui n'agit que sous la contrainte d'une obsession et pour qui rien n'a de prix tant que la crise n'est pas accomplie. Julien est très nettement devenu un autre être depuis qu'il a lu la lettre de Mme de Rênal. Mathilde est près de lui et cependant elle cesse d'exister à ses yeux. Songe-t-il un peu plus tard à écrire, « sa main ne formait sur le papier que des traits illisibles ». Enfin chez l'armurier de Verrières il a « beaucoup de peine à lui faire comprendre qu'il voulait une paire de pistolets ». Tous ces traits accumulés en trois paragraphes consécutifs montrent assez que nous n'avons plus affaire à une créature normale, mais à un véritable malade. Stendhal a eu le grand mérite de deviner cela d'instinct alors que nul savant n'avait encore dégagé le processus et les lois de ce phénomène (*Ibid.,* pp. XXII à XXV). Cf. l'article de Mme Henriette Bibas, *Le double dénouement et la morale du « Rouge »* (Revue d'Histoire Littéraire de la France, janvier-mars 1949).

ne reconnaissent de sensibilité que là où se manifeste nettement la conscience des impressions : cette conscience est à leurs yeux le caractère exclusif et distinct de la sensibilité. Cependant, on peut l'affirmer sans hésitation, rien n'est plus insuffisant pour l'explication des phénomènes idéologiques » (13). Autrement dit, l'homme agit souvent sans en prendre conscience, et ses gestes, ses attitudes, sont cependant des manifestations de la sensibilité : « Ainsi, beaucoup de mouvements s'opèrent, dans l'économie animale, à l'insu du *moi*, mais cependant par l'influence de l'organe sensitif » (14). Ce sont bien là les mouvements de Fabrice lors de son évasion, lorsqu'il descend de la Tour Farnèse dans une sorte de rêve, sans être aucunement troublé, au point de se placer « hardiment entre deux sentinelles voisines » (15). Le Fabrice qui s'évade semble être un second Fabrice ; la conscience des dangers présents est abolie au profit d'un second moi, qui se trouve fort à l'aise dans cette aventure plutôt risquée et aussi tranquille que dans un bal ou dans une parade militaire. « Il me semblait », dit Fabrice, « que j'accomplissais une cérémonie » (16). La réalité du péril paraît effacé, les impressions émoussées : « Il agissait mécaniquement (...), et comme il eût fait en plein jour, descendant devant des amis, pour gagner un pari » (17).

Tout se passe comme si le moi second de Fabrice ignorait les pensées et les volontés de l'autre moi, du Fabrice qui a peur, affaibli par le jeûne et le manque d'air, du Fabrice qui aime Clélia et qui n'aurait d'autre désir que de rester dans sa tour.

Cabanis a montré ce mécanisme qui existe dans tout homme. Il y a, à côté de l'expérience externe, une expérience interne, et à côté de l'action volontaire et raisonnée, un automatisme inconscient qui échappe au contrôle du moi. En avance sur son temps, Cabanis devance par là les psychologues modernes comme P. Janet dont la théorie de l'inconscient et de l'automatisme est fort proche de la sienne (18).

---

(13) *Rapports*, II, 275.
(14) *Ibid.*, II, 279. Allant à l'encontre des opinions de son temps, Cabanis établit donc qu'il peut y avoir sensibilité sans sensation (Voir *Rapports*, II, 278, note 1).
(15) La *Chartreuse de Parme*, texte établi avec introduction, bibliographie, chronologie, notes et variantes par Henri Martineau, éd. Garnier, Paris, 1942, p. 365.
(16) *Ibid.*, 366.
(17) *Ibid.*, 366.
(18) En montrant l'importance des sensations internes, Cabanis est en effet amené à renouveler l'ancienne conception du moi. A côté du moi conscient, des « moi » secondaires viennent prendre place, se substituant parfois à lui, et qui sont le résultat de sensations bien souvent ignorées de l'individu lui-même : « Il faut donc encore considérer le système nerveux comme susceptible de se diviser en plusieurs systèmes partiels inférieurs, qui tous ont leur centre de gravité, leur point de

L'homme, selon Cabanis, n'est donc point l'être raisonnable que voyait Descartes, avec cette faille impossible à combler entre la pensée et le corps. Mais il a un plexus solaire, siège des émotions, qui le gouverne parfois à son insu. Il sera Julien Sorel, Madame de Chasteller, Henry Brulard, Stendhal enfin, tel qu'il se voit à travers Cabanis.

C'est en ce sens que les héros stendhaliens sont les frères des héros modernes ; mais frères plus âgés, ils ont tous les privilèges du droit d'aînesse, avec l'assurance du confort qu'il comporte ; plus souriants, plus dilettantes, parce que leurs prérogatives sont certaines ; aussi déraisonnables cependant que leurs cadets, ils s'analysent sans cesse, mais l'objet de leur passion échappe à leur analyse. Leur plexus solaire à leur insu les commande, le subconscient l'emporte sur la raison et les mobiles de leurs actions sont souvent, par là même, impossibles à déterminer pour le lecteur, qui s'étonne de voir Julien Sorel tirer deux coups de pistolet sur la seule femme qu'il ait aimée. Et Stendhal, comme Julien, oublie souvent l'esprit de calcul et les règles qu'il a puisées chez Destutt de Tracy, pour se laisser aller au plaisir de l'émotion. Il serait vain de prétendre toujours obéir à la raison, et les actes qui paraissent les plus réfléchis ne le sont qu'à moitié, puisqu' « enfin, de tous les organes essentiels, le cerveau, soit comme réservoir commun de la sensibilité, soit comme instrument direct des opérations intellectuelles, paraît être celui qui partage le plus vivement et le plus promptement toutes les dispositions de l'estomac, et toutes les dispositions que ce viscère est susceptible de recevoir » (19).

C'est dans la mesure où Cabanis s'éloigne de Tracy et des Idéologues comme Condillac ou son prédécesseur Locke, qu'il convainc Stendhal lorsqu'il affirme qu' « au moment de la naissance, le centre cérébral a reçu et combiné déjà beaucoup d'impressions, il n'est point *table rase,* si l'on donne au sens de ce mot toute son étendue » (20).

Devançant les psychologues modernes, Cabanis se sépare de son temps. Une fois de plus, nous pourrions comparer sa méthode à celle des psychanalystes actuels, si son langage n'en

réaction particulière, où les impressions vont aboutir, et d'où partent les déterminations de mouvements (...). Peut-être, comme l'imaginait Vanhelmont au sujet des divers organes, se forme-t-il dans chaque système et dans chaque centre une espèce de *moi* partiel, relatif aux impressions dont ce centre est le rendez-vous, et aux mouvements que son système détermine et dirige » (*Rapports,* II, 280).

(19) *Ibid.,* II, 423.
(20) *Ibid.,* II, 308.

différait pas par l'absence de toute technicité. Car il serait fastidieux de répéter que Freud n'est pas le père de la psycha-
nalyse, mais l'héritier d'une science que la civilisation a mûrie,
depuis Sophocle, Shakespeare, Racine et tant d'autres, science
qu'il a portée jusqu'au terme de son éclatement, en la forçant
à pénétrer dans une voie trop exclusive et trop étroite. Dans
la langue de son temps, Cabanis, faisant un trop uniforme
usage du mot sentir et de ses dérivés, dit que le fœtus sent
avant que de naître, qu'il est déjà un homme en puissance et
non pas d'embryon ou le bloc inanimé de la fameuse statue
de Condillac, qui ne peut s'éveiller qu'à la lumière et a besoin
du monde pour que ses sens prisonniers prennent le sentiment de leur existence en même temps que celui de l'univers.

Depuis la vie embryonnaire jusqu'à sa mort, l'homme n'est
que la somme de ses sensations : « Lorsqu'un sens devient
plus juste, ou lorsqu'il recueille plus de sensations, l'esprit
porte des jugements plus sûrs, ou les idées se multiplient,
sur les objets auxquels ce sens s'applique spécialement. Il est
d'ailleurs bien certain que la plupart de nos penchants tiennent au développement de certains organes particuliers » (21).
Cabanis montre donc que la sensibilité, terme auquel il attache
un sens très général et par là même vague, est à l'origine de
nos idées, que d'elle dépend en partie notre comportement.

Henry Brulard se reconnaîtra dans ce portrait de l'homme
fait par un médecin et étudiera en lui ces « dispositions vagues de bien être ou de mal être, que chacun éprouve journel-
lement, et presque toujours sans pouvoir en assigner la source, mais qui dépendent de dérangements, plus ou moins graves,
dans les viscères et dans les parties internes du système nerveux : dispositions très remarquables, qui, pour n'avoir aucun
rapport avec l'état des organes des sens, n'en déterminent pas
moins d'importantes modifications dans la nature des penchants ou des idées, et très certainement agissent d'une manière immédiate sur la faculté de penser, sur celle même de
sentir » (22).

Ces états de mélancolie vague ou de mauvaise humeur, un
sentiment d'euphorie, ou une certaine irritation localisée au
plexus solaire, d'autres écoles s'efforceront d'en montrer les
causes, avec plus ou moins de succès. Il n'en reste pas moins
que le *Journal* semble être un écho fidèle de la phrase précédente de Cabanis, qui n'est qu'un engagement à l'auto-analyse.
Et après Stendhal, combien d'auteurs, dont le plus connu est
Gide, relateront avec minutie les démarches, les attitudes et
l'ennui où les ont poussé un état d'excitation ou de dépression du grand sympathique.

(21) *Ibid.*, II, 218.
(22) *Ibid.*, I, 100-101.

Avec un souci de précision qu'il doit à ses maîtres précédents, Stendhal étudie, d'après Cabanis, l'état de sensibilité de l'écrivain lors de la création : « Etre passionné pour une chose, et puis l'oublier tout à fait, telle est mon histoire *nel comporre* (...). Cela posé et senti bien nettement dans moi, voici le passage de Cabanis : Remarquons que la sensibilité se comporte à la manière d'un fluide dont la qualité totale est déterminée, et qui, toutes les fois qu'il se jette en plus grande abondance dans un de ses canaux, diminue proportionnellement dans les autres » (23).

*
**

Mais Stendhal ne se contentera pas de s'analyser en fonction de la psychologie de Cabanis, il créera des héros à son image et retracera l'histoire de leurs émotions, suivant la génétique des sensations chère à l'auteur des *Rapports* : « Enfin, quoique les impressions pénibles attachées à l'état de maladie fassent souvent éclore des sentiments et des passions contraires à la bienveillance sympathique, base de toutes les vertus ; quelquefois cependant, je le répète, l'élévation, la délicatesse, la pureté des penchants moraux, dépendent de certaines émotions vives et profondes, qui tiennent à l'exaltation de la sensibilité générale, ou à sa concentration dans certains organes particuliers » (24).

L'émotion ressentie par Fabrice à la vue de Clélia Conti, l'exaltation de la sensibilité qu'elle produit soudainement chez lui, le transformeront et le marqueront définitivement ; ce jeune libertin un peu étourdi et aux conquêtes faciles, amoureux de l'aventure et de la vie se découvrira peu à peu ami de la solitude et de la contemplation ; il ne trouvera d'autres bonheurs que de vivre dans une tour, si la voix qui lui plaît peut parvenir jusqu'à ses oreilles. Le coup de pistolet tiré sur Madame de Rênal ne fera que blesser légèrement la femme qu'il aime, mais tuera en Julien le vieil homme. Le sentiment de jalousie qui explose en même temps que le coup de feu qu'il a inconsciemment suscité, fera comprendre à Julien et son amour pour Madame de Rênal, et ce qu'il a cherché jusqu'alors. Il deviendra le frère de Fabrice dans sa tour.

La violence de Sorel, l'acharnement de Fabrice à vouloir revenir dans sa prison, ces mouvements impétueux propres aux âmes d'élite sont l'éclatement d'une crise et l'aboutissement logique des impressions qui les ont engendrés. La genèse des sensations est, dans tout individu, aussi peu explicable que celle du monde, mais tout au moins aussi inéluctable.

(23) *Journal*, V, 212-213.
(24) *Rapp.*, II, 104-105.

L'univers une fois mis en branle se dérobe à l'exigence de la
main qui l'a créé pour suivre ses propres lois : une sensation
forte une fois reçue développera des mécanismes inconnus
d'elle-même, aboutira à des actes anarchiques ou incohérents à
première vue, mais qu'elle contenait en puissance : « C'est encore ainsi que dans toutes les passions énergiques, chaque homme trouve en lui-même une vigueur qu'il ne soupçonnait pas, et
devient capable d'exécuter des mouvements dont l'idée seule
l'eût effrayé dans des temps plus calmes. Et l'on ne peut pas
dire que l'on ne fait qu'alors que reconnaître en soi, que
mettre en action des forces existantes, mais assoupies : les
observations générales que je viens d'indiquer, prouvent qu'il
se produit alors véritablement de nouvelles forces, par la manière nouvelle dont le système nerveux est affecté » (25).

2. — CONCEPTION BEYLISTE ET RATIONALISTE
DE L'ART SELON CABANIS

Mais le flot des sensations qui vient battre l'homme produit
des résultats différents selon le terrain qu'il rencontre : c'est
la même impression qui fait sourire un flegmatique et inonde
un bilieux de colère. Si les sensations ont des origines, des
causes et un développement qui sont à peu près les mêmes
pour tous, chaque individu cependant a une façon particulière
de sentir. C'est pourquoi en étudiant les modalités de la sensibilité, Cabanis montre que ses moyens d'expression varient
selon les êtres, mais que ces variations elles-mêmes peuvent
être classées et qu'elles obéissent à la loi des tempéraments
bilieux, sanguin, flegmatique, athlétique. L'instinct, les impressions subconscientes et celles du fœtus ne sont que des
formes diverses de cette sensibilité, qui se particularise dans
chaque individu, selon la constitution physique qu'il reçoit.
Cabanis, en tant que médecin, restaure la vieille théorie des
tempéraments que les Grecs, après les Chaldéens, avaient mise
en honneur, Stendhal, en tant que moraliste, fera sienne cette
théorie et en tant qu'humaniste, il l'introduira dans les Beaux-
Arts. Ce système ne peut manquer de séduire un jeune
essayiste qui applique dans tous les domaines les méthodes
des philosophes du XVIIIᵉ siècle et de leurs successeurs, les
Idéologues.
Dans cet univers newtonien, la théorie des tempéraments
ne saurait que s'imposer, elle explique les contradictions de
l'homme, le génie comme la folie. La figure du destin et de

(25) *Ibid.*, I, 175.

la fatalité s'effacent elles aussi et sont ramenées à des causes assez simples : un foie trop gros ou trop petit, une circulation lymphatique défectueuse. Le sort de l'humanité ne dépend plus que d'un excès ou d'un défaut de bile. Théorie qui est chère à Stendhal, dans la mesure où sa simplicité l'attire ; elle lui permet de rationaliser tous les problèmes humains, d'expliquer les œuvres artistiques dans l'*Histoire de la peinture en Italie*, les hommes de génie dans *La Vie de Mozart*, les diverses formes que prennent les sentiments humains selon la constitution physique dans *De l'Amour*.

Car le système beyliste, issu de Cabanis, procède du même goût de clarté et d'abstraction cher à son époque. Le XVIII° siècle finissant lègue à une élite cultivée le goût des schèmes d'une pensée qui se doit de mettre en ordre l'univers et les hommes, de ranger les caractères en catégories. Quant au peintre, à l'artiste, il aura pour mission de décrire et représenter symboliquement un modèle de chacune de ces catégories. Il plaira ainsi au public si son œuvre est l'expression d'une fiction, que ce soit l'émoi de la jeune fille à la cruche cassée ou le retour de l'enfant prodigue.

Lorsqu'il analyse les goûts artistiques de Stendhal dans l'*Histoire de la peinture en Italie*, André Malraux (26) remarque qu'ils reflètent les tendances d'une époque qui cherche avant tout dans la peinture la représentation d'un type, d'un caractère ou d'un sentiment : « Stendhal aime le Corrège pour la finesse et la complexité de son expression des sentiments féminins : la plupart de ses louanges s'appliqueraient mot pour mot à une grande actrice, et quelques-unes à Racine; mais toute personne indifférente à la peinture anime d'instinct les tableaux, et les juge en fonction du spectacle qu'ils suggèrent. En 1817, Stendhal écrit : « Si l'on avait à recomposer le beau idéal, on prendrait les avantages suivants : 1°) un esprit extrêmement vif; 2°) beaucoup de grâce dans les traits; 3°) l'œil étincelant, non pas du feu sombre des passions, mais du feu de la saillie. L'expression la plus vive des mouvements de l'âme est dans l'œil, qui échappe à la sculpture. Les yeux modernes seraient donc fort francs : 4°) beaucoup de gaieté; 5°) un fond de sensibilité; 6°) un taille svelte et surtout l'air agile de la jeunesse » (27). Voilà le type qui

---

(26) Les *Voix du Silence*, éd. Gallimard, Paris, 1951, p. 85.
(27) *Ibid.*, 93. Malraux montre comment, plus tard, Barrès partagera les admirations de Stendhal : « Barrès, quatre-vingts ans après, ne se référera plus au beau idéal. Mais comme il s'accordera à Stendhal, à toute idéologie pour laquelle la peinture est fiction et culture ! « Je n'hésite pas du moins à préférer aux primitifs, et même aux peintres de la première moitié du XVI° siècle, le Guide, le Dominiquin, le Guerchin, les Carrache et leurs émules qui nous donnèrent de fortes et abondantes analyses de la passion (...). Pour les passions tendres, ces artistes, dédaignés de la mode moderne sont souvent sublimes, notamment dans

doit plaire aux yeux, type parfait qui est le résultat d'un mélange savamment dosé, ne retenant de chaque caractère humain que l'élément qui présente le plus d'intérêt et qui est le plus frappant pour le regard, la beauté physique et l'humeur agréable du sanguin, la vivacité du nerveux, la sensibilité du mélancolique, mais non pas sa tristesse. C'est l'homme idéal soigneusement élaboré pour plaire en société, pour fréquenter les salons et y recueillir tous les succès, pour charmer par son esprit de répartie, pour se faire aimer par sa tendre humanité. S'il ressemble à quelque Chardin à l'œil audacieux, ce modèle présumé ressemble encore plus à Fabrice, non pas au Fabrice transformé par l'amour de Clélia, ni à l'ascète, mais au jeune homme encore un peu volage, au regard étonnant de franchise et de jeunesse, à la fois brillant, spirituel et tendre. Fictions charmantes, adolescents qui paraissent jouer sur quelque scène de théâtre ou illustrer un roman d'amour et qui seules, d'après Stendhal et l'homme cultivé de son temps, méritent d'appartenir à l'art. Fictions que Stendhal, avant de les créer dans la *Chartreuse*, trouve dans les tableaux du Corrège, les pièces de Goldoni, et même aussi sous leur forme la plus abstraite, dans les livres de Cabanis.

Car s'il allait au théâtre, s'il voulait être auteur dramatique, s'il s'intéressait à l'anatomie des figures de Vinci et à la théorie des tempéraments de Cabanis, c'est qu'il participait au même goût d'idéalisation de son temps, ou en d'autres termes, c'est qu'il demandait à l'art ou aux traités de médecine une *représentation symbolique des caractères humains*. Ce qu'il ne pouvait rencontrer à l'état pur dans les rues de Rome ou dans les salons de Paris, un adolescent plein de grâce, un atrabilaire parfait, une femme alliant la douceur à la gravité des Vierges du Corrège, il allait le chercher dans les musées de Parme et dans les œuvres de Cabanis.

Placé dans une époque humaniste, Stendhal ne voit dans l'art que reproduction ou au besoin idéalisation, dont il a beaucoup de peine, par ailleurs, à trouver les critères. Des perspectives plus vastes d'une époque comme le XX⁰ siècle où l'humanisme est menacé, permettent de voir que cette conception, habituelle au temps de Stendhal, demeurait,

l'expression intense de la volupté. Le pathétique s'y fortifie de vérité pathologique (...). Songez à ce que voulaient le XVII⁰ siècle, le XVIII⁰ siècle, et Stendhal, et Balzac. Le peintre place ses personnages dans une action où ils pourront fournir exactement ce que nous réclamons de confusion, de faiblesse pour être touchés et renseignés » (*ibid.*, 93). Si Barrès se réfère à Stendhal, c'est qu'il hérite de lui et de son siècle ce désir de retrouver une fiction dans la peinture, en la rendant proche par là du théâtre, où l'on estime qu'un geste est beau s'il est l'expression d'un sentiment, qu'une femme est belle si sa seule présence, sans qu'il soit besoin de recourir à la parole, suffit pour suggérer à nos yeux la passion qu'elle a pour rôle d'incarner.

malgré sa splendeur le plus souvent passée, singulièrement restreinte. Tout en admirant les peintres humanistes de la Renaissance et des deux siècles suivants, Malraux remarquera que la recherche de la grâce et du beau ne sait très bien sur quelles lois et sur quels canons se fonder, une fois mis en doute les canons classiques. Il ne sera donc point étonnant que l'autodidacte Beyle ait cru ingénieux d'en appeler à des critères tels que la théorie des tempéraments (28).

Nous savons, et Stendhal le savait, qu'il n'y a guère de tempérament à l'état pur ; mais l'artiste, dans son œuvre de stylisation, doit obéir à des lois fixes, à des modèles définis : « Les combinaisons de tempérament sont infinies ; mais l'artiste, pour guider son esprit, donnera un nom à six tempéraments les plus marqués et auxquels on peut rapporter tous les autres : le sanguin, le bilieux, le flegmatique, le mélancolique, le nerveux et l'athlétique » (29).

Le peintre doit donc reprendre, pour que ses œuvres plaisent, la théorie des tempéraments chère à Cabanis : c'est que le médecin et l'artiste, selon Stendhal, ont pour but d'isoler des éléments purs de tout mélange, et, dans la mesure où une époque ignore les contradictions de l'homme, elle l'allège du poids de son destin, dans la mesure où elle épure l'homme, où elle le simplifie, elle le revêt des attributs parfaits de la divinité. La mythologie antique procède du même effort d'abstraction : Apollon est le type du poète; dans le langage idéologique c'est le tempérament mélancolique qui possède les attributs d'Apollon. Chacun des dieux de l'ancienne Grèce recevait, avec une figure humaine, une qualité qu'il avait le don d'exercer sans effort en la portant à son plus haut degré. Mercure, Vénus, Apollon et Minerve sont l'absolu fait homme, corps chimiquement purs, tempérament de l'orateur, de l'amoureux, du poète et du guerrier, qui n'ont qu'à vivre en toute liberté une existence dépourvue d'hésitations et de compromis, puisqu'ils n'ont pas à se soucier d'être autre chose que ce qu'ils sont.

Cette glorification des instincts et des tendances sousentend la liberté, comme elle est une promesse du bonheur, bonheur à l'image du bonheur stendhalien. Le XIXᵉ siècle et l'académisme en peinture, ne se rapprochent que sur un

(28) De nombreux chapitres de l'*Histoire de la peinture en Italie* (I, II, chap. XCI à CII, p. 52 à 110) reprennent la théorie des tempéraments que Stendhal avait trouvé exposée chez Cabanis (voir *Rapports du physique et du moral de l'Homme*, I, 342 à 413).

(29) *Histoire de la peinture en Italie*, II, 57.

point de la Grèce de Phidias et de Praxitèle : du destin, ils ont fait un homme. Les forces obscures de l'univers ne risquent point de s'appesantir sur l'individu, elles ne sont que la projection indéfinie de la colère de Neptune, homme fait Dieu, ou de la vigueur d'Hercule, héros fait homme, qui se décalquent sur un fond de plaine liquide ou sur le modelé d'une colline, comme pour mieux les épouser.

Vingt-quatre siècles plus tard, avec plus de méthode et de science, l'homme ordonnera l'univers selon des lois fixes, et croira au bonheur de vivre selon ces lois, projections de son intelligence, et qu'il a substituées à la fatalité; Stendhal hérite de cette conception du monde qui le séduit autant que le séduisent l'humanisme antique et ses manifestations, l'Apollon du Belvédère, la sculpture grecque et romaine où le sens du tragique a disparu et fait place à la sublimation de l'homme.

Que restera-t-il donc aux anciens, demande Stendhal ? « Dans le cercle étroit de la perfection d'avoir excellé dans le plus facile des beaux-arts. Dans l'empire du *beau*, en général, d'avoir des préjugés moins baroques, et d'être simples par *simplicité*, comme nous sommes simples à force d'esprit (...). C'est que notre religion défend le *nu*, sans lequel la sculpture n'a plus les *moyens d'imiter;* et dans la Divinité, les passions généreuses, sans lesquelles la sculpture n'a *plus rien à imiter* » (30).

C'est une déification de l'humain que Stendhal apprécie en général dans l'antiquité. Car le Grec, contrairement à la tradition couramment acceptée, ne fait pas un secret de tel phénomène inexplicable en son temps, mais il projette l'humain dans tous les secrets de la nature. L'homme du XIXᵉ siècle, quoiqu'en dise Stendhal, exalte de même le destin de l'homme et sa liberté; cette dernière commence lorsque les forces cosmiques, au lieu de vivre par elles-mêmes, sont subordonnées à l'individu dont elles ne sont qu'un moyen d'expression.

La déification va de pair avec la liberté, puisqu'elle supprime tout ce qui peut entraver l'élan vers la perfection. Et perfection en ce sens ne signifie pas absence de défaut, mais sublimation des tendances et des « passions généreuses ». La sublimation de la colère constituera le tempérament bilieux, celle de l'euphorie le tempérament sanguin, celle de l'émotivité le tempérament mélancolique. Le caractère de ces hommes-dieux se retrouvera dans une autre école, contemporaine celle-ci, qui reprend la théorie de Cabanis, en utilisant les abstractions de la mythologie antique; la caractériologie, en interprétant l'individu, tient compte des efforts de l'humanisme grec et de son constant souci de stylisation des tendan-

(30) *Ibid.*, II, 182.

ces humaines; ses points de départ sont les types à l'état pur : vénusien, martien, saturnien, etc., (qui participe du type physique de Vénus, de Mars, de Saturne). Mais il demeure cependant bien entendu qu'on ne trouve guère de types à l'état pur, et qu'ils se combinent en chacun de nous selon telle ou telle proportion. Mais s'ils se déforment en se combinant dans la vie quotidienne, le théâtre, la peinture, l'art enfin, chimie subtile, ont pour fonction selon Stendhal et l'académisme artistique, de les isoler en les sublimant par ce fait même : « Dans les scènes touchantes produites par les passions, le grand peintre des temps modernes, si jamais il paraît, donnera à chacun de ses personnages la beauté idéale tirée du tempérament fait pour sentir le plus vivement l'effet de cette passion » (31).

*
* *

En étudiant l'histoire de la peinture en Italie, Stendhal désireux d'appliquer aux peintres d'autrefois la science de son temps, montre dans quelle mesure, en réussissant de belles œuvres d'art, ils obéissent plus ou moins inconsciemment à la théorie des tempéraments. La méthode de Stendhal procède du même esprit scientifique de simplification et de stylisation cher aux Idéologues que l'on retrouve chez Taine. Commençant son livre avec l'intention d'étudier les peintres par écoles, Stendhal se trouve détourné de son projet par les préoccupations humanistes de son époque. Il aboutit, en fin de compte, à une classification qui pourrait être reprise par le scientisme de la seconde moitié du XIXᵉ siècle.

Les peintres sont définis, non par thèmes, non par époques, mais selon le style parfait de tempérament que symbolisent leurs œuvres. La beauté du Guide manque de sévérité, parce que ses figures sont des représentations d'un caractère fait pour le bonheur : « Le Guide (...) s'est élevé à la beauté céleste, en ne représentant presque que des corps sanguins » (32). Les hommes et les femmes peints par Le Guide, n'ont-ils pas en effet cet air de gaieté, propre au caractère sanguin qui unit « un grand sentiment de bien-être, des idées agréables et brillantes, des affections bienveillantes et douces » (33) ? Car ce type physique incarne la vivacité, le courage et l'audace, et par conséquent « le peintre qui fera Brutus envoyant ses fils à la mort, ne donnera pas au père la beauté idéale du sanguin, tandis que ce tempérament fera l'excuse des jeunes gens » (34). Si l'artiste du XIXᵉ siècle veut plaire au public cultivé, s'il veut obéir

(31) *Ibid.*, II, 107.
(32) *Ibid.*, II, 67.
(33) *Ibid.*, II, 61.
(34) *Ibid.*, II, 62-63.

à son esprit de rationalisation, il donnera donc au jeune Horace
« une tête qui a des couleurs brillantes, assez d'embonpoint, et
l'expression de la gaieté, une poitrine large, qui annonce, avec
un grand poumon, un cœur plus énergique, et par conséquent
une chaleur plus considérable et une circulation plus rapide et
plus forte » (35).

Stendhal et avec lui une élite éclairée, héritière des traditions
de l'humanisme chères au XVIII° siècle, ne peut apprécier la
peinture qu'en fonction de son mode de représentation : « Toujours l'idée des Jésuites et des encyclopédistes », dira Malraux :
« est bonne la peinture qui plaît à tout homme sincère et cultivé, et la peinture plaît à l'homme sincère et cultivé non dans
la mesure où elle est peinture, mais dans celle où elle représente une fiction de qualité » (36).

Les créations de Michel-Ange plaisent à Stendhal, car elles
sont pour lui le symbole même de l'énergie. Mais pour sentir
Michel-Ange, pour le comprendre, encore faut-il être physiologue, savoir que l'énergie et la passion sont les attributs du
bilieux à l'état pur. Stendhal n'hésite pas à donner, en deux
pages tirées de Cabanis, toutes les caractéristiques de ce tempérament, pour permettre au lecteur d'admirer rationnelle-
ment la beauté du Moïse de Saint-Pierre-ès-liens (37).

Ainsi le poète tragique du XVII° siècle isolait-il dans un personnage symbolique tous les caractères de la passion à l'état
pur. Devant l'image physique du bilieux parfait, — qu'on ne
saurait trouver dans la vie quotidienne, — le spectateur ou
l'amateur d'art éprouvera les émotions que déclenche au théâtre la représentation de la passion ou de l'énergie, car en reconnaissant le caractère physique, il devinera le caractère moral, c'est-à-dire « des sensations violentes, des mouvements
brusques et impétueux, des impressions aussi rapides et aussi
changeantes que chez le sanguin » (38).

Stendhal s'attarde avec complaisance à décrire le type du
billieux parfait; il concrétise pour lui le plus beau type humain, qu'il retrouve dans les œuvres de Jules Romain et de
Michel-Ange (39). Type qu'il attribuera à ses héros, aux
hommes d'élite, aux passionnés, type qui ne trouve sa mesure
que dans la difficulté et dans l'action; car « le bien-être facile
du sanguin lui est à jamais inconnu; il ne peut goûter de re-

(35) *Ibid.*, II, 64.
(36) *Les Voix du Silence*, 92-93.
(37) *Histoire de la peinture en Italie*, II, 64, *Du tempérament bilieux.*
« *Aggredior opus difficile.* Je prie qu'on excuse trente pages d'une sécheresse mathématique. Pour dire les mêmes choses, au détail et à mesure
du besoin, il en faudrait cent, et, pour sentir Michel-Ange, il faut passer
là » (*ibid.*, II, 64).
(38) *Ibid.*, II, 66.
(39) « Jules Romain et Michel Ange n'ont peint que des êtres bilieux »
(*Ibid.*, II, 67).

pos que dans l'excessive activité. Ce n'est que dans les grands
mouvements, lorsque le danger ou la difficulté réclament toutes
ses forces, lorsqu'à chaque instant il en a la conscience pleine
et entière, que cet homme jouit de l'existence. Le bilieux est
forcé aux grandes choses par son organisation physique » (40).

Ce n'est pas en sculptant une figure aux formes athlétiques,
que l'artiste suggèrera la passion d'un saint, l'énergie d'un
grand capitaine. « Une désespérante lenteur dans les impressions morales » (41) est le propre du tempérament athlétique,
et les peintres d'Italie, le Guerchin, par exemple, n'ayant pas
fait cette observation, ont donné avant tout de la force à leurs
saints, et souvent n'en ont fait que des portefaix tristes » (42).

Sanguin, bilieux, athlétique, mélancolique et flegmatique,
telles sont les classifications qui serviront à Stendhal de points
de repère pour établir une nouvelle Histoire de l'Art où le
peintre sera classé en fonction du tempérament le plus souvent
représenté dans ses œuvres.

*
**

Le tempérament mélancolique est, comme le tempérament
bilieux, privilégié entre tous, celui des grands hommes, que
Beyle retrouvera en lui-même, en toute humilité cependant, et
sans prétendre posséder les traits distinctifs propres au génie.
Il faut reconnaître dans cet effort d'explication des instincts
créateurs la même tendance qui a poussé Stendhal à mettre en
équation les problèmes de l'art et de «l'animal humain». Tels
sont les premiers fondements d'une méthode idéologique qui
s'élaborera lentement à travers les siècles, depuis Cabanis, se
vulgarisera avec Taine et se perfectionnera de nos jours.

Pour traiter les problèmes qui s'offrent à lui, ceux de la
création et plus tard ceux de l'amour, Stendhal abandonne
l'enseignement d'Helvétius et de Tracy pour recourir à une
explication physiologique et positive de tout ce qui semble irrationnel chez l'homme, le génie et la passion. La solution physiologique apportée par Cabanis le séduit par la facilité qu'elle
présente. Le tempérament de l'homme suffit à motiver ses productions littéraires et artistiques. L'homme supérieur, dans la
mesure où l'histoire lui attribue un rôle, est un type parfait, si
l'on entend par ce mot pur de contradiction; son génie se définit par son caractère, qui est exhaussé au plus haut degré
d'exaltation. Il porte naturellement en lui ce grossissement que
l'acteur sur la scène est obligé par convention de donner à son
personnage. Différent des types courants de l'humanité, il s'en
distingue par son tempérament de mélancolique à l'état pur.

(40) *Ibid.*, II, 66-67.
(41) *Ibid.*, II, 95.
(42) *Ibid.*, II, 96, note 1.

Si ce tempérament (43) est celui des grands hommes d'après Stendhal, c'est que la sensibilité chez eux prédomine sur les autres tendances. Tel est le caractère de Mozart, de Rossini, qui permet d'expliquer leurs œuvres où l'humain se revêt des attributs de la perfection. Mozart, « ce génie de la douce mélancolie » (44), se laisse sans cesse emporter par son imagination qui semble naître chez lui de l'hypersensibilité. Vers la fin de sa vie, « il ne sortait de temps en temps de cette mélancolie habituelle et silencieuse que par le pressentiment de sa fin prochaine, idée qui lui causait une terreur toujours nouvelle. On reconnaît le genre de folie du Tasse, et celle qui rendit Rousseau si heureux dans le vallon des Charmettes (...). Peut-être, sans cette exaltation de la sensibilité nerveuse qui va jusqu'à la folie, n'y a-t-il pas de génie supérieur dans les arts qui exigent de la tendresse » (45).

Les premiers essais de Beyle, comme les *Vies de Haydn, de Mozart et de Métastase,* ne sont que la transposition de la méthode de Cabanis appliquée à des cas concrets. D'une définition Stendhal fait un livre. La critique artistique se réduit pour lui à l'utilisation d'une philosophie matérialiste. Mozart et Rousseau représentent dans le domaine de la création la preuve la plus évidente de ces cas médicaux étudiés par Cabanis, de ces tempéraments mélancoliques que le physiologue définit en ces termes : « Ils fuient les hommes, dont la présence agit sur eux d'une manière incommode; ils cherchent la solitude, qui les soulage de ces impressions pénibles. Cependant leur physionomie porte l'empreinte d'une sensibilité qui intéresse; et leurs manières ont un certain charme, auquel, peut-être, je ne sais quel commencement de compassion donne encore plus d'empire » (46).

Stendhal développe la théorie des tempéraments grâce au raisonnement par analogie : Mozart, cette âme tendre, plaît dans la mesure où il s'adresse aux hommes de sa race : « Quant à la partie morale, Mozart est toujours sûr d'emporter avec lui,

(43) C'est dans Cabanis en effet que Stendhal a vu le portrait du mélancolique, qui fut son type de prédilection : « D'autres hommes, avec une physionomie plus hardie et plus prononcée, des yeux étincelants ; un visage sec et souvent jaune, des cheveux d'un noir de jais, quelquefois crêpus, une charpente forte, mais sans embonpoint ; des muscles vigoureux, mais d'une apparence grêle ; en tout, un corps maigre et des os saillants ; un pouls fort, brusque, dur : ces hommes, dis-je, montrent une grande capacité de conception, reçoivent et combinent avec promptitude beaucoup d'impressions diverses, sont entraînés incessamment par le torrent de leur imagination, ou de leurs passions. Des talents rares, de grands travaux, de grandes erreurs, de grandes fautes, quelquefois de grands crimes ; tel est l'apanage de ces êtres sublimes ou dangereux » (*Rapports du physique et du moral de l'homme,* I, 44).
(44) *Vies de Haydn, de Mozart et de Métastase,* éd. Martineau, Le Divan, Paris, 1928, p. 79.
(45) *Ibid.,* 311.
(46) *Rapp.,* I, 47-48.

dans le tourbillon de son génie, les âmes tendres et rêveuses, et de les forcer à s'occuper d'images touchantes et tristes (...). Rossini amuse toujours, Mozart n'amuse jamais; c'est comme une maîtresse sérieuse et souvent triste, mais qu'on aime davantage, précisément à cause de sa tristesse; ces femmes-là, ou manquent tout à fait de faire effet, et passent sous le nom de prudes, ou, si elles touchent une fois, font une impression profonde...» (47).

Car le mélancolique, par sa constitution physique, est porté à une plus grande violence dans les sentiments ; selon le langage idéologique de Cabanis il y a chez ce tempérament prédominance des forces sensitives sur les forces motrices : « Ainsi les appétits et les désirs du mélancolique, prendront plutôt le caractère de la passion que celui du besoin » (48). Ce goût d'une simplification excessive nous révèle tout l'aspect positif du XVIIIe siècle. Stendhal part de la méthode de Cabanis pour construire un véritable système applicable à l'art, soit aux œuvres, soit à leurs auteurs et permettant d'expliquer tout ce qui peut échapper à l'homme : « Il [Canova] m'a adressé la parole plusieurs fois, j'ai vu qu'il était inutile de lui parler de ma théorie. Toutes mes expériences me rappellent la citation de Cabanis à propos de Mozart : la sensibilité se comporte à la manière d'un fluide, etc., etc. » (49). Selon son procédé habituel, Stendhal soumet donc son système à la vérification de l'expérience.

La pensée positiviste issue de Cabanis et reprise temporairement par Stendhal nous a donc laissé en héritage un monde humaniste régi par des lois, dépourvu de tout sens du mystère ; dans cet univers newtonien, le génie lui aussi a sa place, mais il se réduit à des définitions fort simples, qui détruisent d'emblée la part d'absolu que l'on peut trouver dans ses manifestations. A l'aide de ces outils que sont les règles et les schèmes, le relativisme de Cabanis et celui de Stendhal, relativisme provisoire chez ce dernier, se plaisent à épurer et à simplifier une réalité complexe. L'originalité de l'invention devient donc la conséquence directe d'une forte attention selon Helvétius, d'une méthode analytique selon Tracy, ou encore de troubles fonctionnels selon Cabanis. Si de nos jours certaines écoles nient la transcendance de l'œuvre en négligeant sa signification, en assimilant la pensée créatrice à un déséquilibre physiologique, Stendhal ne saurait cependant prendre cette attitude extrême. Dans sa mise en équation de toute production littéraire ou artistique, il est amené à rétrocéder et à abandonner quelque peu sa position première, lors-

(47) *Vie de Rossini*, éd. Martineau, Le Divan, Paris, 1929, I, 49.
(48) *Rapp.*, I, 390.
(49) *Corr.*, V, 34, lettre datée de Rome, 31 décembre 1816, adressée à Louis Crozet.

qu'il reconnaît qu' « un grand artiste se compose de deux choses : une âme exigeante, tendre, passionnée, dédaigneuse, et un talent qui s'efforce de plaire à cette âme, et de lui donner des jouissances en créant des beautés nouvelles » (50). L'importance attribuée à la passion vient ainsi corriger le matérialisme du système beyliste. Car Stendhal conçoit la passion comme un absolu qui se suffit à lui seul, s'accordant par une intuition immédiate à son but, sans avoir besoin d'intermédiaire. L'amour d'un art, — s'il est porté jusqu'à la violence —, fait naître le talent, développe un instinct second, irréductible à toute analyse idéologique, plus sûr que le savoir, et qui fait fi de l'enseignement officiel : « On a demandé aux amis de madame Pasta quel avait été son maître comme actrice. Elle n'en eut jamais d'autre qu'un cœur propre à sentir vivement les moindres nuances de passion, et une admiration passionnée et allant jusqu'au ridicule pour le *beau idéal* » (51).

3. — BEYLE A LA RECHERCHE DE SON PROPRE TEMPERAMENT

En étudiant les êtres passionnés, Stendhal est amené à s'étudier lui-même. Et il se reconnaît frère de ces êtres chez qui le sentiment revêt le caractère de l'exclusif.

Trop inquiet pour ne pas songer à s'analyser, trop indépendant pour s'intégrer à un milieu social et mondain, — qui lui donnerait une image flatteuse de lui-même et lui permettrait de calmer ses doutes —, ne se satisfaisant jamais entièrement d'une carrière purement administrative et cependant trop peu ambitieux pour être hypocrite, trop peu soucieux d'une gloire immédiate pour obtenir la célébrité qui mettrait fin à ses inquiétudes sur soi, Beyle éprouva pendant longtemps la crise de l'adolescence et ses hésitations.

Tourmenté sur lui-même, s'interrogeant sans cesse, il refuse toutefois de prendre une attitude qui suspendrait ces interrogations. Tout en suivant les directives de son protecteur Daru, il ne le flattera jamais assez pour obtenir un poste de premier plan ; s'il vit pour l'amour des lettres, il se vantera de ne jamais écrire un roman qui plaise au goût du jour ; quant à l'amour qu'il porte aux femmes, il est souvent trop respectueux pour l'amener à se déclarer.

Inadapté en société, il ne constate que sécheresse et vanité dans le monde, mais il n'a pas encore assez d'esprit pour les tourner en dérision et s'en amuser en les parodiant. Ces in-

(50) *Vie de Rossini*, I, 65-66.
(51) *Ibid.*, II, 191.

quiétudes pourtant se calment lorsqu'il leur découvre une
explication dans Cabanis. S'il a des accès d'ennui et de désespoir, c'est qu'il possède le tempérament mélancolique dont
tous les symptômes, à son avis, coïncident avec ceux qu'il
ressent (52). Car toute théorie est valable, si elle apaise les
inquiétudes pour un temps, si elle apporte à l'homme qui
l'adopte une vision du monde dont l'uniformité exclut l'incohérence. La théorie de Cabanis calme les angoisses de
Stendhal dans la mesure même où ses angoisses rentrent dans
un système, sont classées et homologuées, ressortissent à des
problèmes scientifiques, et non plus d'un conflit avec la société,
qui serait impossible à résoudre. Sanguin, jovial à l'occasion,
actif si l'occasion s'en présente, amoureux de la rêverie, bien
sûr, si la beauté des paysages ou des femmes l'y invitent,
Stendhal se veut mélancolique et se satisfait de cette appellation comme si elle le délivrait temporairement de ses insatis-
factions et de ses doutes. Les classifications ordonnent le
monde et les choses, rejettent l'inexplicable en se retranchant
dans un catalogue, et, par ce fait, aident à vivre. Avec Cabanis,
Stendhal entre de plain-pied dans un univers où tous les
malaises de la condition humaine forment les échantillons
d'une belle collection, et sont distribués méthodiquement,
rangés dans la catégorie d'un tempérament ou d'un autre.
Mais si la tendance profonde d'un caractère comme celui de
Beyle est d'errer au milieu des hasards de la vie en recher-
chant sa part d'aventures et d'épouser le visage du destin qui
offre le plus de naturel et de générosité, la raison a aussi ses
exigences, et, ne se satisfaisant pas de ces contradictions, cherche à les réduire. Le fait d'être doué d'une sensibilité particulière, non pas hors de l'ordre commun, mais analysée et
expliquée scientifiquement par un médecin, calme les doutes
de Beyle sur lui-même et apporte une solution rationnelle à
ses propres problèmes.

En 1806, au moment où il lit Cabanis, il partage sa vie entre
le dégoût, la sentimentalité et le désir de leur trouver des
remèdes. Lorsque, en 1800, las de composer en vain trois lignes
de *Letellier* en quinze heures, il se range aux ambitions de sa
famille, suit les conseils de son cousin Daru et entre dans les
bureaux militaires, il doute fort d'être passionné par une carrière administrative. Daru, le futur ministre d'Etat de Napoléon déplore en vain le peu de constance de son protégé. Mais

(52) « Je passe, je crois, pour l'homme le plus gai et le plus insensible, il est vrai que je n'ai jamais dit un seul mot des femmes que
j'aimais. J'ai éprouvé à cet égard tous les symptômes du tempérament
mélancolique décrit par Cabanis » (*Vie de Henry Brulard*, 23). Stendhal
se rappelant par ailleurs ses amours malheureuses écrit à ce sujet :
« Cette singularité me porterait assez à croire que pour l'amour j'ai le
tempérament mélancolique de Cabanis » (*ibid.*, 272).

Beyle trouve fort laids ces bureaux où l'avait placé Daru ; les seuls instants de bonheur, les moments d'effusion sentimentale, sont pour lui de voir les tilleuls enfermés dans le jardin du ministère : « Ce furent les premiers amis que j'eus à Paris. Leur sort me fit pitié : être ainsi taillés ! je les comparais aux beaux tilleuls de Claix qui avaient le bonheur de vivre parmi les montagnes » (53).

Stendhal a donc recours à Cabanis parce qu'il ne peut trouver ni épanouissement ni équilibre. Seule sans doute sa vie intérieure compense ses échecs. Sa vie professionnelle le laisse indifférent ; sa carrière d'écrivain prend une fausse direction, ses comédies et ses tragédies exigent de lui bien des efforts pénibles mais ne donnent que des résultats médiocres ; cet homme, pour qui la réussite semble pour le moment une chimère, joue enfin un rôle bien terne en société. Il aimerait pourtant briller et au besoin faire des conquêtes. Mais il est resté chez ce provincial une certaine exaltation qui se révèlera plus tard et que nous étudierons en son temps, lorsqu'elle lui fera rejeter la méthode positive tirée des Idéologues. En se contraignant à devenir rationaliste, Beyle se plie à une discipline qui ne parvient pas à étouffer entièrement son désir d'absolu et de générosité. Alors qu'il n'a pas encore créé une morale individualiste qui est celle du naturel, ni les théories du physiologue Cabanis ni la morale sociale d'Helvétius ne peuvent le satisfaire entièrement. L'adhésion beyliste à un système posiviste n'est pas plus une adhésion pratique qu'une adhésion morale. Le disciple de Cabanis qui s'efforce de comprendre les hommes à l'aide d'un traité de médecine ne peut cependant vivre avec eux. Henry Brulard, à la cinquantaine, reconnaîtra les naïvetés de son comportement passé : « Mais j'étais fou, mon horreur pour le *vil* allait jusqu'à la passion, au lieu de m'en amuser, comme je fais aujourd'hui pour des actions de la cour de... » (54).

Qu'un adolescent abhorre le « *vil* », qu'il apprécie surtout la noblesse et le mépris des conventions, c'est bien la preuve d'un esprit épris d'absolu. Cette exigence provoque chez Stendhal de nombreux accès de mélancolie, des conflits avec la société et des tentatives multiples pour comprendre son propre tempérament, pour étudier « cette vivacité semblable à celle d'un cheval ombrageux » (55). De là viennent encore les efforts d'un esprit logique pour réduire ces heurts devant la vie sociale par une explication commode pour la raison.

Si la biographie d'un romancier peut expliquer la réponse

(53) *Ibid.*, 442.
(54) *Souvenirs d'égotisme*, 34.
(55) « Mais toute ma vie j'ai vu mon idée et non la réalité (comme un *cheval ombrageux*, me dit dix-sept ans plus tard M. le comte de Tracy) » (*Vie de Henry Brulard*, 471).

qu'il donne dans ses œuvres aux problèmes humains, les premiers contacts de Beyle avec Paris expliquent, et ses lectures,
et le système de valeurs élaboré à partir des livres et de la vie,
développé plus tard dans la *Chartreuse* ou dans *Lucien Leuwen*. Si, semblable à « un cheval ombrageux », Beyle s'est im-
patienté près des portes vernissées des hôtels particuliers, si,
jeune bureaucrate, il a soupiré en contemplant ses tilleuls, il
étudie, en disciple de Cabanis, ses propres contradictions pour
les résoudre temporairement.

⁎

En fait, Stendhal accepte les données de Cabanis comme il
souscrirait à une ordonnance médicale, et, à l'égard du médecin idéologue, il a les réactions d'un malade fort heureux de
voir ses troubles expliqués. Aussi bien les conclusions auxquelles il aboutit ne sauraient nous convaincre. Elles émanent
de lui-même et sont donc entachées d'erreur dans la mesure
où tout homme échappe à soi en voulant emprisonner son
caractère dans une formule, dans la mesure où tout dédou-
blement exigé par la réflexion sur soi reste une figure de
rhétorique inventée par des psychologues admettant a-priori
l'impersonnalité de la pensée. Croire que l'individu a le pouvoir de se connaître en tant que tel serait lui attribuer la
puissance de faire abstraction de ses instincts et de ses tendances profondes. La pensée peut bien raisonner sur elle-même, sur le monde et les hommes en général, mais comment
aurait-elle la possibilité de juger objectivement l'instrument
particulier qui lui permet de s'exprimer, de définir le récep-
tacle dont elle ne peut se séparer ? Cet ensemble de muscles,
de nerfs et de glandes, différent chez chacun, Stendhal peut
bien l'estimer à son juste prix chez autrui, car la part de l'af-
fectivité est moins forte, peut à la rigueur être nulle. L'objec-
tivité à l'égard de soi-même doit admettre comme postulat
l'indifférence envers ses passions, donc la suppression des passions ; aussi bien Stendhal estimera-t-il sur le tard que la connaissance de soi est impossible.

Notre corps nous soumet à des lois et notre esprit à une
certaine vision du monde ; lorsque nous cherchons à leur
échapper, nous en gardons cependant l'empreinte. Un malin
démon se glisse toujours entre l'homme et son jugement sur
lui-même ; que ce soit le péché originel ou l'orgueil selon les
théologies catholiques, l'instinct sexuel selon les théories freu-
diennes (et de là s'impose la nécessité d'un témoin pour juger
autrui, confesseur ou psychanalyste), la dispersion et l'attachement au réel d'après les doctrines yogis, que ce démon
porte des noms différents selon les religions, il n'en existe pas
moins, il est de l'homme même. Stendhal demeure proche des

disciplines morales passées ou modernes lorsqu'il pense que l'homme ne se peut connaître lui-même. C'est bien ce qu'il constate à cinquante ans, une fois revenu de ses premiers enthousiasmes de jeunesse, après avoir oublié les livres, le pédantisme et la science, après avoir vécu. Et il avoue une totale méconnaissance de soi, avec une certaine humilité et un peu de confusion, comme si cette constatation — inhabituelle de son temps chez les hommes intelligents et cultivés — choquait les conventions de la psychologie classique. Un jour qu'il se promène sur le mont Janicule à Rome, il s'aperçoit soudain qu'il a depuis longtemps passé l'âge de la maturité, mais que la sagesse ne lui a apporté ni la clairvoyance ni la lucidité. Du haut de cette petite colline il contemple amoureusement Rome étendue à ses pieds, dans une harmonie où les siècles et les civilisations passées se confondent sans choquer l'œil, et, dans la paisible simplicité du paysage latin, il fait le bilan de sa vie. Tout en songeant à la Rome ancienne et moderne, les yeux errant du tombeau de Cecilia Metella à Sainte-Marie-Majeure, il récapitule ses propres victoires et ses échecs. Mais peut-on expliquer le mystère de la ville éternelle, trouver l'élément premier qui rassemble dans une unité harmonieuse les chaos du temps, cet impondérable qui fabrique de la beauté avec les détritus laissés par les siècles ? Stendhal ne saurait davantage percer le mystère de sa propre vie, ni résorber dans une cause unique les contradictions de sa destinée : « Je me suis assis sur les marches de San-Pietro et là j'ai rêvé une heure ou deux à cette idée : Je vais avoir cinquante ans, il serait bien temps de me connaître. Qu'ai-je été, que suis-je, en vérité je serais bien embarrassé de le dire » (56).

Il se voudrait d'un seul tenant et il cherche à se résumer et à se définir par une tendance, mais aussitôt, un trait de caractère opposé vient démentir sa constatation première : « Je passe pour un homme de beaucoup d'es[prit] et fort insensible, roué même, et je vois que j'ai été constamment occupé par des amours malheureuses » (57).

Un caractère ne saurait se ranger dans une catégorie ni se définir d'un mot, et la même question, non point lancinante, mais inévitable et sans cesse renouvelée, se pose à Stendhal, comme elle s'est posée à tous les moralistes : « Qu'ai-je donc été ? Je ne le saurais. A quel ami, quelque éclairé qu'il soit, puis-je le demander ? M. di Fior(i) lui-même ne pourrait me

(56) *Vie de Henry Brulard*, 13.
(57) *Ibid.*, 13.

donner d'avis. A quel ami ai-je jamais dit un mot de mes chagrins d'amour ? » (58).

Tout en faisant le compte de ses déceptions amoureuses, Stendhal s'aperçoit qu'elles lui ont causé bien plus de tristesse que ses succès ne lui ont donné de joie. Il se demande alors s'il fut mélancolique, mais cette question doit le laisser sans doute assez indifférent alors, car, au lieu d'y répondre, son esprit se laisse emporter par le plaisir de la rêverie, la beauté du paysage, et ce vagabondage de l'imagination joint à la contemplation de Rome reste en définitive bien plus près de la gaieté et de la joie de vivre que de la mélancolie : « Avais-je donc un caractère triste ?... Et là, comme je ne savais que dire, je me suis mis sans y songer à admirer de nouveau l'aspect sublime des ruines de Rome et de sa grandeur moderne ; le Colisée vis-à-vis de moi et sous mes pieds le palais Farnèse avec sa belle galerie de Charles Maderne ouverte en arceaux, le palais Corsini sous mes pieds » (59).

Une part de lui-même échappe à l'homme qui voudrait se saisir dans son ensemble et refaire d'un mot la synthèse de ses diverses tendances. Ainsi Stendhal, voulant étudier en lui l'homme d'esprit (60), s'aperçoit soudain qu'il n'est ni un mondain ni un causeur brillant, mais un Stendhal malheureux et maladroit. Lorsqu'il essaie de définir sa mélancolie, la tristesse lui tourne le dos, remplacée par le bonheur, et voilà que surgit un autre Stendhal, gai et heureux, qui a passé une bonne partie de sa vie à jouir de la beauté des cieux. Et à sa première question : ai-je eu le tempérament mélancolique, vient répondre, comme un écho, toujours la même formule transformée par quelques variantes, et qui n'est qu'une continuelle interrogation sur soi : « Mais ai-je eu le caractère gai ? » (61).

En quête de lui-même, Stendhal est surpris par la pluralité et la diversité des personnages qu'il a été, et, dans cet embarras, il préfère s'en remettre à un autre : « Le soir en rentrant (...) je me suis dit : je devrais écrire ma vie, je saurai peut-être enfin, quand cela sera fini dans deux ou trois ans, ce que j'ai été, gai ou triste, homme d'esprit ou sot, homme de courage ou peureux, et enfin au total heureux ou malheureux, je pourrai faire lire ce manuscrit à di Fiori » (62).

Plus que les affirmations du jeune Beyle, qui entrait avec l'enthousiasme d'un adolescent désorienté dans les vues de

---

(58) *Ibid.*, pp. 13-14. Stendhal orthographie Fiori le nom de son ami Domenico di Fiore.
(59) *Ibid.*, 14.
(60) « Ai-je été un homme d'esprit ? Ai-je eu du talent pour quelque chose ? » (*ibid.*, 14).
(61) *Ibid.*, 14.
(62) *Ibid.*, 15.

Cabanis, nous devons croire le romancier de cinquante ans. Ses incertitudes et ses doutes nous renseignent bien mieux sur son caractère que ne peut le faire la première définition qu'il donna de son tempérament, au moment où la psychologie envisagée en tant que science le séduisait par sa simplicité, et n'entrait pas pour lui en conflit avec la complexité de la vie.

Ce consul en voyage, alerte et actif dans ses déplacements, qui vole d'un bout de l'Italie à l'autre, au point de déserter son poste de Civita-Vecchia et de vivre à Rome cinq jours sur sept (63), ne montre que par instants ce repliement sur soi qui est l'attitude constante des mélancoliques selon Cabanis. Il semble plutôt avoir la vivacité du sanguin, ses réactions rapides, et non point des mouvements pleins de « lenteur et de circonspection » (64). Ce romancier qui se plut à jouer tant de rôles, à concilier les désagréments d'une fonction diplomatique avec les charmes de l'oisiveté, les succès mondains et les plaisirs du chemin, était, au dire de ses contemporains, un petit homme corpulent et son tempérament sanguin le prédisposait aux congestions. Ne le constate-t-il pas lui-même, lorsqu'il note dans son *Journal* : « J'ai du feu dans les veines, il faut que je prenne un régime rafraîchissant » (65).

Que sa robuste constitution physique s'accompagnât de malaises passagers, ce fait seul ne saurait le faire ranger parmi les individus psychologiquement tarés, comme s'est plu à l'affirmer Ernest Seillière. Mais Stendhal lui-même n'a-t-il pas provoqué la curiosité des psychiatres et des critiques en nous laissant, dans son *Journal* ou dans la *Consultation pour Bianti,* une liste fort longue de ses petits troubles quotidiens ? Aussi bien cet homme actif mais ne se satisfaisant pas de l'activité, trop exigeant envers lui-même et envers les autres, s'est-il vu rangé de nos jours parmi les névrosés (66).

(63) Voir Armand Caraccio, *Stendhal, l'homme et l'œuvre,* Boivin, Paris, 1951, chap. VII, *Henri Beyle, consul de France, Arrigo Beyle* « *romano* » (1830-1842), pp. 67-88. M. Martino a également montré que Beyle mena fort souvent pendant son consulat une vie agréablement épicurienne : « Même quand il n'était pas sur les grandes routes ou à Rome, il avait de nombreux loisirs. Il les employa en dilettante ; il poursuivait des fouilles antiques assez heureuses, il faisait des recherches dans les bibliothèques et les archives, il lisait le plus de journaux et de livres français qu'il pouvait... » (P. Martino, *Stendhal,* Boivin et Cie, Paris, 1934, p. 260).

(64) C'est ainsi que Cabanis définit les mélancoliques, voir *Rapports,* I, 47.

(65) *Journal,* II, 199-200, passage daté du vendredi 8 germinal, 29 mars 1805.

(66) Dans son article, *L'égotisme pathologique chez Stendhal,* Ernest Seillière, étudiant « les anomalies de la raison et de la volonté chez Stendhal » écrit à son sujet : « Et d'abord, que penser de ce tempérament, dont on nous invite à constater la saine complexion ? Un

En fait, si Stendhal était resté à Grenoble pour y mener la vie aimablement épicurienne de son grand-père le docteur Gagnon, s'il avait renoncé à l'aventure comme à l'amour d'écrire, il n'aurait pas souffert sans doute de ces multiples heurts que peuvent causer à un petit bourgeois la fréquentation des salons, à un intellectuel une randonnée mouvementée à travers l'Europe, à un amoureux l'absence d'argent et de titres.

Aimant dans la vie ses contradictions et son imprévu, hussard à dix-sept ans, auditeur au Conseil d'Etat dix ans plus tard, romancier malgré tout assez connu à la cinquantaine, il se plut à juxtaposer au cours d'une vie les visions du monde les plus diverses, celle d'un militaire, d'un fonctionnaire en mission ou d'un diplomate et aussi celle d'un écrivain, d'un voyageur, d'un amant malheureux, d'un mondain brillant par accès.

Il est donné au romancier d'englober ces diverses visions du monde dans son œuvre dont l'expression est la synthèse ; il n'est guère possible à la constitution physique de l'homme de supporter allègrement cette juxtaposition ; l'art seul permet la transition, mais l'organisme de l'animal humain exige, pour se bien porter, absence de morcellement et vie d'un seul tenant.

*
* *

Si Stendhal, voulant se définir à cinquante ans, prend avant la lettre l'attitude pirandellienne chère à notre temps, s'il constate qu'il est pour lui-même non pas un Stendhal, mais une pluralité d'hommes divers, c'est sans doute que la diversité des modes de vie favorise, pour une part, cette multiplicité de personnalités. Qu'on imagine Stendhal à Moscou, participant à la vie des soldats, à une vie qui ne saurait lui plaire par définition puisque la méditation et encore moins la réflexion sur soi n'y ont aucune part. Il s'étonne d'être le seul à admirer en esthète l'incendie de Moscou, il erre avec tant d'autres dans ces pays dont le charme lui échappe, de la Russie à la Silésie, il regrette sa chère Italie, la clarté des cieux, l'ouverture d'esprit et de cœur de ses habitants. La lecture de ses amis les Idéologues ne saurait lui donner des

spécialiste en psychiatrie retrouverait au contraire sans effort, dans l'ascendance de Stendhal, les symptômes de l'usure physiologique. Son aimable grand-père, le docteur Gagnon, avait des vapeurs, « comme moi, misérable » écrit Henri Brulard (...). Sa mère et cette odieuse tante Séraphie dont l'inquisition aigre et importune empoisonne toute son enfance, moururent toutes deux fort jeunes de maux inexpliqués » (*Revue des Deux Mondes*, année 1906, Livraison du 15 janvier, T. I de la Bibliothèque Nationale, p. 336). On pourrait alléguer qu'au XIXᵉ siècle, les vapeurs étaient une maladie à la mode, qu'elles n'appartiennent pas en propre aux individus tarés, et qu'autrefois bien des gens mouraient sans que l'on pût très bien déterminer la cause de leur mort.

règles de vie propres à un auditeur rattaché à une armée qui
ne connaissait déjà plus toujours la victoire; ne s'adaptant,
ni à ses compagnons, ni au climat, ni à la nourriture, il tombe malade (67). Stendhal se porte bien en Italie, a la fièvre en
Silésie, des crises d'angoisse à Paris. C'est que son caractère
et son tempérament le portent à apprécier les rivages latins
et l'absence de conformisme des peuples méditerranéens, mais
répugnent à l'hypocrisie des salons de la Restauration et ne
s'accommodent guère de l'esprit militaire. Prenant en horreur
la platitude de la Silésie et de ses habitants, il contracte une
sorte de « fièvre nerveuse », dont l'appellation même indique
bien que la cause en est purement psychologique et ressortit
à l'inadaptation : « J'ai cru avoir l'honneur d'être enterré à
Sagan. Il règne ici des fièvres nerveuses, pernicieuses, singulières...» (68). Le seul remède à cette maladie, assez curieuse
d'après Beyle lui-même, ce serait un séjour dans un pays où
les arts, la douceur des cieux, les passions qu'y éveille un
climat chaud, apporteraient un aliment à l'ennui inquiet de
l'écrivain, satisferaient son goût de l'observation humaine. Il
vit avec une carte géographique de l'Italie sous les yeux,
Tracy et Cabanis sur sa table de chevet, — minces consolations
pour un amoureux des lacs alpins, des musées de Florence et
des ruines romaines. Mais la Faculté de Médecine compatit,
comprend son ennui et l'origine de ses troubles, et reconnaît
que le climat des pays chauds lui est indispensable (69).

(67) « Pour achever le contraste de l'automne de 1811 et celui de
1812, la fatigue physique extrême et la nourriture composée exclusivement de viande m'ont donné une bonne fièvre bilieuse qui s'annonçait
très ferme; nous l'avons menée de même, et je t'écris de chez le ministre; c'est ma première sortie » (Corr., IV, 67, lettre adressée à Félix
Faure, datée de Moscou, le 2 octobre 1812). Si Stendhal n'avait pas le
tempérament sanguin, il n'aurait pas eu besoin de s'astreindre à des
règles de sobriété, et le régime carné ne lui aurait pas provoqué de
troubles.

(68) « J'ai cru avoir l'honneur d'être enterré à Sagan. Il règne ici des
fièvres nerveuses, pernicieuses, singulières, qui ont emporté quatre
cents personnes en quelques mois. J'ai une de ces fièvres depuis le 4.
Elle s'annonçait comme une petite fièvre gastrique, qui est la moindre
des choses. Il y avait un bon médecin français, qui m'ordonne un émétique et part. Au moment de prendre l'émétique, accès terrible avec délire des plus complets. Cela a continué ainsi avec d'extrêmes douleurs
de tête. Je suis encore tout hébété du délire de cette nuit » (Corr., IV,
137, lettre adressée à Félix Faure, à Grenoble, datée de Sagan, (Silésie),
le 16 juillet 1813).

(69) « Attaqué d'une maladie de poitrine pendant la campagne de
Moscou, que j'ai faite en entier, attaqué de la fièvre nerveuse en Silésie
où j'étais intendant (à Sagan) en 1813, les médecins déclarèrent que
l'habitation des pays chauds était indispensable ; j'allai passer deux
mois en Italie en 1813 » (Corr., V, 51, lettre adressée à M. Clarke, duc
de Feltre, Ministre de la Guerre, datée de Grenoble, le 26 avril 1817).

**
*

Si Beyle tombe malade quand un pays lui déplaît ou quand
la société l'irrite, il ne faudrait cependant pas voir dans cette
disposition les symptômes d'un caractère neurasthénique et
l'indice d'une âme faible. Mais la vie, son métier et la forme
de destin qu'il a choisie par amour de l'indépendance, ont
préservé en lui certaines qualités, — qu'on pourrait appeler
défauts, — une facilité à s'émouvoir qui est aussi de la faiblesse, une disponibilité dans les sentiments qui prend
forme d'exigence envers soi-même et envers autrui.

Quand l'homme de cinquante ans, du haut du Mont Janicule, se penche sur son passé, il se retrouve, beaucoup plus
qu'un autre, tel qu'il était enfant, avec le même « naturel »,
que la vie n'a pas corrompu, si elle l'a parfois obligé à se travestir. Cette vivacité dans les impressions, — que l'on constate chez les êtres jeunes, et qui s'émousse avec le temps, avec
les habitudes imposées par la fonction, le rang social, et les
préjugés du groupe ou de la classe où le métier fait entrer
l'individu, — Stendhal l'aura conservée tout sa vie. C'est elle
qui explique certains traits de son caractère, ses malaises, et
sans doute une bonne partie de son œuvre : « Jusqu'à vingt-
cinq ans, que dis-je, souvent encore il faut que je me tienne
à deux mains pour n'être pas tout à la sensation produite par
les objets et pouvoir les juger raisonnablement, avec mon expérience » (70). Et pour peu que l'objet lui soit cher, la sensation lui fait l'effet d'une volée de coups en pleine figure. La
douleur ou la joie extrêmes sont chez lui proches de l'éva-
nouissement, et leur violence est telle, qu'en supprimant tout
autre sentiment, elles désorganisent l'ensemble des fonctions,
et troublent l'harmonie du système neuro-végétatif. A dix ans,
la mort d'un domestique qu'il aimait, à seize ans le nom de la
jeune fille qu'il adore l'ébranlent si fortement que toute autre
notion disparaît en lui, et que, aux limites de la syncope, il
est sur le point de tomber (71).

Ces faiblesses qui ne sont qu'humilité, innocence, efface-
ment de soi devant l'objet aimé ou redouté, nous révèlent un

---

(70) *Vie de Henry Brulard*, 91.
(71) « La douleur de la mort de Lambert fut de la douleur comme je
l'ai éprouvée tout le reste de ma vie, une douleur réfléchie, sèche, sans
larmes, sans consolation. J'étais navré et sur le point de tomber (ce qui
fut vertement blâmé par Séraphie) en entrant dix fois le jour dans la
chambre de mon ami dont je regardais la belle figure, il était mourant
et expirant » (*ibid.*, 169). Cette émotivité d'enfant, Stendhal la constatera
à maintes reprises en lui, toujours égale à elle-même : « Je n'osais prononcer le nom de Mlle Kubly; si quelqu'un la nommait devant moi, je
sentais un mouvement singulier près du cœur, j'étais sur le point de
tomber. Il y avait comme une tempête dans mon sang. Si quelqu'un disait *la* Kubly au lieu de Mademoiselle Kubly, j'éprouvais un mouvement
de haine et d'horreur que j'étais à peine maître de contenir » (*ibid.*, 269).

Stendhal qui est le frère de Fabrice, de Julien et de Lucien. A leurs meilleurs moments peut-être, à l'instant même où se tait l'amour de soi, portés par le flot de leurs propres émotions, ils se laissent engloutir en elles, noyés heureux à la mort passagère qui renaîtront à la vie en échouant à nouveau sur le rivage des hommes. Aspirés tout entiers par une circonstance ou une idée, dont la signification les dépasse soudain et les fait entrer de plain-pied dans la forme même d'une destinée dont elles ne semblaient être que le plus mince côté, ils n'ont point tout d'abord les réflexes suffisants pour la contredire, et, par là même, s'accordent avec leurs instincts profonds et leurs aventures futures.

Stendhal est sur le point de s'évanouir quand il entend le nom de la femme qu'il aime, et Julien tombe de tout son long dans le bureau de l'abbé Pirard. Cependant, ni la personnalité de Mlle Kubly, ni la sévérité pourtant certaine de l'abbé ne sembleraient motiver une si grande faiblesse. Mais si Stendhal se laisse émouvoir à un tel point par une jeune fille, c'est qu'il refuse déjà la sécheresse de cœur, c'est qu'il se condamne à être un amoureux éternel et évidemment malheureux. Si Julien, le petit paysan qui a sorti ses griffes, se voit soudain, à l'arrivée au séminaire, dépourvu de tout moyen de défense, abandonné par les règles de conduite qui, jusqu'alors, l'avaient si bien servi, c'est qu'il renonce pour un moment à cet être hypocrite et fictif qui sera pendant longtemps son double; c'est que, déjà, en devinant chez Pirard la noblesse de cœur cachée sous la rudesse apparente, il dépose l'arsenal des armes qui lui permettront de conquérir les hommes, la froideur, le calcul et le repliement sur soi. Dans ce laisser-aller significatif, Julien révèle, mieux qu'il ne saurait le faire par des discours, ce détachement à l'égard du monde et ce refus d'obéissance aux conventions qui le définissent pourtant, mais qu'il n'avouera que dans sa prison, après avoir essayé de tuer Madame de Rênal. On pourrait certes confondre ces demi-syncopes avec des attaques de nerfs. C'est une façon d'envisager la chose sous une optique différente, et ce nouvel angle de vue ne saurait s'opposer au premier. On peut décrire la chute de Julien et l'attribuer à une crise d'épilepsie, mais rien n'autorise cette interprétation qui par ailleurs n'ajouterait rien à la valeur et à la force de la scène; il faut admettre que Sorel dans ces circonstances ne manifeste qu'une émotivité suraiguë, mais une personnalité normale. Cette émotivité, que Stendhal partage avec ses héros, suffit sans doute à expliquer son caractère mieux que ne sauraient le faire les classifications des tempéraments ou les études psychiatriques. Mais, comme nous l'avons vu, l'émotivité ne se déclenche pas à tout propos ou hors de propos.

Julien, Fabrice et Stendhal portent leur passion à un point

trop extrême pour être capables de l'exprimer devant leur objet; leur personnalité s'efface devant ce qu'ils aiment. Abandonnés par leur moi conscient, il ne leur reste plus que ces formes à demi-instinctives où s'exprime la sensibilité, et qui, chez la plupart des hommes ne se révèlent que dans les très grands dangers, lorsque l'individu est menacé dans sa vie, et non dans son cœur, atteint dans ses forces vives, et non pas dans ses sentiments. Un corps tremblant et défaillant, ce qu'on appelle vulgairement « les jambes coupées », des larmes prêtes à couler, voilà ce qu'ils possèdent en commun avec les hommes en péril de mort, ou bien une immobilité et une stupidité, qui prennent les apparences de la peur : Stendhal reconnaît que, devant les êtres qui lui sont chers, il reste « muet, immobile, stupide, peu aimable et quelquefois offensant à force de dévouement et d'absence du *moi* » (72).

Ainsi la passion, comme le danger, paralyse. Voilà un bel exemple des rapports du physique et du moral de l'homme selon Cabanis, et l'on ne saurait étudier la constitution physique du romancier sans tenir compte de ses sentiments, moyens termes par lesquels elle s'exprime. Que cette sensibilité ignore les formes communes, se trompe, semble-t-il, sur les causes qui déclenchent en elle des soubresauts ou un demi-engourdissement, — de la même façon qu'une poussée de sommeil soudain écrase brusquement l'individu, — qu'elle soit frappée de terreur à l'instant même où l'objet de sa passion paraît, où le champ de sa vision ne devrait donc révéler que des perspectives riantes, tout cela ne nous éclaire guère, nous dira-t-on, sur le tempérament de Stendhal. Du moins peut-on ajouter qu'un appel à la théorie des tempéraments ne saurait ici suffire; le fait que Stendhal, loin d'être un mélancolique, soit sanguin de nature, ne peut à lui seul expliquer ses troubles.

*
**

A la poursuite de Beyle, psychiatres, médecins, psychanalystes et critiques n'ont souvent rencontré à sa place que leurs propres théories. Ernest Seillière souligne les formes pathologiques que prend l'égotisme chez Beyle, les anomalies de sa raison, de sa volonté, de son imagination et de sa sensibilité. Montrant l'instabilité et la fragilité d'un homme soumis aussi

---

(72) Stendhal écrit au sujet de ses trois amis dauphinois, son cousin Rebuffel, le père Ducros et le géomètre Gros : « Ces trois hommes ont possédé toute mon estime et tout mon cœur, autant que le respect et la différence d'âge pouvaient admettre ces communications qui font qu'on aime. Même j'étais avec eux comme je fus plus tard avec les êtres que j'ai trop aimés, muet, immobile, stupide, peu aimable et quelquefois offensant à force de dévouement et d'absence du *moi*. Mon amour-propre, mon intérêt, mon moi avaient disparu en présence de la personne aimée, j'étais transformé en elle » (*ibid.*, 31).

bien à l'influence des émotions artistiques qu'à celle des vents du sud-ouest à Paris, il voit dans ce tempérament des « symptômes d'usure physiologique » (73).

Si Stendhal redoute l'hypocrisie des salons et lui oppose le naturel, faut-il voir dans ce trait une « manie de la persécution » (74) ? S'il se plaît, malgré son besoin de confidence, à vouloir, par jeu, rester cependant secret pour le lecteur, s'il se réjouit de donner des pseudonymes différents aux multiples aspects de sa personnalité, depuis Dominique jusqu'à Brulard, faut-il, dans ces surnoms et ces noms inversés, voir une « manie de la dissimulation » (75) ? Un médecin ne dirait-il pas que le caractère de Stendhal fut modifié par la maladie que lui valut la campagne d'Italie, revers des joies militaires et des plaisirs des conquérants, et plus qu'une tare héréditaire selon Ernest Seillière, ces accidents physiologiques pourraient expliquer cette fragilité particulière du système nerveux, ces faiblesses et ces demi-vertiges. Mais, avant d'être soldat, il était déjà un enfant plus émotif que les autres, plus fortement troublé que ne l'aurait exigé l'événement en apprenant la mort d'un domestique qu'il aimait (76). S'il est enfin facilement gagné par l'émotion, faut-il croire avec Ernest Seillière qu'il s'agit là d'une « déviation de la sensibilité » (77) ?

Ramener, d'autre part, comme le fait M. Dugas, le caractère de Stendhal à la timidité, ou encore à une volonté maladive et velléitaire, ce sont des interprétations nécessaires, mais qui ne peuvent cependant saisir l'homme dans son ensemble (78).

(73) Voir l'article déjà cité d'Ernest Seillière, *L'égotisme pathologique chez Stendhal*. Ernest Seillière ajoute par ailleurs : « A de si évidentes tares physiologiques, Beyle gagnait, il est vrai, l'aspect de la vigueur physique, contraste qui trompa ses contemporains et lui-même peut-être, sur le caractère réel de son tempérament » (*ibid.*, 337).

(74) « Comme son Leuwen, il lira désormais dans tous les yeux une « haine contenue mais unanime », et penchera de plus en plus vers la manie de la persécution (...). C'est d'ailleurs à cette époque que se précise dans l'esprit de Beyle une conviction qu'il a dès longtemps nourrie en germe : toute situation sociale acquise représente un entassement de bassesses et de canailleries sans nom » (*ibid.*, 354-357).

(75) *Ibid.*, p. 359-399.

(76) Voir *Vie de Henry Brulard*, 168-169.

(77) « C'est à cette sensitivité si prompte à passer par toute la gamme des impressions contradictoires, à se porter en un instant d'un extrême à l'autre, qu'il faut demander chez Beyle le secret de ses confiances « éperdues et stupides », et de ses méfiances brusques, irrésistibles, soudain cabrées dans un sursaut de réaction défensive, les méfiances folles de Julien Sorel » (article cité, chap. IV, p. 668).

(78) Voir l'article de Dugas, *La timidité de Stendhal et la timidité d'après Stendhal* : « La complexité, les antinomies de sa nature font son tourment, il en prend conscience et devient timide (...). La timidité chez lui procède du tempérament; l'éducation l'a développée, non créée » (*Mercure de France*, 15 juillet 1920, p. 336). Dugas ajoute par ailleurs :

Et pourtant, — pourrait-on nous dire, — selon la légende qu'il nous a transmise lui-même, Stendhal partant rendre visite à Béranger, s'arrête sur le seuil, et, sans frapper à la porte, rebrousse chemin, sans doute retenu par son respect envers le grand homme. N'est-ce pas la preuve d'une indécision maladive ? N'est-ce pas là plutôt cette même émotivité qui le faisait défaillir devant les êtres qu'il estimait ? Et pourtant ce velléitaire a été hussard à dix-sept ans et s'est exposé au feu de l'ennemi; cet aboulique est arrivé cependant à mener de pair diverses fonctions et divers métiers, et, en fin de compte, à rencontrer le bonheur *dans les plaisirs du chemin*.

De leur côté, des explications psychanalytiques n'auraient pas de peine à mettre en lumière chez Stendhal un conflit classique, en le montrant précocement épris de sa mère (79) et continuellement opposé à son père qu'il craint et qu'il déteste. On aurait là une interprétation aussi séduisante que celles qui font de Stendhal un demi-aboulique, — ne l'est-il pas souvent ? —, un être fragile à la merci des caprices de sa sensibilité (et n'avons-nous pas vu la violence des chocs émotifs chez Stendhal, sans mesure avec la cause de la sensation ?). Plusieurs tentatives de description du caractère, employant des méthodes différentes, peuvent se juxtaposer, sans se concilier toujours, et la psychiatrie peut entrer en conflit d'explication avec MM. Seillière et Dugas. Le psychanalyste verra dans la timidité de Beyle, dans ses impuissances passagères, dans la chute de sa volonté aux moments les plus décisifs, une conséquence directe d'un conflit datant de l'enfance. L'amour exclusif qu'il conservait pour sa mère morte lorsqu'il avait sept ans, Beyle le transférait sur les nombreuses femmes qu'il rencontrait, si elles avaient l'enjouement, la vivacité dans les sentiments et la spontanéité d'Henriette Gagnon. Et, remontant à son origine première, on comprendra fort bien que la passion de Beyle pour l'objet aimé dût souvent demeurer platonique et pût difficilement s'extérioriser, si elle demeurait encore tout empreinte du sentiment filial, et obligée par conséquent à une certaine retenue dans ses manifestations. Que l'objet de sa passion portât le nom de Mlle Kubly, d'Angela Pietragrua ou de di Fiore, l'origine en est toujours la même, selon les psychanalystes; elle explique ces

---

« L'originalité de Stendhal comme timide est d'être un timide qui ne s'écoute pas, qui se juge et qui est résolu à se défaire d'une infirmité, considérée pour lui comme un obstacle au bonheur » (*ibid.*, 365).

(79) « Je voulais couvrir ma mère de baisers et qu'il n'y eût pas de vêtements. Elle m'aimait à la passion et m'embrassait souvent, je lui rendais ses baisers avec un tel feu qu'elle était souvent obligée de s'en aller. J'abhorrais mon père quand il venait interrompre nos baisers. Je voulais toujours les lui donner à la gorge. Qu'on daigne se rappeler que je la perdis par une couche quand à peine j'avais sept ans » (*Vie de Henry Brulard*, 42).

défaillances soudaines de Beyle devant les reflets successifs
fournis par la vie (ses amantes ou ses amis) de la seule femme
qu'il eût aimée, sa mère, et que la mort ne faisait que rendre
plus captivante.

Une étude psychanalytique du caractère stendhalien, s'op-
poserait donc aux études psychiatriques de MM. Seillière et
Dugas sur le tempérament de Stendhal.

*
**

Aussi ne saurait-on expliquer et réduire un caractère à une
théorie; ni l'une ni l'autre des méthodes précédemment invo-
quées ne saurait saisir chez Beyle l'homme dans sa complexité,
et, en se contredisant, elles avouent leur faiblesse. Que pour
Seillière la timidité de Beyle relève d'une fragilité héridi-
taire du système nerveux, que pour un psychanalyste elle
provienne de chocs émotifs oubliés, impuissants à cerner l'humain, dans leur effort pour l'enfermer dans un cadre trop
précis, ces systèmes laissent de côté la part la plus fuyante
et la plus secrète de l'individu; cet impondérable, si pesant
pourtant, s'exprime d'un coup dans une réussite littéraire.

Aussi bien Cabanis ne nous paraît-il pas singulièrement plus
clairvoyant, dans sa généralité même, que les psychologues
dans leur spécialité ? Certes Stendhal, en consultant les *Rapports*, est souvent tombé dans l'erreur de ces malades à qui
la lecture d'ouvrages médicaux fait découvrir des troubles
qu'ils n'ont pas. Mais s'il n'a pas le « tempérament mélancolique », ses conflits avec la société déclenchent en lui des accès
de mélancolie; si ce sanguin amoureux de la vie se réconcilie
avec les hommes sous le ciel italien, la platitude et l'hypocrisie
du monde le plongent dans un marasme voisin de la dépression nerveuse.

Ses maladies dépassent le cadre de sa constitution physique; si nous avons pourtant fait appel à son tempérament
jusqu'à présent, ce n'est que pour montrer l'insuffisance
d'une explication qui l'invoquerait comme cause première.
Stendhal lui-même ne s'est-il pas laissé prendre aux pièges
du relativisme, lorsqu'il ramène à des causes physiologiques
des troubles dont l'origine est non pas purement psychologique, mais morale ?

C'est bien de l'enfance que date ce conflit qui mit Stendhal
aux prises avec la société, c'est dès son jeune âge que Julien
s'est trouvé en hostilité ouverte avec le monde et que Fabrice,
avec tous les privilèges des êtres de sa race, a sublimé ce conflit en prenant parti contre l'hypocrisie et la bassesse, en faveur de la générosité incarnée un moment à ses yeux par
Napoléon. C'est lorsqu'il était à Grenoble que Stendhal commença à détester tout ce qui était pour lui le symbole du

« jésuitisme ». Cet état de guerre déclaré contre la société, Stendhal le maintiendra toute sa vie; et ses malaises en seront la rançon. Lorsque le jeune Beyle est sur le point de s'évanouir en entrant dans la chambre mortuaire de son domestique Lambert, il ne fait qu'exprimer le désespoir où le plonge la perte de son seul allié contre la tyrannie et la bassesse. Lorsqu'il écrit à Pauline en parlant de son amie Mélanie : « Elle est comme toi et comme tout ce qui est trop parfait sur cette terre, gâtée par la mélancolie » (80), il ne fait qu'employer le langage du temps et le vocabulaire de Cabanis, mais il reconnaît dans Pauline une sœur d'élection unie à lui par des liens bien plus forts que ceux de la parenté : c'est à ses yeux une camarade qui lutte coude à coude avec lui contre l'oppression familiale. Il nommera mélancoliques (81) tous les êtres purs, révoltés et insatisfaits. La vie lui aura appris cette mélancolie, qui naît des exigences morales mais qui n'est qu'une attitude provisoire : elle n'est que le point de départ de son éthique, elle n'est que la nostalgie du bonheur et du naturel.

Pour passer d'un stade à l'autre, de la première étape à la dernière, de la « mélancolie » à la joie, Stendhal a recours à des valeurs qui jouent le rôle d'intermédiaires : ces paliers successifs sont pour lui d'abord, en 1802, l'ambition et l'orgueil. Les véritables valeurs stendhaliennes, le naturel et la générosité, remplaceront peu à peu les premières.

En fait, Stendhal trouve le plus souvent dans le bonheur et la tendresse le remède à tous ses maux. La conversation avec des êtres qui lui sont chers efface d'un seul coup la tristesse et l'ennui : « J'ai eu depuis le 4 (...) des journées de bonheur les plus heureuses, peut-être, que les hommes pris en masse puissent me donner. C'est peut-être la nuance qui doit me mener des plaisirs d'une grande âme mélancolique à ceux d'un vaniteux brillant (...). Et ma réputation de roué et d'homme qui suis déjà blasé, avec cette âme si tendre, si timide et si mélancolique ! » (82).

Si toute erreur comporte au moins un élément de vérité, Stendhal ne s'est pas entièrement trompé lorsqu'il dit lui-

---

(80) *Corr.*, II, 48, lettre à Pauline, datée de Marseille, 9 vendémiaire an XIV, mardi, 1er octobre 1805.
(81) « De la gaîté à la vanité il n'y a pour ainsi dire que la réflexion..., d'autre part les mélancoliques sont ardents, timides, inquiets, et ne se sauvent souvent de la vanité que par l'ambition et l'orgueil » (*Pensées*, I, 15-16, cahier daté du 16 frimaire an XI, 7 décembre 1802).
(82) *Journal*, II, 10-11, passage daté du dimanche 14 pluviôse XIII, 3 février 1805.

même à son sujet : « J'avais un tempérament de feu et la timidité décrite par Cabanis » (83).

Se cabrant devant tout ce qui lui paraît artificiel ou hypocrite, depuis le style de Chateaubriand jusqu'aux attitudes mondaines, *il fait du naturel un absolu*, s'exaspère de ne le rencontrer que si rarement, *souffre de son absence comme d'une maladie*. Plus que tous les critiques, son ami et confident di Fiore peut mieux le juger que nous : « *Sa sensibilité est devenue trop vive : ce qui ne fait qu'effleurer les autres, le blesse jusqu'au sang* » (84). Ce jugement de di Fiore, Stendhal le confirme : « Tel j'étais encore en 1799, tel je suis encore en 1836, mais j'ai appris à cacher tout cela sous l'ironie imperceptible au vulgaire, mais que Fiore a fort bien deviné : « *Les affections et les tendresses de sa vie sont écrasantes et disproportionnées, ses enthousiasmes excessifs l'égarent, ses sympathies sont trop vraies, ceux qu'il plaint souffrent moins que lui* ». Ceci est à la lettre pour moi » (85).

Comment ne seraient-ils pas nombreux, ces heurts que produit sans cesse le contact de la société et d'un esprit avide de sincérité ? Beyle ne se guérira jamais de cet amour du naturel et de la générosité, de ce feu qu'il porte dans ses veines. La lecture des Idéologues ne produira pas un drainage suffisant; les méthodes positives et relativistes ne sauront guère se concilier avec les exigences stendhaliennes.

Voyageur infatigable, il parcourt l'Europe à la recherche du naturel; cet argonaute à la conquête d'une nouvelle toison d'or est aussi un réaliste qui arrive à son but, bien plus souvent qu'il ne l'avoue. Comme Fabrice et comme Julien, il réalisera son plus grand désir, qui est de partager l'horreur de l'affectation avec des amis qui lui sont chers : « Je vois aujourd'hui qu'une qualité commune à tous mes amis était le naturel ou l'absence de l'hypocrisie. Mme Vignon et ma tante Séraphie m'avaient donné, pour cette première des conditions de succès dans la société actuelle, une horreur qui m'a bien nui et qui va jusqu'au dégoût physique » (86).

Mais les beaux moments de la vie sont rares, même dans les romans, même pour Fabrice et pour Lucien, à plus forte raison pour Stendhal. La toison d'or n'est pas un mirage, mais une proie que la main saisit un instant et qui s'échappe aussitôt; l'absolu selon chacun, n'est pas hors de la prise humaine mais fuit à tire d'ailes après avoir été un instant caressé. Qu'est la vie de Lucien hors de ses promenades avec Madame de Chasteller dans les Bois du Chasseur vert et de

(83) *Vie de Henry Brulard*, 34.
(84) *Ibid.*, 405 (Le texte souligné est de di Fiore).
(85) *Ibid.*, 405 (Le texte souligné est de di Fiore).
(86) *Ibid.*, 319.

ses entretiens amoureux, qu'est la vie de Stendhal en dehors
de ces conversations où joue le naturel, de ces instants passés
à la contemplation des paysages ou à la jouissance des arts ?
En général c'est l'ennui.

Lorsque Stendhal n'est pas sollicité par la beauté d'un
paysage ou d'un sentiment, il est atteint de malaises conti-
nuels. La fameuse *Consultation médicale* (87) en fournit une
preuve évidente. Cette liste fort longue de ses troubles de
santé joint à la précision d'une fiche médicale la rigueur
d'une méthode formée par les Idéologues et les psychiatres
du temps, Cabanis et Pinel. Cet homme au teint vermeil, alerte
et actif, fut sans cesse soumis aux caprices de ses nerfs. Engourdissement localisé, palpitations, vertiges, douleurs nerveuses qui se déplacent constamment, état de demi-imbécillité,
tels sont les symptômes que note Stendhal dans les *Mélanges
Intimes* (88).

L'amour de la beauté et du naturel est-il donc une maladie,
pour provoquer de tels troubles ? « Quand le malade souffre
de ces douleurs nerveuses de la tête et du bras, vient-il à être
distrait par une visite ou par quelque nouvelle qui lui soit
agréable, tous ces symptômes disparaissent; *les gens ennuyeux
au contraire augmentent aussitôt ses douleurs* » (89). Et les
gens ennuyeux sont, d'après Stendhal, les êtres plats et hypocrites. Lorsqu'il veut reprendre contact avec un milieu qu'il
détesta toujours, lorsqu'il revient à Grenoble après un
séjour en Italie, la maladie s'accentue, avec la haine de son
père et de sa famille. Si Stendhal voulut toujours fuir Grenoble, s'il rechercha l'absolu sous la forme de la passion dans
les pays méditerranéens, dans les chroniques italiennes et
dans le tempérament des Italiens, c'était, comme le dit Sénèque, pour échapper à ses maux. Ce n'est peut-être pas la
marque d'un esprit bien équilibré que de ne pouvoir demeurer
en paix avec soi-même, et seul dans une chambre; mais le
propre de l'insatisfaction, quand elle arrive à se dépasser
elle-même, est de créer des valeurs qui n'ont rien à voir avec
son origine première et qui relèvent de l'absolu, qu'on les

---

(87) Voir la *Consultation médicale*, dans *Mélanges intimes* et *Marginalia*, éd. Martineau, Le Divan, Paris, 1937, I, 122 à 134.

(88) *Ibid.*, 128.

(89) *Ibid.*, pp. 125-126. « Les symptômes ayant beaucoup diminué, le
malade alla à Grenoble, sa patrie, passer deux mois. Il revient maintenant ayant fait dans ce voyage 700 milles. Pendant ce voyage, il a eu
deux très forts accès; le souffle lui manquait, la tête devenait faible,
l'engourdissement du bras était très grand et il croyait mourir. Au bout
d'une heure tout cessait, le malade était soulagé par l'usage d'une infu-
sion de feuilles vertes d'oranger. Le plus souvent, il souffrait de cet
embarras de la tête cinq jours par semaine; il avait des douleurs dans
le cou, de l'angoisse, un grand engourdissement du bras; le repos absolu
était favorable. Le mouvement, au contraire, augmentait souvent les
symptômes; les escaliers étaient pénibles à monter » (*ibid.*, 125-126).

appelle naturel ou générosité. Stendhal n'eût point écrit *La Chartreuse* s'il n'avait oublié ses malaises, la consultation médicale et ses démêlés avec la société. Le romancier va au-delà de l'homme, mais pourtant le reflète; miroir fidèle il répète les gestes de son double en les prolongeant dans l'éternité, et brise parfois le reflet pour accéder à un domaine où l'homme seul ne saurait pénétrer. Stendhal prend Henri Beyle par la main pour lui faire passer clandestinement la frontière et le mener dans la terre libre du roman.

Beyle n'eût point fait état de ses maux s'il ne se fût trouvé dans un moment où tous ses espoirs venaient de s'écrouler. En 1816, il n'est pas encore remis de la stupeur et de la déception qu'a provoquées en lui la chute de Napoléon. Depuis deux ans, il a perdu tout espoir de faire figure dans le monde ; après avoir été, sous l'Empire, auditeur au Conseil d'Etat et intendant militaire, il se console mal d'être ravalé à l'état de demi-solde. S'il est sensible aux considérations matérielles, il est encore plus touché par la disparition d'un grand chef énergique, qui entraînait les cœurs et les passions après lui ; il boude longtemps le nouveau régime, et seul le ciel italien dissipera cette brume et cet engourdissement où le plongent le règne d'un roi impotent, la royauté de l'hypocrisie et de la bassesse.

Dans la mesure où les apports de la vie et des lectures modifient le caractère, Cabanis a été pour Stendhal ce tremplin, d'où il a pu, nageur habile, s'élancer pour quitter le rivage enlisé d'une société drapée dans le manteau des préjugés et plonger dans les eaux fraîches du naturel. Car Stendhal a vu dans Cabanis un médecin qui pouvait le faire échapper à ses maux. Sujet à quelques accès d'ennui, il n'en a mis que plus de passion à trouver des prétextes de joie et de bonheur. Si le bonheur était pour lui le naturel, il n'a montré que plus d'obstination à l'atteindre. Cette longue quête le mènera de l'*Histoire de la peinture en Italie* à la *Chartreuse*, de la découverte de l'Idéologie à celle des valeurs qui s'y opposent, valeurs chères à Madame de Staël, de la compilation à la création ; de l'essayiste, elle fera un romancier.

Mais auparavant Stendhal, après avoir pratiqué l'autoanalyse sous l'influence de Cabanis, sera amené à chercher quels sont les hommes qui lui ressemblent, quels sont aussi les facteurs qui font naître la mélancolie et la passion, et ce que peut signifier, par suite, l'influence du milieu sur l'individu.

4. — UN SYSTEME RELATIVISTE

L'homme, selon Tracy et Helvétius, était seul au monde. Le robot de Tracy faisait jouer sans discordance les leviers de

commande qui actionnaient un raisonnement correct ; l'enfant
d'Helvétius savait se garder des passions dangereuses pour
son bonheur, mais il manquait à ce robot une enveloppe de
peau sensible à un contact humain ou à la douceur du soleil
méditerranéen, il fallait que cet adolescent, — qui préservait
avec soin son juvénile enthousiasme —, se revêtit enfin de la
toge virile.

Cabanis a doté la machine si bien perfectionnée par Tracy
d'un système musculaire et sensitif, et, en l'élevant au niveau
d'homme, il l'a fait rentrer dans la société. Cet homme que
Stendhal cherchait avec tant d'obstination à travers les Idéologues, ne sera que l'image avant la lettre de ses héros. Cet
adolescent, comme Fabrice, joint à la souplesse du raisonnement, la rigueur et le sérieux d'un esprit bien formé par
Tracy ; dans son éducation à la manière d'Helvétius, l'émulation a eu la première place, qu'elle soit due aux hasards de la
vie ou à l'ardeur d'une âme bien née ; et s'il cherche le naturel
dans ses discours et dans ses actions, c'est qu'il a reçu du ciel
une âme mélancolique selon Cabanis, c'est-à-dire, selon le
vocabulaire de notre temps, un caractère impropre à supporter
avec résignation l'hypocrisie et la bassesse, et prompt à s'en
offusquer.

Mais Cabanis lance à travers le monde des hommes et la
variété des cieux cet enfant sage, cet écolier trop appliqué, il
ouvre les portes du séminaire au jeune Julien Sorel, au front
encore alourdi du poids de sa science, qui ferme à demi ses
yeux éblouis par la nouveauté du spectacle. Après s'être
arrêté tremblant de honte à la porte des salons, celui-ci verra
des passions nouvelles se développer en lui et mourir, un nouveau caractère, qu'il ne se connaissait pas, se superposer à
ses tendances premières.

Un jeune provincial timide et pauvre provoquera des coups
de théâtre dans l'hôtel du marquis de La Mole ; la constitution physique seule ne peut expliquer entièrement le comportement d'un homme : « Nous avons dit, en effet, et l'expérience journalière prouve que la base des tempéraments ori-
ginels bien prononcés, est intimement identifiée avec l'organisation elle-même ; mais en même temps, nous n'avons point
oublié d'observer qu'il y a des tempéraments *acquis* » (90). Il
serait vain, pour définir l'homme en général ou Julien Sorel
en particulier, d'étudier seulement le fonctionnement de son

---

(90) *Rapports du physique et du moral de l'homme*, II, 162. Reconnaissant la multiplicité des causes qui modifient le caractère de l'individu, Cabanis avoue par ailleurs : « Enfin, quelquefois le tempérament
lui-même est susceptible de changer complètement de nature; il peut
arriver même alors, qu'indécis originairement, il se place, par l'effet de
certaines causes extérieures accidentelles, au nombre de ceux dont les
caractères ont la plus forte empreinte » (*ibid.*, II, 162).

cerveau ou celui de sa vésicule biliaire. Un écrivain n'est point romancier s'il réduit à ces phénomènes seuls la psychologie de ses héros. La multiplicité des causes qui engendrent une conduite parfois contraire aux instincts premiers fut mise en évidence par Stendhal, après l'avoir été par Cabanis.

Cabanis, par ailleurs, lorsqu'il souligne l'influence du milieu sur l'individu ne fait que représenter l'esprit de son temps. Opposé à l'abstraction de la littérature du Grand Siècle, le XVIII° préfère le concret. Le temps n'est plus où, dans le domaine de la fiction mythologique ou de la légende historique, l'auteur, avec son public, s'intéressait aux démarches d'une âme aux prises avec sa destinée. Le XVII° siècle fut celui de la sécheresse théologique ; peu importait le tempérament de Phèdre ; d'une descendance divine elle avait à se battre avec les dieux ; et dans la danse de Phèdre et les soubresauts de sa révolte, l'auteur préfigure la part de sacré qui entre dans l'évolution d'une vie ; peu importait le système juridique d'Albe-la-Longue, ou de la Ville aux sept collines, il s'agissait pour Corneille de montrer comment s'incarnait la sublimation de la passion chez des êtres fanatiques ou humains, chez Horace, ce garçon sauvage ou chez Curiace, doux et mesuré, débordant de tendresse. Tout à fait contraire est cette attitude qui néglige le domaine de l'absolu pour considérer les circonstances, les causes premières et directes qui influent sur l'individu, et les lois générales de l'ensemble social auquel il est soumis. L'originalité de Stendhal, qui s'est souvent souvenu de Corneille, fut de concilier ces extrêmes, ces deux pôles opposés de la pensée, qui trouvèrent une synthèse harmonieuse dans *La Chartreuse.*

Le positivisme ne pouvait manquer de séduire un esprit aussi curieux de la vie, et aussi amoureux de sa complexité. Dans Cabanis, comme dans Montesquieu qu'il avait lu auparavant, Stendhal découvrit un système relativiste qui, malgré ses insuffisances, lui permit de voir le monde des hommes sous un aspect sociologique.

C'est en lisant Cabanis, Montesquieu (91) et le *Commentaire sur l'Esprit des lois* écrit par Tracy en 1806 et 1807, que

(91) Stendhal connaissait en effet Montesquieu depuis le mois de mai 1803 : « J'ai lu l'*Esprit des Lois* le 21 Floréal XI pour la première fois de ma vie » (*Pensées*, I, 170, passage extrait d'un cahier daté du 21 thermidor an XI, 9 août 1803). Mais, après avoir lu Helvétius, Stendhal relevait de nombreuses erreurs dans Montesquieu et montrait qu'il aurait dû, à la manière d'Helvétius, faire reposer son système sur l'importance de l'amour de soi : « H. dans ce moment-ci une des choses les plus profitables à la nation serait une bonne critique de Montesquieu. Ce grand homme avait une excellente tête, mais une âme assez faible à ce qu'il

Stendhal a pris contact avec la sociologie de son temps. Alors
même qu'en 1819 Stendhal a rompu en partie avec l'Idéologie,
il déclare encore : « Mon credo politique est le *Commentaire
de Montesquieu*, de Tracy » (92). Il ne faut voir dans cet aveu
que la fidélité d'un disciple à l'égard d'un ancien maître, car
en fait, comme nous aurons l'occasion de le voir, les idées
politiques de Stendhal seront souvent fort éloignées de celles
de Tracy.

Tracy, il est vrai, manifeste, du moins en apparence, une
certaine réserve à l'égard des expressions employées par Montesquieu qu'il se donne le plaisir de critiquer : « Les lois ne
sont pas, comme le dit Montesquieu, *les rapports nécessaires
qui dérivent de la nature des choses*. Une loi n'est pas un
rapport, et un rapport n'est pas une loi » (93). Il n'empêche
que Tracy reprend le système sociologique de Montesquieu
dans sa façon d'envisager les rapports qu'ont les lois avec le
commerce, le terrain, le climat ou la religion du pays où elles
ont été instituées. En fait, Montesquieu, Cabanis et Tracy,
s'ils traitent de sujets différents, s'apparentent souvent dans
leur manière d'envisager l'homme sous son aspect sociologique et cette attitude fut pour un temps celle de Stendhal.

Pour ces philosophes qui appartiennent en fait ou en droit
au XVIII° siècle, l'homme n'est plus semblable à lui-même en
tous lieux ; il n'y a que pluralité et multiplicité d'individus ;
la seule constante d'un monde changeant prend la forme pro-
téenne de la diversité et de la variété. Le XVIII° siècle et
Cabanis n'étudient plus l'homme, mais l'influence sur lui de
tout ce qui lui est étranger. L'homme sera réduit au rôle de
résultante de divers facteurs : facteurs du climat, du régime,
dans l'extension la plus grande du mot, c'est-à-dire, de ses
habitudes, de sa façon de vivre, de se nourrir, de dormir (94).

---

paraît. Son amour pour le bien et pour la vraie gloire n'était pas très
violent, puisqu'il a souvent composé avec les tyrans dans son *Esprit des
Lois*, souvent conclu du fait au droit, c'est-à-dire : on a fait cela, je
vous le prouve, donc on pouvait le faire. Voilà pour son âme. Sa tête
s'est souvent trompée. D'abord dans ses divisions : vertu, honneur,
crainte. Il devait dire amour de soi, principe général, bien dirigé dans
les républiques où il se confond avec l'amour de la chose publique, mal
dans les monarchies où la passion régnante est la crainte. Voyez Alfieri,
Mirabeau » (*Pensées*, II, pp. 166-167, cahier du 22 messidor an XII, 11
juillet 1804).

(92) *Corr.*, V, 261, lettre au Baron de Mareste, datée de Bologne, le 24
juillet 1819.

(93) *Commentaire sur l'Esprit des Lois de Montesquieu*, suivi d'observations inédites de Condorcet, Paris, chez Théodore Desoer, libraire,
1819, p. 1.

(94) Comme Montesquieu, Cabanis étudie l'influence du régime et du
climat sur les mœurs d'un peuple; il y a donc une influence certaine de
l'*Esprit des Lois*, datant de 1748, sur les *Rapports du physique et du
Moral de l'homme* (1799). Cependant, Cabanis étudie les habitudes d'un
peuple dans leur ensemble, sans les lier au système législatif : « Ainsi
donc le régime, c'est-à-dire l'usage journalier de l'air, des aliments, des

Montrer les différences qui distinguent les peuples de la terre, c'est les peindre concrètement. Ce tableau minutieux et détaillé est aussi opposé à la tragédie simplifiée de Racine qu'à l'art concret de Greuze et à l'art abstrait du Moyen-Age.

Tel fut le rôle de Cabanis pour Stendhal ; en cicerone averti il introduisit son jeune disciple dans un monde où les hommes sont colorés et bien en chair, se livrant avec distraction à leurs manies et à leurs travaux quotidiens, ou, au contraire, s'abandonnant à leurs passions par amour de la puissance, de la gloire ou des arts.

***

La passion change selon le degré de latitude et les hommes sont différents selon les climats. C'est à cette diversité que s'intéresse le XVIIIᵉ siècle tout entier et Stendhal avec lui ; amoureux du concret avant toute chose, ils tournent le dos à la transcendance pour se réfugier dans le transitoire. Comme cette explication par les différences est commode, comme il est plus simple de décrire que de trouver les causes ! Les différences sont infinies, dira-t-on, entre le flegmatique hollandais et l'espagnol fougueux, et à les détailler et à les passer en revue on finit par estimer résolu le problème de l'homme et de son comportement. Tels sont les pièges tendus par la pensée relativiste, qui, par amour des classifications, fait fi des problèmes de l'art et de l'homme.

En essayiste imbu des principes scientifiques du temps, Stendhal analyse les passions en les mettant sous l'étroite dépendance des tempéraments et des climats. Le romancier n'est pas encore né, qui montrera, avec combien plus de vérité, les sentiments complexes de Fabrice et de Clélia et les transformations qu'ils engendrent. Aussi bien son livre *De l'Amour* est-il encore redevable à la méthode idéologique et inspiré en partie par Cabanis ou encore Destutt de Tracy qui avait également écrit un livre *De l'Amour* (95).

boissons, de la veille, du sommeil et des divers travaux, exerce une influence très étendue sur les idées, sur les passions, sur les habitudes, en un mot, sur l'état moral (*Rapp.* II, 131). Si, par ailleurs, les chapitres de Cabanis *Influence des climats sur les habitudes morales,* ont souvent inspiré Stendhal, ce dernier, avant de lire les *Rapports,* avait noté, dans ses cahiers, des passages de Buffon sur le même sujet, cher à la littérature du XVIIIᵉ siècle : « Je crois que le climat a beaucoup d'influence sur la nature des plantes, et par conséquent sur celle des animaux dont l'homme se nourrit ; il en a donc sur le corps de l'homme. Or il est évident que tous nos plaisirs passant par notre corps, le climat doit avoir une influence sur nos désirs et par conséquent sur nos actions. Lois × climats = mœurs. Buffon, IV, 238 » (*Pensées,* I, 173).

(95) Voir Destutt de Tracy, *De l'Amour,* avec introduction de Gilbert Chinard, société d'édition Les Belles-Lettres, Paris, 1926. L'excellente *Introduction* de M. Chinard met en évidence les rapports entre le livre de Stendhal *De l'Amour* et l'ouvrage de Tracy qui porte le même nom. Stendhal, comme nous l'indique M. Chinard, alors qu'il composait son

L'amour est parfois pour Stendhal ce qu'une plante est pour un entomologiste ; il s'agit pour lui de le rattacher à un système de catégories bien ordonnées. Selon le système de Cabanis, l'amour sera différent chez le nerveux ou le bilieux, le Français ou l'Italien ; d'après les théories de Montesquieu, il dépendra aussi des habitudes données par le gouvernement (96). Les sentiments qu'inspirent une femme aimée n'auront pas la même nuance sous le ciel de Paris, de Londres, de Rome ou d'Amsterdam.

L'amour sera plus naturel, plus spontané, plus sincère sur les rivages méditerranéens, alors qu'il se réduit à un jeu de l'esprit chez les Français. L'Italien fut le type de prédilection de Stendhal ; toujours soucieux d'analyser les causes de ses préférences, l'écrivain est heureux d'en trouver une explication dans Cabanis. Si les Italiens sont différents des autres peuples, le climat et le gouvernement de leur nation en sont responsables : « Les observateurs de tous les siècles l'ont remarqué, c'est dans les pays chauds que se rencontrent ces âmes vives et ardentes, livrées sans réserve à tous les transports de leurs désirs ; ces esprits, tout à la fois profonds et bizarres, qui, par la puissance d'une méditation continuelle, sont conduits tour à tour aux idées les plus sublimes et aux déplorables visions ; et l'on n'a pas de peine à voir que cela doit être ainsi. L'état habituel d'épanouissement des extrémi-

---

livre *De l'Amour* en Italie en 1819, a lu un chapitre intitulé *dell' Amore*, dans la traduction italienne de l'*Idéologie* de M. de Tracy. Mais il ne fait guère qu'emprunter à son maître un procédé d'exposition et une méthode d'analyse. Tracy se montre, dans son livre, uniquement un théoricien, il cherche quelle est la forme de l'amour qui permet d'assurer le maximum de bonheur à la fois à l'individu et à la société où il vit. Il cherche les défauts qui peuvent vicier le mariage en tant qu'institution et propose des remèdes : l'émancipation des jeunes filles et le divorce par consentement mutuel. Stendal, tout en partageant les idées de Tracy, se montre beaucoup moins systématique que lui, et aussi beaucoup plus original (voir *Introduction* de Chinard, pp. XXXVI à LVII). Car Stendhal met en œuvre, dans son traité *De l'Amour*, non seulement les éléments que lui ont apportés ses maîtres, Destutt de Tracy et aussi comme nous le verrons Cabanis, mais encore ses expériences personnelles de voyageur.

(96) « Tous les amours, toutes les imaginations, prennent dans les individus la couleur des six tempéraments : Le sanguin, ou le Français, ou M. de Francueil (Mémoires de Mme d'Epinay); le bilieux, ou l'Espagnol, ou Lauzun (Peguilhen des Mémoires de Saint-Simon); le mélancolique, ou l'Allemand, ou le don Carlos de Schiller; le flegmatique, ou le Hollandais ; le nerveux, ou Voltaire ; l'athlétique, ou Milon de Crotone (...). Il faut faire passer ces quatre amours par les six variétés dépendantes des habitudes que les six tempéraments donnent à l'imagination. Tibère n'avait pas l'imagination folle de Henri VIII. Faisons passer ensuite toutes les combinaisons que nous aurons obtenues par les différences d'habitudes dépendantes des gouvernements ou des caractères nationaux. 1°) Le despotisme asiatique tel qu'on le voit à Constantinople; 2°) La monarchie absolue à la Louis XIV; 3°) L'aristocratie...» (*De l'Amour*, texte établi et annoté par Henri Martineau, édit. de Cluny, Paris, 1938, p. 159).

tés sentantes du système nerveux, et le bien-être dont nous
avons dit que cet épanouissement est la cause ou le signe,
donnent entrée aux impressions extérieures, en quelque sorte
par tous les pores ; ils rendent ces impressions plus fortes ou
plus vives » (97).

**

Mais cette sensibilité est aussi le produit d'une civilisation
qui a formé l'homme, lui a permis d'acquérir à travers les
siècles la spontanéité que Stendhal admire avant tout chez les
Italiens, et qui est due à un long apprentissage de la passion.
Cabanis, en effet, ne tiendra pas seulement compte de l'influence d'un climat sur un peuple, mais aussi des habitudes
de la race, de ses modes de vie et de sa façon de penser, qu'il
décrit sous le nom général de régime (98).

Ce n'est pas grâce à Cabanis que Stendhal a aimé les Italiens
et leur tempérament ; le jeune hussard de dix-sept ans s'était
déjà plu à fouler le sol de cette race heureuse, en goûtant
l'enivrement de la victoire et le plaisir du conquérant. Mais
il y a chez l'écrivain une longue cristallisation autour de
l'Italie, la cristallisation sur l'amour venant en second lieu.
L'Italie sera pour Stendhal une réalité heureuse et aussi un
mythe. Ses lectures, ses voyages, tout concourt à lui faire
considérer le peuple italien comme un peuple élu. Cette préférence revêtira le caractère d'un système, puisque Stendhal
ordonnera autour d'une race privilégiée les notions qu'il aura
acquises au cours de ses lectures et les valeurs qui lui tiennent à cœur.

Si l'homme supérieur, selon Stendhal, a le caractère mélancolique, l'Italien, lui aussi jouit de cette soi-disant supériorité :
« Tous les Français arrivant en Italie tombent dans la même
erreur. C'est que le caractère de ce peuple est souveraine-
ment mélancolique ; c'est le terrain dans lequel les passions
germent le plus facilement : de tels hommes ne peuvent guère
s'amuser que par les beaux-arts » (99).

Sous l'influence de Cabanis apparaît donc un concept nouveau dans l'œuvre stendhalienne, celui de l'Italien mélancolique. L'Italien, en un mot, devient un type littéraire aux
attributs bien déterminés, sans perdre cependant sa complexité concrète ni s'éloigner de la réalité.

Si Stendhal isole en effet les constantes d'un type qui prendra forme dans ses œuvres et qui préfigure ses héros, cepen-

(97) *Rapports*, II, 23.
(98) « Ainsi donc le régime, c'est-à-dire l'usage journalier de l'air,
des aliments, des boissons, de la veille, du sommeil et des divers travaux, exerce une influence très étendue sur les idées, sur les passions,
sur les habitudes, en un mot sur l'état moral » (*Rapp.*, II, 131).
(99) *Vies de Haydn, de Mozart et de Métastase*, 63.

dant il se plaît à corriger, par souci du détail et de la précision, ce que ce portrait pourrait avoir de trop idéal. Dans cette race privilégiée, il y a des traîtres à la spontanéité, au naturel, à la sincérité : « Les Bolonais sont remplis de feu, de passions, de générosité et quelquefois d'imprudence. A Florence, on a beaucoup de logique, de prudence, et même d'esprit ; mais je n'ai jamais vu d'hommes plus libres de passions ; l'amour même y est si peu connu, que le plaisir a usurpé son nom. Les grandes et profondes passions habitent Rome. Pour le Napolitain, il est l'esclave de la sensation du moment ; il se souvient aussi peu de ce qu'il sentait hier qu'il ne prévoit le sentiment qui demain l'agitera. Je crois qu'aux deux bouts de l'univers on ne trouverait pas des êtres aussi opposés, et se comprenant si peu que le Napolitain et l'habitant de Florence » (100).

Sous des cieux différents naissent des passions elles aussi diverses ; exaltées à Naples, elles diminueront progressivement d'intensité dans le Nord de la péninsule. Dans ce portrait de l'Italien qui est déjà le portrait de son héros, Stendhal se montre sans cesse attiré par deux attitudes opposées de la pensée qui, loin de s'exclure, se complètent : l'Italien aimé de l'écrivain porte la marque de cet absolu qui est pour lui la générosité et le naturel ; mais cet Italien reçoit ses particularités des villes et de la société auxquelles il appartient. Car les constatations de Cabanis ont donné à Stendhal le goût de l'observation précise ; le relativisme des Idéologues, qui pourtant risque fort de se perdre dans la description du particulier, vient rectifier les concepts et les thèmes chers au romancier.

Mais si la passion prend en Italie le caractère de l'absolu parce qu'elle y est portée à son extrême violence, elle y doit plus qu'ailleurs faire naître les arts, favoriser la peinture et la musique, susciter l'amour de la beauté : « Sous un climat brûlant, sous une tyrannie sans pitié, où parler est si dangereux, le désespoir et le bonheur s'expriment plus naturellement par un chant plaintif que par une lettre » (101). Influence du climat d'une part, du gouvernement de l'autre, tels sont les points sur lesquels Stendhal revient constamment, et si parfois son imagination et son désir éperdu de naturel transforment la réalité, la méthode de Cabanis et de Montesquieu s'impose cependant toujours à son esprit (102).

---

(100) *Prom. dans R.*, I, 145.
(101) *Vie de Rossini*, I, 155.
(102) Cabanis avait de même remarqué que les arts dépendaient de facteurs bien déterminés : « Mais, pour descendre à quelques faits un peu moins généraux, le caractère du sol, la nature de ses productions. la température des lieux, et leurs rapports particuliers avec tout le voisinage, n'invitent-ils pas de préférence à la culture de certains arts ? » (*Rapp.*, II, 215).

CHAPITRE V

UN EPICURISME METHODIQUE

1. — LE REFUS DE LA PASSION

Si diverses qu'elles paraissent au premier abord, les premières lectures de Stendhal n'auront pas sur le jeune intellectuel des influences contradictoires. Cependant, ces auteurs dont nous avons précédemment montré l'emprise sur Stendhal, Lancelin, Destutt de Tracy, Helvétius et Cabanis, si on les range sous le nom général d'Idéologues, se distinguent par leur conception du monde et des hommes. En effet, tout ce qui a été écrit en France sur les Idéologues, ne permet pas d'entrevoir ce que pourrait être un système idéologique. Il y a des Idéologues, mais non pas une Idéologie. Un tel manque ne laisse pas d'étonner; il y a bien eu un romantisme, un naturalisme, un surréalisme. Pourtant ces Idéologues sont, plus que les autres, les seuls philosophes du XVIII° siècle; ceux que l'on appelle en général de ce nom ne sont que des sociologues : sociologues parce qu'ils s'occupent du fonctionnement de la société, et non pas du fonctionnement de l'esprit humain comme Tracy. Faisant figure de parents pauvres dans la littérature française, les Idéologues n'en ont pas moins une action fort directe sur les générations suivantes : Taine et Sainte-Beuve s'en inspirent et Balzac a recours à Cabanis (1). C'est qu'ils représentent une attitude bien déterminée de la pensée qui est le positivisme. Ce n'est pas non plus que le positivisme soit né avec eux ; depuis Condillac, l'attitude d'une bonne partie des philosophes ou des psychologues a été de faire appel à la réalité extérieure et de considérer l'homme comme la résultante de ses sensations. Mais chez les Idéologues cette attitude est pour la première fois systématique et exclusive. Aussi y a-t-il chez eux une véritable doctrine, et si elle n'apparaît pas tout d'abord, c'est sans doute que ces philosophes traitent des sujets fort divers; un médecin aliéniste comme Pinel s'occupe des maladies mentales, alors que Tracy se soucie avant tout de la rectitude du raisonnement et de la logique.

Dans le triptyque parfait formé par Helvétius, Cabanis et Destutt de Tracy, Stendhal avait déjà vu une description des passions humaines. Ce tableau lui semble cependant manquer de profondeur. Le mécanisme du cœur humain une fois démonté, il lui fallait encore comprendre le rouage des sociétés petites ou grandes. Ces deux mécanismes lui permettront de définir les divers comportements de l'homme au milieu de ses semblables; parmi la diversité des attitudes humaines, Stendhal fait alors son choix et adopte celle qui lui semble la plus naturelle. Les philosophes comme Maine de Biran et Pinel, ou encore le mémorialiste Duclos jouent, aux yeux de Stendhal, le rôle d'Idéologues mineurs; car ils lui donnent la possibilité de compléter et d'approfondir ce que lui ont appris ses premiers maîtres. Les Idéologues mineurs

---

(1) « L'influence de la psycho-physiologie de Cabanis a été décisive sur Balzac (...). C'est elle qui a détourné Balzac de ce que pouvait avoir de conventionnel le concept classique d'une nature humaine toujours semblable à elle-même. C'est elle encore qui lui a révélé dans toute sa vérité, l'influence du « climat », le mécanisme des déterminations, la psychologie des besoins, la nature des passions et l'égoïsme foncier de l'animal humain. Si les types balzaciens sont d'une réalité saisissante au point que l'on sait, c'est que leur psychologie est fondée sur le physiologique, d'abord » (Emile Caillet, *La tradition littéraire des Idéologues*, The American philosophical society, Independance Square, p. 153).

ne lui apportent rien en fait qu'il ne sache déjà; mais cependant, ils orientent sa pensée, sa vie même, vers les rôles multiples que l'homme peut tenir dans le monde, vers le rôle qu'il pourrait lui-même tenir en société. Ces écrivains lui donnent en même temps une notion plus nette de son propre caractère, de ses propres tendances, tout en lui inculquant le désir de corriger ses faiblesses. Ils lui proposent diverses définitions du bonheur, de la vertu et du naturel. Ce sont pour lui des médecins du corps et de l'âme chez qui il cherche un art de vivre et d'être heureux. Ce sont aussi des professeurs de maintien qui lui apprennent cet art encore plus difficile pour un timide, celui de se montrer naturel en société.

*
**

Chez Stendhal, les concepts et la méthode idéologiques tendent à un but : l'élaboration d'un épicurisme, l'acquisition d'un naturel qui est le naturel aimable. La nature humaine vue à travers des philosophes aussi différents que Lancelin, Helvétius ou Maine de Biran, commentée par ces écrivains qui appartiennent en droit ou en fait au XVIIIᵉ siècle, comme Destutt de Tracy ou le mémorialiste Duclos, apparaît à Stendhal sous une forme de plus en plus précise, mais aussi de plus en plus limitée. Dans la mesure où ces auteurs placent l'homme dans un univers fait pour l'accueillir, dans la mesure où ils croient au bonheur et où ils estiment que ce bonheur s'acquiert par une méthode intelligente et rationnelle, *ils conduisent Stendhal à adopter provisoirement un épicurisme scientifique.*

Mais cet épicurisme étouffe d'autres valeurs : Stendhal sera amené à amenuiser singulièrement sa conception de l'homme puisqu'il attribuera pour un temps *une valeur suprême au naturel aimable. La philosophie positive aboutit, en fin de compte, à une morale bien pauvre.* Aussi bien Stendhal ne s'en contentera-t-il pas.

S'il centre plus tard son éthique sur la spontanéité et l'héroïsme, c'est sans doute parce qu'il a pu auparavant dégager une morale de l'honneur de tout ce qui aurait pu l'entraver, de la recherche du bonheur et de l'équilibre. Ses années d'Idéologie ne sont qu'une préparation.

Mais cette éducation n'est plus désormais livresque. Stendhal élabore une morale épicurienne tout en la mettant en pratique. Vers les années 1804-1805, il a déjà mis au point sa vision de l'homme, et s'il ajoute à sa liste d'auteurs préférés les « Idéologues mineurs », ce ne sera pas seulement pour « s'instruire » et augmenter ses connaissances. Les démarches intellectuelles du futur romancier, si délimitées soient-elles

ne sauraient désormais s'enfermer dans le cadre précis d'un
programme d'études ; si Stendhal lit, c'est fort peu par amour
de la philosophie ; dans ces années de formation au sens large
du terme, le jeune « philosophe » a surtout le souci de prendre
une attitude en société, de faire oublier sa timidité, son manque d'argent, et il cherche dans les livres les moyens de plaire,
de séduire, de faire des conquêtes.

Le trait le plus significatif du beylisme, sera, à notre avis,
qu'il n'y a pas de séparation radicale entre les livres et la vie.
Le principal mérite de Stendhal, cet « intellectuel de l'an X »,
a été de transposer les acquisitions de ses lectures dans la
réalité souple et complexe de son temps. Qu'on nous dise, par
ailleurs, qu'il fut sensible à l'excès, qu'il a pris le masque de
la froideur pour cacher une sentimentalité toujours prête à
s'émouvoir, ou encore, comme M. Alciatore, que ses œuvres
sont des emprunts aux Idéologues, ces définitions ne sauraient
se suffire à elles-mêmes ; elles sont justes, il est vrai, dans la
mesure où elles ont pour tâche d'expliquer un aspect de l'individu chez Beyle, ou certains de ses premiers essais. Mais ne
faudrait-il pas, pour leur donner un sens plus large, ajouter
que Stendhal aima avant tout la vie, et que, si les formes de
la réalité sont multiples, en dilettante et en esthète amoureux
des transitions élégantes, il s'est toujours efforcé de joindre
la théorie à la pratique et qu'il transposa dans sa propre vie
les leçons de ses maîtres ?

Qu'elles seront nombreuses pour lui, les occasions de dé-
nombrer, dans une soirée mondaine, les préjugés et les conventions de la société ; et dans un musée de Florence, combien il sera tentant d'étudier le corps humain en physiologue
et de se souvenir, en contemplant les tableaux du Corrège ou
de Vinci, des préceptes de Cabanis et de sa théorie des tempéraments ! Il ne saurait y avoir d'opposition entre le concret
et l'abstrait pour Stendhal ; ce sont deux aspects d'une seule
et même réalité ; étroitement unis, ils s'expliquent l'un par
l'autre. Dans cette vision du monde beyliste, dépourvue par
ailleurs de toute métaphysique, les théories épaulent l'expérience et la soutiennent au besoin.

Stendhal oublie vite la morale sociale tirée d'Helvétius pour
s'attacher à un art de vivre personnel et pratique. Aussi avons-
nous appelé Idéologues mineurs tous ceux qui lui ont donné
l'occasion d'établir un épicurisme scientifique, que ce soient
Maine de Biran, Dumarsais, ou les mémorialistes du XVIII*
siècle. Avec eux, Stendhal *cherche non plus à raisonner, mais
à se construire un mode de vie rationnel* et équilibré. Il s'agit
pour lui de devenir non pas un sage, mais un honnête homme
qui veut avant tout discipliner ses passions. Ne nous étonnons pas que Stendhal ait eu recours à des auteurs aussi di-
vergents, à un médecin aliéniste comme Pinel ou à un philo-

sophe comme Dumarsais. Le bonheur est toujours une création à l'aide d'éléments empruntés à autrui.

Est-il absolument nécessaire d'aller dans un salon pour connaître les hommes ? (2) se demandait Beyle en 1803. Tous les livres consultés lui répondirent par la négative et lui livrèrent la solution des problèmes du comportement humain. Fort de cette science, Stendhal la mit plus tard en pratique. Cependant, après avoir pris contact avec la société, après avoir appris à connaître les hommes dans la vie, il constate en 1810 que le commerce du monde n'a point approfondi sa psychologie : « Je connais très peu les hommes. Mes études ont été sur l'homme » (3).

Mais, disent habituellement les critiques stendhaliens, si Stendhal passa une bonne partie de sa vie à imaginer des traités de psychologie élémentaire et à classer les passions, c'était pour devenir un grand poète comique et pour donner l'accent du naturel aux héros de ses tragédies ou de ses comédies. En fait, l'art de composer une pièce de théâtre, se juxtapose, chez Beyle, à l'art d'apprendre à vivre. Le bonheur est pour lui l'heureux résultat d'une méthode et l'aboutissement de recettes savamment combinées. L'épicurisme stendhalien consiste tout d'abord à bien connaître les mobiles des actions humaines (4). N'est-ce pas là, par ailleurs, le point de départ de tous ceux que l'on appelle généralement épicuriens, depuis Epicure jusqu'à Montaigne ? En écrivant, fût-ce de mauvaises œuvres, on a autant de chances de découvrir l'homme et ses passions qu'en se livrant à son commerce. Les exigences de l'auteur, tragique ou comique, se concilient chez Beyle avec les exigences du moraliste. Le souci de sa formation lui fait trouver partout, chez Molière ou dans ses propres pièces, des prétextes à « se former ». La science de la comédie vaut celle du monde, puisqu'elles apprennent toutes les deux à connaître les hommes.

Aussi Stendhal devient-il épicurien parce que l'épicurisme

(2) *Pensées*, I, 216, passage extrait d'un cahier daté de Claix, le 10 vendémiaire, an XII, 3 septembre 1803.
(3) *Journal*, III, 325, passage daté de la fin de l'année 1810.
(4) C'est déjà à partir de 1803 que Stendhal commence ses études de psychologie : « La seule science que j'aie à apprendre est la connaissance des passions. Faire un cahier où elles auront chacune leur place, y rassembler les notions que j'aurai sur chacune d'elles, ou les indications des lieux où je pourrais les trouver » (*Pensées*, I, 75, cahier daté du 19 février 1803). Stendhal recommande plus tard ce plan d'études à Pauline : « Je te conseille donc de chercher une consolation dans la plus belle science qui existe, celle de l'homme » (*Corr.*, I, 216, lettre datée du 17 messidor an XII, 6 juillet 1804).

est la seule doctrine, — du moins le croit-il pour l'instant —,
qui lui permette d'améliorer ses contacts avec les hommes.
Car ce moraliste se préoccupe avant tout de la science des
rapports humains et d'un art de vivre qui puisse faciliter ces
rapports et adoucir les conflits d'homme à homme. Ce n'est
point tellement devant lui-même que Beyle a peur et hésite,
c'est devant les autres. Son tempérament le porte à entrer en
lutte avec la société, il le sait fort bien, mais au lieu de faire
feu sur le champ, il essaie de traiter à l'amiable avec l'ennemi. Son épicurisme provisoire, qui n'est chez lui qu'un revêtement, est l'expression de cette conciliation.

La recherche de l'équilibre moral est donc pour lui un effort
d'adaptation sociale. La recherche de l'aisance en société lui
permet de supporter autrui. Ainsi Beyle fait-il avorter les tendances qui le portaient à l'exaltation et au romanesque. Nous
voyons là une explication de la réussite si tardive du romancier.

Il y a un art de vivre qui permet à l'homme de prendre
place au milieu de ses semblables sans angoisse et sans inconfort ; il n'exige point de l'individu des qualités portées à
l'extrême, il lui demande au contraire de réduire ses talents
naturels. Cette solution un peu lâche plaît à Stendhal dans
la mesure où elle lui donne une paix momentanée.

*
**

Nous ne croyons pas que Stendhal fut un sage ; mais il a
cherché, comme tous les grands moralistes de la littérature
française, les lois qui permettent à l'homme de bien vivre. Il
fut un des derniers représentants de cette race d'écrivains,
qui, depuis Sénèque jusqu'à Corneille, en passant par Montaigne, misent uniquement sur l'homme, et non sur la société,
confient à cette plante humaine leur idéal et leurs espoirs et
veulent définir les règles de son comportement. Stendhal
n'aima point les Romantiques parce qu'il estimait que leurs
préoccupations individualistes étaient étrangères aux problèmes de l'homme. S'il leur préférait la lecture d'un traité sur
l'aliénation mentale comme celui de Pinel, c'est sans doute
qu'il rangeait le médecin aliéniste dans cette catégorie de philosophes ou de moralistes qui pouvaient, de son temps, jouer
le rôle de pédagogue que Socrate avait tenu chez les Grecs,
Sénèque chez les Romains, et Corneille pour une bonne partie
des Français du XVIIᵉ siècle. Aussi Stendhal aura-t-il l'impression de n'avoir jamais assez lu, de n'avoir jamais assez vécu,
de n'avoir jamais assez confronté les exemples des philosophes
et ceux de la vie ; pour arriver à la sagesse, il faut d'abord
se connaître soi-même et pour se bien connaître, il faut étudier les hommes : « Presque tous les malheurs de la vie vien-

nent des fausses idées que nous avons sur ce qui nous arrive. Connaître à fond les hommes, juger sainement des événements, est donc un grand pas vers le bonheur » (5). Voilà ce que Stendhal chercha chez les Idéologues mineurs : *une analyse exacte des passions humaines.* La première morale stendhalienne, avant tout optimiste, est fondée sur la psychologie.

Stendhal aborde la société dans l'intention d'acquérir, grâce à ses lectures, cette politique raffinée et cette subtilité dans les manœuvres que la vie donnait autrefois aux vieux diplomates et aux hommes d'Etat. Les livres accompagnent, dans ses campagnes militaires ou ses voyages amoureux, ce jeune adolescent qui veut masquer sa fraîcheur d'âme par des calculs savants. Ces camarades de route, qui ne furent jamais reniés, lui seront doublement utiles ; ils lui montreront ses propres faiblesses et celles des autres. L'art de vivre stendhalien n'est pas une pure spéculation intellectuelle, il n'a rien de commun avec les rêveries d'un poète ou la philosophie d'un moraliste qui ne voit du monde que ce qui se passe derrière sa fenêtre ; il n'a de sens que dans l'action, dans la mise en œuvre de principes. Cette morale pratique a deux fins : il faut agir sur soi et sur les autres pour trouver le bonheur.

Dans cette confiance sans bornes qu'il fait dans sa jeunesse à la nature humaine, Stendhal pense que l'art d'être heureux n'exige qu'un peu de science. Il fera sa propre éducation à la manière d'Helvétius et après avoir eu de « l'influence sur lui-même » il apprendra à avoir de l'influence sur autrui. Il pourra utiliser au mieux de ses intérêts ses propres faiblesses, son tempérament et ses passions ; et, d'autre part, il pourra faire naître chez les autres une attitude qui corresponde à ses désirs, s'il connaît leurs clés, les maîtres-mots qui déclenchent leurs mécanismes.

L'ensemble de ces manœuvres ne laisse pas de présenter une certaine difficulté pour un adolescent qui veut passer directement de la théorie à la pratique et transposer dans les salons les principes livresques : « Dans la connaissance de l'homme c'est la finesse qui me manque le plus. Je sais bien qu'une certaine passion p. a un effet p' ; mais je ne sais pas reconnaître dans l'individu que je vois dans le monde toutes les passions qui l'animent. D'ailleurs cette maudite manie de briller fait que je m'occupe plus de laisser de moi une profonde impression que de deviner les autres. Je m'occupe trop à me regarder pour avoir le temps de voir les autres » (6). Ces tâtonnements inévitables disparaîtront peu à peu et la pratique des Idéologues mineurs apportera à Beyle cette sûreté dans le coup d'œil qui évalue autrui à son juste

---

(5) *Journal*, I, 52, passage daté du 19 décembre 1801.
(6) *Pensées*, I, 137, passage extrait du cahier daté du 1er août 1803.

prix ainsi que le détachement de soi qui permet seul l'observation.

*
**

Si Stendhal cherche à plaire, il n'a guère, lui semble-t-il,
les moyens d'y parvenir. Le principal obstacle au bonheur et
à la conquête des cœurs féminins n'est-il pas ce manque de
beauté, de prestance, de sveltesse qu'il constate dans sa propre
personne ? Avoir de l'assurance, oublier d'être timide en se
défaisant de son attitude embarrassée en société, tels sont les
premiers buts de l'épicurisme beyliste en 1805.

Tout en se voulant philosophe, Stendhal a connu aussi toutes
les angoisses de l'amoureux transi. La jeune actrice qu'il aime,
Mélanie Guilbert, primesautière et sensible, n'est pourtant pas
une nature farouche ; si elle se montre rebelle pendant longtemps aux sollicitations de Beyle, le jeune homme en rejette
la faute sur son père, le « bâtard », qui se montre trop parci-
monieux dans ses envois d'argent. Comme tous les adolescents,
l' « étudiant » calcule et rêve, pense que la fortune effacerait
aux yeux de tous ses défauts physiques et sa corpulence, le gué-
rirait enfin de sa timidité (7).

Mais si Beyle ne peut, pour séduire Mélanie, satisfaire la coquetterie féminine de cette dernière, il a d'autres moyens à sa
disposition. L'art de plaire s'apprend, tous les Idéologues, petits
et grands, sont là pour le lui enseigner.

L'absence de beauté et de fortune peuvent se compenser.
Une bonne partie de la vie de Beyle s'est passée à chercher des
compensations à ses défauts. Se dédoublant sans cesse, il a
envers lui-même, l'attitude du médecin psychiatre qui examine les faiblesses de son patient et propose des remèdes. C'est
pourquoi sans doute le critique a tendance à voir en Stendhal
un malade. Stendhal se considère tel lui-même dans sa volonté
de guérison. Mais il s'agit ici d'une médecine purement morale, ce qu'il faut guérir ce sont les travers de l'esprit, la tendance à l'ennui, à la mélancolie, à l'émotivité, ce qu'il faut
atteindre, c'est l'équilibre.

---

(7) Comme tous les timides, Beyle, s'analysant sans cesse, cherche à
trouver la cause de sa timidité. Après l'avoir attribuée à son tempérament mélancolique, comme nous l'avons vu, il pense par la suite que
son manque d'argent en est la principale cause : « Mon peu d'assurance
vient de l'habitude où je suis de manquer d'argent. Quand j'en manque,
je suis timide partout ; comme j'en manque souvent, cette mauvaise
disposition de tirer des raisons d'être timide de tout ce que je vois est
devenue presque habituelle pour moi. Il faut absolument m'en guéri*,
le meilleur moyen serait d'être assez riche pour porter pendant un an
au moins, chaque jour, cent louis en or sur moi. Ce poids continuel que
je saurais être d'or détruirait la racine du mal » (*Journal*, I, 163-164,
passage daté du 23 messidor, 12 juillet 1804).

En lisant Maine de Biran en février 1805 (8), Stendhal découvre avec ce philosophe ce qu'est le sang-froid. Par un paradoxe assez étonnant, il fait de Maine de Biran un de ses maîtres dans l'art de séduire. Les démarches intellectuelles de
Stendhal sont toujours orientées vers un but pratique. Elles
ressemblent fort en cela à celles de nos moralistes qui n'ont
pas fait ces distinctions artificielles que nous enseignent les
manuels entre la métaphysique, la logique et la morale, et qui
ont cru tout simplement que la philosophie était l'art d'apprendre à vivre.

C'est d'un point de vue tout spéculatif que Maine de Biran
établit une différence entre la sensation, fait premier de la
sensibilité, et la perception, jugement de l'intellect sur la sensation. En disciple et en bon étudiant, Stendhal note cette
définition dans ce qu'il appelle sa *Filosofia Nova* (9). Mais
c'est en moraliste et aussi en homme amoureux de la vie et
de Mélanie Guilbert qu'il transpose cette distinction en l'appliquant à lui-même.

Stendhal ne voit plus alors dans ses aventures sentimentales
seulement un sujet de souffrance ou de joie ; le psychologue
— qui en Beyle regarde l'amant, le voit gémir ou être heureux — observe d'un œil critique son embarras et son exaltation en lui offrant en même temps les moyens de remédier à
son ennui et à ses faiblesses. Que l'on ouvre le *Journal*, les
Pensées (10), la *Correspondance*, qu'on lise simultanément les
passages qui sont datés de cette année 1805 où il éprouva tant
de bonheur, d'après ses dires, à lire Biran, et l'on s'aperçoit
de cette multiplicité de rôles que se plut à jouer Stendhal :
rôle de psychologue averti qui s'examine lui-même, et dénonce
les dangers de sensations trop fortes, rôle de l'amoureux malheureux qui voudrait être indifférent et oublier sa passion pour
avoir un instant de lucidité et mettre en exécution les préceptes d'une cour en règle.

Les acquisitions stendhaliennes à la faveur de la lecture de
Biran se réduisent à ces deux concepts, celui de sensation,
celui de perception. Mais entre ces deux termes se joue toute

---

(8) C'est à partir de cette date que nous voyons le nom de Maine de
Biran très souvent mentionné dans le *Journal*, la *Correspondance* et les
Pensées.

(9) « Biran nomme *sensation* ce que l'on aperçoit lorsqu'on est passif
dans l'impression. Lorsqu'on est actif, c'est-à-dire que l'on remarque
ce que l'on sent et cela au moyen de la disposition donnée à l'organe,
il l'appelle *perception* » (*Pensées*, II, 369, passage extrait d'un cahier de
notes commencées le 16 février 1805). Sur cette distinction entre la sensation et la perception d'après Maine de Biran, cf. Vittorio del Litto,
Les sources françaises et étrangères des idées littéraires de Stendhal
(Paris, thèse, 1954), Première partie, chapitre III, section 1. M. del Litto
signale également des traces de *L'influence de l'habitude*, de Biran, sur
l'*Histoire de la peinture en Italie*.

(10) Voir les Notes sur Biran, *Pensées*, II, 365-375.

la vie de Beyle ; ces abstractions sont réalités vivantes pour
lui, elles s'insèrent si fortement dans la trame de ses aventures qu'elles en forment les mailles elles-mêmes.

Lorsque Stendhal vient rejoindre Mélanie Guilbert aux cours
de Dugazon, des sensations trop violentes paralysent son éloquence qui lui serait pourtant bien nécessaire pour plaire et
pour séduire : « Je n'ai point eu d'esprit, j'étais trop troublé ;
en revanche, en en sortant, il m'est venu une prodigieuse
quantité de choses tendres et spirituelles. Quand je serai davantage *perception* et moins *sensation*, je pourrai les lui
dire » (11).

Stendhal retient de Biran que l'on ne peut plaire lorsqu'on
aime trop. A l'amoureux qui voudrait bien ne pas aimer pour
être aimé, Biran montre que la maîtrise de soi ne peut se développer que lorsque l'individu n'est plus submergé par ses
sentiments mais en a une conscience calme et réfléchie. Il est
évident par ailleurs que le disciple déforme quelque peu l'enseignement de son maître pour l'adapter à son cas particulier. Si l'on passe des *Pensées* au *Journal*, des notes de Beyle
sur Biran à ses réflexions sur son amour pour Mélanie, on
peut remarquer comment le terme de perception devient bientôt l'équivalent de sang-froid et de lucidité, opposé par là
même à la sensation, synonyme de l'émotivité : « Si je vis,
ma conduite démontrera qu'il n'y a pas eu d'homme aussi
accessible à la pitié que moi : la moindre chose m'émeut, me
fait venir les larmes aux yeux, sans cesse la sensation l'emporte sur la perception, ce qui m'empêche de suivre le moindre
projet » (12).

Stendhal se soucie évidemment assez peu que son interprétation de Biran soit extrêmement rigoureuse. Il s'agit bien
plutôt pour lui de savoir si l'homme sensible peut aussi avoir
cette aisance tranquille de l'homme qui séduit et qui plaît.
Dans ses réflexions sur lui-même, il se heurtera sans cesse à
une incompatibilité totale entre ces deux manifestations opposées de sa propre personnalité.

Les deux rôles sont inconciliables, celui de l'amoureux sincère, et celui du Don Juan blasé ; et en s'essayant à jouer les
deux à la fois, Stendhal se rendra compte qu'à vouloir concilier les extrêmes, on perd le naturel, sans pourtant acquérir
le sang-froid : « Puisque je ne puis pas être assez de sang-
froid pour avoir quelque esprit, être au moins tout bonnement
moi-même pour avoir les grâces du naturel » (13).

Mais il est aussi fort difficile pour l'homme passionné d'exprimer la violence de ses passions et de les faire ressentir à

(11) *Journal*, II, 55, passage daté du 15 février 1805.
(12) *Ibid.*, 82, passage daté du 23 février 1805.
(13) *Ibid.*, 57, passage daté du 15 février 1805.

autrui, et, en fin de compte, Stendhal est amené à cette réflexion sur lui-même où il constate avec sévérité ses impuissances et ses faiblesses : « Pas assez de sang-froid pour bien suivre mes projets de rouerie et point de grâce ni de touchant, ne disant pas tout bonnement la première chose qui me vient » (14).

Si dans le beylisme, il y a deux conceptions du naturel, Stendhal vient de les formuler ici, sous une forme négative toutefois. Le jeune amoureux de 1805 définit par avance les deux formes de l'idéal du romancier ; si le but de l'individu est d'arriver à la parfaite expression de soi et d'être naturel, il peut se montrer tel soit en choisissant « l'amabilité » de l'homme du monde comme le marquis de La Mole, soit la spontanéité et la générosité comme Fabrice.

Ce n'est point par hasard que Stendhal lit en 1805 le traité de Pinel, *De la Manie*. Il demande au médecin aliéniste une ordonnance qui lui assure le bonheur en supprimant ses malaises, en tuant les vieilles habitudes de l'ennui, en renouvelant l'être moral et physique. Et c'est avec l'enthousiasme d'un malade déjà guéri qu'il transmet à sa sœur l'ordonnance miraculeuse. Quoi de plus simple, s'écrie naïvement Stendhal, pour être heureux, il faut savoir oublier le chagrin : « Ce sont de nouvelles habitudes à former, et c'est la chose la plus difficile. Lis la *Manie* de Pinel, et tu sentiras la vérité de ce principe. Accoutume-toi de bonne heure à supporter les chagrins. Ne t'exalte pas trop le bonheur dont tu ne jouis pas » (15).

Nous ne croyons pas, comme M. Alciatore, que Stendhal ait trouvé dans les livres de Pinel des analyses psychologiques minutieuses et précises (16). Un romancier n'a pas besoin de visiter les asiles d'aliénés pour peindre le cœur humain et ses passions. Nous n'imaginons pas non plus Stendhal, carnet en main, notant les observations de Pinel pour donner à l'*Octave d'Armance* ou à Julien les caractères de la démence. Stendhal

(14) *Ibid.*, 57.
(15) *Corr.*, II, 126, lettre datée de Marseille, le 30 janvier 1806. Comme nous l'avons vu, c'est en janvier 1805 que Stendhal commence à s'intéresser à Pinel, puisqu'il va à l'Ecole de Médecine avec l'intention de lire l'*Aliénation mentale*, ou *la Manie*.
(16) « Ce n'est pas seulement en écrivant ses œuvres de critique d'art que Stendhal a mis à contribution le livre de Pinel ; l'auteur de la *Manie* semble avoir exercé une influence notable sur les œuvres d'imagination de Stendhal. *Armance* est une étude de *psychologie morbide* (...). Il entre certainement de la folie dans le caractère de Julien. Sa conduite lors de la liaison avec Mlle de la Mole est parfois celle d'un véritable maniaque » (Jules C. Alciatore, *Stendhal et Pinel*, Modern Philology, University of Chicago Press. Chicago, Illinois, vol. XLIV, number 2, november 1946, p. 599).

est le psychologue des gens normaux et ne saurait être autre chose. Si les personnages de ses romans entrent en conflit avec la vie et les divers groupes sociaux de leur temps, si ces conflits les conduisent à des actes parfois assez inconsidérés, que l'on n'invoque point pour expliquer ces heurts et les résoudre, les processus morbides des névrosés et les lois de l'aliénation mentale. Stendhal, malgré ses maladies de nerfs, est au fond beaucoup plus sage et beaucoup plus équilibré qu'il ne le prétend, et qu'on ne l'a prétendu. Il voit dans Pinel un moraliste, et s'il est en quête de règles favorisant le bonheur, il les recherche dans les traités qui lui apprennent à éviter la démesure et l'excès et à connaître ainsi l'équilibre et la sagesse.

Après avoir lu le traité *De la Manie*, il ne fait plus de la mélancolie une qualité suprême ni l'indice d'un grand caractère, mais voit en elle un vice de l'esprit et de l'âme dont il faut à tout prix se délivrer : « C'est en m'étudiant que j'ai vu la manie de la mélancolie me posséder à Paris » (17), écrit-il à Pauline, et, dans son *Journal*, il se montre décidé à modifier son tempérament : « Dès que j'aurai corrigé mon caractère mélancolique par mauvaise habitude et par engouement pour Rousseau, j'en aurai, j'espère, un très aimable : la gaieté de meilleur goût sur un fond très tendre » (18). Si Stendhal a tendance à s'ennuyer dans la vie, nous ne croyons pas que ce trait soit chez lui une névrose et corresponde à la définition de la mélancolie qu'en donne Pinel, car la mélancolie de Stendhal n'est pas lypémanie. (19). Tout au plus pourrait-on dire que l'émotivité produit chez lui un état de déséquilibre à peu près constant. Nous ne croyons pas non plus que l'aliéniste ait guéri Stendhal de ses accès de dépression. Le romancier ne trouvera dans la vie que trop d'occasions d'être heureux ou malheureux. Il lui sera évidemment fort difficile de suivre les conseils des Idéologues ou des physiologistes qui estiment que toute démesure dans le chagrin ou dans la joie est nuisible à la bonne santé de l'esprit et du corps. Lorsqu'il lit la *Manie* en 1806, il a fui les salons parisiens pour passer quelques mois avec une femme qu'il aime, ou du moins qu'il croit aimer. Il se promène dans les environs d'une ville

(17) *Corr.*, II, 26, lettre datée du 4 fructidor an XIII, 25 août 1805.
(18) *Journal*, II, 219, passage daté du 20 germinal XIII, 10 avril 1805.
(19) Voici comment Pinel décrit la mélancolie : « Dans la mélancolie primitive ou acquise, la face est livide, le corps maigre, le caractère très irascible ; on est d'une défiance ombrageuse ; le pouls est lent et concentré ; le sommeil est agité et troublé par des objets de terreur et des images lugubres ; on est toujours tourmenté de quelques idées singulières, on est possédé d'une passion dominante qui devient extrême ; on a un penchant marqué pour l'inactivité et la vie sédentaire » (*Nosographie philosophique, ou la Méthode de l'Analyse appliquée à la Médecine*, 4° éd., Paris, chez J. A. Brosson, libraire, rue Pierre Sarrazin, n° 6, an XI, 1803, T. III, 91).

provinciale avec des amis, il se livre aux plaisirs de l'étude et aux charmes de l'oisiveté, il est heureux. Sur ces rivages méditerranéens où la bonhomie et le laisser-aller dans les manières remplacent les règles strictes de politesse et le bon ton apprécié à Paris, il n'a plus à s'efforcer de prendre une attitude en société, il s'abandonne au naturel : « Le séjour de Marseille m'a infiniment guéri de ma timidité, m'a formé le caractère (fait prendre des habitudes conformes à mes réflexions). Je suis disposé à prendre tout en gai et me guéris de ma mélancolie, preuve qu'elle était d'orgueil blessé » (20). Stendhal ne mettra pas toujours en pratique cet art de vivre qu'il élabore peu à peu à partir des Idéologues et de Pinel. Mais du moins apprendra-t-il chez l'aliéniste que l'on peut être heureux en l'absence de passions. Pour un temps, la violence extrême dans les sentiments n'est plus une valeur absolue à ses yeux : « Par la nature de nos nerfs, le bonheur extrême, lorsqu'on y parvient, ne peut pas durer plus d'une heure. Toutes ces jouissances vives que le roman fait désirer se fanent en quelques jours. Ce qui ne se fane pas, c'est un état heureux, une sagesse qui apprenne à éviter les peines » (21).

*

La sagesse est bien difficile pour un tel homme, si prompt à s'attendrir, au point d'en arriver aux larmes, si prompt à s'emporter au point de souffrir de l'estomac pendant vingt-quatre heures après un accès de colère (22).

Mais dans un siècle où les excès d'une sensibilité naturellement ignorante de la mesure étaient réservés aux confessions lyriques sous forme de poèmes ou de romans, Stendhal semble en 1806 être en retard sur son temps puisqu'il se veut sobre dans les émotions et épicurien. S'il fait appel aux Idéologues, c'est pour qu'ils lui transmettent ce précieux héritage d'équilibre humain qui est sans cesse mis au point et rectifié par les écrivains depuis deux siècles. Il demande à Pinel ce qu'un honnête homme du XVII° siècle aurait pu demander à Molière, l'art de discipliner ses passions. La sagesse consiste alors, pour ce jeune homme de vingt-trois ans, à avoir de l'influence sur lui-même.

(20) *Journal*, III, pp. 81-82.
(21) *Corr.*, II, 149, lettre datée de Marseille, le 4 mars 1806. Dans cette lettre adressée à Pauline, Stendhal montre à sa sœur que la connaissance de soi est indispensable au bonheur, lui conseille la lutte contre l'ennui et comme d'ordinaire la lecture des Idéologues, surtout celle de Pinel.
(22) « Ce qui m'est le plus prouvé sur moi c'est une facilité extrême à m'attendrir jusqu'aux larmes » (*Journal*. III, 86, passage daté de Grenoble, le 27 juin 1806). Dans un autre passage du *Journal* Stendhal avoue : « Ma colère est si forte qu'elle me donne mal à l'estomac pour vingt-quatre heures » (*Ibid.*, III, 185, passage daté du 3 mai 1808).

Ce n'est pas qu'il renie l'émotion tendre ou qu'il assigne des limites à l'amour, mais parmi tous les sentiments qui le sollicitent, dans cette forêt broussailleuse et touffue qu'est l'âme d'un adolescent, il y a, lui semble-t-il, des coupes à faire. Les passions qui paraissent les plus drues et les plus vigoureuses sont parfois pourries à la base ; une belle plante humaine n'est pas l'œuvre de la nature seule ; dans cette période inquiète de sa jeunesse, Stendhal se prépare déjà à faire s'épanouir en lui un caractère « naturel et spontané », qu'il atteindra aux meilleurs moments de sa vie et qui sera le privilège exclusif de Fabrice.

Tout ce qui est contraire au naturel, la vanité et l'hypocrisie, est faux et, par là même, ne peut être un gage de bonheur assuré : « Je cherche à arracher de mon âme tout plein de fausses passions. J'appelle fausses passions, celles qui nous promettent, dans telles situations, un bonheur que nous ne trouvons pas lorsque nous y sommes arrivés. La plupart des hommes ressemblent à un aveugle, excessivement boîteux, qui prendrait des peines infinies pour monter, en huit heures de temps, à la Bastille, où la belle vue doit lui donner un plaisir infini. Il y arrive et n'y jouit que de son extrême fatigue, et, en second lieu, du sentiment de désespoir que donne toujours une espérance au moment où nous nous apercevons qu'elle était vaine » (23).

Stendhal voit dans Pinel que toute médecine ne peut être qu'un art de vivre (24). Le docteur Pinel, fort sceptique sur l'efficacité des remèdes, pense qu'un homme bien équilibré ne saurait être un malade. Mais qu'un homme sensible, comme Stendhal, s'efforce d'échapper, pour un instant, à ses propres tourments, à des craintes chimériques, qu'il apprenne à apprécier, au lieu de le mépriser, cet état de calme relatif que donne à l'esprit l'absence de passion, qu'il se gouverne, en un mot, selon les préceptes des philosophes, il ne sera qu'un Robinson Crusoë dans une île déserte, qui aurait emporté avec lui quelques livres. Selon l'art de vivre stendhalien, il faut aussi se montrer capable d'être par moments un Robinson, avant de jouer le rôle de l'honnête homme en société. Dans ces voyages qu'il fait dans le monde des livres, Stendhal ap-

(23) *Corr.*, II, 191-192, lettre datée de Marseille, le 9 mai 1806.
(24) Stendhal a recherché avant tout chez Pinel des recettes de bonheur ; la réflexion que nous venons de citer reflète ce goût de la mesure que tout homme, pour bien vivre, se doit de cultiver : « La médecine, qui peut seule fixer d'une manière invariable les lois éternelles de la morale, aurait pu éclairer la philosophie de Sénèque, faire analyser les effets des diverses passions sur toutes les fonctions organiques, et apprendre à distinguer celles qui sont nuisibles, indifférentes ou nécessaires au maintien de la vie et du bonheur » (Pinel, *Traité médico-philosophique sur l'Aliénation mentale ou la Manie*, Paris chez Richard, Caille et Ravier, libraires, rue Haute-Feuille, n° XI, an IX, 1811, p. 131).

prend l'art d'être un Crusoë parfait dans la compagnie de ses
amis les Idéologues qui ne sont que les images différentes d'un
fidèle Vendredi. Mais une fois l'équilibre intérieur atteint,
lorsqu'il est capable de vivre seul avec lui-même, encore faut-
il qu'il puisse vivre avec les autres, sans perdre pour cela les
qualités acquises pendant cette escale faite dans l'île déserte
de sa propre solitude. Le physiologiste Pinel l'engage à revenir dans l'univers civilisé, à se garder du monde tout en l'acceptant, à savoir se dérober aux sollicitations multiples de
l'amour-propre, au désir de briller, d'être célèbre et comblé
d'honneurs. Si Pinel s'avoue disciple de l'école sensualiste
française et anglaise, s'il reprend la théorie de Hobbes, nous
retrouvons pourtant chez lui l'écho de la sagesse antique, et
les conseils de Sénèque. En fait, Pinel, l'ancêtre de nos médecins psychiatres, révèle dans ses écrits une conception de la
vie assez large et par là peut-être assez proche de celle de nos
écoles psychologiques actuelles. Le désir de supériorité est
selon Pinel à l'origine de tous nos maux, de ce qu'il appelle
les désirs factices, comme de la folie. Aussi, tout en tenant
compte de la philosophie sensualiste, contredit-il cependant
le philosophe anglais Hobbes. La fuite devant la douleur et la
quête du plaisir peuvent fort bien, si l'on en croit Hobbes, expliquer l'animal humain. Cependant l'emprise qu'exerce la
société sur l'individu définit encore mieux, selon Pinel, la direction que prend sa vie : « L'auteur anglais aurait pu ajouter
que la vie sociale et une imagination ardente étendent presque sans bornes la sphère des besoins relatifs à l'existence,
qu'elles y font rentrer l'estime des hommes, les honneurs, les
dignités, les richesses, la célébrité, et ce sont toujours ces désirs factices qui, toujours irrités et si rarement satisfaits,
donnent lieu souvent au renversement de la raison d'après
les relevés exacts des registres des hospices » (25).

Autrement dit, Pinel dénonce les troubles de la vanité; la
psychologie est le point de départ de sa médecine et sa médecine n'est qu'une morale. Si Stendhal s'est inspiré de Pinel,
c'est dans la mesure où il a fait entrer dans son éthique du
naturel cette notion des « désirs factices » qu'il avait déjà
étudiés chez Helvétius sous le nom de vanité; et c'est sous ce
point de vue qu'il faut examiner l'influence de Pinel sur
Stendhal. Julien n'est pas un maniaque (au sens de Pinel) et
Stendhal n'a point créé Julien Sorel parce qu'il avait vu dans
la *Nosographie* diverses descriptions de la folie. Julien Sorel,
nous le verrons plus tard, se montre déséquilibré lorsque
l'ambition lutte chez lui avec le naturel, c'est-à-dire avec ses
tendances généreuses. Aussi bien ne retenons-nous pas de Pinel les divers cas cliniques qu'il est amené à décrire; nous re-

(25) *Ibid.*, Introduction, pp. XXV, XXVI.

levons chez lui l'idée-force qui centre sa psychologie. Le besoin de ne point se sentir inférieur à autrui, et par suite le désir de se montrer supérieur aux autres, sont les grands ressorts responsables de tous les égarements de l'esprit, lorsqu'au lieu de jouer en souplesse, ils crèvent l'enveloppe protectrice de la sagesse et se détendent sans frein sous la forme de désirs factices.

La passion n'a pas toujours ce caractère de spontanéité et de générosité que Stendhal lui attribue; il y a des fausses passions qui vont à l'encontre du naturel; elles sont la projection de la vanité ou de l'hypocrisie, et funestes au bonheur : « Une fois que l'on a déraciné de son cœur les mauvaises passions, ce qui, je crois, est aisé en le voulant fermement (pour cela, il faut se démontrer qu'elles rendent malheureux dans *tous les cas possibles*), il est clair qu'il faut chercher à satisfaire le plus celles qui restent. Le degré de bonheur dont on est susceptible se mesure alors sur le degré de force des passions » (26).

Si le bonheur est le naturel, les « désirs factices », d'après la terminologie de Pinel, ne peuvent, selon Stendhal, que donner l'ombre d'une joie passagère.

2. — REDUCTION DE L'ART DE VIVRE
A L'ART DE PLAIRE

Cependant la sagesse n'a que peu d'attraits pour Stendhal. Elle suppose une sorte de confort intellectuel et moral qui ne saurait s'accommoder avec ses exigences d'esthète ou de moraliste. Cette recherche de la perfection qu'il introduit dans le domaine moral comme dans le domaine esthétique le porte à se représenter l'homme sous divers aspects. Il est tour à tour tenté par ces diverses images qu'il essaie de transposer dans sa vie.

Nous englobons sous le titre général de « naturel », les divers comportements humains qui sont un absolu aux yeux de Stendhal ; nous verrons peu à peu comment ils se distinguent les uns des autres. Stendhal est successivement conduit à voir un idéal humain à l'état pur dans le naturel aimable, et plus tard dans le naturel spontané. Ces conceptions du naturel coexistent souvent dans sa vie et sa pensée. Aussi bien cette étude n'est-elle point une biographie de Stendhal : *c'est de l'évolution de la notion du naturel qu'il est ici question*.

C'est bien parce que Stendhal se laisse tour à tour tenter par le naturel aimable et le naturel spontané qu'il hésite tout

(26) *Corr.*, I, 345, lettre datée du 19 avril 1805.

d'abord à donner valeur à un art de plaire. Cependant, ses
exigences esthétiques le poussent à transformer les notions
idéologiques acquises chez Maine de Biran et Pinel ; il a appris
chez eux la sagesse, mais la sagesse ne lui suffit plus. Un
homme sage n'est point, selon l'art de vivre stendhalien, un
type humain parfait ; il se satisfait aisément d'un bonheur
médiocre, il ne peut avoir droit de cité, ni dans l'esthétique
de Stendhal, ni dans son éthique. L'équilibre n'est point une
conquête suffisante ; il doit se compléter par ces qualités
qui font d'un sage un homme séduisant en société. L'épicurisme devient par là un esthétisme. Stendhal emprunte à l'enseignement de Pinel et de Maine de Biran des méthodes de
séduction. Il refond les conceptions de sagesse et d'équilibre
qu'il leur avait tout d'abord empruntées *pour faire de son
primitif art de vivre un art de plaire.*

Mais au moment même où il fait de l'art de plaire une
valeur esthétique, sinon morale, Stendhal hésite encore. Doit-
il faire de son esthétique une morale, de la vanité une valeur ?
Doit-il réhabiliter ces « désirs factices » qu'il avait temporairement condamnés sous l'influence de Pinel ?

Il sait fort bien que toutes les valeurs ne sont pas rentables,
que certaines mènent à la faillite de la vraie joie, et que le
plaisir de la vanité est de ce nombre. Pourtant, sur ce marché
des valeurs ouvert à tous, il ne peut manquer de se laisser
tenter.

Les jouissances de la vanité n'ont aucune garantie, il le
sait fort bien, et à combien de calculs, à combien de démarches
prudentes se livrera-t-il avant d'entrer dans la foire aux
vanités ! En acheteur sceptique et pourtant séduit, il misera
sur des passions factices, sur des revenus d'un jour et sur
des envies passagères.

S'il veut briller et plaire en société, il assignera cependant
des limites à ce désir ; il ne risquera jamais tout son capital
de naturel et de spontanéité pour acquérir le revêtement illu-
soire des fausses joies. Mais il ne lui déplaît pas non plus de
se sentir semblable aux autres, d'avoir l'air roué, d'être hypocrite, mondain et séduisant, de se laisser allécher par la fausse
gloire, en sachant garder pour les meilleurs moments la sincérité du naturel, en sachant revenir à la solitude d'une chambre, à l'amour de la vraie gloire et de la passion sincère.

Tout au long de sa vie et tout au long de son œuvre apparaissent cette condamnation de la vanité, cette méfiance à
l'égard des plaisirs du monde, et aussi, tout en même temps,
cette demi-participation, qui n'est jamais engagement entier,
à ces mêmes plaisirs qu'il juge toujours vains. C'est ici que

se marque la sagesse stendhalienne, renouvelant et mettant
à neuf les vieilles maximes d'un philosophe qui n'avait de
stoïcien que le nom, de ce Sénèque dont Pinel s'est réclamé.
Il faut fuir la foule, disait Sénèque, il faut fuir le monde,
dit Stendhal dans ses moments de sincérité.

Mais comme il est pourtant mieux selon Sénèque, de se mêler
à la débauche publique et à l'orgie des festins, sans jamais
permettre à la démesure de vous enivrer ! Combien il est pré-
férable, dit Stendhal, de concilier les extrêmes dans une attitude qui ne saurait d'ailleurs être que provisoire, d'être misanthrope et séduisant à la fois, d'endosser, par dessus l'habit
d'Alceste, l'habit d'un soir de fête, avec un jabot bien empesé
qui donne un maintien plein de fausse grandeur ! Qu'importe
si cette apparence est de dignité empruntée, qu'importent l'affection et la fausseté dans cette foire aux vanités, où l'absence
de prétention fait figure de vêtement rapiécé ! (Il ne s'agit
point ici d'une métaphore : Stendhal signe du nom d'Alceste
ses comptes-rendus dans le *Courrier Anglais*) (27).

Mais Stendhal n'avait pourtant pas tous les enfantillages
de l'homme aux rubans verts ; et pour les sorties mondaines,
pour les conquêtes amoureuses, il empruntait à Philinte ses
attitudes et son air. L'objet de notre étude, ce sont ces déguise-
ments et les difficultés qu'ils entraînent. Ce que nous soulignons ici, ce sont les précautions méticuleuses de Beyle qui
ne se laissa jamais prendre à son propre jeu, n'oublia jamais
de ranger le costume de Philinte dans l'armoire après une
soirée, prêt à endosser le lendemain la vieille robe de chambre
et l'air naturel.

Nous verrons plus tard le Stendhal-Philinte faire des ronds
de jambe dans les salons. Mais nous devions remarquer auparavant avec combien de prudence et de circonspection il
s'engage à jouer le rôle de l'homme du monde. Qu'il aille voir
la femme qu'il aime avec les manières de Philinte, qu'il montre de l'esprit et de la vanité, il n'en regrette pas moins la
sincérité de l'amour tendre que manifestait la veille l'Alceste
passionné : « Je sors à trois heures et demie de chez Louason ;
j'ai été, pour la première fois de ma vie, brillant avec prudence et non pas avec passion. Je me suis toujours vu aller
sans gêne et sans embarras. Je crois que je n'ai jamais été si
brillant, ni si bien rempli mon rôle. J'étais en gilet, culotte
de soie et bas noirs, avec un habit bronze-cannelle, une cravate
très bien mise, un jabot superbe. Jamais je crois, ma laideur
n'a été plus effacée par ma physionomie (...) Mme M(ortier),
arrivée devant la cheminée, m'a dit : « Il est impossible d'être

(27) Voir *Courrier Anglais*, établissement du texte et préfaces par
Henri Martineau, Le Divan, Paris, 1935, T. I, 360.
(28) *Journal*, II, 83-86, passage daté du 25 février 1805.

mieux », etc., un compliment sur ma tournure en noir.
L(ouason) me regardait et sentait le compliment. J'y ai répondu
avec une gaieté noble et la politesse la plus aisée et la plus
extrême. Voilà ce que j'ai été toute la séance, surtout envers
Louason, mais cette politesse était bien loin de l'amour tendre
et abandonné des autres jours (...). J'ai dit ensuite le deuxième
acte du *Misanthrope* et j'ai dit à Félipe, avec toute la grâce et
la demi-passion (du monde) possibles : « Divine Félipe, venez
répéter avec moi ». La charmante grâce de ma déclamation a
interdit Louason ; elle est restée étonnée, immobile, sans res-
piration » (28).

Si cette journée fut pour Stendhal la meilleure de sa vie, s'il
a réussi enfin à déclarer son amour, il doit ce succès à son professeur en séduction, Maine de Biran, qui lui a appris que pour
plaire, il ne fallait pas être amoureux ni se laisser emporter
par la violence des sensations ; mais il doit aussi son goût de
la mesure dans le comportement au moraliste Pinel : « Voilà
sans doute la plus belle journée de ma vie. Je puis avoir de
plus grands succès, jamais je ne déploierai plus de talents. La
perception n'était que juste ce qu'il fallait pour guider la sensation... » (29).

*
**

Mais ce jeune homme de vingt-trois ans, si plein de naïveté
par ailleurs, n'est pas assez naïf cependant pour croire que l'on
peut mener le monde et la société avec un habit bronze-cannelle. Peut-on attendre des autres admiration, respect ou
amour, si l'on ignore leurs points faibles, les clés de leur comportement, les mobiles de leurs gestes, les divers motifs qui
peuvent déclencher l'admiration ou la bienveillance ?

Il faut connaître les hommes pour pouvoir les manier. Stendhal épouse la diversité des attitudes humaines pour pouvoir
mieux les comprendre. Comme ces docteurs qui s'inoculent le
microbe d'une maladie pour voir l'effet et les conséquences
directes du mal sur leur propre personne, il sera vaniteux un
instant pour étudier l'effet de la vanité : « Les jouissances de
vanité existent donc à peine pour moi ; je ne les considère un
instant que poussé par le désir universel que j'ai de connaître
tout ce qui se passe dans l'homme » (30).

(29) *Ibid.*, II, 95. Appliquant les distinctions de Maine de Biran à son
propre comportement pendant cette journée réussie, Stendhal ajoute :
« La perception me donnait assez de politique pour sentir s'il fallait
dire un *couplet*, et le premier mot lâché, je sentais en effet ce que je
disais; il est impossible de mieux jouer la passion, puisque je la sentais. J'étais amoureux de Félipe lorsque je lui ai dit : « Divine Félipe,
venez répéter avec moi ». Voilà ce qui me manquera à l'avenir : la perception l'emportera sans cesse davantage sur la sensation; je jouerai
la passion avec plus de facilité, mais moins bien, moins à s'y mépren-
dre » (*ibid.*, II, 95-96).
(30) *Ibid.*, II, 97.

Tels sont les multiples buts que poursuit le psychologue en quête de l'humain. Tout lui est sujet à observation, la comédie, la tragédie, ses réactions et celles de ses semblables. Tout ce qui fait défaut aux livres de psychologie, les œuvres de Stendhal le possèdent ; elles nous transmettent cet impondérable, qu'une formule abstraite ne saurait embrasser, elles dégagent d'un geste de Julien, d'une attitude de Mathilde, les desseins secrets qui les ont provoqués. Cette psychologie dynamique saisit le comportement de l'homme sous toutes ses formes. Pour mieux capter le normal, Stendhal n'a pas besoin, comme les psychiatres, de le confronter avec l'anormal ; cependant les livres et les théories ne lui sont pas inutiles dans la mesure où ils ajoutent à sa propre expérience la multiplicité des expériences d'autrui.

Car avant de passer à l'état adulte de « l'homme aimable », Stendhal s'exerce aux travaux pratiques, sous la direction des Idéologues mineurs. Avant de mettre à exécution ses principes, et d'appliquer les règles qui permettent de plaire et d'être séduisant, il jette un dernier coup d'œil sur les hommes, avec cette sûreté dans le regard qui emporte tout, il regarde vivre les autres, il se regarde vivre lui-même (31).

La vie ne l'aura cependant pas corrigé d'un certain esprit systématique ; il montre pendant de nombreuses années l'enfantillage d'un intellectuel et croit que, pour plaire aux femmes, il faut avant tout bien les connaître. Il reviendra, à l'âge mûr, sur cette erreur de jeunesse, sur ce jugement un peu hâtif, en constatant les nombreux échecs où l'a conduit son propre système.

En 1806 cependant, Stendhal a déjà cette ferveur d'entomologiste qu'il montre dans son livre *De l'Amour* ; il étudie les femmes, non pas en amoureux des femmes, mais en amoureux de la botanique. Il examine chacune comme un spécimen d'une espèce particulière, chacune doit se ranger dans la catégorie qui la définit le mieux. Il multiplie les classifications, il essaie tous les systèmes dans le désir de trouver celui qui saisit d'un coup la complexité des objets étudiés. C'est ainsi qu'en 1804 il donne tout son crédit à la théorie de l'un de ses

---

(31) Les notes suivantes, ajoutées par Beyle à son *Journal* mettent bien en évidence cette attitude du romancier qui ne semble se donner le plaisir d'éprouver des passions étrangères à sa nature, comme celle de la vanité, que pour mieux les étudier chez autrui : « 26 février 1806. — Le principe de s'introduire dans les mouvements secrets d'une passion, de les voir, par ce que vous fait sentir d'analogue une autre passion. Il me semble cependant qu'on ne peut connaître ainsi que les états de passion. L'inquiétude de la haine vous fera connaître celle de l'ambition, de l'amour, ou vice-versa. La *vanité* étant la passion dominante, pour faire comprendre les autres passions, partir de ses mouvements » (*Journal*, III, 48).

amis, M. Salmon : « Je parle avec M. S(almon) de son système
sur les femmes, je l'engage à le publier ; il résiste ; moi, je
crois qu'il est déterminé et que le livre est peut-être déjà fait.
Il croit la femme italienne, la femme primitive ; en la modi-
fiant de diverses manières, on a la Française, l'Allemande,
etc. Il ne croit qu'aux vertus de tempérament » (32). Le système de ce M. Salmon, qui semble avoir lu Cabanis, ne peut
que séduire un homme aussi passionné de l'Italie que Stendhal. Il croit avec M. Salmon que la femme italienne représente le type féminin porté à la perfection. Aux yeux des deux
amis, elle est un absolu, représentation parfaite de la spontanéité et de la grâce. Toutes les autres femmes ne seront
pour Stendhal que des sous-produits, des dérivés, des approxi-
mations de cet idéal qui s'incarne sous le ciel de Rome dans
toute la plénitude du naturel. Clélia, Gina et les héroïnes des
Chroniques, ne seront que les différentes images de cet absolu
féminin qui se reflètent dans le miroir des temps ; elles vivent dans l'enclos d'une terre bienheureuse, si près de la frontière et de la frivolité françaises, et pourtant si loin de l'affection parisienne et de l'indifférence nordique.

Mais il ne fut pas toujours donné à Stendhal de vivre au
milieu de femmes d'élite, Milanaises ou Romaines, et il avait
trop d'esprit pour ne pas savoir abandonner son idéal et s'accommoder de la réalité qu'il côtoyait. Le feu de la passion ne
se trouve qu'au-delà du Saint-Bernard ; en France on imite
la passion, on ne la vit pas. Stendhal applique son esprit
scientifique et idéologique à distinguer des degrés dans cette
froideur, à en chercher les causes (33). Et parce qu'au fond,
il a peur de faire la cour aux femmes, parce qu'il se sait timide et irrésolu, il veut, en diplomate habile, connaître les
points faibles de l'adversaire pour mieux l'attaquer. S'il trouve
une si grande sécheresse d'âme chez les femmes, c'est sans
doute qu'on lui témoigne une certaine indifférence. Déjouer
les mobiles secrets de cette froideur, qu'il ramène à l'absence
de culture ou à la vanité, voilà quel est son but.

En faisant ses premières armes dans la diplomatie, Stendhal découvre peu à peu que si les femmes sont froides, c'est
qu'elles s'ennuient, c'est qu'elles ne sont sollicitées que par
les petits événements bas et triviaux de la vie quotidienne,
c'est qu'elles manquent de culture et de sens poétique. Mais

---

(32) *Journal,* I, 100, lettre datée du 14 avril 1804.
(33) « Je distingue : 1. Femmes froides, sans âmes, sèches, cultivées :
Mme Daru, Mme Le Brun. 2. Femmes froides, sans âmes, sèches, non
cultivées : Mme de Baure. 3. *Idem,* avec âme basse : Mme Mortier. 4.
Idem, avec avidité de jouissance de vanité, ce qui les rapproche de
Mme de Merteuil : Adèle *of the gate* » (*Journal,* II, 75, passage daté du
21 février 1805).

elles ne demandent au fond qu'une chose, c'est qu'on les tire
de leur apathie. Le diplomate s'essaie à jouer avec les êtres
humains et leurs passions. Une bonne tactique, un plan de
conduite judicieusement choisi permettent de calmer les
grandes passions, et aussi de les provoquer : « J'ai observé
hier soir les orages des passions, que les grandes passions
ne peuvent se guérir que par les moyens qu'indique Ph. Pinel
dans la *Manie*, que les femmes froides comme Mme Cossonier
peuvent désirer les grandes passions comme les réveillant de
leur ennui ; mais qu'elles sont le tourment des âmes sensibles » (34).

Stratège en chambre, il refait une carte du Tendre, revue
et corrigée par les conseils des Idéologues mineurs. Il établit
des plans avec ses maîtres, il délibère avec eux ; il a ses tableaux, ses fiches qu'il met constamment au point. S'il abandonne son cabinet de travail pendant quelques années pour
courir à travers l'Europe derrière l'armée napoléonienne, il
sera repris, en revenant de ses randonnées mouvementées,
par l'amour des classifications. En 1810 il lit la *Nosographie*
de Pinel et se remet à ce tableau des passions qu'il avait commencé en 1806 (35).

Par un paradoxe assez étonnant, les traités de Pinel opèrent
dans les idées de Stendhal ce regroupement et cette synthèse
dont elles manquaient. L'aliéniste lui a appris à étudier les
hommes au moyen de la comparaison et à utiliser leurs faiblesses. Ce qui intéresse Stendhal dans la *Nosographie*, c'est
la description des passions et des excès où elles conduisent,
excès que Pinel appelle maladies ou névroses, que le romancier nommera plus tard « ridicules ». Pour faire bonne figure
en société, il faut s'imposer à autrui, flatter les ridicules et les
manies une fois qu'on les a observés. Pour jouer le rôle de
l'homme aimable, il faut autant de science et d'esprit de calcul que pour faire un bon diplomate.

Aussi Stendhal, fidèle en cela à Tracy, s'astreint-il à un
travail méthodique et suivi, et s'il n'a jamais mis à exécution
son projet de « Journal nosographique », il s'exhorte cependant chaque jour à analyser les passions et à les ranger en
différentes catégories : « Faire un cahier de ridicules, et ins-

---

(34) *Ibid.*, II, 335, passage daté du 28 janvier 1806.
(35) « *Nosographie des passions et des états de l'âme.* Lire les premières pages de la *Nosographie* de Pinel et faire celle dont j'ai besoin
(9 juillet 1810). Faire un journal nosographique où j'inscrirai chaque
soir, à l'article *Vanité*, les traits vaniteux observés, à l'article *Avarice*
les traits d'avarice, enfin sous le titre de chaque passion, état de l'âme,
etc., ce que j'aurai observé. Ces signes frapperont mon imagination et
doubleront les forces de mon esprit. Je suis sujet à ne plus pouvoir
suivre une idée, faute de me la rappeler sans peine, un instant après
l'avoir conçue. (11 juillet 1810) » (*Journal*, III, 372).

crire chaque soir ceux que j'aurai observés, à leur article » (36).

3. — ART DE PLAIRE ET NATUREL AIMABLE

Tournant le dos à sa première nature, Stendhal essaie d'acquérir les qualités et les défauts qui sont les plus contraires
à son propre caractère. Toutes ces tentatives ne sont que
l'effort d'un esprit sain pour saisir les réalités de la vie, réalités
qui sont ici psychologiques ; le romancier futur ne fait
qu'éprouver sur lui les sentiments qui lui sont le plus
étrangers.

Sincère, il se veut hypocrite ; amoureux de la spontanéité,
il cherche à être affecté ; dépourvu de tout esprit de société,
il cultive l'esprit d'agrément. Il n'est pas donné à tout homme
de se fuir pour un temps et de se construire une nouvelle personnalité qui démente en tous points le caractère originel ;
il est peut-être permis au romancier et à l'écrivain d'adopter
des attitudes psychologiques diverses et parfois contradictoires.

Pour l'homme qui veut plaire en société, la première qualité à rejeter est la franchise, le premier défaut à se donner
est l'hypocrisie : « Sois donc hypocrite et commence par
plaire » (37), tel est le premier impératif de la morale beyliste
dans les années 1805 et 1806.

La deuxième règle est de montrer cet esprit d'agrément qui
est le principal mérite, et sans doute le seul de l'homme ai-

---

(36) *Journal*, III, 382-383, passage daté du 10 juillet 1810. Pendant
toute cette année 1810, Stendhal lit Pinel avec son ami Félix Faure et
met en système avec lui les idées du médecin Idéologue dont la psychologie seule les intéresse cependant : « Je travaille avec Félix à la classification des passions, états et habitudes de l'âme, moyens de passion,
de sept et demie à trois et demie (...). Je vois un instant les dames de
Charlot *street*. Je travaille une heure avec Félix. Journée heureuse et
suivant mon système, par travail et société des femmes » (*ibid.*, III,
386, passage daté du 30 juillet 1810).

(37) *Corr.*, I, 319, lettre adressée à Pauline et datée du 14 février 1803.
Tous les conseils que Beyle donne à Pauline ne sont que les exhorta-
tions qu'il se fait à lui même, et c'est pourquoi, dans les lettres qu'il
adresse à sa sœur, nous pouvons juger des principes et des règles de
vie de l'épicurisme beyliste : « Songe à faire beaucoup de bêtises avec
l'air du plaisir, autrement tu es *perdue* (...). Apprends à être *hypocrite*.
Persuade à chacun que tu es charmée d'être avec lui, que tu le comptes
pour beaucoup, que son blâme ferait ton malheur; rappelle-toi Rousseau : faute de cela, il est mort *enragé*. Personne ne peut supporter la
haine et le mépris public » (*Corr.*, II, 131-132, lettre datée du 6 février
1806).

mable (38). Il est encore plus difficile à Stendhal de se montrer brillant que de se montrer hypocrite, aussi cherche-t-il, avec l'inexpérience d'une jeune maîtresse de maison, les pratiques de savoir-vivre qu'offrent les manuels de son temps.

A première vue le titre de ces manuels ne laisse pas d'étonner. Ce faux hypocrite, ce misanthrope qui veut être séduisant trouve les règles d'une conduite à la portée des mondains, dans ces livres dont le titre même indique qu'ils s'élèvent contre les préjugés et l'hypocrisie sociale.

L'Essai sur les Préjugés de Dumarsais (39), le traité pseudo-philosophique de Brissot de Warville, *De la Vérité* (40), ou encore la *Théorie des Sentiments moraux d'Adam Smith* (41), ne sont que des codes de la morale puérile et honnête au XVIII° siècle. Comme les livres de Tracy et d'Helvétius, ils s'adressent aux honnêtes gens et aux sages, leur conseillent de fuir le mal et de pratiquer la vertu. On ne saurait être vertueux, répètent-ils à l'envi, qu'en cherchant à réaliser, dans la moindre de ses actions, non pas son propre bonheur seulement, mais le bonheur de tous.

Mais ces philosophes du XVIII° siècle étaient trop épicuriens pour se prendre à leur propre jeu. Il faut lire entre les lignes, dégager la casuistique de ces nouveaux jésuites. Cette morale à l'usage de gens plus mondains que véritablement philosophes, admet aussi l'intention comme valable et efficace.

(38) Beyle déplore de ne point pouvoir initier Pauline à ses découvertes, de ne pouvoir lui faire partager toutes ses acquisitions : « Il est une chose que je ne puis pas former de loin, c'est *l'esprit d'agrément*, celui qui rend aimable, qui apprend à offrir sans cesse des idées *douces ou comiques* à ceux qui nous écoutent, à distinguer toujours quand ils sont las de l'une ou l'autre espèce, ou même des deux; à empêcher que le tout n'ait qu'un vernis de pédanterie; à savoir être frivole, souvent on offense en ne disant rien, en paraissant sérieux; votre sérieux blâme la joie des autres » (*Corr.*, II, 155, lettre datée de Marseille, le 5 mars 1806).

(39) « Je viens de découvrir un ouvrage bien utile que je t'engage à lire et à faire lire : c'est *l'Essai sur les Préjugés* de Dumarsais, 2 vol. ensemble 500 pages, chez Desray, avenue de la République » (*Corr.*, II, 109, lettre datée de Marseille, le 22 janvier 1806, adressée à Pauline).

(40) « Je lis *De la Vérité* par Brissot-Warville, ou plutôt je le parcours. Cet ouvrage pourra m'être très utile » (*Journal*, I, 159, passage daté du 7 juillet 1804).

(41) Un extrait du *Journal* daté du 4 mars 1806 nous permet de relever le nom des ouvrages lus par Stendhal pendant cette même année et parmi eux celui d'Adam Smith : « Voilà cependant plusieurs ouvrages utiles que j'aurai lus cette année, je me trouverai perfectionné l'année prochaine : *Logique* de Tracy; *Manie* de Pinel; *Théorie des sentiments moraux; Rapports du physique et du moral*, etc., par Cabanis; 5, *de l'Habitude* par Biran; *Considérations* de Duclos » (*Journal*, II, 353). Stendhal reprend donc là la lecture des auteurs lus auparavant, Tracy et Cabanis, pour la compléter par celle des Idéologues mineurs ou du moins ceux qui sont tels à ses yeux, Pinel, Biran ou Duclos.

*
**

La philosophie de ces auteurs du XVIII° siècle a cependant une apparence noble et désintéressée. Lorsque Stendhal, après avoir lu Adam Smith, commente en 1806 les *Lettres sur la Sympathie* de Madame de Condorcet (42), il croit pendant un instant avoir trouvé une morale qui établisse les lois des rapports humains. Madame de Condorcet représente en effet l'aspect du XVIII° siècle qui s'enthousiasme avant tout pour la vertu. Elle publie en 1798 une traduction de la *Théorie des sentiments moraux* d'Adam Smith, suivie de huit *Lettres sur la Sympathie,* adressées à son beau-frère Cabanis. Elle reconnaît que Smith a solidement établi l'existence de la sympathie et qu'il en a décrit les effets; mais elle lui reproche de ne pas en avoir suffisamment recherché les causes. Stendhal, pour faire de Pauline et de Gaëtan des hommes vertueux, leur traduit la première lettre de Madame de Condorcet, et leur montre les causes de la sympathie. Si le souvenir de nos douleurs personnelles réveille un malaise général, ce malaise peut aussi être provoqué par la vue des douleurs d'un autre; une sensibilité vive et bien développée, selon Madame de Condorcet et Stendhal, permet donc de comprendre autrui et de l'aimer : « Rappelle-toi donc », dit Stendhal à sa sœur, « de bien exercer la sensibilité de tes enfants et de bonne heure. La société tend à concentrer cette sensibilité en nous-mêmes, à nous rendre égoïstes. Quand cette passion ne serait pas contre la vertu, elle est contraire au bonheur (...). L'égoïste ignore à jamais le vrai bonheur de la vie sociale; celui d'aimer les hommes et de les servir » (43). Beyle complète donc en 1806 la définition de la vertu qu'il avait établie auparavant en 1803 d'après Helvétius. Il adopte la morale et les illusions du XVIII° siècle. Les conflits sociaux se réduisent si tous les hommes deviennent vertueux. Stendhal ne fait pour le moment qu'échapper aux angoisses de la condition humaine qu'il découvrira plus tard. Les utopies stendhaliennes naissent et participent de celles des Idéologues.

Stendhal étudie uniquement les philosophes qui, en partant d'une psychologie, ont créé une morale, et qui, à l'aide de cette morale, ont prétendu à l'altruisme en croyant sans doute sincèrement au bonheur pour tous. Il est possible de former des hommes vertueux grâce à une science qui est la psychologie, qu'elle soit fondée sur la sympathie selon Adam Smith, ou sur la logique selon Tracy. L'étude des sensations est donc le point de départ d'une réforme aussi bien indi-

(42) Voir *Corr.,* II, 192 à 201, lettre adressée à Pauline datée de Marseille, le 9 mai 1806.
(43) *Ibid.,* II, 200.

11

viduelle que sociale. La projection de cette philosophie dans
le temps sera celle d'un nouvel éden terrestre où l'entente
entre les hommes sera désormais assurée.

Stendhal fait sienne cette notion édénique de la vertu lorsque, après avoir commenté Madame de Condorcet, il entrevoit déjà, avec quelque conformisme encore toutefois, ce que
peut être le paradis des « happy few » : « Heureuse société
que celle de gens si aimables, si instruits, si vertueux ! Mais,
ces gens ne se plaisent guère qu'avec leurs semblables; ils ne
se mêlent avec les autres que pour les plaisirs. Or le bonheur
ne consiste pas à être dans un bal avec eux : là ils ne sont
qu'aimables, mais à pouvoir aller rêver deux heures, le soir
avec eux » (44).

Après avoir lu Brissot de Warville, Dumarsais, Adam
Smith et Madame de Condorcet, Stendhal fait de la vertu un
effort constant pour éviter d'entrer en conflit avec les hommes. La morale sociale que lui a léguée le XVIIIᵉ siècle impose à l'homme le respect d'autrui, mais ne va point au delà.

*
**

Bien souvent, quand les philosophes du XVIIIᵉ siècle invitent à l'altruisme, ils ne font que conseiller une sagesse aimable et un égoïsme raffiné. Ils signalent toutes les menaces
d'inconfort et de malaise qu'entraîne l'amour de soi porté à
l'extrême, lorsqu'il ne s'enveloppe pas de ces précautions élémentaires qui permettent d'aborder autrui sans trop le choquer. Car l'épicurisme exige aussi de ne pas déplaire aux autres; le blâme est toujours désagréable, même pour le sage.
Sous leur apparence moralisatrice, ces manuels de parfaite
courtoisie ne s'éloignent en rien des codes de la politesse
mondaine. Bien âpre est le bonheur du sage qui est seul à
s'aimer. Comme cet amour de soi est plus aisé et plus épanoui s'il est encouragé par l'estime et l'admiration de ceux
qui le flattent ! « Jamais la vraie sagesse ne défend à l'homme de s'aimer; elle lui inspirera toujours un amour raisonné
de lui-même; elle l'encouragera à mériter sa propre estime et
celle de ses associés; elle approuvera les passions qui pourront lui attirer des sentiments si doux » (45).

Ces titres en apparence révolutionnaires, *Essai sur les préjugés* de Dumarsais, *De la Vérité* de Brissot de Warville,
n'ont pas trompé Stendhal. Brissot de Warville, Dumarsais
ou encore Adam Smith savent prendre, la plupart du temps,
cette douceur insinuante d'un Bourdaloue qui vantait à la

(44) *Ibid.*, II, 201.
(45) Dumarsais, *Essai sur les Préjugés,* ou *De l'influence des opinions
sur les mœurs et sur le bonheur des hommes,* Niogret, libraire-éditeur,
Rue de Richelieu nᵒ 63, Paris, 1822, p. 211.

noblesse du XVII° siècle les charmes d'une morale charitable
et cependant peu austère. S'ils conseillent la modération, c'est
que la passion excessive est l'ennemie du bonheur; s'ils exaltent la vérité, ils exigent le mensonge lorsqu'il est agréable
aux autres : « Nous ne devons la vérité aux hommes que
lorsqu'elle leur est réellement utile et nécessaire ; nous ne la
leur devons point lorsqu'elle leur est évidemment inutile ou
dangereuse » (46).

Cette douce amabilité tente le jeune homme ombrageux; à
cette époque où Stendhal se réconcilie avec la société, il cherche, pour un temps, à résorber ses conflits de jeunesse. Il
s'est lassé de l'intransigeance, de la sincérité, de la misanthropie, ou plus exactement, il réserve pour la solitude ce qu'il
considère cependant toujours comme des valeurs. Il essaie
d'acquérir pour l'usage du monde ces qualités souriantes qui
rendent l'homme séduisant. Mais en découvrant la société, il
n'a point cet enivrement de tout adolescent qui se prend pour
le centre de l'univers; sur les avis de ses aînés, les philosophes
du XVIII° siècle, il passe directement à l'âge mûr, presque à
la résignation accommodante de la vieillesse. S'il n'a point la
beauté d'un Don Juan, il se veut du moins doué de cette
bonté épicurienne dont il dotera le marquis de La Mole, et le
comte Mosca dans les moments où le courtisan l'emporte sur
l'homme passionné.

Comment Stendhal ne serait-il point tenté par la facilité
de cette nouvelle expérience ? Il néglige ces valeurs cornéliennes qui mettent le moi aux prises avec lui-même et lui inspirent le désir de se surpasser. Il est beaucoup plus avantageux
à tous les égards, beaucoup plus satisfaisant pour l'égoïsme,
de vivre en accord avec les autres, et, dans ce marché aux vanités qu'est la comédie humaine, de faire échange de bons
procédés, de flatter l'amour-propre des autres pour qu'ils vous
rendent cette invitation au bonheur.

Tel est le troisième impératif de cette morale provisoire :
« Songe que, dans le monde, mieux on sait ménager la vanité
des autres, plus ils vous chérissent; et que plus vous en êtes
chérie, plus vous êtes heureux » (47).

Cette règle a un corrélatif, il faut faire le bonheur des autres pour être heureux ; abandonner en société toute attitude
égoïste : « Pour plaire aux gens, il faut les occuper d'eux et,
par conséquent, parler très peu de soi; il faut que vos traits
soient vifs et il y a une marque bien claire du plaisir que vous
procurez. On n'a presque jamais affaire qu'à la vanité des
gens » (48).

(46) *Ibid.*, 235.
(47) *Corr.*, I, 125, lettre adressée à Pauline datée de 1803.
(48) *Ibid.*, I, 123, lettre datée de 1803.

Avec l'habileté du diplomate qui se sert des arguments de l'adversaire pour fortifier sa position personnelle, Stendhal se donne la joie de retourner les concepts idéologiques pour son propre usage. *Ce désintéressement que prêchent les Idéologues, la modestie, l'altruisme, le plaisir de faire le bonheur d'autrui, deviennent pour ce dilettante les vertus auxiliaires d'un égotisme bien compris.* Ne nous y trompons pas; il a trop d'esprit pour déformer toute théorie, quelle qu'elle soit. Il ne fait que dévêtir la morale des Idéologues de son apparence trompeuse; il comprend fort bien que les philosophes, n'osant conseiller ouvertement l'égoïsme, lui donnent le nom de vertu. L'attitude vertueuse exaltée par Adam Smith et Dumarsais est celle du mondain qui éprouve le besoin de se faire aimer d'autrui; sa modestie n'est qu'un calcul de vanité. Tels sont les nombreux corollaires des impératifs beylistes : « Songe bien en entrant dans un salon quelconque que tu n'es là *que pour procurer du plaisir à tous ceux qui y sont.* Songe bien à acquérir de bonne heure cette utile qualité qu'on nomme *modestie,* et qu'on ne devrait appeler que calcul de la vanité d'un homme d'esprit » (49).

Cette fausse bonté, cette fausse modestie ont bien des charmes. Elles ont toutes les apparences des vraies qualités et n'en ont pas les inconvénients. La vraie modestie diminue l'homme en société, la fausse le rehausse; la vraie charité exige dépouillement de soi et n'entraîne guère que des désagréments; la fausse est bien plus avantageuse, elle a sa récompense immédiate, son intérêt pratique, elle n'est pas une promesse de bonheur, elle est le bonheur même. Avec beaucoup moins de franchise que Stendhal, les Idéologues eux-mêmes dénoncent l'ambiguïté de leur morale, chaque fois qu'ils joignent l'épithète « utile » à la vertu qu'ils exaltent. En liant l'intérêt personnel à l'intérêt général, ils essaient de masquer cette invitation à l'égoïsme qui transparaît dans toutes leurs œuvres. Stendhal ne s'y laissera pas prendre, ne croira jamais à la vertu qui prétend faire le bonheur du plus grand nombre, mais *il utilisera les maximes des Idéologues pour parfaire l'attitude épicurienne* qu'il prend à l'occasion des sorties mondaines.

Brissot de Warville, par ailleurs, ne demande à Stendhal qu'une vertu traitable : « J'ai fait pour moi une grande découverte ce matin, en lisant dans mes sensations, d'après le conseil de Brissot, c'est qu'on est quelquefois plus heureux avec moins de vertu » (50).

(49) *Ibid.,* II, 160, lettre datée de Marseille, mars 1806.
(50) *Pensées,* II, 64, cahier du 11 juillet 1804.

Si Stendhal fut amoureux de la gloire, s'il fut souvent tenté par l'idéal cornélien, il connut aussi des époques de calme et de relâchement, où il a essayé de goûter le bonheur quotidien dont se satisfait l'humanité. Ce sont ces moment de détente que nous étudions ici, sans croire cependant qu'ils modifient entièrement le naturel de Beyle; l'homme et l'écrivain reviendront à leurs passions, mais leurs instants de faiblesse, ce sont ces accès de mondanité, d'hypocrisie, de bonne humeur : « La bonhomie, pour celui qui sent, est un état si doux ; pour celui qui calcule, c'est le moyen de se faire pardonner sa supériorité » (51).

Cet état de bonhomie est pour Stendhal l'attitude médiatrice qui permet à l'homme de génie de se réconcilier avec la société. Ce n'est pas en vain que Brissot de Warville et Dumarsais lui ont montré que l'homme d'élite se doit d'être agréable à ses semblables, puisqu'au XVIII° siècle un esprit supérieur se doit aussi de faire bonne figure en société (52).

N'ayant point de génie par eux-mêmes, ces philosophes sont tout prêts à admirer la supériorité et l'esprit; ils trouvent l'exercice de leur talent dans les seuls conseils qu'ils soient en mesure de donner aux hommes d'élite, conseils d'une vie épicurienne et agréable. Ces médiateurs entre le génie et le monde arrachent Stendhal à la crispation et lui apprennent à être heureux. Ils lui donnent en même temps la notion d'un type humain bien défini, celui de l'homme sans passion excessive, modéré et prudent dans ses démarches et ses amours.

*
**

Le quatrième impératif de la morale beyliste sera une invitation à la froideur : « Songer à être froid, pur de toute familiarité, gai, et à parler nettement dans les moments de liberté » (53), impératif qui se complète par les résolutions suivantes : « Prendre donc l'habitude de ne jamais agir par passion, mais être toujours de sang-froid. Prendre cette habitude-là dans les plus petites choses. Marcher dans la rue, entrer au café, faire une visite, de sang-froid (...). Pour parvenir à cela, m'arrêter dès que je me sentirai dominé par une passion. J'ai assez de ma passion pour l(a) g(loire). Dans le

---

(51) *Pensées,* II, 163, cahier du 11 juillet 1804 (en marge de la page manuscrite figure le nom de Brissot dont la lecture avait sans doute fourni le motif de cette réflexion).

(52) « Si le philosophe montre ses idées aux hommes vulgaires en paraissant étonné de ses idées on l'étonne lui-même, en le traitant de fou on l'éloigne toujours un peu de ce qu'on appelle sa chimère (Brissot). Voilà pourquoi la société de Faure me rendait si malheureux l'année dernière. Il me rendait malheureux et j'offensais profondément sa vanité (*Pensées,* II, 158, cahier du 11 juillet 1804).

(53) *Journal,* IV, 149, 5 juin 1811.

reste me souvenir que les passions usent la vie, et que les
goûts l'amusent » (54).

En définitive, la dernière étape de la rouerie et de la fausseté stendhaliennes est de jouer la froideur. Car cette hypocrisie n'est que la pudeur d'un homme passionné qui juge
malhabile de dévoiler sa passion à la femme qu'il adore. De
sa connaissance théorique du cœur féminin, Stendhal tire une
règle impérieuse et précise, il faut cacher son amour pour séduire et pour conquérir : « Il s'agit d'être aimable aux yeux
de Mélanie et non pas lui dire que je l'aime » (55). Ne re-
trouverons-nous pas la mise en œuvre romanesque de ce
principe dans la conduite calculée de Julien ou de Lucien
lorsqu'ils simuleront la froideur envers Madame de Rênal ou
Madame de Chasteller ?

Dès lors, dès 1805, Stendhal estime qu'il a trouvé la clef du
succès. Tout au cours de sa vie, il utilise cet art de plaire, et
s'impose de suivre ses principes : « J'ai écrit sur mes pantou-
fles : *Un poco di freddo per producer il caldo*. Cette maxime,
mise en pratique envers l'appétissante Amélie, m'a valu de
sa part une attention continuelle et de doux regards » (56).

Ce n'est pas en vain que les Idéologues mineurs ont dénoncé les dangers des passions. Mais une nature riche ne
saurait supprimer entièrement ses élans et son enthousiasme.
Stendhal oublie bien souvent de veiller à sa santé morale et
d'être fidèle à ces principes d'hygiène intellectuelle recom-
mandés par ses maîtres, que ce soient Pinel, Dumarsais ou
Brissot de Warville. Passionné par la vie, et donc avide de
réussir, même partiellement, dans ses amours, il ne se livre
à l'esprit de calcul que lorsque ce dernier lui est momentanément utile; il retient des Idéologues ce qu'il apprendra à Julien Sorel. Alternant avec des instants d'abandon, nous retrouvons chez Stendhal cette attitude de Julien, que l'on pourrait appeler hypocrite, mais qui n'est, au fond, que l'effort
d'un timide pour compenser sa maladresse et sa gaucherie :
« Je prends mon grand courage et je décide que je donnerai
un baiser sous sa joue ou sur sa main à la première occasion.

(54) *Pensées*, II, 255, cahier daté du 3 juillet 1804.
(55) *Journal*, II, 126, passage daté du 11 mars 1805.
(56) *Journal*, III, 370, passage daté du 7 juillet 1810. Stendhal, qui à
chaque instant craint de se démasquer, de se laisser aller à sa passion,
s'exhorte continuellement à l'indifférence et à la froideur : « Il me
semble n'être pas encore arrivé à Paris, tant que je n'ai pas vu A(dèle)
et sa famille. Bien me rappeler que je ne puis la ramener à moi que
par l'extérieur d'une profonde indifférence jointe à de l'amabilité. Pour
cela, du naturel, beaucoup de louanges et des plaisanteries » (*Ibid.*, I,
101-102, passage daté du 15 avril 1804). Six ans après, Stendhal joue
toujours les principes acquis durant sa formation idéologique : « Bien
me souvenir de ce vernis de *freddo*, sans lequel auprès des femmes on
joue toujours le rôle d'Oreste » (*ibid.*, III, 371, passage daté du 7 juillet
1810).

« On finit par mépriser un nigaud qui ne profite de rien » (57).

Mais à l'inverse de Julien, Stendhal ne se laisse jamais prendre à sa propre rouerie, ni à ses propres mensonges. Il est un temps pour se déclarer, il est un temps pour aimer.

Nous ne saurions prétendre que Stendhal ait toujours obéi à ses propres règles de conduite. Les impératifs beylistes sont les armes offensives que Stendhal s'est forgées pour lutter contre sa timidité envers les femmes. C'est par une sorte de point d'honneur juvénile qu'il s'exhorte au combat, il est prêt à cesser le feu dès qu'il n'est plus ridicule à ses propres yeux, dès qu'il a montré quelque maîtrise de lui-même : « Il sera temps de me livrer à mon caractère trop tendre après la victoire ; jusque-là, voir une femme ordinaire, analyser son cœur et jouer sur ses passions ; autrement, à jamais timide et sot » (58).

Qu'elles s'exercent envers les femmes ou envers la société, cette réserve apparente et cette hypocrisie fictive ne sont que des moyens temporaires ; ces moyens ne révèlent en fait que le désir de se surpasser et de vaincre ses faiblesses. Ce n'est pas tant pour les autres que pour lui-même aussi, que Stendhal se doit d'être brillant en société. A se montrer trop maladroit il perdrait sa propre estime.

Ce caractère complexe aima avant tout la complexité de la vie. Il n'eut aucun embarras à épouser des attitudes contradictoires. S'il prend parti en définitive pour l'héroïsme et la grandeur, il voulut auparavant acquérir les qualités humaines les plus contraires à l'héroïsme. Aussi bien pour compléter son art de plaire s'oblige-t-il à cultiver l'art de la mondanité : « Mon génie pour le grand pathétique, fondé sur le grand philosophique, dans le genre de Pascal et de l'*Héloïse* de Rousseau, et des morceaux passionnés ou sublimes de Racine, et de Corneille, et de Shakespeare, m'a possédé tout entier jusqu'ici. Il ne s'est jamais épanché en discours naïfs et gais, en folies aimables par leur peu de consistance, comme celles de Regnard. Quittons donc le sérieux que donne nécessairement la pensée continuellement fixée sur tout ce qui est grand. C'est la monnaie avec laquelle on achète l'immortalité, mais non souris aimables et tendres serrements de main. Délassons-nous de l'un par l'autre ; seuls, songeons à la gloire ; en société, à amuser pour être trouvés aimables » (59).

Cette science du monde, Stendhal la recherche non seule-

(57) *Journal*, III, 314, passage daté du 27 avril 1810.
(58) *Journal*, II, 238, passage daté du 5 avril 1805.
(59) *Journal*, II, 199, passage daté du 27 mars 1805.

ment chez les philosophes, mais encore chez les historiens. Lorsque les trop vertueux Adam Smith, Brissot de Warville et Dumarsais l'auront ennuyé par leur affectation d'altruisme, il épuisera les mémorialistes pour leur demander le secret de leur réussite : « L'homme le plus corrompu qui fait un ouvrage, y peint la vertu, la sensibilité la plus parfaite. Tout cela ne produit d'autre effet que la mélancolie des âmes sensibles, qui ont la bonté de se figurer le monde d'après ces images grossières. Voilà mon grand défaut, ma bonne amie, celui que je ne puis trop combattre. Je crois que c'est aussi le tien car nos âmes se ressemblent beaucoup. Deux choses peuvent en guérir : l'expérience et la lecture des *Mémoires* » (60).

Car il vient un moment où les règles de conduite entrent en conflit avec la vie et où les meilleurs principes doivent être assouplis par l'expérience. Aussi Stendhal a-t-il recours à l'expérience d'autrui, à celle des mémorialistes et des historiens, qui lui donnent le secret de leur réussite. Marmontel, Mme du Deffand, Duclos et Voltaire ont eu beaucoup plus d'élégance naturelle dans leur épicurisme raffiné, dans leur existence de mondains et d'hommes de lettres que les philosophes Dumarsais et Brissot de Warville dans leurs sages ouvrages. Jusqu'à présent, Stendhal avait patiemment dosé, avec l'aide des Idéologues mineurs, ces éléments de bon sens, de sang-froid et d'hypocrisie, dont le mélange parfait devait former l'amabilité parfaite de l'homme du monde ; les mémorialistes feront office de catalyseur et la plus grande découverte de Stendhal sera qu'un homme aimable peut être aussi naturel. Ils apportent à Stendhal le charme concret de leur propre vie. Tout en fortifiant les principes beylistes, ces mémorialistes épanouissent l'art de vivre de Stendhal, et lui permettent cette aisance dans l'application des règles de conduite, cette facilité à les mettre en pratique, sans lesquelles un épicurisme bien conçu ne peut mériter ce nom : « Mme du Deffand me fait sentir encore mieux tout le bon de mon système : de ne rendre son bonheur dépendant de personne » (61).

Après avoir créé une morale épicurienne grâce à la lecture des Idéologues et après avoir conçu un « naturel » qui est celui de l'homme aimable, Stendhal demande aux mémorialistes de lui prouver que ce naturel n'est point une fiction (62).

---

(60) *Corr.*, II, 41-42, lettre adressée à Pauline, datée de Marseille, le 1ᵉʳ octobre 1805.

(61) *Corr.*, IV, 8, lettre à Pauline du 9 janvier 1812.

(62) « La lecture des *Mémoires* de Marmontel, en général la vie vue par un homme raisonnable et ne sentant pas trop vivement, m'est excellente » (*Journal*, I, 253, 28 novembre 1804). Stendhal a également apprécié la sensibilité tout intellectuelle de Voltaire, qui lui offrait par ailleurs un modèle de vie épicurienne : « Je suis très content des *Mé-*

Car ce qu'il cherche chez eux n'est pas la connaissance de l'histoire mais celle des hommes. M. Vittorio del Litto le met en lumière dans *Les sources françaises et étrangères des idées littéraires de Stendhal*, en montrant que les études d'histoire que Stendhal entreprend en 1804 ne comportent qu'un seul ouvrage général d'histoire, l'*Abrégé des révolutions de l'ancien gouvernement français* de Thouret, et consistent en lectures de mémorialistes chez qui la peinture des caractères et le goût du « petit fait vrai » l'emportent sur les perspectives historiques (63).

C'est ainsi que Stendhal lit en 1804 les *Souvenirs de Félicie L...* par Madame de Genlis, les *Souvenirs* de Madame de Caylus sur la cour de Louis XIV, les *Mémoires du chevalier de Grammont* par Antoine Hamilton. Même dans les ouvrages de Saint-Réal, qui sembleraient avoir un intérêt plus nettement historique, et que Beyle conseille à Pauline, la *Conjuration des Espagnols contre Venise* et la *Conjuration des Gracques*, Stendhal veut « étudier les hommes », suivant en cela Saint-Réal lui-même qui écrivait : « Savoir l'histoire, c'est connaître les hommes qui en fournissent la matière » (64). Et M. del Litto fait remarquer que « c'est en moraliste que Beyle étudie le traité qu'il qualifiera plus tard de chef-d'œuvre » (65).

Certes, du point de vue de la formation littéraire de Stendhal, ces mémorialistes — et même un historien comme Saint-Réal — nourrissent cette passion de l'observation psychologique sur laquelle Stendhal compte pour devenir un grand auteur tragique ou comique. Mais d'un autre côté, ils *infléchissent la notion de naturel dans le sens d'un naturel mondain*, car parmi eux prédominent les mémorialistes du XVIII° siècle. Stendhal montre bien d'ailleurs que c'est dans ce siècle qu'il cherche les exemples concrets du parfait homme du monde : « L'histoire de la Régence doit être le morceau de celle de France le plus agréable à étudier. Lire Voltaire pour les faits officiels, Duclos, Saint-Simon, Marmontel et le morceau de Chamfort sur les mémoires de Richelieu et ceux de Duclos » (66), écrit-il en 1805.

Il y a eu sous la Régence des épicuriens qui ont su résorber

moires de Voltaire, écrits par lui-même » (*Pensées*, II, 61, cahier commencé le 31 juillet 1804). Toujours en quête de l'anecdote et du trait piquant, les *Mémoires* de Saint-Simon et de Chamfort le passionnent, comme le passionneront plus tard les chroniques italiennes, et il fait partager son admiration à sa sœur : « Lis Chamfort, quatre vol. in-8° » (*Corr.*, II, 120, lettre du 1er octobre 1805).

(63) Vittorio del Litto, *Les sources françaises et étrangères des idées littéraires de Stendhal* (thèse, Paris, 1954), Première partie, chapitre I, section 3.

(64) *De l'usage de l'histoire*, Œuvres de l'abbé de Saint-Réal, Amsterdam, 1730, vol. I, Introd., p. 2, cité par V. del Litto, *Les sources françaises et étrangères*, p. 278 du manuscrit dactylographié.

(65) Vittorio del Litto, *Les sources françaises et étrangères*, p. 278.

leurs conflits avec la société tout en vivant avec élégance.
Saint-Simon, Marmontel ou Duclos ont dépeint ces hommes :
« Lis et relis sans cesse Saint-Simon, en sept volumes. L'histoire de la *Régence*, la plus curieuse, parce qu'on y voit le
caractère français, parfaitement développé par Philippe-Ré-
gent, est, par un heureux hasard, le morceau d'histoire le
plus facile à étudier. Duclos plein de sagacité, a écrit des
Mémoires sur ce temps. Saint-Simon, homme de génie, a écrit
les siens. Marmontel, homme éclairé par l'étude, vient de publier l'histoire de la Régence, où il cite et critique tout à tour
Saint-Simon » (67).

Ces modèles d'observateurs de l'homme en même temps que
de mondains préoccupés de menues intrigues, Stendhal les
trouve dans les *Mémoires* du XVIIIᵉ et aussi du XVIIᵉ siècle ;
dans les *Mémoires pour servir à l'histoire de Louis XIV*, de
l'abbé de Choisy, dans les *Mémoires* de Bésenval ou du Maréchal
de Richelieu. Ce qu'il y cherche n'est point l'anecdote, mais
la vérité des actions humaines, et, plus profondément, des
modèles de tenue et de style de vie.

Dans l'image de l'homme aimable et fin que s'était construite Stendhal, il y avait peut-être une certaine crispation
dans les traits. Mais en lisant les mémorialistes, Stendhal projette son idéal sur le type du courtisan de la Régence qui
joue son rôle sans affectation de vertu, sans hypocrisie, sans
pédantisme ni ridicule. L'homme au naturel aimable selon
Stendhal se met alors à ressembler à ces mondains; il évolue
dans les salons avec cette désinvolture souriante de l'homme
sans passion que Stendhal s'efforce de copier. S'il plaît, c'est
qu'il n'est jamais amoureux, s'il charme par son esprit de répartie, c'est qu'il ne calcule ni ne réfléchit jamais; s'il montre de la froideur, elle est relevée par une grâce piquante dans
l'esprit et dans les manières; il a enfin « ce naturel sans lequel on ne plaît jamais vivement et avec lequel on est presque toujours sûr de plaire » (68).

En lisant en 1805 les *Considérations sur les Mœurs* de Duclos, Stendhal trouve chez ce mémorialiste une description de
l'homme séduisant et une définition du bon ton dont il se
souviendra plus tard et qu'il utilisera dans l'*Histoire de la
peinture en Italie* : « Duclos disait en 1750 : L'homme aimable est fort indifférent sur le bien public, ardent à plaire à
toutes les sociétés où le hasard le jette, et prêt à en sacrifier
chaque particulier. Il n'aime personne, n'est aimé de qui que
ce soit, plaît à tous, et souvent est méprisé et recherché par
les mêmes gens. Le *bon ton* dans ceux qui ont le plus d'esprit

---

(66) *Journal*, II, 228-229, 25 avril 1805.
(67) *Corr.*, II, 42-43, lettre du 1ᵉʳ octobre 1805.
(68) *Corr.*, I, 282, lettre à Pauline, datée du 16 novembre 1804.

consiste à dire agréablement des riens, et ne se pas permettre le moindre propos sensé, si on ne le fait excuser par les grâces du discours (...). L'agrément est devenu si nécessaire, que la médisance même cesserait de plaire si elle en était dépourvue » (69).

Que Stendhal s'efforce, lui aussi, de dire des banalités pour paraître aimable, il ne faut voir dans cette attitude ni orgueil ni humilité mal placée. Plus que les autres écrivains, il échappe aux pièges de la modestie. Un autre aurait jugé inutile un accommodement entre la supériorité de l'esprit et l'agréable banalité des gens du monde. Mais pour Stendhal le calcul doit compenser la misanthropie.

Mais « cet esprit naturel dans le monde », selon la formule stendhalienne, n'est pas donné à tous; il ne peut être que la manifestation d'une personnalité fortement affirmée comme celles d'Octave ou de Lucien, lorsqu'ils consentent à se livrer aux plaisirs de la conversation tout en gardant la réserve et la retenue de l'homme du monde, et la maîtrise de soi qui permet de dominer autrui (70). « La plupart des hommes ont un esprit appris, ils savent deux cents anecdotes, trente plaisanteries. Au bout de deux mois, de six, d'un an au plus, suivant l'ampleur du sac, on les sait par cœur » (71). Mais l'esprit naturel invente sans effort.

Ce naturel n'est point cependant le naturel de Fabrice, où la passion crée à tout instant la spontanéité dans les démarches, où l'émotion tendre et rêveuse donne cette sorte de génie dans la conduite que ne saurait obtenir l'esprit de calcul le plus savant. C'est le naturel de l'homme aimable, à la fois maître de lui et désinvolte. Car il n'y a pas pour Stendhal de moments méprisables. Après avoir passé son adolescence à rechercher la valeur de toute attitude psychologique, il don-

(69) *Hist. de la peinture en Italie*, II, 137-138.
(70) Reconnaissant chez sa sœur cet esprit naturel qu'il cherche lui-même, Stendhal engage Pauline à développer ce naturel grâce à la lecture des Mémoires et de Madame de Staël. « Tâche de lire *Delphine* et les *Mémoires* de Saint-Simon. Plais à tous ceux qui ne te plaisent pas et qui t'entourent; c'est le moyen de sortir de ton trou. Mme de Tencin était bien plus loin des sociétés aimables que toi, et elle y parvint. Comment ? en se faisant adorer de tout le monde, depuis le savetier qui chaussait Montfleury jusqu'au lieutenant général qui commandait la province. Il faut, pour plaire, que les choses flattent ce qui est bas et ennuyeux; les femmes n'ont besoin que de leurs grâces, qu'on appelle *naturelles,* parce que, toutes en sentant la nécessité, toutes en ont » (*Corr.*, I, 325-326). Une fois de plus, Stendhal a recours aux exemples concrets donnés par l'histoire, aux vies des femmes de lettres du XVIIIe siècle, qui sont pour lui les meilleurs modèles du naturel.
(71) *Ibid.*, 327.

ne à l'absence de passion son rôle et son importance. L'homme passionné a ses instants de sagesse, le sage ses moments de folie. Individualiste en tout, Stendhal donne au terme froideur une extension stendhalienne, il le porte jusqu'à son point limite, qui est le bon sens.

Mais dans ce comportement idéal défini par Stendhal, comme dans toutes ses œuvres, le naturel finit par l'emporter. Si la morale provisoire du jeune débutant dans le monde obéit à tant d'impératifs, elle conclut sur ce dernier impératif qui annule tous les autres. La dernière règle, la règle suprême, sera de ne point croire à la vertu des règles. Le meilleur esprit sera l'esprit naturel et non appris.

Comme tout initié à une nouvelle religion, Stendhal est passé par toutes les étapes, a observé les commandements imposés par les autorités supérieures, qui sont pour lui les Idéologues, et, au terme de son noviciat, il obtiendra enfin cet état de grâce qui est accord avec soi-même et abandon à sa propre personnalité. Mais encore fallait-il passer par tous les états intermédiaires pour arriver au naturel parfait qui sera celui de ses héros.

C'est dans les romans en général que des hommes jeunes encore se voient doués dès leur entrée en scène dans le monde de cette maîtrise qui leur permet d'obtenir les applaudissements des autres personnages et du lecteur lui-même. Mais dans les œuvres stendhaliennes, l'auteur ne donne pas un coup de pouce à la vie. C'est après avoir été hué par la populace de Blois hostile à un représentant de Louis-Philippe chargé d'une mission électorale, et après avoir reçu des pelletées de boue en pleine figure, que Lucien se résout à « mépriser la canaille », à se débarrasser de sa misanthropie, à être brillant dans ses fonctions et spirituel dans la conversation. C'est lorsqu'il est sûr d'aimer et d'être aimé et lorsqu'il s'abandonne pour un moment à sa passion pour Armance sans penser cependant au mariage, qu'Octave s'épanouit, qu'il oublie sa sauvagerie et qu'il montre, pendant quelques semaines, cette spontanéité dans la conversation qui fait tout son charme (72).

Mais ce naturel est la conséquence d'un long apprentissage pour Stendhal comme pour ses héros. Ce naturel a été

---

(72) « Un des grands bonheurs de Mme de Malivert à cette époque fut un entretien qu'elle eut avec le fameux prince de R... qui vint passer vingt-quatre heures au château d'Andilly : — « Avez-vous observé comme moi, madame, dit-il à Mme de Malivert, que monsieur votre fils ne dit jamais un mot de *cet esprit appris* qui est le ridicule de notre âge ? Il dédaigne de se présenter dans un salon avec sa mémoire, et son esprit dépend des sentiments qu'on fait naître chez lui. C'est pourquoi les sots en sont quelquefois si mécontents et leur suffrage lui manque » (*Armance*, texte établi avec introduction, bibliographie, notes et variantes par Henri Martineau, Librairie Garnier, Paris, 1950, pp. 182-183).

appris par la vie. Octave le doit à l'oubli momentané de sa
disgrâce, Stendhal à l'observation de la société et à la recherche de l'équilibre intérieur : « *Rien d'agréable à la longue que
l'esprit naturel, celui qui est inventé à chaque instant par un
caractère aimable sur toutes les circonstances de la conversation* (...). *Voulez-vous donc avoir de l'esprit : travaillez votre
caractère, chassez-en non seulement les vices, mais même les
défauts, et dites ensuite dans chaque occasion tout ce que
vous penserez* » (73).

En fin de compte, les conseils de ses maîtres ont fait de
Stendhal un homme fort présentable : « Duclos m'aide à revenir au bon sens. Je suis gai le reste de la soirée (...). Il faut
convenir que je sors d'un étrange état de folie ; les moments
d'exaltation de Rousseau étaient devenus ma manière d'être
habituelle » (74). Peu à peu, l'homme même suit et épouse
dans sa vie les démarches de l'intellectuel (75). Les règles laborieusement calculées, une fois mises au contact de la réalité,
se dépouillent de leur sécheresse primitive ; élaborées par la
réflexion, elles sont assouplies par l'expérience et la lecture
des mémorialistes. Ces impératifs beylistes, mis en pratique,
font oublier leur origine. C'est ainsi que le comédien débutant
conserve encore une certaine raideur ; après avoir récité cent
fois son rôle, il donnera enfin l'impression même du naturel.

Si Stendhal s'exhortait en 1805 à être de sang-froid avant
d'entrer dans un salon, il lui paraît, en 1811, beaucoup plus
avantageux de s'abandonner au naturel : « Il me semble qu'on
se donne de la gaucherie en réfléchissant trop à la conduite à
tenir, au moment où l'on va entrer dans un salon ; on peut
y réfléchir, s'il le faut, longtemps avant, mais à l'instant d'entrer en danse il faut faire ce qui plaît, y penser si le cœur y
trouve de la douceur, sinon lire ou converser » (76).

Si l'adolescent amoureux de Mélanie Guilbert a fait des
plans de conduite pour réussir dans ses amours, s'il a cru que
la meilleure règle pour plaire était de ne pas paraître amoureux, il ne refusera pas plus tard de se montrer tendre et
empressé auprès d'Angela Pietagrua : « Nous étions obligés
de parler par plaisanteries. Ce genre où il faut être plaisam-
ment tendre est le mien ; j'y suis tout naturel et tout heureux » (77).

(73) *Corr.*, I, 328, lettre à Pauline datée du 8 mars 1805.
(74) *Journal*, II, 234-235, passage daté du 30 avril 1805.
(75) « Je commence à reconnaître l'avantage de mon esprit *naturel* et
point *appris*, sur l'esprit récité de Crozet, Edouard et même Pacé; au
bout de deux mois, on en voit le fond » (*ibid.*, II, 119, passage daté du
7 mars 1805).
(76) *Ibid.*, IV, 146, passage daté du 5 juin 1811.
(77) *Ibid.*, V, 72, passage daté de Milan, 29 octobre 1811.

B. — ECHEC DE L'EPICURISME SCIENTIFIQUE ET MÉTHODIQUE

CHAPITRE VI

APPARITION DU NATUREL SPONTANE

Echec de l'idéal idéologique. — Refus de la méthode idéologi-que. — Refus de la science de la vie et culte de la spon-tanéité. — La pudeur d'une âme passionnée. — Con-templation du monde. — Redécouverte des valeurs émotionnelles. — Les contradictions de Stendhal envers Rousseau. — Réhabilitation de Rousseau.

Il est impossible d'étudier Stendhal en l'examinant sous un seul angle. Il n'y a point contradiction, mais évolution chez cet écrivain dont la vie et l'œuvre manifestèrent « une variété, une ardeur, une fantaisie séduisantes » (1). Coexistant tout d'abord avec la notion de naturel aimable, apparaît ainsi, dans la pensée et dans l'éthique beylistes, la *notion d'un naturel spontané,* qui semble contredire la première. Si vers 1805 et 1806 Stendhal lit Cabanis, Pinel, Maine de Biran ou Duclos, il se laisse cependant en même temps secrètement attirer par le génie sentimental de Madame de Staël ou par le génie poéti-que des *Confessions.*

Nous sommes donc amenés à séparer les divers plans que l'écrivain s'est plu à confondre dans sa vie et dans son œuvre. Si l'œuvre, la vie et la pensée stendhaliennes ne laissent point apercevoir au premier abord ce passage du naturel idéologi-que au naturel spontané, il est sans doute possible au critique de disjoindre pour mieux les comprendre les divers plans où se meut la pensée stendhalienne ; la personnalité littéraire de

(1) Préface du *Cœur de Stendhal,* par Henri Martineau, éd. Albin Mi-chel, Paris, 1952.

Stendhal se révèlera peut-être sous une optique nouvelle ; mais ainsi disloquée, elle n'en sera pas amoindrie ; placée dans un champ de vision différent, elle en perdra, nous dira-t-on, une certaine unité ; mais qu'importe l'unité, si elle n'est que factice ?

S'arrachant au moi idéologique, Stendhal cultive, dans ces mêmes années 1805 et 1806, un moi plus rêveur et plus tendre qui laisse place à la spontanéité et au naturel.

Car les Idéologues ont évité à Stendhal toutes les compromissions et toutes les transactions avilissantes. Si un jour il refuse leur intermédiaire, il peut miser sur d'autres valeurs que l'expérience n'aura pas déflorées ; il peut garder intacts son crédit et sa foi en ces vertus qui transcendent l'idéal idéologique, et qui sont la générosité et la passion de se dépasser soi-même ; il peut s'abandonner sans calcul ni regret à l'émotion tendre. Si à vingt-trois ans il possède déjà cette résignation accommodante où d'autres arrivent après maints échecs et maints renoncements, il pourra à cinquante ans cultiver ces vertus de l'adolescence qui sont la spontanéité et l'absence de calcul.

L'homme en vieillissant rajeunit ; le romancier subit la même évolution. Julien Sorel ne parvient à l'enthousiasme et à l'abandon de l'esprit de calcul qu'à la fin de sa vie et dans sa cellule. Il lègue sa générosité au jeune Fabrice qui n'aura point à apprendre les règles de conduite auxquelles s'est soumis son aîné, qui n'aura point non plus à les oublier et possédera d'emblée ce naturel que Stendhal a mis si longtemps à acquérir. Car tout en cultivant les qualités de l'homme aimable, Stendhal en même temps ne laisse pas de cultiver d'autres vertus dans la solitude de sa chambre de travail : « Pour être bien dans le monde, il ne faut pas vivre pour soi ; pour faire des ouvrages sublimes, il ne faut vivre que pour son génie, le former, le cultiver, le corriger » (2).

Et par génie il n'entend pas seulement son talent d'écrivain, mais aussi la spontanéité du naturel qu'il a parfois refusée, ce naturel qui n'est pas celui de l'amabilité, mais celui de la passion et qui a souvent bien de la difficulté à s'accorder avec la société. Ces deux « moi » de la personnalité de Stendhal ont provoqué sans doute chez lui des crises de nerfs et des moments d'angoisse ; sans cesse il court de l'un à l'autre, du naturel de l'homme aimable au naturel passionné, et, dans cette recherche obstinée d'attitudes psychologiques opposées, mais pourtant nécessaires à la vie de l'homme en société et aussi à la vie de l'écrivain, Henri Beyle crée peu à peu ce Stendhal à l'âme mélancolique et tendre qui veut se faire passer pour un roué.

(2) *Journal*, I, 142, passage daté du 10 juin 1804.

Si Stendhal a essayé d'adopter une conduite raisonnable selon les principes des Idéologues, il doit reconnaître souvent que cet effort échoue en partie. Son caractère n'est guère fait pour la sagesse. La mise en pratique pourtant sévère et rigoureuse des règles idéologiques n'a donné lieu qu'à un amendement passager de son caractère. « C'est, je crois, que ce bonheur continu est une chimère, que je n'ai pas la raison de tirer tout le bonheur possible de ma position. En général, la sagesse me manque infiniment ; au fait je ne sais pas ce que je désire » (3).

Si Stendhal s'est plu à copier l'esprit léger et les manières séduisantes des courtisans et des hommes de lettres du XVIII° siècle, il avoue cependant que l'imitation n'est pas parfaitement réussie, car ses succès mondains ne sont que temporaires : « Je sens et je vois trop quel est l'homme parfaitement aimable pour avoir une parfaite assurance tant que je serai éloigné de ce brillant modèle » (4). Et il constate alors que « les vieilles définitions du génie qui vivaient encore au fond de mon cœur, les opinions de Rousseau qui y sont de même, me donnent du dégoût pour tout ce qu'on n'acquiert que par une habitude constante et sage. Ce dégoût vient du moyen, jusqu'au mot *sage* (dans ce sens) m'est odieux. Ce mot réveille dans moi l'idée du talent martelé, si talent il y a, de Marmontel, comparé au talent sublime de Jean-Jacques » (5).

La logique n'est donc plus un instrument au service de la raison, mais l'art de marcher vers le bonheur (6). La faculté transformatrice de l'écrivain s'est exercée à déplacer l'axe autour duquel tournait tout le système idéologique : si la logique pour Tracy prenait son point d'appui sur la raison et avait pour but d'exercer cette raison dans tous les domaines,

---

(3) *Ibid.*, III, 33, passage daté du 30 mars 1806. Les recettes idéologiques n'ont pas toujours été suffisantes pour supprimer la mélancolie; avant de combattre l'ennui par d'autres valeurs, qui sont l'amour tendre et la générosité, Stendhal a recours à tous les moyens matériels qui pourraient s'avérer plus efficaces que les conseils de ses maîtres ; une occupation agréable, une vie parisienne agréablement remplie qui pourraient seules peut-être venir à bout de cette insatisfaction perpétuelle : « J'ai donc encore besoin d'une occupation. Je n'ai pas assez de sagesse pour savoir m'en faire et remplir mon loisir, cela est évident. Paris, avec une place auprès de mon cousin, me conviendrait donc à merveille ; mais il y a toute apparence qu'elle ne viendra pas » (*Ibid.*, III, 32, passage daté du 30 mars 1806).
(4) *Ibid.*, T. II., p. 43. Passage daté du 11 février 1805.
(5) *Ibid.*, T. III., pp. 53-54. Passage daté de Marseille. 1806.
(6) « La seconde des deux sciences utiles, c'est la *logique,* ou l'art de ne pas nous tromper en marchant vers le bonheur (*Courrier anglais,* T. I., 330).

celui du langage comme celui du comportement, elle devient pour Stendhal une promesse de bonheur. Moyen et non pas but, intermédiaire seulement, elle permettra d'exploiter les richesses du caractère stendhalien et de développer d'une manière exclusive et systématique ses tendances premières qui le portaient vers un naturel aimable dans les salons, mais généreux dans la solitude et dans ses rapports avec les âmes d'élite.

Henry Brulard reprochera à Beyle son enthousiasme un peu excessif pour ses lectures de jeunesse. Il reconnaîtra qu'une part insaisissable de l'homme échappe à celui qui définit les espèces humaines au moyen d'étiquettes commodes, mais qui n'ont guère qu'une valeur symbolique : « A force d'employer des méthodes philosophiques, par exemple à force de classer mes amis de jeunesse par *genres,* comme M. Adrien de Jussieu fait pour ses plantes (en botanique), je cherche à atteindre cette vérité qui me fuit. Je m'aperçois que ce que je prenais pour de hautes montagnes, en 1800, n'étaient la plupart que des *taupinières;* mais c'est une découverte que je n'ai faite que bien tard » (7).

Les classifications et les règles ont été valables un temps pour mettre en ordre l'univers émotionnel de l'écrivain, mais il reconnaîtra plus tard leurs limites. Car la pratique des Idéologues n'a été pour Stendhal qu'un *exercice de virtuosité* et un assouplissement de l'intelligence. Après avoir, à la suite de Cabanis, catalogué et défini ses amis par tempéraments, il aura des doutes sur l'efficacité de cette méthode qui, en isolant des types, laisse échapper à l'analyse l'essentiel de l'homme, fragmente l'émotion en la répartissant dans des compartiments divers. Car la démarche stendhalienne est l'opposé de celle de Cabanis. Si Cabanis ordonne les caractères superficiels de l'humain dans des schémas bien déterminés qui *subordonnent la passion et ne lui attribuent qu'un caractère secondaire,* Stendhal *accorde à l'émotion et à la passion qu'elle suscite la première place* (8).

Les méthodes et les règles sont du domaine de la bourgeoisie, donc des sots. Tous ceux qui veulent connaître les aventures de l'intelligence et du cœur se doivent de passer par-dessus elles, après les avoir acceptées temporairement. L'aventurier Stendhal qui a satisfait son goût de romanesque violent dans les *Chroniques italiennes,* ne pourrait se laisser trop longtemps dominer par elles car : « Les règles

---

(7) *Vie de Henry Brulard,* 33.
(8) « Quoique les tempéraments de Cabanis nous paraissent très peu prouvés, il est à croire que le bilieux, le flegmatique, le sanguin, le mélancolique, le musculaire et le nerveux prennent le même plaisir et la même peine d'une manière différente » (*Mélanges intimes et marginalia,* I, 275).

empêchent les sots d'être aussi sots, et les gens de génie aussi
sublimes qu'ils l'auraient été sans elles » (9). Aussi refusera-t-
il leur concours pour diriger une vie qu'il voudrait héroïque, à
la manière du XVIᵉ siècle italien, et qui, faute d'héroïsme,
trouvera son expression la plus pleine dans l'exaltation de la
rêverie tendre. Le comportement stendhalien fait appel aux
principes idéologiques dans les salons, pour éviter l'air maladroit ou stupide, mais il se réserve ses meilleures joies dans
l'attitude contemplative.

*

Cette contemplation elle-même fait appel, nous le verrons,
à des valeurs qui la sous-tendent, comme la générosité, le sublime, la quête de l'absolu dans la passion. Stendhal cherche
la grandeur et la noblesse dans l'homme, et l'ascension du
type humain idéal sera de se rapprocher le plus possible d'un
naturel généreux, de développer en lui cet état de grâce qui le
met en rapport avec des êtres d'élite dont il partage la destinée tourmentée et sincère.

La morale de cet aventurier reste l'épicurisme, mais un
épicurisme qui cherchera avant tout à satisfaire les plaisirs
de l'âme. Dans cette attitude de dilettante et d'égotiste, il ne
faut voir qu'un effort pour préserver avant tout les valeurs
émotionnelles. Ce dilettantisme est porté à sa plus haute expression chez Stendhal, puisqu'il sacrifie délibérément tous
les plaisirs médiocres, puisqu'il accepte les tourments de la
sensibilité et de l'imagination si ces derniers sont les étapes
indispensables de la conquête du naturel.

Aussi bien l'épicurisme contemplatif s'abandonne-t-il au
hasard : « J'ai agi par humeur, au hasard », dit Stendhal
dans les *Souvenirs d'égotisme* (10). Ces affirmations tant de
fois répétées prouvent que l'idéal idéologique s'en est allé par
miettes, sous la poussée des valeurs chères au cœur stendhalien et qu'il n'en reste guère que quelques résidus.

L'acceptation du hasard, c'est l'acceptation des tendances
premières du caractère, c'est le refus du caractère acquis, des
moyens et des méthodes qui masquent le naturel. Julien dans
sa prison et Fabrice dès son jeune âge font fi des règles de
comportement et de l'esprit de calcul qui pourraient donner
à leurs destins une apparence d'unité, à leurs entreprises une

(9) *Mélanges intimes et marginalia*, I, 356.
(10) *Souvenirs d'égotisme*, 5. « J'ai toujours vécu et je vis encore au
jour le jour et sans songer nullement à ce que je ferai demain » (*ibid.*,
18). Stendhal semble avoir oublié les nombreux emplois du temps qu'il
établissait dans sa jeunesse. Si nous ne pouvons prendre ces affirmations absolument à la lettre, nous pouvons cependant penser qu'elles
témoignent d'une tendance originale de Beyle, du désir de s'abandonner
à l'imprévu, même si ce désir ne fut pas toujours mis à l'exécution.

réussite assurée. Stendhal lui aussi avait tourné la page, et
rangé pour l'éternité les *Pensées*, la *Correspondance* et le
Journal, où s'accumulaient les prescriptions de Tracy et des
Idéologues. Le romancier méprise l'emploi du temps du jeune
Beyle. Le vieil homme retrouve la pureté d'une âme neuve
dans le *refus de la science de la vie*. Si Beyle cultivait l'art
de ne pas perdre son temps, Stendhal cherche surtout à bien
le perdre, en se passionnant, en faisant des folies pour tout.
La spontanéité dans la conduite est la première révélation de
cette morale épicurienne et contemplative; car seule la spontanéité permet l'épanouissement des vertus généreuses, attributs du naturel : « Hélas ! toute science ressemble en un
point à la vieillesse, dont le pire symptôme est la *science de
la vie,* qui empêche de se passionner et de faire des folies pour
rien. Je voudrais, après avoir vu l'Italie, trouver à Naples
l'eau du Léthé, tout oublier, et puis recommencer le voyage,
et passer mes jours ainsi. Mais cette eau bienfaisante n'existe point; chaque voyage qu'on fait en ce pays a sa physionomie, et il entre par malheur un peu de science dans le
sixième » (11).

Hésitant longtemps entre deux solutions, bien conduire sa
vie ou s'abandonner aux plaisirs du chemin, Stendhal a
choisi de préférer le rêve à l'ambition. Ce voyageur a trouvé
ses aventures dans l'acceptation de l'imprévu; le « divin imprévu » donne seul tout son sens à un monde vieux et connu,
il change la vision stendhalienne de l'univers où se détachent
les beaux paysages et les femmes aimées, dont une musique
de Mozart ou de Rossini souligne l'harmonie.

Il y a deux façons d'aimer : on peut faire une cour en règle grâce à une tactique minutieusement établie, obtenir la
victoire et se dégoûter de l'amour par abus des principes et à
la suite d'une trop grande contrainte sur soi. On peut aussi
(et ce fut l'attitude de Beyle à l'égard de Mathilde Dembowski),
préférer les tourments d'un amour malheureux à un esprit de
calcul qui obtiendrait sans doute le succès. Il y a deux façons
de vivre axées, l'une sur la science et l'idéal idéologique, l'autre sur la spontanéité, comme il y a deux façons de voir Rome : « On peut observer tout ce qu'il y a de curieux dans un
quartier, et puis passer à un autre; ou bien courir chaque
matin après le genre de beauté auquel on se trouve sensible
en se levant. C'est ce dernier parti que nous prendrons.
Comme de vrais philosophes, chaque jour nous ferons ce qui
nous semblera le plus agréable ce jour-là; *quam minimum
credula postero* » (12).

(11) *Promenades dans Rome,* Etablissement du texte et préfaces par
Henri Martineau, Le Divan, 1931, T. I, 304.
(12) *Ibid.,* I, 14.

Car s'abandonner au hasard, c'est s'abandonner au naturel.
Les héros des *Chroniques italiennes*, sans dessein prémé-
dité, prennent les résolutions les plus extrêmes, qui feront de
leur vie une tragédie où la noblesse du cœur, en lutte contre
les méchancetés, les préjugés et la sottise, trouvera sa plus
parfaite expression dans le don spontané de tout l'être à une
passion qui exclut la prudence. S'astreindre aux règles de
conduite, c'est refuser ce que le destin peut avoir de généreux,
c'est refuser les possibilités d'évasion qu'il contient toujours
virtuellement.

La vie de Stendhal, axée sur le hasard et l'imprévu, lui a
valu une carrière littéraire et administrative médiocre, mais
quelques belles émotions, des passions malheureuses et des
voyages où la part d'aventure, réduite à son minimum, révé-
lait cependant des instants propices à la rêverie contemplative : « *Je prends au hasard ce que le sort place sur ma
route.* Cette phrase a fait mon orgueil pendant 10 ans » (13).
Ainsi ces deux notions, naturel et imprévu, s'unissent étroitement dans la vie et l'œuvre de Stendhal, et font l'unité
d'une destinée où l'insatisfaction est le plus souvent comblée
par l'émotion tendre; ces deux conceptions enfin donnent au
comportement des héros stendhaliens sa réalité psychologique.

Mais le naturel ne se rencontre que sur les grands chemins, sur les routes de la fantaisie et de l'imagination. Constamment à sa poursuite, Stendhal prenait la diligence, parcourait l'Europe et l'Italie, descendait du Nord au Midi pour
voir l'affectation faire place au naturel et à la spontanéité :
« La bonhomie, le naturel, que j'avais déjà cru remarquer
à Vienne éclatent bien plus encore à Valence; nous voici tout
à fait dans le midi. Je n'ai jamais pu résister à cette impression de joie. C'est l'antipode de la politesse de Paris, qui doit
rappeler avant tout le respect que se porte à elle-même la
personne qui vous parle, et celui qu'elle exige de vous. Chacun ici, en prenant la parole, songe à satisfaire le sentiment
qui l'agite, et pas le moins du monde à se construire un noble caractère dans l'esprit de la personne qui écoute, encore
moins à rendre les égards qu'il doit à la position sociale de
cette personne » (14).

En tournant ainsi le dos à l'hypocrisie des villes, il méprisait la gloire littéraire et les avantages d'une haute position
sociale. Un écrivain se révèle beaucoup moins dans une biographie minutieuse que dans ses refus. Stendhal ne cède que
de mauvais gré aux propositions de son puissant cousin Daru;

_____

(13) *Souvenirs d'égotisme*, 119.
(14) *Mémoires d'un touriste*, I, 310-311, passage daté de Valence, le 11
juin 1837.

flatter les puissants est contraire au naturel. Il est le seul, parmi les écrivains de sa génération, à refuser les poncifs littéraires agréables au public. Mais les désenchantés de ce siècle, un Chateaubriand, un Lamartine, tous ceux qui exaltaient la solitude, qui cherchaient l'épanouissement des vertus naturelles à l'homme loin de la société, ont partagé le sort brillant des hypocrites et sont secrétaires d'ambassade en Italie. Les aventures et les échecs de Stendhal sont l'expression concrète de sa destinée.

Tels sont cet épicurisme, cet égotisme, ce beylisme enfin, si souvent réduits à des valeurs contradictoires, à une sagesse libertine ou à un narcissisme passionné. Ils ne sont que la recherche du naturel et le mépris des comédies sociales. *Refus de la méthode idéologique, le culte du moi se réduit au culte de la spontanéité.*

C'est dans la contemplation amoureuse ou dans l'héroïsme que Stendhal épanouira sa conception du naturel; car le naturel est l'homme même et tout ce qui le dépasse. Les démarches stendhaliennes, souvent intellectuelles, savent s'évader de leur rigueur première et refuser de rester prisonnières de l'analyse psychologique.

Stendhal, qui a le plus souvent refusé de se prêter entièrement à la comédie de l'hypocrisie nécessaire à la réussite, dénonce le charlatanisme de son temps qui fait des hommes de mérite des fantoches à la solde des puissants et abolit en eux le naturel : « Quel est l'homme de mérite qui n'avoue en rougissant qu'il a eu besoin de charlatanisme pour percer ? De là ce vernis de *comédie nécessaire,* qui donne je ne sais quoi de faux et même de méchant aux habitudes sociales des Parisiens. Le *naturel* y perd un homme, les habiles s'imaginent qu'il n'a pas assez d'esprit, même pour jouer ce petit bout de *comédie nécessaire* » (15).

Ne faut-il pas cependant remarquer que Beyle ne fut point toujours aussi intransigeant qu'il l'aurait voulu, et que la vie l'obligea malgré tout à ne point vivre à l'écart du monde et à ne pas briser, quoi qu'il en ait, les liens d'amitié qui l'unissaient à ses puissants cousins Daru : « Individualiste d'instinct, il se sent la force et la volonté de faire cavalier seul dans le monde. Non qu'il refuse les appuis éventuels, mais il saura aussi les dédaigner » (16).

Il ne pourra jamais être aussi habile en ses démarches qu'il l'aurait désiré : « Quoique jeté dans le monde de bonne

(15) *Ibid.,* I, 41, passage daté de La Charité, 13 avril 1837.
(16) Caraccio, *Stendhal, l'homme et l'œuvre,* 19.

heure, c'était un caractère chimérique, rêveur, poétique, tout
propre à sentir à fond le malheur de l'amour. Il avait été
amoureux de Napoléon, et comme Napoléon n'aimait que les
succès d'ambition, Poloski s'était cru de bonne foi et pendant longtemps ambitieux » (17). Ce Poloski, qui est Stendhal lui-même, s'est aussi voulu intrigant, habile en ses démarches amoureuses, petit marquis plein de grâces à la manière des courtisans du XVIII° siècle, théoricien d'une méthode nouvelle en l'art de classer les passions. Mais l'homme qui
rentre dans l'éternité, c'est un Stendhal timide, non un causeur brillant; il a livré à la gloire littéraire des passions qu'il
avait éprouvées, amours de Fabrice ou de Lucien, et non une
psychologie ou une philosophie nouvelles, comme il aurait
voulu le faire dans sa *Filosofia Nova*.

La méthode idéologique n'a été qu'une attitude provisoire
propre à masquer l'ardeur excessive d'un caractère épris
d'absolu : « Je suis vif, passionné, sincère à l'excès en amitié
et en amour jusqu'au premier froid. Alors, de la folie de
seize ans, je passe, en un clin d'œil, au machiavélisme de
cinquante et, au bout de huit jours, il n'y a plus rien que
glace fondante, froid parfait » (18).

Julien Sorel s'exerce continuellement à jouer la froideur;
mais sa passion éclate dans les deux coups de feu tirés sur
Madame de Rênal, comme le tempérament passionné de
Stendhal et son goût de l'absolu éclatent dans ses demi-aveux.
« Jetée de bonne heure dans le tourbillon du monde », évo-
luant assez maladroitement au milieu des mondains rencontrés dans les salons de la Restauration, son émotivité, nouée
sur elle-même, se cherche sans se trouver d'expression. Ce
n'est que peu à peu qu'elle se trouvera comblée par la conquête du naturel héroïque.

Ce qui aurait pu demeurer un mysticisme sans objet deviendra mystique du naturel. La tendresse d'une âme privée
d'émotions fortes s'exalte dans la rêverie tendre et la contemplation du monde. Beyle jette sur les beaux paysages ce
regard où ne perce aucun esprit critique, il les aime sans recherche et sans affectation littéraire : « Je fis un voyage aux
Echelles, ce fut comme un séjour dans le ciel, tout y fut ravissant pour moi. Le bruit du *Guiers*, torrent qui passait à
deux cents pas devant les fenêtres de mon oncle, devint un
son sacré pour moi, et qui sur le champ me transportait dans

---

(17) *Mélanges de littérature*, Fragments romanesques et poétiques, établissement du texte et préfaces par Henri Martineau, Le Divan, Paris,
1933, T. I, 27 (Dans le *Roman de Métilde*, pp. 17 à 27 du T. I des *Mélanges de littérature*, Stendhal se décrit sous le nom de Poloski, amant
malheureux de la duchesse d'Empoli, qui n'est autre que Métilde Dembowski).
(18) *Souvenirs d'égotisme*, 95.

le ciel. Ici déjà les phrases me manquent, il faudra que je travaille et transcrive ces morceaux, comme il m'arrivera plus tard pour mon séjour à Milan. Où trouver les mots pour peindre le bonheur parfait goûté avec délices et sans satiété par une âme sensible jusqu'à l'anéantissement et la folie ? Je ne sais pas si je ne renoncerai pas à ce travail. Je ne pourrais, ce me semble, peindre ce bonheur ravissant, pur, frais, divin, que par l'énumération des maux et de l'ennui dont il était l'absence complète. Or ce doit être une triste façon de peindre le bonheur » (19).

*
**

La contemplation du monde est la forme la plus mystique du dilettantisme. Dans ses promenades à travers le monde, Stendhal admire le naturel dans les paysages comme il le recherche chez les hommes ou dans la lecture de Rousseau et de Vauvenargues. Dans l'univers stendhalien, certains lieux, dont le sourire a un pouvoir magique, sont privilégiés entre tous : ils tuent en Stendhal le vieil homme, et font renaître la spontanéité, ils sont une promesse de romanesque, ils créent ces mêmes émotions exaltantes qu'éprouve Fabrice lorsqu'il se livre aux actions les plus inconsidérées : « J'aime les beaux paysages ; ils font quelquefois sur mon âme le même effet qu'un archet bien manié sur un violon sonore ; ils créent des sensations folles : ils augmentent ma joie et rendent le malheur plus supportable » (20). A l'inverse des Romantiques, Stendhal, loin de diviniser la nature, l'humanise. Il fraternise avec toutes les collines dont l'inflexion est dépourvue d'affectation, avec les lacs italiens dont la beauté ne semble pas recherche, mais négligence. Ce qu'il fuit dans les paysages, c'est la prétention. Car il y a un charlatanisme de la nature comme il y a un charlatanisme de la littérature.

Les formes, le dessin et les couleurs d'un paysage doivent avoir une apparence naturelle à l'image de celui qui les regarde. La Loire « est un fleuve ridicule à force d'îles : une île doit être une exception chez un fleuve bien appris » (21). Tout lieu dont la beauté ne relève pas de la simplicité déforme l'admiration de l'homme, arrête net l'élan des sensations généreuses, et rend ridicule aussi celui qui l'admire : « Le mélange de ces nobles fragments de l'antiquité avec le gothique jette toujours mon âme dans la *sensation du mépris,* chose désagréable» (22). Les beaux paysages, comme la musique, ont toujours été

(19) *Vie de Henry Brulard,* 152.
(20) *Mémoires d'un touriste,* I, 116.
(21) *Ibid.,* I, 33.
(22) *Ibid.,* I, 77.

l'opium de Stendhal. Ils invitent l'homme à se surpasser, à
retrouver sa foi dans la générosité. Toutes les émotions amoureuses que Stendhal et Fabrice auraient pu oublier dans les
salons, tous les rêves de générosité et d'indépendance que le
contact avec la société aurait pu amortir se réveillent soudain
au son de la musique de Cimarosa ou sur les bords du lac de
Côme. Les sons et les lieux aimés rendent à Julien, à Fabrice
et à Stendhal leur noblesse et leur indépendance naturelles,
ils élèvent autour d'eux ces parois enchantées qui les retran-
chent du monde et de la méchanceté des salons, les libèrent
de leur propre hypocrisie et de leur ambition. Ils sont pour
Stendhal cette prison mystique qu'est pour Julien la petite
grotte cachée dans la forêt du Doubs, pour Fabrice le clocher
où le tient enfermé l'abbé Blanès : « La tête appuyée sur les
deux mains, Julien resta dans cette grotte plus heureux qu'il
ne l'avait été de la vie, agité par ses rêveries et par son
bonheur de liberté. Sans y songer il vit s'éteindre, l'un après
l'autre, tous les rayons du crépuscule. Au milieu de cette obscu-
rité immense, son âme s'égarait dans la contemplation de ce
qu'il s'imaginait rencontrer un jour à Paris. C'était d'abord
une femme bien plus belle et d'un génie bien plus élevé que
tout ce qu'il avait pu voir en province. Il aimait avec passion,
il était aimé. S'il se séparait d'elle pour quelques instants,
c'était pour aller se couvrir de gloire et mériter d'en être encore plus aimé » (23).

Ainsi, pour Stendhal, les paysages sont des cellules réser-
vées à la contemplation, ils ne sont que des instruments, des
moyens, et la description en est presque toujours sacrifiée.
Instruments au service de la passion, ils l'exaltent en la rappelant (24). Car la nature pour Stendhal n'est que la projection du naturel sur le monde extérieur.

Après avoir renié, puis oublié Rousseau, Stendhal refait les
gestes de Jean-Jacques ; les beaux paysages sont pour lui comme pour Jean-Jacques un prétexte à s'abandonner à la spontanéité. Ce nouveau Rousseau métissé par l'apprentissage
idéologique, ce Saint-Preux à l'âme ardente qui aurait cherché dans la méthode idéologique un moyen de défense contre
la société, méprise lui aussi les préjugés et l'hypocrisie. Il

(23) *Le Rouge et le Noir*, 72.
(24) « J'ai revu la mer. L'odeur de goudron m'a rappelé vivement
Marseille et Mélanie. Est-il tout à fait impossible que je redevienne jamais amoureux ? Si jeune encore, faut-il renoncer à mon cœur ? Triste
effet des passions dévorantes et du malheur d'avoir été lancé de trop
bonne heure dans le tourbillon » (*Journal*, IV, 100, passage daté du 30
avril 1811).

fuit comme Jean-Jacques tous les êtres conventionnels, pro-
duits des fictions sociales ; mais il montre malgré tout plus
de souplesse, un peu plus d'adaptation, et moins d'enfantillage
passionné. Il garde de Rousseau la vision de l'homme, non
pas la vision du monde ; loin de construire un système philosophique propre à transformer une société corrompue, il ne
cherche qu'à comprendre les mobiles des actions humaines.

Il aime beaucoup moins les hommes que Rousseau, il ne
les idéalise pas ; les joies et les peines de ses semblables
l'émeuvent peu ; il est seulement touché par les mobiles de
ces joies et de ces peines. Car Stendhal est disciple de Voltaire
dans les salons, de Rousseau dans la nature et la solitude.
Dans la société parisienne ou romaine, il polit avec soin les
armes idéologiques, à la fois offensives et défensives ; avec
elles il attaque, devine les motifs secrets de ces ennemis parfois nobles, les hommes, déjoue leur vanité et leur calcul,
avec elles il se défend, emprunte au XVIIIᵉ siècle sa méthode
stratégique, la froideur et le détachement à l'égard des passions. Mais, dans la solitude et dans la nature, il renie Voltaire
et Duclos, il accueille Rousseau, éprouve comme lui un « bonheur parfait goûté avec délices et sans satiété par une âme
sensible jusqu'à l'anéantissement et la folie » (25).

Aussi bien, *l'enthousiasme de Stendhal pour Rousseau et
ses rétractations à son égard, reflètent exactement les oscilla-
tions de la psychologie beyliste du naturel autour de deux
pôles que nous avons étudiés jusqu'ici : le pôle du naturel
idéologique et le pôle du naturel spontané.*

Dans l'évolution de la psychologie beyliste, Rousseau n'est
guère qu'un symbole, le symbole des tourments de la sensibilité. Si Stendhal considérait les Idéologues comme des instruments de formation intellectuelle, il ne fera guère, par
contre, d'emprunts directs à Rousseau. Mais, en tant qu'image
d'un mode de vie et d'une attitude de l'esprit, Rousseau aura
une influence bien plus profonde peut-être que les auteurs
dont le jeune Beyle a fait un usage immédiat.

L'auteur de *La Nouvelle Héloïse* réapprend aux hommes à
vivre *en faisant appel aux valeurs émotionnelles.* Stendhal
épouse ces modalités de la sensibilité éparses dans un siècle
où les forces émotives introduites par *La Nouvelle Héloïse*
et les *Rêveries* sapaient lentement l'arsenal des armes voltai-
riennes et idéologiques. Il accepte l'irruption de ces puissances sentimentales dans sa vie, lorsqu'il se plaît à la rêverie
tendre, lorsqu'il recherche le naturel romanesque et la spontanéité, lorsque, promeneur solitaire à travers l'Europe, il dédaigne lui aussi le grandiose dans les paysages, lui préférant

(25) *Vie de Henry Brulard*, 152.

ces « collines ombragées et charmantes » (26), jadis hantées
par l'ermite de Montmorency, ces lieux souriants et modestes
qui savent s'effacer devant l'homme, ne jouent dans l'aventure
humaine que le rôle de moyen et d'intermédiaire, et, comme
les belles sonorités de la musique de Mozart, permettent à
l'écrivain un dialogue avec lui-même, où le Beyle parisien
devient un Fabrice à l'âme tendre.

Mais Stendhal a mis cinquante-six ans à devenir Fabrice,
cinquante-six ans à céder à son génie, cinquante-six ans à céder
au « naturel », une trentaine d'années à oublier ses ambitions
d'adolescent qui voulait plaire dans le monde et être le Duclos
des salons de la Restauration, trente ans environ pour réparer
ses erreurs de jeunesse et pour retrouver sa vraie nature.

*
**

Si Stendhal méprisa un temps Rousseau par amour de
l'Idéologie, il ne put malgré tout s'empêcher, au cours des diverses périodes de sa vie, de s'enthousiasmer pour lui comme
il l'avait fait à six ans. Si les influences subies dès l'enfance,
sont, selon les définitions d'Helvétius et de nos psychologues
actuels, sans doute les plus importantes et celles qui marquent l'individu de la plus forte emprise, ne devons-nous pas
croire cependant que Rousseau exerça sur Beyle une attraction passionnée ? « J'adorais l'éloquence », avoue Stendhal,
« dès l'âge de six ans, je crois, mon père m'avait inoculé son
enthousiasme pour J.-J. Rousseau, que plus tard il exécra comme *anti-roi* » (27).

En 1802 encore, Stendhal ne sépare point Jean-Jacques du
tendre et passionné Virgile : « Je relis sans cesse Virgile et
Jean-Jacques » (28). La fidélité à l'égard de l'auteur de la
Nouvelle Héloïse durera encore jusqu'en 1803 : « Jean-Jacques
a rendu la peinture de l'amour impossible en roman. On lit
les nouveaux romans mais c'est par amour pour l'amour.
Comme Rousseau a peu d'événements et qu'ils sont simples,
son livre ne vieillira pas de douze siècles » (29).

(26) Voir *Mémoires d'un touriste*, I, 165, passage daté de Lyon, le 5
mai 1837.
(27) *Mélanges intimes et marginalia*, I, 148.
(28) *Corr.*, I, 62, lettre adressée à Edouard Mounier et datée du 7 prairial an X, 6 juin 1802.
(29) *Pensées*, I, 157, passage daté du 21 thermidor an XI, 9 août 1803.
Cf. ce passage des *Pensées* : « Tâcher de me défaire des préjugés que
m'a donnés J.-J. Rousseau et il m'en a donné beaucoup. Un mot d'Helvétius dans l'*Homme* m'a éclairé (...). Helvétius dit donc que R(ousseau)
a pris pour vérité tous les préjugés établis dans le monde et qu'excellent dans ses observations de détail, il ne vaut rien dans ses idées sys-
tématiques. Revoir cela. Le nombre des objets de mon admiration diminue chaque jour » (*Pensées*, I, 291).

Rousseau est un autre lui-même, le symbole de cette timidité maladive, qui n'est qu'excès d'ardeur. Aussi Stendhal prétendit-il, dès 1804, se « dérousseauiser », « en lisant Destutt (...), Lancelin » (30). Mais tant de soins apportés à rectifier son tempérament, des lectures minutieuses (et nous avons essayé d'étudier les plus importantes) n'ont pas chassé le naturel.

Si en 1805 Stendhal refuse d'adopter en société le comportement de Jean-Jacques, il fait sienne l'attitude de Rousseau dans les moments de solitude : « Il faut convenir que je sors d'un étrange état de folie ; les moments d'exaltation de Rousseau étaient devenus ma manière d'être habituelle. Je prenais ça pour du génie ; je le cultivais avec complaisance et regardais en pitié ceux qui ne l'avaient pas. La réserver pour le cabinet, autrement je serais à jamais malheureux dans le monde » (31). En 1806 encore, lors de son voyage à Marseille avec Mélanie Guilbert, il constate que l'épicurisme méthodique et scientifique ne peut être pour lui qu'une seconde méthode provisoire et qu'il accorde la suprême valeur à la conception du naturel qui fut aussi celle de Rousseau (32).

Mais en 1813, Stendhal reconnaîtra qu'il est un Saint-Preux perpétuellement maladroit, et s'exhortera, bien en vain, à faire preuve de sang-froid vis-à-vis des femmes, à se défaire de cette timidité, « que j'avais », écrit-il, « quand je voulais toutes les séduire, que je leur croyais le cœur de Julie à toutes, et pensais qu'elles me donneraient une vie comme le bosquet de Clarens » (33).

C'est ainsi que Stendhal a perdu, au détriment de son génie, quelques années à mépriser Rousseau, c'est-à-dire à se mépriser lui-même, dans sa volonté de connaître le monde et de plaire en société, dans son désir éperdu d'acquérir cet esprit voltairien que détestait l'ermite de Montmorency : « Jean-Jacques s'était ennuyé dans le monde et il me l'avait fait mal voir ; je suis enfin guéri de mon humeur » (34). Stendhal veut être heureux, brillant et adulé des femmes, veut enfin être le contraire de Rousseau : « Je lisais les *Confessions* de Rousseau il y a huit jours. C'est uniquement faute de deux ou trois principes de *beylisme* qu'il a été si malheureux » (35).

Car Stendhal enveloppe de pudeur le malheur et la passion, il jette sur eux son manteau de hussard. Par pudeur il masque

(30) *Journal*, I, 131, passage daté du 23 mai 1804 (notes ajoutées au cahier du 23 mai 1804).

(31) *Journal*, II, 235, passage daté du 30 avril 1805.

(32) *Ibid.*, III, 53-54, passage daté de Marseille, 1806.

(33) *Ibid.*, V, 122, passage daté du 4 février 1813.

(34) *Corr.*, I, 246, lettre adressée à Pauline, datée du 8 août 1804.

(35) *Ibid.*, IV, 68, lettre adressée à Félix Faure, à Grenoble, datée de Moscou, le 2 octobre 1812.

la violence naturelle de son tempérament, par pudeur aussi il
affecte de prendre en horreur les extrêmes, et s'il recherche le
naturel, il évite tout esprit de système. Le philosophe genevois,
lui aussi, exaltait les tendances primitives de l'homme, mais
sa partialité le conduisait à construire une fausse image de la
nature humaine ; le naturel selon Rousseau est alourdi par
trop d'austérité, c'est un naturel « artificiel », noué sur lui-
même, contraint et rigide, c'est le fruit bâtard qu'ont engendré
des efforts obstinés pour atteindre la vertu : « Cette manie
de voir des devoirs et des vertus partout a mis de la pédanterie dans son style et du malheur dans sa vie. Il se lie avec
un homme pendant trois semaines : crac, les *devoirs* de l'amitié, etc. Cet homme ne songe plus à lui après deux ans ; il
cherche à cela une explication noire. Le *beylisme* lui eût dit :
« Deux corps se rapprochent ; il naît de la chaleur et de la
fermentation, mais tout état de cette nature est passager. C'est
une fleur dont il faut jouir avec volupté, etc ». Saisis-tu mon
idée ? Les plus belles choses de Rousseau sentent l'empyreume
pour moi, et n'ont point cette grâce *corrégienne* que la moindre
ombre de pédanterie détruit » (36).

Mais lorsque Stendhal oublie le monde et ses vanités, lorsqu'il préfère les paysages aux salons et aux hommes, lorsqu'il
parcourt les campagnes françaises, il excuse volontiers l'emphase de Rousseau, tant il se sent porté comme lui à la rêverie, tant il préfère la contemplation du monde à l'art de réussir
dans le monde. En visitant les lieux où Rousseau a vécu, Stendhal, à cinquante-six ans, après avoir méprisé l'auteur des
Confessions, renie l'esprit voltairien et la sécheresse d'âme,
car le Stendhal déjà vieillissant qui va écrire la *Chartreuse*
goûte, plus que les joies de la vanité, les joies que donne
l'absence de tout esprit de calcul : « En suivant ces collines
ombragées et charmantes qui bordent la Saône, je montais à
tous les bouquets d'arbres qui me semblaient dans une situation pittoresque. Je pensais à la nuit que J.-J. Rousseau passa
au *bivouac* en ces lieux, dans l'enfoncement d'une porte de
jardin. Après tant d'années que je n'ai lu ce passage des *Confessions,* je me rappelle presque les paroles de cet homme tellement exécré des âmes sèches. Il est quelquefois emphatique
sans doute, mais c'est quand il n'est pas porté par son sujet ;
mais les écrivains incapables d'émotions tendres, Voltaire,
Buffon, Duclos, auraient mis leur esprit à la torture pour dé-

(36) *Ibid.,* 68-69.

crire cette nuit passée sur le seuil d'une porte de jardin om-
bragée par des branches de vigne sauvage » (37).

Le touriste déjà mûr sent de nouveau s'éveiller en son cœur
l'enthousiasme des premières amours enfantines, la passion
qu'il avait à neuf ans pour les héros ardents de la *Nouvelle
Héloïse* ou de *Felicia ou mes fredaines* (38), car il rêve sans
cesse et « sa plus grande peine est de se détacher de cette
rêverie » (39).

Dans la rêverie de Jean-Jacques, comme dans celle de Henry
Brulard et dans celle de Beyle enfant, bien et mal se confondent, vertu et volupté ne font qu'un. Henry Brulard, lorsqu'il
se reconnaît honnête homme, en attribue le mérite à Rousseau,
son seul et véritable précepteur, dont le rôle secret était d'autant plus efficace qu'il s'exerçait à l'insu et à l'encontre du
despotisme du véritable maître méprisé et haï, l'abbé Raillane :
« Sans mon goût pour la volupté, je serais peut-être devenu,
par une telle éducation dont ceux qui la donnaient ne se dou-
taient pas, un *scélérat noir* ou un coquin gracieux et insinuant,
un vrai jésuite, et je serais sans doute fort riche. La lecture de
la *Nouvelle Héloïse* et les scrupules de Saint-Preux me formè-
rent profondément honnête homme ; je pouvais encore, après
cette lecture faite avec larmes et dans des transports d'amour
pour la vertu, faire des coquineries, mais je me serais senti
coquin. Ainsi c'est un livre lu en grande cachette et malgré
mes parents qui m'a fait honnête homme » (40). Mais les systèmes du philosophe genevois ne peuvent satisfaire entièrement
un esprit aussi épris de diversité que Stendhal. La spontanéité
intellectuelle consiste à admettre les extrêmes, les opposés, et
à s'en nourrir. Psychologiquement et intellectuellement, un
homme naturel, selon Stendhal, perdrait son naturel à se réfugier dans la rigidité d'une philosophie aussi systématique que
celle de Rousseau. Aussi bien verra-t-il dans l'Idéologie une
expérience, cherchera-t-il chez les héritiers de la philosophie
voltairienne une attitude d'esprit et un mode de vie opposés à
ceux de l'ermite de Montmorency.

Le naturel, chez Stendhal, se mesure et se pèse selon ces

---

(37) *Mémoires d'un touriste*, I, 165.
(38) « Au bout d'un mois ou deux je trouvai *Felicia ou mes fredaines*.
Je devins fou absolument, la possession d'une maîtresse réelle, alors
l'objet de tous mes vœux, ne m'eût pas plongé dans un tel torrent de
volupté » (*Vie de Henry Brulard*, 197). Au sujet des autres livres qu'il
eut l'occasion de parcourir cette même année, c'est-à-dire vers 1794,
Henry Brulard s'écrie : « Mais qu'était-ce que tout cela auprès de *Felicia* et de la *Nouvelle Héloïse* ? Ma confiance littéraire en mon grand-
père était extrême, je comptais bien qu'il ne me trahirait pas envers
Séraphie et mon père. Sans avouer que j'avais lu la *Nouvelle Héloïse*,
j'osai lui en parler avec éloge » (*Ibid.*, 201).
(39) Voir *Mélanges intimes et marginalia*, I, 185.
(40) *Vie de Henry Brulard*, 218.

étalons et ces unités quantitatives diverses, qui changent avec
les pays où s'arrête le voyageur. Tracy et Duclos sont les
étalons parisiens, Rousseau l'étalon grenoblois. Le mètre et le
poids idéaux obtenus à la suite des refontes stendhaliennes
seront remis entre les mains de Fabrice. Ce dernier est le ba-
lancier parfait qui pèse instantanément vilenies et infamies,
vanités et hypocrisies de tout ce petit monde menteur et lâche,
composé du geôlier Barbone, de Ranuce-Ernest ou de Fabio
Conti. Fabrice les jauge avec ces unités parfaites que sont la
réserve passionnée de Clélia et le romanesque ardent de la
duchesse.

Mais, plus que Tracy peut-être, Rousseau a aidé Stendhal à
fondre et à parfaire son étalon d'or. Car Rousseau n'est pas le
maître, mais le compagnon de celui qui chercha toute sa vie la
société des âmes d'élite. La vie de Rousseau, comme celle de
Rimbaud pour les jeunes gens du XXe siècle, fut pour Stendhal
une invitation à l'indépendance et au mysticisme. Cependant
la rêverie mystique que lègue Jean-Jacques à la génération qui
le suivra, s'oriente avec Stendhal vers des valeurs émotionnelles que ses voyages et ses lectures préciseront lentement,
vers ce que Stendhal appelle le sublime quand il ne trouve
pas d'autre nom à l'héroïsme romanesque.

Ce mysticisme latent poussa Stendhal à se faire une « belle
âme » à l'exemple des héros de la *Nouvelle Héloïse*, à faire
vivre dans ses livres ces âmes d'élite qu'il ne rencontrait guère
dans la vie. Un esprit médiocre n'y aurait pu parvenir ; il
fallait à Stendhal ce détachement de soi et cet équilibre intérieur, garants indispensables de la sincérité ; il lui fallait conserver sans cesse ce désir de se surpasser dans une recherche
perpétuelle, où l'homme s'inquiète peu des échecs, ni de ce
que ses efforts parfois avortés, souvent peu estimés dans le
monde, peuvent représenter aux yeux de la société.

Ce fut évidemment une erreur pour Stendhal de croire que
ses intimes avaient une telle générosité naturelle; il se trompe
fort quand il croit sa sœur Pauline susceptible d'être touchée
par cette recherche de l'indépendance qu'il trouvait dans les
œuvres de Rousseau. Il ne voit pas Pauline telle qu'elle est :
une jeune fille qui voudrait bien se marier pour se défendre
du milieu familial; il en fait un autre lui-même, il projette sur
elle ce moi secret que même les intimes de Stendhal ne connaissaient pas. Et, en réalité, c'est au vrai Beyle qu'il s'adresse
quand il écrit à sa sœur, c'est avec son vrai moi qu'il dialogue,
— ce moi qu'il veut former et tremper par des lectures forti-
fiantes, — quand il conseille à Pauline d'éprouver sur elle-
même les démarches intellectuelles de Rousseau : « Je te conseille de tâcher de lire la *Vie des Grands Hommes de la Grèce*,
de Plutarque; tu verras, quand tu seras plus avancée en litté-

rature, que c'est cette lecture qui a formé le caractère de l'homme qui eut jamais la plus belle âme et le plus grand génie, J.-J. Rousseau » (41).

Ignorant pendant longtemps son vrai talent et son vrai caractère, Stendhal ne laisse pas cependant d'étudier en secret ses propres actions et leurs mobiles, pour essayer de surprendre sur le vif quelque preuve qui l'assurât de sa noblesse d'âme : « J'ai pu m'enthousiasmer pour les grands caractères et les belles passions que j'ai étudiés jusqu'ici. D'ailleurs, j'en sentais le germe dans mon cœur, et quand je lisais la vie de Saint-Preux, de Brutus, de Gracchus, d'Othello, d'Henri V, je me disais : à leur place j'en aurais fait autant, et je repassais celles de mes actions qui par leur motif ressemblaient aux leurs » (42).

---

(41) *Corr.*, I, pp. 5-6, lettre adressée à Pauline, datée de Paris, le 18 Ventôse an VIII, 9 mars 1800.
(42) *Pensées*, II, 216, cahier daté du 23 juillet 1804.

CHAPITRE VII

DU NATUREL SPONTANE AU NATUREL HEROIQUE

La spontanéité, facteur déterminant de la passion. — Premier
contact avec la passion en littérature sous l'influence de
Madame de Staël. — Delphine et la Chartreuse. — Ecla-
tement du cadre idéologique. — Une première concep-
tion de l'amour de la gloire. — L'enthousiasme, ressort
de l'amour de la gloire. — Le désintéressement chez
Stendhal. — La conquête de soi-même.

Si, dans sa quête éperdue de sincérité, le véritable Stendhal
cherche à travers la *Nouvelle Héloïse* une des valeurs qui lui
sont chères, la spontanéité dans l'expression des sentiments,
cette valeur cependant ne saurait lui suffire à elle seule. Spontanéité, enthousiasme et générosité, tels sont les attributs du
naturel stendhalien. Ces trois vertus capitales, Stendhal a mis
bien du temps à les conquérir.

Chez Stendhal même, naturel aimable et naturel spontané,
coexistent sans que le premier soit toujours un obstacle pour
le second. Certes le naturel aimable mourra peu à peu, mais
sa lente agonie est promesse de résurrection. Le petit marquis
du XVIIIᵉ siècle qui fut un temps l'idéal de Stendhal s'effacera
devant Fabrice. Dans cette évolution de la psychologie beyliste,
nous ne saurions étudier que l'effort d'un homme qui veut se
réaliser en tant qu'homme, dans une tentative orgueilleuse
d'individualisme, sans faire tout d'abord appel à un dogme, à
une religion ou encore à un athéisme qui le soutiendrait.

Tous les aspects de l'individu humain, il les a englobés dans
sa conception du naturel. Mais l'indépendance parfaite suppose toujours quelque recours à des valeurs fondamentales;
comme dans une sonate où se fondent les thèmes en s'appelant
l'un l'autre, les valeurs stendhaliennes se fondent tout au cours
de l'évolution beyliste, l'une en appelle une autre, jusqu'à ce
que soit trouvé le dernier motif, qui les résout toutes et qui en
est la conclusion définitive.

Aussi bien, tous les auteurs passionnés ont prise sur cette âme sensible qui se cherche à travers eux. Cet élan qui portait Stendhal vers l'auteur de la *Nouvelle Héloïse* ne se brisera pas. Tel le coureur qui, d'une légère inclinaison du corps évite les obstacles, Stendhal passera à côté du mysticisme de Rousseau, mais cet obstacle même ne sera qu'une invitation à la recherche de valeurs plus précises.

Tout ce qui n'est pas cerné d'un trait marqué ne peut guère attirer qu'un instant l'attention de Stendhal. La spontanéité lui plaît, elle ne saurait lui suffire. Mais elle donne cependant son prix aux choses; car c'est à travers elle que Stendhal oriente sa vie : la spontanéité favorise la naissance des passions, que ce soit passion de la gloire ou l'amour-passion. Si la passion, comme la gloire, a ses élus, ses riches et ses pauvres, il y a aussi, dans la ligne de vie de l'individu, des moments privilégiés, où le corps et l'âme sont soumis à l'emprise d'une seule et même force. C'étaient bien ces moments là que cherchait Stendhal lorsqu'il lisait Helvétius. Mais sa vision de la passion était encore tout abstraite; il ne l'envisageait qu'en tant que remède à l'ennui; elle n'était pour lui ni vie concrète, ni vie intérieure.

*
**

Vient le moment pourtant où un auteur qui chevauche sur deux siècles à la fois, le XVIII⁰ et le XIX⁰, qui concilie en lui les manières de penser de ces deux siècles et les exprime dans un langage par ailleurs plein d'emphase, Madame de Staël, sollicite et développe chez Stendhal cet amour des lettres que la lecture des Idéologues avait un instant assoupi.

Le traité de Madame de Staël, l'*Influence des passions*, que Stendhal lit en 1805, est pour lui un manuel à l'usage de l'écrivain où il trouva décrits sans pudeur les joies et les tourments de l'homme de lettres. Il taxa Madame de Staël d'indiscrétion, car elle manquait selon lui de modestie et se plaisait à étaler les conditions favorables à la passion en même temps qu'à l'éclosion de l'œuvre d'art. Elle ne faisait, il est vrai, qu'annoncer à l'avance le grand thème romantique que les écrivains reprendront après elle à l'envi, thème de la solitude du génie condamné à fuir la société et à éviter toute compromission s'il veut cultiver son talent. L'attitude de Stendhal vis-à-vis de Madame de Staël révèle les tendances stendhaliennes les plus profondes; les héros stendhaliens aiment secrètement la gloire, mais ils ne s'avouent cette passion qu'à eux-mêmes, ils n'aiment pas en faire la confession à autrui, et encore moins dévoiler leurs passions aux yeux du public.

Les tourments intérieurs d'une belle âme, selon la formule stendhalienne, doivent rester secrets, s'ils veulent rester sin-

cères. La beauté et la sincérité des sentiments se perdent dans
« l'étalage du moi ». Stendhal s'est exercé sans cesse à éviter
les pièges de l'hypocrisie. Or l'hypocrisie selon Stendhal ne
consiste pas seulement à feindre, mais aussi à exagérer. Ce
qu'il blâme chez Madame de Staël, c'est son manque de mesure. Il n'ose pas s'avouer à lui-même qu'elle oriente ses propres
façons de penser et de sentir, qu'elle formule — sans doute
avec trop d'éloquence — un des impératifs stendhaliens : il
faut tout sacrifier à la passion. Ou du moins, il ne se l'avoue
qu'à demi, car sa pudeur répugne à se laisser prendre à l'at-
trait de l'éloquence : « L'enflure de Mme de Staël me dégoûte,
mais cependant il y a de bien belles vérités dans son livre.
C'est une âme passionnée décrivant ce qu'elle a senti » (1).

Car Stendhal aborde la passion avec des précautions infinies,
et, pourquoi ne pas le dire, avec respect. Cette première approche, qu'il réalise en compagnie de Madame de Staël se com-
plique d'hésitations et de scrupules; ce premier contact avec
ce qui est le plus cher au cœur stendhalien ne laisse pas de dé-
router. Car si l'usage de la méthode idéologique avait été chez
Stendhal un antidote de la passion, la pudeur s'exprime aussi
chez lui par le silence. L'écrivain ne doit parler de ce qui le
touche qu'une fois l'émotion passée, lorsque, le sang-froid revenu, il possède assez de présence d'esprit pour décrire ses
sentiments avec retenue et réserve : « Espérons que nous nous
corrigerons de la prose sentimentale de Madame de Staël
comme des descriptions du chantre des *Jardins,* et que nous
viendrons à ne parler des aspects touchants de la nature que
quand notre cœur nous laisse assez de sang-froid pour les remarquer et en jouir » (2).

Mais Stendhal, malgré ses réticences, cherche cependant
dans les œuvres de Madame de Staël le secret du génie stendhalien. A travers la *Littérature,* l'*Influence des passions* et
Delphine, lui apparaît un des aspects de son propre moi, qu'il
refusait jusqu'alors de reconnaître. Son esprit critique, aiguisé
par la méthode idéologique, avait refoulé, après l'avoir morti-
fié par les contraintes que lui imposaient la logique et les rè-

(1) *Journal,* II, 263, passage daté du 8 août 1805, cf. ce jugement daté
d'un mois plus tard : « Je n'ai lu, depuis que je suis ici que l'*Influence
des passions* de Mme de Staël. Les vérités que ce livre présentent m'auraient fait bien plus de plaisir sans la détestable enflure que Mme de
S(taël) prend, je crois, pour de l'éloquence (*ibid.,* II, 266, **passage daté du**
12 septembre 1805).
(2) *Vie de Rossini,* I, 84. Stendhal a beau jeu de critiquer l'emphase
évidente de Madame de Staël; n'empêche qu'il se sent secrètement attiré
par elle, qu'il lit et relit ses œuvres : « Je prends la *Littérature* par
madame de Staël, livre qui me fatigua et me parut médiocre, il y a
dix-huit mois, chez Bérenger, rue de Malte. Toujours un peu fatigant
par l'enflure générale, le tendu du style, le sérieux continuel qu'on voit
vouloir exiger le respect, quelquefois du galimatias enflé, absolument
faux » (*Journal,* II, 322, passage daté du 23 janvier 1806).

gles de calcul, ce double ingénu et passionné qui est l'envers du
moi « idéologique ». Peu à peu le mystique Rousseau a fait
sortir de l'ombre ce double timide qui a donné la main au promeneur solitaire pour découvrir avec lui les charmes d'une vie
imprévue et spontanée. Quand ce double stendhalien a délaissé
Rousseau qu'il estimait par trop rêveur, il a rencontré Delphine
dans ce pays d'élection où les élus de la terre se donnent rendez-vous des quatre coins du monde, dans cette Italie qui leur
prouve à tous deux qu'ils sont généreux et passionnés.

Si le « moi idéologique », qui, dans le vocabulaire stendhalien
s'appelle « l'avocat contre », fronce sévèrement le sourcil devant cette escapade de son double en Italie en compagnie de
Delphine, le vrai Stendhal sensible, qui sera celui de la *Chartreuse,* lui impose momentanément silence : « Je viens de lire
le premier volume de *Delphine* de Madame de Staël et je me
suis senti presqu'entièrement dans le personnage de Delphine.
L'expérience que j'ai acquise chez Dugazon m'a été très utile
pour me connaître moi-même. Pacé m'a dit un jour : « Vous
êtes tout passion ». Mante est du même avis. Je le sens moi-
même. Dugazon est du même avis sur ce qu'il connaît de moi.
Quelles que soient les objections de l'avocat *Contre,* voilà une
vérité qui me paraît démontrée. Si je n'ai pas *the most understanding soul,* j'ai du moins une âme toute passion. Il faut
se posséder pour bien parler, il faut peut-être *posséder son
âme,* l'avoir *understanding* pour telle passion à volonté, pour
bien écrire » (3).

La lecture de *Delphine* révèla à Stendhal sa propre sensibilité. Car nous pourrions considérer *Delphine* comme la préfiguration d'un Fabrice, une esquisse maladroite, une ébauche
assez grossière de ce que sera le jeune Monsignore del Dongo.
Comblée par tous les dons de la fortune comme lui, par ces
attributs stendhaliens qui sont les compléments indispensables
de la générosité, par la beauté, la fortune, le talent, elle emporte comme lui son univers avec elle, et le climat moral où
elle se déplace la rend aveugle aux vanités du monde, à la
fausseté d'une Madame de Vernon par exemple. Delphine est
si peu hypocrite qu'elle ne peut avoir conscience de l'hypocrisie sociale. Madame de Vernon, (que Delphine se plaît à croire
son amie, et, comme elle, généreuse), ne cherche que son intérêt ; son intérêt est de plaire à Delphine pour retirer quelque
avantage de sa riche fortune. L'idéaliste jeune fille se laisse
prendre à ces flatteries habiles, dote la fille de Madame de
Vernon et la mariera à Léonce. Mais la jeune poétesse découvrira un peu tard que Léonce était le seule homme susceptible
de la toucher. Dans *Delphine* comme dans la *Chartreuse,* deux

---

(3) *Journal,* II, 14, passage daté du 3 février 1805.

notions antagonistes, vanité et générosité se trouvent en conflit.

*
**

En lisant *Delphine*, Stendhal pressent le roman qu'il écrira plus tard, le roman incomparablement plus beau où une âme pure sera aussi aux prises avec les vanités sociales. Mais il ne lui était pas donné de l'écrire en 1805, il fallait auparavant qu'il passât par toutes les étapes intellectuelles et morales que nous nous efforçons de suivre, par ces relais qui épuraient et affirmaient peu à peu sa conception du naturel. Car la *Chartreuse* reprendra les thèmes de *Delphine,* mais en évitant l'affectation, et Stendhal semble le deviner lorsqu'il envisage la possibilité d'une influence de Madame de Staël sur ses romans futurs : « D'après mes principes sur mon art, mon premier ouvrage aurait eu de grandes ressemblances avec *Delphine* si je n'avais pas lu ce roman dans ce moment, et peut-être en aura-t-il encore, quoique je l'aie lu » (4).

Mais le roman de Madame de Staël est l'application d'une théorie : elle soutient une thèse et l'illustre de quelques lithographies d'un romantisme tragique; elle veut montrer la supériorité des âmes passionnées et dénoncer en même temps tous les dangers que courent ces âmes d'élite lorsqu'elles entrent en contact avec une société infâme et basse. *La Chartreuse de Parme* dénonce le même conflit. Mais, à l'inverse de Madame de Staël, Stendhal ne veut rien démontrer. Si le personnage de Delphine est statique et conventionnel, Fabrice est vivant et naturel ; il n'est pas l'illustration d'une théorie, il est Beyle lui-même.

Car Fabrice a pu seulement être créé parce que Stendhal avait conquis auparavant dans la vie, et grâce à l'expérience, son naturel sensible, alors que Delphine n'est qu'une construction théorique de Madame de Staël à partir de ce naturel sensible qu'elle possédait par ailleurs peut-être plus spontanément que Stendhal.

Si la grâce de Fabrice nous émeut, toutes les qualités dont Madame de Staël pare son héroïne nous laissent indifférents. C'est que Fabrice, de par son caractère, de par son naturel, est cet agent de liaison privilégié qui rattache et unit sans efforts les faits historiques de la *Chartreuse*. Stendhal a donc recours à son expérience personnelle qui seule peut donner vie aux faits. Madame de Staël a recours aux principes. Or l'art d'agencer les faits appartient au génie de l'écrivain, tout roman est une collection de faits, mais une seule combinaison de ces faits est possible : c'est celle qui émeut le lecteur, et qui fait le miracle dont naît l'œuvre d'art.

(4) *Ibid.*, II, 15, passage daté du 3 février 1805.

Si l'on pense que la *Chartreuse* fut dictée en cinquante-deux jours, sans réflexion et sans méditation préalables, il faut bien croire que la beauté du roman tient uniquement aux qualités spirituelles et morales de l'écrivain. Stendhal, pendant ces sept ou huit semaines, n'a point cherché à disposer harmonieusement les événements dont il parlait ; les modes de pensée et de vie stendhaliens se sont incarnés dans un personnage. Cette attitude beyliste que Stendhal a prêtée à Fabrice, c'est l'attitude d'un être naturel devant la société (5).

Or Madame de Staël n'a su prêter à Delphine une telle attitude et les lecteurs qui parcourent au XX° siècle le roman de Madame de Staël ne peuvent que répéter à son sujet le jugement formulé par Stendhal en 1805 : « ce livre fait trop sur l'âme l'effet d'un cours de philosophie » (6).

Si Fabrice, comme Delphine, est doté d'une douceur enchanteresse, il possède en plus cependant ce que l'on ne saurait guère trouver chez Delphine, le naturel. Aussi faut-il beaucoup de pénétration, dit Stendhal en 1805, pour deviner cette noblesse d'âme chez Delphine, « pour deviner cette grâce » (7).

Aussi bien ce n'est pas la spontanéité et la grâce qu'il a aimées chez Madame de Staël, ce sont les principes qu'elle énonce, soit dans ses essais, soit dans ses romans où ils sont alors masqués sous des aventures qui tiennent du mélodrame.

Mais ce que cherche surtout Stendhal dans ces années où se forme peu à peu sa notion du naturel, ce sont des « âmes d'élite », des compagnons de route qui partagent ses émotions et dont les expériences l'aident à se trouver lui-même. Trop indépendant pour s'assujettir à la tutelle d'un seul maître, il a trop d'esprit critique pour ne pas dénoncer les erreurs et surtout l'affectation des écrivains qui pourraient par ailleurs lui donner une règle de vie. Pendant un moment, il voit cependant en Madame de Staël un autre lui-même ; comme tout écrivain qui n'a pas encore trouvé un mode d'expression personnel, il pense avec une certaine naïveté qu'il partage les inquiétudes morales de son maître.

(5) Stendhal reproche surtout à Madame de Staël de ne pas savoir émouvoir : « Il y a une manière d'émouvoir qui est de montrer les *faits*, les *choses*, sans en dire l'effet, qui peut être employée par une âme sensible non philosophe (connaissance de l'homme). Cette manière manque absolument à Madame de Staël » (*ibid.*, II, 19).

(6) « Tel qu'il est, et sans repos, le livre fait trop sur l'âme (sur mon âme), l'effet d'un cours de philosophie » (Note de Beyle sur *Delphine*, ajoutée au passage du *Journal* précédemment cité, daté du 5 février 1805).

(7) *Ibid.*, II, 17-18 : « La grâce et la douceur enchanteresse de Delphine, cet air d'une faible enfant qu'elle a dans toutes les petites actions de la vie qui en font presque la totalité, ne se fait pas sentir au lecteur par un livre où il n'y a que les masses de sa conduite, et ces masses sont fortes, et, partant nullement gracieuses. Il faut beaucoup de pénétration pour deviner cette grâce ».

C'est en vertu de ce jugement un peu téméraire qu'il loue
Delphine, avec quelques réserves toutefois : « Cependant le
livre de Madame de Staël ira à la postérité (...). Lui écrire
cela, en âme grande et sensible parlant à sa pareille. Les artistes entre eux se doivent de ces aveux » (8). Mais cinq mois
plus tard Stendhal se repent de ces aveux pourtant secrets
puisqu'il ne les a livrés qu'à son journal intime, et sa pudeur
s'offusque de la sincérité qu'il a montrée en se disant sensible
et passionné. Car le naturel consiste précisément à ne pas
faire « étalage du moi » : « Si Madame de Staël n'avait pas
voulu être plus passionnée que la nature et la première éducation ne l'ont faite, elle aurait fait des chefs-d'œuvre. Elle
a voulu sortir de son ton naturel, elle a fait des ouvrages pleins
d'excellentes pensées, fruit d'un *caractère réfléchissant*, et il
y manque tout ce qui tient au caractère tendre » (9).

Autrement dit, ce qui manque essentiellement à Madame de
Staël, selon Stendhal, c'est l'esprit de finesse, cette intuition
qui fait de tout homme qui écrit un écrivain véritable, qui
lui permet de saisir une réalité humaine mouvante et sinueuse
que ne sauraient limiter des cadres géométriques précis. Mais
les esprits géométriques, et Madame de Staël est de ceux-là,
savent mieux formuler que les autres les vérités générales
qui échappent souvent aux esprits subtils ou poétiques.

Au moment où Stendhal, pris entre deux courants divers
et contradictoires, entre le courant rationaliste et idéologique
dont l'origine remonte à Voltaire et le courant sentimental
qu'a fait naître Rousseau, refuse cependant, avec son esprit
critique habituel, de se laisser submerger par l'un ou l'autre
courant, de s'abandonner entièrement à la rêverie mystique
ou de la condamner comme le voudrait le « moi idéologique »,
un professeur un peu pédant, Madame de Staël, aura permis
au jeune autodidacte de faire coexister ces deux « moi ».

Comme les romantiques qui lui succéderont, la femme de
lettres s'est plu à jouer le rôle d'esprit pur, à exalter la passion et la sincérité qui ne peuvent se manifester d'après elle
que chez des êtres à l'image de Delphine, dont le refus des

(8) *Ibid.*, II, 20, passage daté du 5 février 1805.
(9) *Corr.*, II, 14-15, lettre adressée à Pauline, datée de Marseille, le
20 août 1805. Stendhal reproche à Madame de Staël sa perpétuelle tendance à exagérer et aussi sa naïveté, traits qui la rendent ridicule à ses
yeux. Ces deux défauts sont les péchés stendhaliens capitaux qu'il relève
dans tous les ouvrages de Madame de Staël, aussi bien dans *Delphine* que
dans l'*Allemagne* : « Je t'ai envoyé le 3ᵐᵉ volume de Madame de Staël.
J'ai eu la bêtise de prêter les deux premiers. Sitôt qu'ils rentreront, tu
les auras. C'est bon à lire en province. Malgré une enflure exécrable, il
y a des idées, surtout sur les mœurs des dames allemandes. Le 3ᵐᵉ volume est de beaucoup le plus mauvais. Kant qui croit aux idées innées
et Madame de Staël qui réfute Elvezio par des phrases sont du dernier
ridicule » (*Corr.*, IV, 289-290, lettre adressée à Pauline, datée du 23
mai 1814).

compromissions sociales sous-tend le mépris des conventions. Mais Madame de Staël veillait à sa réputation, comme le dénonce par ailleurs Stendhal (10), avec autant de soin que Madame de Lamartine au succès des *Premières Méditations* de son fils.

Stendhal, avec Vigny sans doute, fut le seul à avoir vécu tous les jours le drame de l'homme passionné et solitaire, ce drame que tant d'autres se plurent à écrire dans des livres, en mettant infiniment de complaisance à le revendiquer comme personnel. Car la suprême hypocrisie des hypocrites est de s'attribuer le privilège de la sincérité dont ils dépossèdent ainsi ceux dont elle est l'unique bien. Plus qu'en son propre nom, Madame de Staël parle, sans le savoir, au nom de Stendhal.

*
**

Si les valeurs chères à Rousseau avaient déjà commencé à faire éclater le cadre idéologique qui essayait de maintenir en ordre et sans trop de contradiction les divers impératifs beylistes, il sera peu à peu brisé sous l'influence d'auteurs dont le rôle sera en définitive prépondérant dans l'évolution stendhalienne.

De 1803 à 1806, Stendhal lit avec hâte et fièvre tous les Idéologues dont il entend parler. Fier de ses découvertes, il affiche avec un orgueil naïf quelques prétentions philosophiques. Cependant il se laisse secrètement attirer par des écrivains qui exaltent non point les qualités raisonnables de l'homme, mais ses réserves de noblesse, Vauvenargues, Madame de Staël, et même, nous le verrons plus tard, Corneille ou ces mémorialistes comme le Cardinal de Retz, Mirabeau ou Lauzun

---

(10) Dans ses *Souvenirs d'égotisme*, Stendhal souligne l'hypocrisie qui règne dans les milieux artistiques et littéraires lorsqu'il montre comment un acteur et une femme de lettres, Talma et Madame de Staël, se mirent plus ou moins inconsciemment d'accord pour s'épauler mutuellement et cultiver leur réputation, non sans beaucoup d'habileté et de bassesse : « Talma que la postérité élèvera peut-être si haut, avait l'âme tragique, mais il était si bête qu'il tombait dans les affectations les plus ridicules. Je soupçonne que, outre l'éclipse totale d'esprit, il avait encore cette servilité indispensable pour commencer les succès, et que j'ai retrouvée avec tant de peine jusque chez l'admirable Béranger. Talma fut donc probablement servile, bas, rampant, flatteur, etc., et, peut-être, quelque chose de plus envers Madame de Staël, qui, continuellement et bêtement aussi occupée de sa laideur (si un tel mot que bête peut s'écrire à propos de cette femme admirable) avait besoin, pour être rassurée, de raisons palpables et sans cesse renaissantes. Madame de Staël, qui avait admirablement comme un de ses amants, M. le prince de Talleyrand, *l'art du succès à Paris*, comprit qu'elle aurait tout à gagner à donner son cachet au succès de Talma qui commençait à devenir général et à perdre par sa durée le peu respectable caractère de *mode* » (*Souvenirs d'égotisme*, 99-100).

qui satisferont et épanouiront le goût du romanesque stendhalien.

L'attraction qu'exercent ces écrivains sur Stendhal est à
peine visible en 1804, elle se précise peu à peu de 1805 à 1806,
elle est prédominante et exclusive chez le Stendhal de la *Chartreuse* et chez *Henry Brulard* ; force irrésistible, nous la
voyons sourdre peu à peu dans les déclarations de Beyle, dans
sa *Correspondance* et dans son *Journal* des années 1804 à
1806 ; mais elle mine lentement le terrain positif sur lequel
il se croyait assuré, elle use les stratifications idéologiques
qui paraissaient les plus stables, jusqu'à ce que, victorieuse,
elle éventre ce sol qu'elle a privé de ses composantes primitives
pour le fertiliser d'éléments plus nobles.

Mais Stendhal n'ose qu'à moitié reconnaître en lui cette
source d'émotions généreuses entretenues par ses lectures, et
qui pourtant jaillira un jour et engendrera la *Chartreuse*. Il
est peut-être permis au critique et à l'exégète de Stendhal d'y
croire pour lui ; il est sans doute accordé, à celui qui voit
l'œuvre de l'écrivain dans son ensemble, de croire que les
valeurs stendhaliennes les plus caractéristiques sont déjà en
formation dans le Beyle de 1806, puisque la *Vie de Henry
Brulard* leur donnera une confirmation éclatante. Car si Beyle,
dans cette même année, essaie de mettre en pratique les conseils de Maine de Biran, de Cabanis et de Pinel, cet effort
n'aboutit qu'à des résultats médiocres, et nous avons déjà
étudié cet échec partiel. Mais Stendhal n'était certes pas dépourvu d'esprit de répartie ni incapable de briller en société.
S'il ne parvint pas à transposer dans sa vie son idéal de
« l'homme aimable », c'est que le désir de noblesse et de
grandeur le contraignirent à renoncer à ce but primitif, qu'il
n'avait poursuivi qu'avec une conviction toute superficielle.

La rouerie de ce sentimental pudique est d'une naïveté touchante, (s'il faut appeler rouerie ce qui n'est que pudeur),
les détours que fait l'âme stendhalienne pour ne pas s'avouer
éprise de noblesse, les chemins idéologiques qu'elle emprunte
pour éviter de se trouver directement confrontée avec l'aventure héroïque, (qu'elle souhaite pourtant en secret), ces ruses
enfin, dans le domaine intellectuel et moral, ne sont qu'une
preuve de plus de la discrétion dont se masque la noblesse
stendhalienne. Parce qu'il se refuse à déclarer avec emphase
qu'il aime la « grandeur d'âme », il se prétend féru des Idéologues, et, d'après ses affirmations, il n'aurait d'autre ambition
que de devenir un « sage » et « un homme aimable » ; plus
qu'à ces déclarations, ne devons-nous pas ajouter foi aux demi-
aveux de Beyle, à ces passages du *Journal* (où déjà, en 1806,
il se sent obligé à reconnaître qu'il préfère la gloire à l'ambition), à ces sortes de confessions datées de quatre ans plus
tard, où il avoue enfin qu'il renie les ambitieux, parce qu'ils

sont méchants et malheureux, parce qu'ils ignorent « le moindre sentiment généreux qui fait du bien à l'âme » (11).

Ces aveux de 1810, Henry Brulard les reprend à son compte,
sans faire autant d'embarras que le jeune Beyle, parce qu'il
a enfin pris conscience de sa propre nature ; aussi devons-
nous penser qu'ils expriment les tendances les plus profondes
de l'âme stendhalienne, que la timidité beyliste chercha pendant un temps à masquer sous un revêtement idéologique ;
et en fin de compte, ce manteau de housard dont parle Stendhal, et dont il travestit sa sentimentalité, c'est aux structures
idéologiques qu'il l'a emprunté.

*
**

A mesure qu'il s'affranchit de l'Idéologie, Stendhal cède à
ses véritables penchants ; il se découvre, avec Madame de
Staël, amoureux de la gloire, et de la gloire des lettres. Avec
Corneille, nous le verrons bientôt, le désir stendhalien de la
gloire prend une forme plus haute, et, sans perdre son acception première, trouve une autre forme d'expression. En prenant contact avec son véritable naturel généreux et spontané,
Stendhal est amené à l'exprimer dans ses écrits. Ainsi sa vocation littéraire s'éveille en lui pour s'affirmer avec le temps.
Elle avait mûri lentement, à peine éclairée par le soleil grenoblois, et Beyle, avec un peu plus de confiance en lui-même,
aurait pu reconnaître, dans ces pleurs que la *Nouvelle Héloïse*
lui faisait verser dans son enfance, une cristallisation de ses
pensées secrètes, de ses désirs les plus profonds qui le condui-
raient plus tard, envers et contre tous, à mépriser les faveurs
de la fortune, à refuser les avantages d'une belle situation
administrative et à lui préférer l'existence solitaire, tourmentée
et inquiète d'un écrivain indépendant.

Il eût pu reconnaître aussi, dans son besoin d'éprouver sur
lui l'effet des disciplines idéologiques pour mieux les confronter
avec son goût de la tendresse et de l'émotion, la manifestation
d'une pensée qui se veut libre ; il eût pu voir enfin dans les
multiples malaises qu'il essayait d'analyser scientifiquement
à l'aide de Pinel et de Cabanis, dans ces faiblesses nerveuses
que le « moi idéologique » critiquait assez sévèrement avec
l'attitude d'un médecin aliéniste, les preuves tangibles et physiologiques d'un tempérament ni bilieux, ni sanguin, ni déséquilibré, mais conçu et organisé pour une vie contemplative
personnelle.

Un poncif littéraire que Madame de Staël a repris avec son
emphase habituelle anéantit désormais aux yeux de Stendhal
les multiples impératifs dictés par les Idéologues ; la supré-

(11) Voir *Journal*, IV, 22, passage daté du 9 octobre 1810.

matie accordée à l'amour de la gloire et la hiérarchie dans les
passions qu'elle entraîne, apparaissent chez Stendhal en même temps que la lecture des œuvres de Madame de Staël :
« Bien compter avec mes passions. La première, la plus forte,
l'unique, *this of fame* ; n'en parler à personne, la satisfaire
en silence » (12).

C'est en 1806 que Stendhal lit l'*Influence des passions*, où
Madame de Staël consacre la section I de son premier chapitre
à l'amour de la gloire ; c'est de cette même année que sont
datés de nombreux passages du *Journal* que nous citons, où
Stendhal donne l'exclusivité à ce sentiment.

Le 19 mars 1806, après avoir étudié avec un soin particulièrement consciencieux et un esprit critique aiguisé l'ouvrage
de la femme de lettres, il « cherche à traduire les pensées de
Madame de Staël en français » (13), car il ne saurait en supporter « l'enflure » ; il analyse l'amour de la gloire qu'il définit ainsi, d'après Madame de Staël : « Après la vertu, qui
fait trouver dans sa conscience le motif et le but de chaque
action, le plus beau des principes qui puisse mouvoir notre
âme » (14).

Mais il y a autant de modestie dans l'attitude stendhalienne
qu'il y a de prétention chez la femme de lettres. Nous étudions
ici un fait de la vie intérieure et spirituelle de Beyle et non un
fait qui ressortisse à sa biographie. C'est une certitude toute
intérieure que lui apporte Madame de Staël ; il découvre avec
elle que bien peu de choses comptent à ses yeux, si ce n'est
l'amour des lettres. Entre les deux formes de la gloire qu'elle
lui propose, celle des écrits et celle des actions, Stendhal
n'hésite pas, il opte pour la gloire des écrits (15).

---

(12) *Journal*, II, 242, passage daté du 2 mai 1805.
(13) *Ibid.*, III, 16. Stendhal copie ici presque textuellement Madame
de Staël qui avait écrit : « Après cette sublimité de vertu, qui fait trouver
dans sa propre conscience le motif et le but de sa conduite, le plus beau
des principes qui puisse mouvoir notre âme est l'amour de la gloire »
(*De l'influence des passions sur le bonheur des individus et des nations*,
par Madame de Staël, Holstein, Paris, chez Maradan, libraire, Rue
Guénégaud, nº 9, 1818, Section I, chap. I, intitulé *De l'amour de la
gloire*, 54).
(14) *Journal*, III, 19. Cf. le passage précédent où Stendhal écrit : « *En
lisant Madame de Staël.* — Staël : *Influence des passions*. Je cherche
à traduire les pensées de Madame de Staël en français, pour qu'elles me
soient utiles » (*ibid.*, III, 16). A la suite de cette déclaration, Stendhal
note en les transformant à peine les passages qui l'ont particulièrement
frappé dans l'ouvrage de la femme de lettres.
(15) « La gloire des écrits et celle des actions, différentes. La première peut jouir des avantages de la solitude, la seconde est dispensée
d'attendre. La première est rarement contemporaine (la seconde est rarement posttemporaine. H.). La seconde (la gloire des actions) donne le
plus haut point de bonheur que cette passion puisse procurer (61) »
(*ibid.*, III, 19). Stendhal choisit la gloire des écrits, puisque, comme nous
allons le voir, il préféra l'indépendance et la solitude aux joies que peuvent donner les honneurs ou les succès en société. Dans ce passage en-

La révélation de sa vocation littéraire prend alors chez lui
la réalité d'une valeur morale qui va en engager d'autres et
grouper harmonieusement autour d'elle les valeurs spirituelles
qui se trouvaient à l'état latent chez l'écrivain.

Il serait vain d'invoquer des témoignages, d'avoir recours
à une biographie ; le meilleur garant de toute vie intérieure
est le silence dont s'entoure celui qui en éprouve les déchirements et les joies. Aussi Stendhal, nous l'avons vu, a-t-il écrit
au sujet de sa nouvelle passion : « n'en parler à personne ».
Cet amour de la gloire qui est la nouvelle foi beyliste demeura
longtemps caché. C'est Henry Brulard qui nous la révèle.

*
**

C'est grâce à la lecture de Madame de Staël que cet autodidacte cédera enfin à son véritable tempérament dont il avait
jusqu'alors essayé de maîtriser l'ardeur. Et ce qui peut apporter de l'unité dans la vie de ce bureaucrate, de ce militaire, de
ce milanais d'adoption qui n'arriva jamais à être aussi esthète
et dilettante qu'il l'eût voulu, c'est l'attraction qu'exerce sur
lui la vocation littéraire : « Je suis peut-être l'homme dont
l'existence est la moins abandonnée au hasard parce que je
suis dominé par une passion excessive pour la gloire à laquelle je rapporte tout » (16).

Ainsi les valeurs stendhaliennes prennent-elles forme peu
à peu et, pour la première fois, le cœur de Stendhal se laisse
toucher sans que l'esprit critique blâme cet attendrissement.
Sans doute attendait-il lui-même, plus ou moins inconsciemment, le moment où céderaient en lui les désirs factices, les
goûts fugitifs qui réapparaîtront cependant par intermittence :
le besoin le plus profond de l'âme stendhalienne fut de se
dépasser soi-même et de renoncer à tout ce qui appartient au
domaine de la vie matérielle, à la réussite sociale et littéraire.
Si cet enthousiasme est significatif dès 1805, il ne s'oriente
guère toutefois pour le moment vers des valeurs immédiatement déterminées. Il nous sera loisible d'étudier comment cet

core, il s'inspire de très près de Madame de Staël ; il ne fait qu'exprimer
en un style plus sobre ce qu'elle a écrit avec un manque de simplicité
évident : « Le génie des actions est dispensé d'attendre la tardive justice
que le temps traîne à sa suite ; il fait marcher sa gloire en avant, comme la couronne enflammée qui jadis éclairait la marche des Israélites.
La célébrité que l'on peut acquérir par les écrits est rarement contemporaine, mais alors même qu'on obtient cet heureux avantage, comme il
n'y a rien d'instantané dans ses effets, d'ardent dans son éclat, une
telle carrière ne peut comme la gloire active, donner le sentiment complet de sa force physique et morale, assurer l'exercice de toutes ses facultés, enivrer enfin par la certitude de la puissance de son être » (De
l'Influence des passions, Sect. I, chap. I, De l'Amour de la gloire, 58).

(16) Pensées, II, 116 (pensée isolée, datée du 5 messidor XII, 24 juin
1804).

amour de la gloire se transformera sous l'influence de Corneille et des mémorialistes héroïques. Mais c'est au contact
de Madame de Staël et de Vauvenargues — qu'il lit en 1803
et 1804 — que Stendhal consentira à laisser l'enthousiasme
prendre le pas sur l'esprit critique. Vauvenargues le persuade
de la prééminence des « grandes âmes » ; l'ouvrage de M. del
Litto, *Les sources françaises et étrangères des idées littéraires
de Stendhal* montre que Vauvenargues fait admettre par Beyle
la prééminence du sentiment sur la raison (Première partie,
chapitre III, section 2). Quant à l'amour de la gloire qui caractérise Madame de Staël, il donne à Stendhal ses définitions
du génie. Est appelé génie, pour lui, celui qui dirige ses pensées et ses actions vers la gloire : « Il n'y a point de génie sans
activité et sans passion, ainsi le génie vient de l'âme » (17),
écrit-il sur un Vauvenargues qu'il annote.

Cet enthousiasme auquel le disciple des Idéologues se résout enfin à croire, c'est l'enthousiasme qui fera de l'autodidacte Beyle un écrivain. Cette qualité la plus fragile et la plus
menacée de l'âme, qui porte aux pires égarements comme aux
entreprises les plus sublimes, Stendhal se garde bien de la
déflorer ; elle est subordonnée chez lui à une intention précise.
Les hasards ne risquent point de la briser ; elle n'est point
soumise aux caprices du sort ; Stendhal en fait la plus grande
vertu de l'écrivain. L'enthousiasme sous-tend l'amour de la
gloire pour l'épouser et se confondre avec lui. Il ne risque
point de devenir caprice ou velléité : il ne fait qu'un avec
l'amour des lettres et donne à Stendhal ses plus grandes joies :
« Tel est l'animal nommé écrivain. Pour qui a goûté de la
profonde occupation d'écrire, lire n'est plus qu'un plaisir secondaire. Tant de fois je croyais être à deux heures, je regardais ma pendule : il était six heures et demie. Voilà ma seule
excuse pour avoir noirci tant de papier » (18). Madame de
Staël commença à éveiller chez Stendhal ce plaisir d'écrire ;

---

(17) *Pensées*, I, 15, cahier du 16 frimaire an XI, 7 décembre 1802. A la
suite de Vauvenargues et de Madame de Staël, Stendhal fait de l'exaltation le ressort primordial de toute création et le point de départ des
grandes actions. Il a lu Vauvenargues et l'a annoté (Voir *Mélanges intimes et Marginalia*, I, 223 à 228, Sur un Vauvenargues). Il le cite
et le commente ainsi : II, page 21 : « On ne fait pas beaucoup de
grandes choses par conseil ». L'enthousiasme est l'entrepreneur des mi-
racles. Montaigne » (*Mélanges intimes et Marginalia*, I, 225). Ce rapprochement assez curieux entre Vauvenargues et Montaigne nous dévoile
une fois de plus les tendances stendhaliennes les plus réelles. A travers
tant d'auteurs divers, Madame de Staël, Montaigne, Stendhal se cherche lui-même. Ces auteurs ne lui apprennent rien qui ne soit une confirmation éclatante de la primauté de la passion dans tous les domaines
sur tous les dons de l'intelligence, sur toutes les acquisitions de la sagesse. Sur les rapports de Stendhal et Vauvenargues, cf. le livre de
Saintville, *Stendhal et Vauvenargues*, Paris, Le Divan, 1938.
(18) *Souvenirs d'égotisme*, 123.

et dans ce traité des passions écrit sans âme et sans passion,
Stendhal d'instinct reconnut la fierté, les joies et les angoisses
de l'écrivain indépendant et sincère qu'il était déjà.

Mais cet amour de la gloire que Stendhal, avec Madame de
Staël, distingue de l'ambition, fait appel seulement aux forces
intérieures de l'individu. Lorsque cet individu est « l'animal
appelé écrivain », les seules récompenses qu'il puisse attendre
de son effort passionné, ce sont des récompenses intérieures (19). La société n'aide que le talent qui se consacre à
la vénérer ; c'est à lui qu'elle distribue ses médailles et ses
prix. Stendhal, timide et tourmenté, esprit chimérique et rêveur, a eu cependant assez de foi en lui-même pour préférer
la solitude aux honneurs. C'est le désir d'absolu qui l'a conduit à renier en partie ses premières lectures, à revaloriser
sous l'influence de Rousseau le goût de la rêverie tendre ; ce
désir inquiet sur la direction qu'il doit prendre, mais tenace
cependant, se gonfle peu à peu de toutes les valeurs qui le
nourriront et qui, d'étape en étape, le rendront peu à peu
conscient de lui-même. Ainsi s'explique et se définit ce goût
de l'énergie que l'on s'est plu à relever chez cet écrivain timide. Il n'est qu'un nom que Stendhal donna à son désir d'absolu lorsqu'il se fut orienté vers des valeurs précises : l'enthousiasme ou l'amour de la gloire.

Mais la société ne peut favoriser l'énergie, du moins prise
au stade où nous l'étudions. Chez Stendhal, l'esprit critique
aiguisé par la lecture des Idéologues maintient éveillée en lui
une lucidité constante. Ces qualités de jugement et de ré-

---

(19) Stendhal, à la suite de Madame de Staël s'est plu à démontrer
cette vérité première, qui est de nos jours un lieu commun, que le grand
artiste se sacrifie entièrement à la passion de son art : « L'amour de la
gloire s'enflamme dans son cœur, autant qu'il est donné au corps humain
de pouvoir supporter une passion. Il met bien vite en oubli qu'un jour
il désira la gloire, pour avoir les regards des plus belles femmes, la considération et les richesses, bonheur de la vie. Loin de suivre ces plaisirs grossiers, il les prend en horreur ; ils affaibliraient, avec ses facultés morales, ses moyens de sentir et de créer le sublime ; il sacrifie tout
à cette soif d'une renommée immortelle, sa santé, sa vie. L'existence
réelle n'est plus que le vil échafaudage par lequel il doit élever sa
gloire. Il ne vit que d'avenir » (*Histoire de la peinture en Italie*, II, 47-
48). Madame de Staël avait de même montré la fascination et l'emprise
qu'exerçait l'amour de la gloire sur le créateur : « Si la gloire est un
moment stationnaire, elle recule dans l'esprit des hommes, et aux yeux
mêmes de celui qui s'en voyait l'objet : sa possession émeut l'âme si
fortement, exalte à un tel degré toutes les facultés, qu'un moment de
calme, dans les objets extérieurs, ne sert qu'à diriger sur soi toute l'agitation de sa pensée : le repos est si loin, le vide est si près, que la ces-
sation de l'action est toujours le grand malheur à craindre » (*De l'Influence des passions*, Sect. I, chap. I, *De l'amour de la gloire*, 79).

flexion qu'il a acquises grâce à Tracy et aux philosophes de la
fin du XVIII° siècle, lui permettent de dénoncer les bassesses
d'un esprit de conduite poussé à son point extrême et uniquement orienté vers la réussite immédiate.

Ainsi, par un retour sur soi, l'esprit de calcul que Stendhal
s'est efforcé patiemment de conquérir dénonce les excès de tout
esprit de calcul. Car le désintéressement de l'écrivain lui fait
négliger le succès immédiat et placer en des compartiments
isolés gloire et ambition. Stendhal met donc en pratique les
principes abstraits de Madame de Staël ; se découvrant écrivain, il vivra solitaire. Henry Brulard, en écrivant la vie de
Beyle consent enfin à révéler au lecteur quelle fut la vraie
passion stendhalienne : « La seule chose que je vois clairement c'est que, depuis quarante-six ans, mon idéal est de vivre
à Paris, dans un quatrième étage, écrivant un drame ou un
livre. Les bassesses infinies et l'esprit de conduite nécessaire
pour faire jouer un drame m'ont empêché d'en faire, bien
malgré moi, et il n'y a pas huit jours que j'en avais des remords
abominables » (20).

Une dualité constante s'exprime dans toutes les œuvres de
Stendhal ; ces œuvres sont ces relais, ces étapes où elle se définit peu à peu pour mieux s'avouer et où éclate le conflit toujours renaissant qu'elle contenait en puissance, jusqu'au moment où elle sublime ce conflit après avoir trouvé apaisement
et calme dans la conciliation des contraires : Julien Sorel est
tout d'abord le jeune Beyle, calculateur et systématique qui
met en pratique en les poussant à l'extrême les principes des
Idéologues. Mais Julien Sorel préfère la passion à l'esprit de
calcul ; en tirant sur Madame de Rênal, il accomplit le geste
qui donne au conflit entre ses deux « moi » sa forme la plus
concrète ; il essaie de tuer une femme tendre et sensible dont
l'aspect fragile est le symbole même d'un idéal qu'il méprise.
Mais en voulant assassiner un rêve ancien, il en prendra conscience ; quoi qu'il en ait, sa tendresse passée, ombre frêle et
pourtant imposante, se révèlera à lui dans la demi-solitude

(20) *Vie de Henry Brulard*, 335-6. Il appartenait à Henry Brulard de
faire cette confession. Stendhal en 1806, au moment où il lisait Madame
de Staël, n'eût osé formuler aussi clairement ses désirs les plus chers.
Et bien qu'il sentît s'éveiller en lui sa vocation littéraire sous l'influence de Madame de Staël, il n'osait cependant trop y croire : « Encore
en 1806, j'attendais le moment du génie pour écrire. Pendant tout le
cours de ma vie, je n'ai jamais parlé de la chose pour laquelle j'étais
passionné, la moindre objection m'eût percé le cœur. Aussi je n'ai
jamais parlé littérature. Mon ami alors intime M. Adolphe de Mareste
(né à Grenoble vers 1782) m'écrivit à Milan pour me donner son avis
sur la *Vie de Haydn, Mozart et Métastase*. Il ne se doutait nullement que
j'en fusse *the author*. Si j'eusse parlé vers 1795 de mon projet d'écrire,
quelque homme sensé m'eût dit : « Ecrivez tous les jours pendant deux
heures, génie ou non ». Ce mot m'eût fait employer dix ans de ma vie
dépensés niaisement à attendre le *génie* » (*ibid.*, 215).

d'une église. Cette ombre que Julien avait reléguée à l'arrière-plan de ses souvenirs, il s'aperçoit soudain qu'elle est de chair et vulnérable. Et le coup même qu'il lui porte, au lieu de l'anéantir, la rend réelle et bien vivante à ses yeux. Désormais, cet idéal qu'il a voulu faire disparaître de sa vie, dominera sa vie et lui donnera un sens. Il a donc fallu que Julien veuille tuer l'amour pour le faire renaître. Il a fallu aussi qu'il soit ambitieux, et parfois hypocrite, pour mépriser, au terme de ses expériences sociales, la vanité et l'ambition. C'est que Stendhal, après des tentatives semblables, était parvenu au même renoncement.

Cet écrivain qui se veut dilettante est amoureux des duels; c'est un passionné, qui, au cours de son existence est sans cesse prêt à se battre pour défendre un honneur qu'il croit outragé; c'est un autodidacte qui a formé sa personnalité au contact d'auteurs différents et souvent même opposés; c'est un disciple qui renie ses propres maîtres pour mieux trouver son individualité et son génie personnel; et l'homme même, en Stendhal, est presque constamment un champ de bataille où luttent les divers « moi » engendrés par des disciplines contraires, la discipline idéologique et celle, plus austère, qui mène au dépassement de soi.

Mais ce culte de la passion que Madame de Staël vient amicalement épauler et soutenir, ne peut s'exercer et se développer que dans l'indépendance. Fonctionnaire indépendant, Stendhal fut aussi un écrivain indépendant. Il ne conquit son génie qu'au prix de refus; il ne trouva une forme d'expression personnelle que parce qu'il avait su se révolter contre la littérature officielle de son temps : « Un jour le libraire Bossange me fit offrir cinquante exemplaires d'un de ses ouvrages si je voulais, non seulement faire un bel article d'annonce, mais encore le faire insérer dans je ne sais quel journal où alors (pour quinze jours) j'étais en faveur. Je fus scandalisé et prétendis faire l'article pour un seul exemplaire. Bientôt le dégoût de faire ma cour à des faquins sales me fit cesser de voir ces journalistes et j'ai à me reprocher de ne pas avoir fait l'article » (21).

Mais, pour que cette indépendance soit complète, encore faut-il qu'elle s'exerce à l'égard de la société. Ainsi s'explique-

---

(21) *Souvenirs d'égotisme*, 58. Alors que chez la plupart de nos écrivains modernes la manie de la sincérité est devenue snobisme, elle n'est que trop réelle chez Stendhal, et explique ses échecs dans la carrière littéraire et une tardive renommée : « En Angleterre, l'aristocratie méprise les lettres. A Paris, c'est une chose trop importante. Il est impossible pour des Français habitant Paris de dire la vérité sur les ouvrages d'autres Français habitant Paris. Je me suis fait huit ou dix ennemis mortels pour avoir dit aux rédacteurs du *Globe*, en forme de conseil, et parlant à eux-mêmes, que le *Globe* avait le ton un peu trop puritain et manquait peut-être un peu d'*esprit* » (*ibid.*, 134).

't-on que Stendhal, pour conquérir sa liberté personnelle dans
le domaine littéraire et dans le domaine social, ait accepté,
sans servilité cependant, la protection de Daru. Son métier de
fonctionnaire lui a permis de se consacrer à l'amour des lettres. Ainsi Corneille, pour écrire *le Cid*, avait besoin de mener
cette vie bourgeoise, dont on a souligné la platitude et le
manque de romanesque apparent ; ce n'est point au milieu de
la pompe officielle et pourtant digne de la Cour, pas plus
qu'au milieu des hasards de la guerre, qu'il aurait pu montrer dans toute sa violence la force disciplinée de quelques
êtres d'élite ni exprimer leur désir de dépassement.

Stendhal et Corneille avaient tous deux le culte de la sincérité ; le silence et la retraite loin du monde étaient donc
pour eux nécessité première. Nécessité première était aussi
une certaine dignité dans la vie, qui leur permettait de se
sentir libres des contraintes sociales, de s'affranchir de toute
sujétion à l'égard des puissants.

Ce n'est point par amour de la fausse gloire, ou encore par
vanité, que Stendhal a fini par aimer son métier d'auditeur ;
ce poste, qu'il devait au hasard et non point à l'intrigue, lui
permettait de s'estimer lui-même ; les privilèges honorifiques
qu'il comportait maintenaient en respect les hypocrites et les
envieux. Stendhal avait trop fait l'expérience de la vanité sociale pour ne pas désirer une situation relativement enviable
où il n'aurait point à s'asservir, où il pourrait ignorer ou faire
semblant d'ignorer les flatteurs, les méchants et les vaniteux
de ce monde : « Que je serais malheureux d'avoir à vivre avec
des Jacq(ueminot) et surtout d'avoir à en dépendre ! Voilà qui
me fait sentir vivement le bonheur d'être auditeur. Avantage
de la hauteur, en avoir avcc tout le monde, pour tenir éloi-
gnés de moi tous ces êtres malheureux et par là méchants » (22).

Jean-Jacques Rousseau et Madame de Staël, peut-être plus
que les Idéologues ont dévoilé à Stendhal un des traits de son

(22) *Journal*, IV, 24-25, passage daté du 9 octobre 1810. Dans ce passage
intitulé *Ambition*, Stendhal fait le portrait de tous les ambitieux et de
tous les hypocrites qui l'entourent. Parmi eux, Jacqueminot, commissaire des guerres à Paris en 1810, est certes aux yeux de Stendhal le
type de l'ambitieux parfait : « *Ambition* ! Quelle triste passion ! Je viens
de voir Jacquem(inot) dans son triste bureau, tout seul, avec sa figure
morte qui ne prend d'activité que pour nous lire une lettre insignifiante
de lui au ministre Dejean, lettre écrite pour contredire en quelque sorte
M. D(aru), son bienfaiteur. Quelle triste existence ! Il est toujours malheureux, pas le moindre sentiment généreux qui fait du bien à l'âme.
Si William Pitt et tous les ambitieux froids étaient comme cela, on ne
doit pas porter envie à ces tristes personnages (...). Que d'illusions dans
ces rêves creux d'ambition ! Jacq(uemino)t qui veut devenir préfet, de
de commissaire des guerres ! » (*ibid.*, 21, 22-23).

caractère; il reconnaît volontiers avec eux qu'il est plus passionné qu'ambitieux ou vaniteux, bien davantage porté à la
contemplation qu'à la mondanité : « Mais je vois de plus en
plus que la vanité est faible chez moi. Je ne m'en sauve que
par l'orgueil, comme dit Vauvenargues, que peut-être je n'es-
timais pas assez il y a un an » (23).

Déjà, dès 1805, la hiérarchie des valeurs stendhaliennes est
modifiée; la passion de la société jusqu'alors prédominante
cède le pas à la passion de la gloire : « Cette passion de la
société me revenait sans cesse; actuellement qu'elle est à peu
près satisfaite, je crois que je suivrai davantage *that of the
fame, that I believe being in me* » (24).

Car l'indépendance s'acquiert. C'est parce qu'il commence à
croire à son génie que Stendhal se détermine à vivre à demi-
solitaire, indépendant des circonstances et des hommes. Les
nouvelles maximes stendhaliennes ne sont plus la mise en
pratique des préceptes idéologiques; elles ne représentent plus
les règles de vie d'un jeune mondain ; ces nouvelles profes-
sions de foi beyliste sont celles d'un écrivain qui se reconnaît
comme tel : « Se rendre indépendant des circonstances. Se
rendre indépendant des affections des autres » (25), telles sont
les nouvelles formules chères à Stendhal, qui, cette fois, seront définitives.

Si l'un des éléments du beylisme est le désintéressement
devant le monde, nous pouvons donc dire que Madame de
Staël contribua à sa formation. Si elle n'avait point le don de
pénétration qui fait le romancier, elle a su cependant dégager
avec une certaine vigueur, malgré une naïveté apparente,
l'aspect qu'allait prendre la littérature du XIXᵉ siècle. Si elle
n'a eu ni le génie des lettres ni celui de la philosophie, elle a
fait preuve toutefois d'une intuition assez sûre. Elle a montré
à l'avance les conditions de vie où allaient se complaire les
écrivains du XIXᵉ siècle, leur goût de la solitude et de l'indi-

(23) *Journal*, I, 155, passage daté du 21 mars 1805.
(24) *Ibid.*, II, 300, passage daté du 24 décembre 1805. Madame de Staël,
que Stendhal lit en cette même année, a inspiré sans doute cette réflexion. Stendhal a dû se reconnaître avec plaisir dans le portrait de
« l'amant de la gloire » esquissé par Madame de Staël : « Le sincère et
digne amant de la gloire propose un beau traité au genre humain ; il
lui dit : « Je consacrerai mes talents à vous servir ; ma passion dominante m'excitera sans cesse à faire jouir un plus grand nombre d'hommes des résultats heureux de mes efforts : le pays, le peuple qui m'est
inconnu aura des droits aux fruits de mes veilles ; tout ce qui pense est
en relation avec moi » (*De l'Influence des passions*, Sect. I, chap. I, *De
l'amour de la gloire*, 54-55). Dans ces années 1804, 1805 et 1806, Stendhal
désire encore plaire en société. Mais il se rend compte aussi que la solitude est nécessaire à l'écrivain : « Pour être bien dans le monde, il ne
faut pas vivre pour soi ; pour faire des ouvrages sublimes, il ne faut
vivre que pour son génie, le former, le cultiver, le corriger » (*Journal*, I,
142, passage daté du 10 juin 1804).
(25) *Journal*, III, 18, passage daté du 19 mars 1806.

14

vidualisme; si ce goût fut parfois artificiel chez les romantiques, il fut réellement sincère chez Stendhal. Et ce qu'écrit
Madame de Staël est bien plus valable pour Stendhal que pour
un Lamartine ou un Hugo.

S'il est vrai que « la connaissance des hommes doit amener
ou à s'affranchir de leur joug, ou à les dominer par la puissance » (26), le psychologue Beyle opta pour le premier parti.
Il choisit l'indépendance pour mieux observer les hommes, et
de là, pour mieux les peindre.

---

(26) *De l'Influence des passions*, Sect. II, chap. II, *De l'Ambition*, 91.

C.—SUBLIMATION DU NATUREL SPONTANÉ: LE NATUREL HÉROIQUE

CHAPITRE VIII

LA QUETE DU SUBLIME

1. — LES ORIGINES DU NATUREL HEROIQUE

Les héros de roman reprennent à leur compte personnel les conflits intérieurs, les joies et les déchirements qu'a vécus le romancier ; l'évolution du personnage romanesque est plus vivante et plus vraie, plus concrète et moins sèche que l'évo-lution de l'écrivain ; les aventures de Julien sont la traduc-tion dramatique des aventures intérieures de l'âme stendha-lienne. L'évolution morale de Beyle, que nous étudions ici, apparaîtra sous son vrai jour dans les romans de Stendhal :

Julien et Fabrice, Lamiel et Lucien Leuwen ont cette netteté
de silhouette qui font défaut au Beyle de la *Correspondance*
et du *Journal*.

Car le Beyle épris d'héroïsme et de grandeur est souvent
arrêté dans ses élans par l'écrivain Stendhal, analyste du cœur
humain. L'écrivain, malgré lui, s'interpose entre l'homme et
l'œuvre ; dans son désir d'écrire, il sacrifie quelque peu le
désir beyliste d'aventure : dans sa passion de s'étudier lui-
même, il arrête les élans de l'homme Beyle, il restreint son
destin. Et dans son *Journal*, Beyle en 1813 demande à l'écrivain Stendhal de ne point briser sa spontanéité et de laisser
libre cours au naturel : « Ton affaire est-elle de vivre, ou de
décrire ta vie ? Tu dois faire de journal autant que cela peut
t'aider à vivre *da grande* » (1).

Fabrice et Lamiel, ou encore cette audacieuse Mina Wanghen
dont les aventures préfigurent celles de son aînée Lamiel, ont
endossé tous les rêves d'actions périlleuses et romanesques
que Beyle a transmis à Stendhal, pour que l'écrivain décrive
ce que l'homme ne pouvait pas toujours vivre concrètement.

Henry Brulard nous dévoile le goût beyliste du romanesque,
cet amour de la noblesse qui jette les héros stendhaliens dans
un si grand nombre de duels et qui pousse le jeune Beyle à se
battre avec un de ses camarades de l'Ecole Centrale. Elles sont
certes bien menues et à première vue insignifiantes, les causes
qui amènent les deux étudiants à régler leurs différends dans
les fossés de Grenoble. Mais le sentiment de l'honneur et de
dignité blessée, Stendhal l'a admiré dans Corneille et ne peut
supporter de se montrer infidèle et inférieur à son héros favori,
le Cid : « Un jour, qu'il y avait deux modèles le grand Odru,
du latin, m'empêchant de voir, je lui donnai un soufflet en O.
Un instant après, moi réassis à ma place en H, il tira ma
chaise par derrière et me fit tomber sur le derrière (sic) (...).
A l'instant il fut décidé que nous devions nous battre au pistolet. Nous descendîmes dans la cour, M. Jay voulant s'inter-
poser nous prîmes la fuite. M. Jay retourna à l'autre salle.
Nous sortîmes mais tout le collège nous suivit. Nous avions
peut-être deux cents suivants » (2). Querelle sans importance,
dira-t-on, fréquente chez les adolescents qui cèdent si souvent
à l'exaltation, épisode puéril sans doute, et qui ne fut même
pas sanglant : les deux rivaux s'affrontent hors de la ville,
mais les pistolets que leur ont remis les témoins n'étant point
chargés, tout finit par une réconciliation (3).

---

(1) *Journal*, V, 211, passage daté du 23 septembre 1813.
(2) *Vie de Henry Brulard*, 342. (Ce récit est accompagné de dessins
qui illustrent le texte et expliquent les emplacements désignés par O et H).
(3) « Nous descendîmes dans les fossés de la ville, tracés par Louis
Royer à dix pieds de profondeur, ou nous nous arrêtâmes sur le bord de
ce fossé. Là on chargea les pistolets, on mesura un nombre de pas

Les réflexions de Henry Brulard donnent son sens à ce qui ne serait qu'un minuscule fait divers. Beyle, en ne se battant point, a failli à l'honneur cornélien ; il a rompu l'amitié qui le rendait frère de ces héros antiques et modernes dont les exploits le séduisaient encore à la cinquantaine : « Mais dès le lendemain je me trouvai un remords horrible d'avoir laissé arranger cette affaire. Cela blessait toutes mes rêveries espagnoles, comment oser admirer le *Cid* après ne s'être pas battu ? Comment penser aux héros de l'*Arioste* ? Comment admirer et critiquer les grands personnages de l'histoire romaine dont je relisais souvent les hauts faits dans le doucereux Rollin ? En écrivant ceci j'éprouve la sensation de passer la main sur la cicatrice d'une blessure guérie. Je n'ai pas pensé deux fois à ce duel depuis mon autre duel arrangé avec M. Raindre (chef d'escadron ou colonel d'artillerie légère), à Vienne en 1809, pour Babet. Je vois qu'il a été le grand remords de tout le commencement de ma jeunesse et la vraie raison de mon outrecuidance (presque insolence) dans le duel de Milan où Cardon fut témoin (4).

Cette susceptibilité ombrageuse, qui est un des traits principaux du caractère de Beyle, sous l'influence de Corneille, prendra la forme chevaleresque du sentiment de l'honneur.

Car Stendhal avait bien des raisons d'aimer l'auteur du *Cid* ; de multiples causes amenèrent le jeune Beyle à subir l'influence du vieux Corneille : son tempérament, sa descendance, le milieu où il vécut, sont les facteurs décisifs qui déterminèrent chez Beyle l'admiration de la noblesse cornélienne.

Ce dauphinois têtu avait, s'il faut l'en croire, une goutte de sang italien dans les veines. Son entêtement, il le tient sans doute de son père : « On rencontre les premières traces de sa famille paternelle dans le Vercors, haut massif montagneux à l'est duquel le torrent du Drac se jette dans l'Isère. C'est un des bastions du Dauphiné, une région âpre, longtemps isolée, dont l'habitant est rude, concentré, d'esprit pratique, de caractère fortement trempé » (5). Mais Henri Beyle voulut ignorer qu'il tenait de cette race de montagnards la violence naturelle et secrète qui le portait à admirer les ef-

effroyable, peut-être vingt, et je me dis : voici le moment d'avoir du courage (...) Je ne sais comment on ne fit pas feu. Probablement les témoins n'avaient point chargé les pistolets. Il me semble que je n'eus pas à viser. La paix fut déclarée, mais sans toucher de mains ni encore moins embrassade. Odru fort en colère m'aurait rossé » (*ibid.*, 344-345).

(4) *Ibid.*, 345.
(5) Henri Martineau, *Le cœur de Stendhal*, I, 29.

forts passionnés des héros cornéliens ou leur acharnement à lutter contre un destin souvent ironique et cruel.

Il préféra se donner pour descendant d'une autre race, celle de sa famille maternelle, les Gagnon, dont le représentant le plus marqué lui semblait être sa tante, « grande femme maigre, sèche, avec une belle figure italienne, caractère parfaitement noble, mais noble avec les raffinements et les scrupules de conscience espagnols » (6).

C'est elle qui forma son cœur et son caractère : « Ma tante Elisabeth avait l'âme espagnole. Son caractère était la quintessence de l'honneur. Elle me communiqua pleinement cette façon de sentir et de là une suite ridicule de sottises par délicatesse et par grandeur d'âme » (7). Lorsque Henry Brulard cherche à retrouver l'enfant qu'il a été, le seul trait permanent qu'il distingue en lui est l'amour de l'honneur : « Tout l'honneur, tous les sentiments élevés et fous de la famille nous venaient de ma tante Elisabeth, ces sentiments régnaient en despotes dans la maison, et toutefois elle en parlait fort rarement, peut-être une fois en deux ans, en général ils étaient amenés par un éloge de son père » (8).

Qui eût mieux aimé le *Cid*, que cette femme altière et individualiste ? Elle le fit goûter à son neveu : « Ma tante Elisabeth disait encore communément quand elle admirait excessivement quelque chose : « Cela est beau comme le Cid » (9). Henry Brulard sent résonner en lui l'écho de cette petite phrase, se rappelle cette expression qui s'applique pour lui à tout être favorisé des dieux, issu de cette race supérieure dont les attributs sont le naturel et la générosité, emblèmes des êtres d'élite.

Beyle enfant se forge une personnalité à l'image de Rodrigue : « J'étais rempli des héros de l'histoire romaine, je me voyais un jour un Camille ou un Cincinnatus, ou tous les deux à la fois » (10).

Le Stendhal de la dernière heure crée un Fabrice « beau comme le Cid » et comme lui sincère, généreux et passionné.

Cette passion de sa tante pour le héros espagnol, et en général pour tout ce qui est grand, Stendhal l'appela espagnolisme, tout en la maudissant parfois : « Cet espagnolisme, communiqué par ma tante Elisabeth, me fait passer, même à mon âge, pour un enfant privé d'expérience, pour un fou *de plus en plus incapable d'aucune affaire sérieuse* » (11). Mais cette fierté qu'il sentait en lui, l'esprit critique de Beyle se

(6) *Vie de Henry Brulard*, 84.
(7) *Vie de Henry Brulard*, 145.
(8) *Ibid.*, 90.
(9) *Ibid.*, 145.
(10) *Ibid.*, 181.
(11) *Ibid.*, 233-234.

devait d'en rechercher les causes et les origines ancestrales.
Assez paradoxalement, c'est d'un lointain aïeul italien
qu'Henry Brulard prétend tirer son orgueil espagnol : « A
cette occasion, ma tante Elisabeth me raconta que mon grand-
père était à Avignon, ville de Provence, pays *où venaient les
oranges* (...). Avec ce que je sais de l'Italie aujourd'hui, je tra-
duirais ainsi : qu'un M. Guadagni ou Guadaniamo, ayant
commis quelque petit assassinat en Italie, était venu à Avignon, vers 1650, à la suite de quelque légat (...). Ce qui me
confirmerait dans cette idée d'origine italienne, c'est que la
langue de ce pays était en grand honneur dans la famille,
chose bien singulière dans une famille bourgeoise de 1780.
Mon grand-père savait et honorait l'italien, ma pauvre mère
lisait le Dante, chose fort difficile, même de nos jours » (12).

Faut-il reconnaître, dans l'enfant morose de Grenoble, les
marques de cet atavisme, qui poussera plus tard « Arrigo
Beyle, milanese », à faire de l'Italie son unique patrie ? Selon
M. Ballaguy, « sa mère, vive et charmante, lui avait apporté
le sang italo-provençal des Gagnon ou Gagnoni, famille venue
très probablement d'Italie, mais fixée en Comtat-Venaissin
dès le quinzième siècle » (13).

Les dernières études stendhaliennes viennent démentir cette
hypothèse, puisque, selon M. Martineau, les Gagnon étaient
déjà, au début du XVIᵉ siècle, de petits propriétaires agriculteurs près de Carpentras. L'hypothèse d'une descendance italienne ne semble être qu'un rêve (14).

Il y a donc chez Beyle une certaine affectation à se chercher
des aïeux énergiques et passionnés. Dans cet effort pour se
vouloir rattacher, de près ou de loin, directement ou indirectement, à tout ce qui est généreux, ne faut-il pas voir une
simple résistance secrète contre le milieu familial ?

⁂

Le mouvement même qui porta Stendhal à aimer Corneille
n'est que le prolongement de ce même mouvement qui le
conduisit à repousser l'influence du milieu familial, de son
père et de l'abbé Raillane : la passion du jeune Beyle pour

(12) *Ibid.,* 93-94.
(13) Ballaguy, *Stendhal et son pays,* Revue universelle 1924, Tome 16,
pp. 316-322. Cf. Alceste Bisi, *l'Italie et le romantisme français,* Segati e
C. Milan-Albrighi, 1914, p. 272 : « Les aïeux maternels de Stendhal étaient
d'origine italienne ».
(14) « Cette hypothèse d'un Gagnon originaire d'Italie et s'étant anciennement implanté dans le Comtat demeure possible, bien qu'elle n'ait
pas été vérifiée. Mais de patientes recherches ont découvert qu'au début
du XVIᵉ siècle des Gagnon (le nom s'est répandu dans la région) étaient
fixés à Monteux, localité voisine de Carpentras. C'étaient de petits propriétaires agriculteurs » (Henri Martineau, *Le cœur de Stendhal,* I, 33).

Corneille constitue sa première manifestation d'indépendance. Son premier acte d'individualisme est de se défendre contre tout ce qu'on veut lui apprendre, la mesure, la sagesse, la pondération, la réserve, la douceur; aussi se jette-il avec d'autant plus de joie et de violence vers tout ce qui dépasse la mesure commune, vers l'extraordinaire et la démesure, les aventures du Cid, de Don Quichotte ou du Roland Furieux.

Cette passion et ce refus, il les fera siennes pour toujours. Son père et son précepteur l'abbé Raillane sont les symboles de l'autorité. Ce parti pris déforme décidément sa vision du monde. Le calcul, la prudence et la réflexion lui semblent à jamais haïssables puisqu'ils sont justement les attributs de la puissance paternelle et professorale. Un père déraisonnable et impulsif eût peut-être amené Beyle à détester dans son enfance l'héroïsme et l'aventure. Mais tel n'était pas Chérubin Beyle qui gouvernait ses terres avec beaucoup trop de prudence selon son fils. Non seulement les personnages cornéliens, mais encore tous les héros dont la grandeur est sauvage, parfois barbare, ceux de Shakespeare, Othello ou Macbeth, celui de l'Arioste, exercent d'autant plus d'attraction sur Beyle qu'il trouve en eux tout ce qui fait défaut à ses proches parents; et parce qu'ils sont foncièrement différents de son père, de sa tante Séraphie, parce qu'ils ressemblent à sa tante Elisabeth, la meilleure façon de s'opposer à ce qu'il appelle hypocrisie chez son père ou chez l'abbé Raillane, c'est, pour Beyle, de reporter son amour sur le Cid ou sur Roland et de vivre à travers eux. La meilleure façon de se révolter contre sa famille est d'admirer les auteurs qu'elle hait, et de détester ceux qu'elle aime : « Je me méfiais de ma famille sur tous les objets, mais en fait de beaux-arts ses louanges suffisaient pour me donner un dégoût mortel pour les plus belles choses. Mon cœur bien plus avancé que mon esprit sentait vivement qu'elle les louait comme les *Kings* louent aujourd'hui la religion, c'est-à-dire *avec une seconde foi*. Je sentais bien confusément mais bien vivement et avec un feu que je n'ai plus que tout but moral, c'est-à-dire d'intérêt dans l'artiste, tue tout ouvrage d'art » (15).

Spontané et sincère, il ne peut aimer la vraie noblesse qu'en secret : son père le juge sournois peut-être, mais comment l'enfant pourrait-il exprimer son désir de révolte contre Chérubin Beyle, si ce n'est par la dissimulation à son égard ? Il résiste en admirant secrètement Corneille et les auteurs cornéliens. Il combat le conformisme en dénonçant l'affectation et la fausseté de ces auteurs prétendus nobles qui font les délices de la famille : « J'ai lu continuellement Shakespeare

(15) *Vie de Henry Brulard*, 291.

de 1796 à 1799. Racine sans cesse loué par mes parents, me faisait l'effet d'un plat hypocrite » (16).

La vraie noblesse, le jeune Beyle ne la trouve point chez Racine, mais chez Corneille. C'est une fausse noblesse qu'il dénonce dans Racine, et dans un acte de rébellion contre l'esprit paternel, il traite Racine d'hypocrite, ce qui n'est qu'un moyen assez puéril de combattre l'hypocrisie de ses parents : « J'abhorrais *coursier* au lieu de cheval. J'appelais cela de l'hypocrisie. Comment, vivant solitaire dans le sein d'une famille parlant fort bien, aurais-je pu sentir le langage plus ou moins noble ? Où aurais-je pris le langage non élégant ? » (17). Voulant en toutes choses prendre le contre-pied des idées chères à son père et à sa tante Séraphie, il reporte son admiration sur les auteurs qui exaltent le naturel héroïque, sur les œuvres qui peuvent ressembler au *Cid* ou à *Othello* (18).

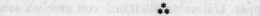

Les admirations de Beyle, son attitude devant la vie, ont été dictées dès son jeune âge par son souci de la liberté. Il s'est évadé très tôt, intellectuellement et moralement, de la contrainte familiale. Séraphie et Chérubin Beyle, ces « bourgeois bouffis d'orgueil » (19), ont des prétentions aristocratiques ; ils adoptent en tout, dans leurs jugements littéraires comme dans leurs idées politiques, une attitude conformiste : ces petits propriétaires enrichis, dont les mobiles sont faits de vanité, vénèrent une royauté morte et une religion autoritaire qui leur semblent les seuls garants des quelques privilèges matériels qu'ils ont péniblement acquis. C'est pourquoi l'individualisme naissant du jeune Beyle le conduit à mépriser les prêtres, le parti Jésuite et les auteurs prétendus moraux par les Beyle.

Mais les seuls êtres indépendants qu'il connaît, sa tante

(16) *Ibid.,* 291.

(17) *Ibid.,* 291.

(18) Nous retrouvons dans *Racine et Shakespeare*, la même admiration pour Shakespeare et le même mépris envers Racine qui furent ceux de Beyle enfant : « Par exemple, je défie tous les classiques du monde de tirer de tout Racine un ballet comme le sublime ballet d'*Otello* » (*Racine et Shakespeare*, éd. Martineau, le Divan, Paris, 1928, p. 179). Cf. la réflexion suivante : « Le jour où nous aurons une tragédie vraiment nationale, nous renverserons Shakespeare et son élève Schiller. Mais, jusqu'à ce grand jour, je dis que Shakespeare nous donnera plus de plaisir que Racine ; je dis de plus que, pour parvenir à avoir une véritable *tragédie nationale italienne*, il faut marcher sur les traces de Shakespeare et non sur celles de Racine » (*ibid.,* 195).

(19) *La vie de Henry Brulard*, 113.

Elisabeth et le docteur Gagnon, comprennent la rébellion de l'enfant, et le plus souvent l'encouragent (20).

A eux trois, ils forment un triumvirat qui s'oppose à la « tyrannie » de l'abbé Raillane, au conformisme étroit de Chérubin Beyle, à la bigoterie de la tante Séraphie. C'est avec Elisabeth et Henri Gagnon que Beyle fait l'apprentissage de la liberté.

L'enfant qui recherche l'indépendance la trouve chez sa tante Elisabeth, cette vieille fille à l'humeur altière qui sut conserver son caractère entier dans le milieu bourgeois d'une petite ville de province, chez son grand-père, le docteur Gagnon, homme aimable et homme du monde dont l'épicurisme raffiné a su se ménager une existence individualiste.

Mais il conquiert aussi sa liberté dans les lectures faites en cachette avec la complicité de son grand-père. Ce goût du romanesque et de la grandeur qu'il tient de sa tante, c'est le docteur Gagnon, pourtant épris de Voltaire et de Fontenelle, qui va le développer. L'aimable dilettante voit avec un sourire amusé la passion de son petit-fils pour les aventures de Don Quichotte. Ce complice amoureux de *l'Encyclopédie* consacre ses vieux jours à affranchir le jeune prisonnier de la tutelle familiale ; les livres qu'il lui porte en cachette sont pour le jeune Henri la clef d'un royaume où il peut enfin s'aventurer seul, où il assouvit, loin des regards de tous, ses exigences d'enfant romanesque et sentimental : « Mon grand-père fut charmé de mon enthousiasme pour *Don Quichotte* que je lui racontais, car je lui disais tout à peu près, cet excellent homme de soixante-cinq ans était dans le fait mon seul camarade. Il me prêta, mais à l'insu de sa fille Séraphie, le *Roland furieux*, traduit, ou plutôt, je crois, imité de l'Arioste par M. de Tressan (...). L'Arioste forma mon caractère, je devins amoureux fou de Bradamante que je me figurais une grosse fille de vingt-quatre ans avec des appas de la plus éclatante blancheur » (21).

Ainsi, dans leur prison, Julien et Fabrice oublient la tyrannie de leurs geôliers pour vivre un amour romanesque et

(20) Le docteur Gagnon faisait partager à Henri Beyle son amour des lettres, tandis qu'Elisabeth Gagnon l'emmenait à des soupers en ville: « Ma seule tante Elisabeth, indépendante et même riche (de la richesse de Grenoble en 1789), avait conservé des maisons où elle allait faire sa partie le soir (l'avant-souper, de 7 heures à 9). Elle sortait ainsi deux ou trois fois la semaine et quelquefois, quoique remplie de respect pour les droits paternels, par pitié pour moi, quand mon père était à Claix, elle prétendait avoir besoin de moi et m'emmenait, comme son chevalier, chez Mlle Simon, dans la maison neuve des Jacobins, laquelle mettait un pied de rouge. Ma bonne tante me fit même assister à un grand souper donné par Mlle Simon. Je me souviens encore de l'éclat des lumières et de la magnificence du service, il y eut au milieu de la table un surtout avec des statues d'argent. Le lendemain ma tante Séraphie me dénonça à mon père et il y eut une scène » (*ibid.*, 112-113).

héroïque ; ils ont la même attitude et la même hauteur de
caractère que le jeune Beyle qui se réfugiait sous les charmilles pour lire *Don Quichotte* et qui se passionnait en secret
pour l'Arioste (22).

La morale de l'honneur qui est celle de l'enfant grenoblois,
nie tout ce qui lui est contraire pour mieux se préserver elle-
même ; elle s'appuie sur la révolte et le refus, pour mieux
se garder du conformisme et donner la suprématie à l'exaltation.

Beyle refuse à quatorze ans de partager l'admiration générale envers Voltaire, et s'il faut en croire *la Vie de Henry
Brulard,* il se montre déjà sévère envers son *Commentaire sur
Corneille* : « Tout était plein alors du nom de Voltaire et des
ouvrages qu'il envoyait sans cesse de Ferney. (Etait-il déjà à
Ferney ?) Tout cela manquait son effet sur moi qui abhorrais
la *puérilité* de Voltaire dans l'histoire et sa *basse envie* contre
Corneille ; il me semble que dès cette époque j'avais remarqué
le ton prêtre du *Commentaire* de Voltaire dans la belle édition
de Corneille avec estampes, qui occupait un des hauts rayons
de la bibliothèque fermée de glaces de mon père à Claix, bibliothèque dont je volais la clef et où j'avais découvert, ce me
semble, la *Nouvelle Héloïse* quelques années auparavant et,
certainement depuis, *Grandisson* que je lisais en fondant en
larmes de tendresse dans un galetas du second étage de la
maison de Claix où je me croyais en sûreté » (23).

Chez Beyle, ce mépris envers la vision voltairienne de Corneille n'est qu'une opposition à l'épicurisme bourgeois du
XVIIIᵉ siècle. Car Voltaire se contente de partager l'avis de
Boileau et de faire de Corneille un professeur de morale fort
respectable. Ce n'est point par « basse envie », comme l'a cru
Stendhal, que Voltaire dénigre Corneille. Le déiste Voltaire
ne saurait trouver chez Corneille qu'une morale étroite ; les

---

(21) *Ibid.,* 110.
(22) « J'étais donc fort sournois, fort méchant, lorsque dans la belle
bibliothèque de Claix je fis la découverte d'un *Don Quichotte* français (...).
Don Quichotte me fit mourir de rire. Qu'on daigne réfléchir que depuis
la mort de ma pauvre mère je n'avais pas ri, j'étais victime de l'éducation aristocratique la plus suivie. Mes tyrans ne s'étaient pas démentis
un moment. On refusait toute invitation. Je surprenais souvent des dis-
cussions dans lesquelles mon grand-père était d'avis qu'on me permît
d'accepter (...). Qu'on juge de l'effet de *Don Quichotte* au milieu d'une
si horrible tristesse ! La découverte de ce livre, lu sous le second tilleul
de l'allée du côté du parterre dont le terrain s'enfonçait d'un pied, et là
je m'asseyais, est peut-être la plus grande époque de ma vie. Qui le croi-
rait ? mon père, me voyant pouffer de rire, venait me gronder, me me-
naçait de me retirer le livre, ce qu'il fit plusieurs fois, et m'emmenait
dans ses champs pour m'expliquer ses projets de *réparations* (bonifica-
tions, amendements). Troublé même dans la lecture de *Don Quichotte,* je
me cachais dans les charmilles, petite salle de verdure à l'extrémité orien-
tale du *clos* (petit parc), enceinte de mur » (*ibid.,* 108-109).

principes cornéliens de l'honneur deviennent pour lui un code
de civilité à l'usage des honnêtes gens dont il fait partie ; et
par ailleurs, en tant que grammairien, il ne saurait que blâmer
les rudesses d'une langue trop franche et trop forte pour se
plier aux convenances.

*
**

Mais la révolte, chez un enfant, ne saurait s'accompagner
que d'un certain ridicule, à une époque où la personnalité
n'est pas complètement affirmée et où le jugement commence
seulement à se former. Henry Brulard n'est pas dupe de la
naïveté du jeune Henri Beyle, et à cinquante ans, Stendhal
voit avec amusement combien son goût du romanesque cornélien était entaché de puérilité.

Si le petit-fils du docteur Gagnon cherche avec son entêtement dauphinois à retrouver partout cette émotion généreuse
et cet amour de l'héroïsme qu'il a éprouvés en voyant jouer
le Cid, il se laisse souvent entraîner par un enthousiasme in-
justifié ou par une horreur sans mesure pour tout ce qui est
« bas et plat dans le genre bourgeois » (24).

Ce goût de la générosité cornélienne, qu'il cherche dans
Shakespeare, dans Cervantes et l'Arioste, l'aveugle pour tout
ce qui n'est pas exaltation et grandeur, lui fait mépriser Molière
et apprécier le larmoyant Destouches : « Je trouvai les comédies de Destouches et l'une des plus ridicules m'attendrit jusqu'aux larmes. Il y avait une histoire d'amour mêlé de générosité, c'était là mon faible » (25).

Il veut à tout prix oublier qu'il est un fils de bourgeois
jaloux de leurs prérogatives. Son individualisme lui commande
déjà de faire fi des préjugés, de n'obéir qu'à des principes
personnels. Tout ce que les conventions lui interdisent, il le
recherche avec obstination ; il voudrait obtenir la camaraderie
des « enfants du commun », selon l'expression de la tante
Séraphie, et même l'amitié des domestiques.

Si le jeune Beyle avait pu aller jouer avec les gamins de
son âge, il aurait pu exprimer son ardeur passionnée dans
des jeux combatifs et guerriers et son enthousiasme juvénile
se serait peut-être calmé et apaisé dès la treizième année (26).

(23) *Ibid.,* 339.
(24) *Ibid.,* 111.
(25) *Ibid.,* 109-110.
(26) « Autrefois quand j'entendais parler des joies naïves de l'enfance,
des étourderies de cet âge, du bonheur de la première jeunesse, le seul
véritable de la vie, mon cœur se serrait. Je n'ai rien connu de tout cela ;
et bien plus cet âge a été pour moi une époque continue de malheur, et
de haine, et de désirs de vengeance toujours impuissants. Tout mon malheur peut se résumer en deux mots : jamais on ne m'a permis de parler
à un enfant de mon âge. Et mes parents, s'ennuyant beaucoup par suite
de leur séparation de toute société, m'honoraient d'une attention continue.

Mais son exaltation doit se satisfaire en secret des lectures de l'Arioste et de Cervantes, et, parce qu'elle doit lutter et résister sans cesse à tout ce qui lui fait opposition, elle n'en prend que plus de vigueur.

Si l'enfant ne s'était pas replié sur lui-même, il n'aurait pas nourri avec autant de conviction son goût de l'héroïsme ; il n'aurait pas paru têtu et sournois à son père, « atroce » à sa tante Séraphie ; mais alors ce penchant naturel au romanesque et à la rêverie ne serait peut-être pas devenu la caractéristique dominante du tempérament beyliste.

Car le besoin d'évasion qui motive les actions et les lectures de l'enfant forme ainsi le caractère de l'homme. Il aimait déjà à Grenoble ces aventures audacieuses qu'il s'est plu à retrouver dans les *Mémoires* de Retz et de Mirabeau, dans les vieilles chroniques italiennes (qui sont la source de la *Chartreuse*), ou encore dans ces petits faits divers dont il transposa le romanesque bien réel dans le *Rouge et le Noir*.

*
**

C'est un geste cornélien qui a lancé Beyle hors de Grenoble : à ce caractère épris de grandeur, une prétendue passion pour les mathématiques servit de prétexte commode pour fuir le confort bourgeois qui aurait fait de lui un petit propriétaire de province aisé et respecté.

Mais ce mouvement irrationnel qui lui fait affronter la réprobation familiale est aussitôt brisé par un contre-courant idéologique et rationaliste. Beyle, qui était allé chercher à Paris les aventures du cœur et de l'esprit, oublie son goût de la générosité et de la grandeur pour s'éprendre de la méthode sensualiste du XVIII° siècle.

Il n'y a aucun point commun, à première vue, entre l'attitude du jeune révolté qui veut être anti-conformiste et chevaleresque, et le disciple des Idéologues qui cherche à mater l'ardeur de son tempérament à l'aide de ces recettes médicales qu'il emprunte à Pinel et à Cabanis. Le parisien qui veut devenir un homme aimable ne ménage point le Grenoblois timide, sentimental et romanesque ; dans son désir d'étouffer en lui tout naturel héroïque, le disciple des Idéologues renie les amours du Beyle Grenoblois et méprise Rousseau. *Ces deux « moi » de la personnalité stendhalienne sont aussi opposés que les lectures qui les ont engendrés ; la morale de l'un est celle de l'honneur, la morale de l'autre est celle du plaisir.* Car

---

Pour ces deux causes, à cette époque de la vie si gaie pour les autres enfants, j'étais méchant, sombre, déraisonnable, *esclave* en un mot, dans le pire sens du mot, et peu à peu je pris les sentiments de cet état » (*ibid.*, 115).

les philosophes du XVIII⁰ siècle, succèdant à Corneille, ont
tué le naturel héroïque pour faire place au naturel aimable.

Si, pendant sa formation idéologique, Beyle cherche à supprimer de son éthique toutes les notions chères à l'enfant
grenoblois, ces notions cornéliennes qui sont la générosité,
l'héroïsme et le romanesque, il en respecte une qu'il détourne
par ailleurs de son sens original : l'amour de la gloire. Car
ce qui était principe d'honneur pour Corneille devient pour le
jeune Idéologue désir d'acquérir l'immortalité. Il ne s'agit plus
alors de gloire cornélienne, mais de gloire littéraire. Et c'est
encore Corneille, dont Beyle veut être l'égal, qui motive cette
transposition et ce déplacement de valeurs. Par amour de
l'énergie, Beyle veut peindre des passions humaines qui s'expriment avec une rude franchise comme dans les œuvres cornéliennes ; par amour de la clarté, il cherche dans Corneille
un style dépourvu d'affectation et de préciosité : « Ne pas oublier que la seule qualité à rechercher dans le style est la
clarté. Etudier les beaux endroits de Corneille, sa franchise
est sublime » (27).

Deux éthiques contradictoires, dont l'une correspond à la
période grenobloise, l'autre à la période parisienne, se rejoignent grâce à cet unique trait d'union qui est la passion de
l'écrivain pour les lettres. C'est donc l'écrivain Stendhal, qui,
par fidélité à sa vocation, introduisit le seul élément de
stabilité dans cette personnalité dont la complexité étonna
la critique.

Car la personnalité de Stendhal subit dans l'éternité la même
disjonction qu'elle avait éprouvée du vivant de Beyle. Les premiers admirateurs de Stendhal le virent sous son aspect parisien et soulignèrent le cynisme de l'homme dont la principale
des règles était de plaire aux femmes en simulant la froideur ;
un mouvement de critique contraire à la précédente s'attache
au Beyle sensible et sentimental. Cependant, les uns comme
les autres se rejoignent dans une admiration commune pour
le goût stendhalien de l'énergie, qui n'est qu'un aspect de
l'amour cornélien de la gloire ; les uns comme les autres se
plaisent à souligner la constance de ce désir permanent d'être
le meilleur peintre des passions humaines.

Ces miroirs de la dualité stendhalienne que furent l'espagnolisme de la tante Elisabeth et l'épicurisme du Docteur Gagnon
trouvent donc, dans la postérité, leurs équivalents exacts et
contradictoires chez les exégètes stendhaliens : parmi ces derniers les uns se portent garants de l'épicurisme de Stendhal,
les autres de son tempérament passionné.

Mais toutes les études sur l'écrivain s'entendent pour dénoncer à l'envie cette passion des lettres qu'il tenait des deux

(27) *Pensées*, I, 114-115, passage du 16 avril 1803.

Gagnon et qui devient chez Stendhal passion d'écrire.

Lorsque, du temps de sa formation idéologique, il échange la générosité contre l'hypocrisie, il continue cependant à admirer l'art des répliques chez Corneille et va voir jouer *Cinna* sept fois l'an (28). Lorsque son esprit critique aiguisé par la philosophie du XVIII° siècle tourne en ridicule les grands sentiments chevaleresques, ce même esprit voltairien s'attache à commenter les notions du sublime et de l'amour de la gloire chez Helvétius et Hobbes sinon chez Corneille.

La morale du jeune Idéologue veut être celle du plaisir, mais il continue à admirer Corneille, au moment où il refuse l'idéal de Rousseau. Car le but pratique du jeune moraliste est de cultiver les qualités de l'homme aimable, mais donne l'exclusivité à la notion du sublime dans la hiérarchie des valeurs beylistes.

L'écrivain Stendhal se perpétue donc chez le disciple des Idéologues. Il y a deux morales mais il n'y a qu'une seule conception de la littérature chez Stendhal. Et cette identité dans les idées littéraires surmonte et apaise les difficultés qu'avait créées le conflit entre les deux éthiques. Le but de la littérature est pour Stendhal de décrire la réalité ; or le premier objet qu'offre la réalité humaine, c'est la passion poussée à son point extrême, c'est la passion virulente et irrationnelle, qui mérite le nom de « sublime » ; *ce sublime dont Stendhal cherche la définition chez Helvétius et Burke, n'est que le sublime cornélien dont il a oublié l'origine.* Certes la réalité humaine comporte aussi des passions plus minces, les ridicules ou les manies qui doivent provoquer le sourire ou le rire du spectateur ; mais ces dernières ne retiennent qu'en second lieu l'attention du critique Stendhal. « Mais où étudier la littérature ? — Dans Helvétius, Hobbes et un peu Burke, et voir beaucoup d'applications dans Shakespeare, Cervantes, Molière. Toute la littérature consiste dans cinq principes, savoir : 1° Celui de cet article : on ne peut peindre ce qu'on n'a jamais vu, ni juger des portraits faits par les autres ; 2° Le sublime, sympathie avec une puissance que nous voyons terrible ; 3° Le rire (Hobbes) ; 4° Le sourire, vue du bonheur ; Etudier une passion dans les livres de médecine (Pinel), dans la nature (lettres de Mlle de Lespinasse), dans les arts (Julie, Héloïse, etc.). Etant éveillé sur ces quatre principes, il faut en chercher la preuve ou la réfutation dans Shakespeare, Cervantes, Le Tasse, L'Arioste, Molière » (29).

Les idées littéraires qui sont le résultat de sa formation idéologique réservent donc au sublime la première place. Et

---

(28) « Je vois *Cinna* pour la septième ou la huitième fois de cette année » (*Pensées*, I, 112, passage daté du 9 prairial XI, 29 mai 1803).

(29) *Journal*, IV, 15, passage daté de août-septembre 1810.

c'est bien dans les lectures de son enfance, dans ces œuvres
de Shakespeare, de l'Arioste et de Cervantes, que le critique
Stendhal cherche la mise en œuvre des thèmes et des notions
qu'il a relevés chez Helvétius, Hobbes et Burke.

*C'est en définitive le désir d'être le meilleur peintre humain
de son temps qui libère Stendhal de la tutelle idéologique. Ce
désir de tenir un compte exact et détaillé de tous les éléments
de la réalité humaine aimante sa curiosité d'analyste et la dirige vers le pôle de la plus forte attirance, qui porte le nom de
« sublime » dans le vocabulaire stendhalien. Pôle d'attraction
intense, il est traversé par le courant irrationnel et cornélien
qui agit en sens inverse du contre-courant idéologique et rationnel.*

Si Stendhal veut disséquer les œuvres littéraires qu'il aime,
s'il veut en analyser les principes, s'il étudie, avec l'aide de
Burke, le sublime dans la littérature, l'abstraction ne saurait
lui suffire ; s'il recherche les causes et les principes, c'est
pour mieux sentir l'effet ; s'il dégage les thèmes, s'il donne
des définitions du « sublime », c'est pour mieux comprendre
non seulement l'homme, mais encore son pouvoir de se dépasser lui-même, c'est pour mieux fraterniser avec les héros
antiques ou modernes, qu'ils se nomment Horace, le Cid,
Hamlet ou Othello, dont la beauté pathétique l'étonne et le
ravit à la fois, parce qu'ils luttent, en héros cornéliens, contre
une partie d'eux-mêmes qui s'appelle obéissance ou conformisme, ou encore, en héros de Shakespeare, contre le destin.

Au dernier terme de ce qu'Henry Brulard appelle sa seconde
éducation, le philosophe anglais Edmund Burke ramène Beyle
aux préoccupations de sa jeunesse. Cette ultime étape annule
à elle seule toutes les autres et ôte leur sens aux démarches
intellectuelles qui l'avaient précédée. La passion d'être vrai
oriente ses facultés d'analyste vers l'humain et ses plus hautes
formes d'expression ; elle lui fait retrouver ainsi en 1810 le
« sublime » qu'il admirait chez Corneille dans son enfance.
Pour en venir au naturel héroïque, Stendhal passe donc par
l'idéologie anglaise. Pour mieux imiter Corneille, il a recours
aux services de la philosophie de Burke. Après avoir parcouru
en 1804, le *Traité sur le sublime* de Burke (30), il le relit en

---

(30) C'est en 1804 que Stendhal lit Burke pour la première fois, comme
le prouve la réflexion suivante : « Qui n'ose penser veut du moins sentir.
Cause selon Burke du caractère passionné des Vénitiens. Et peut-être
des Italiens (*Pensées*, II, 85, cahier portatif d'extraits commencé le 1er messidor an XII, 20 juin 1804).

1810 et en 1811 avec son ami Crozet (31). S'il juge le traité
de Burke plein de naïveté et de prétention, il reconnaît que
cet ouvrage a le mérite de le faire penser : « Dans les moments
que je pouvais voler à mon bureau, nous lisions ensemble
Burke, *on sublime*. Nous discutions ses idées, que nous n'ap-
prouvions guère. Leur principal mérite pour nous était de
nous faire penser » (32).

Stendhal emprunte donc à Burke et aussi à Helvétius (33),
leurs impératifs dans le domaine littéraire et leurs règles dans
le domaine esthétique : « L'œuvre d'art doit provoquer chez
le spectateur ces émotions fortes qui sont appelées sublimes
lorsqu'elles vont jusqu'à la terreur : Tout ce qui est propre
à exciter l'idée de la douleur et du danger, tout ce qui est en
quelque sorte terrible, tout ce qui traite d'objets terribles, tout
ce qui agit d'une manière analogue à la terreur est une source
du *sublime* ; ou, si l'on veut, peut susciter la plus forte émotion que l'âme soit capable de sentir. Je dis la plus forte émotion, parce que je suis convaincu que les idées de la douleur
sont plus puissantes que celles qui viennent du plaisir » (34).

Est sublime aux yeux de Stendhal, tout ce qui éloigne l'homme d'un mode de vie organisé sur les conseils d'une morale
bourgeoise, selon les lois imposées par l'esprit de calcul.

Dans le domaine littéraire, Corneille est sublime parce qu'il
provoque l'admiration : les héros cornéliens sont soulevés par
cette force irrésistible et irrationnelle qui étonne. La raison
n'a de prise sur eux que pour leur faire sacrifier ce qui serait
leur devoir au sens le plus strict du terme et pour leur faire
choisir, entre deux démarches opposées, la plus hasardeuse et
la plus risquée : « L'âme de Corneille aimant l'admiration par-
dessus tout, elle va à l'aveugle pour la produire. C'est vraiment le poète *sublime* » (35).

Stendhal aime que Corneille se consacre à valoriser et à

---

(31) En lisant Burke en 1810 et en 1811, c'est à Burke que Stendhal
emprunte sa définition du sublime : sympathie avec une puissance que
nous voyons terrible : « J'ai donc lu avec plaisir, et en posant vingt
fois le livre, les quatre-vingts premières pages du livre de Burke, intitulé *Recherches sur le sublime* » (Corr., III, 300, lettre à Pauline, du
25 décembre 1810).

(32) *Journal*, IV, 63-64, passage daté de Paris, le 9 mars 1811.

(33) D'Helvétius, qu'il a lu en 1804, Stendhal retient donc en 1810 la
notion de sublime exprimée et définie dans *De l'Homme* : « Il est donc
évident : 1° que le beau est ce qui fait sur la plupart des hommes une
émotion forte. 2° que le sublime est ce qui fait sur nous une impression
encore plus forte ; impression toujours mêlée d'un certain sentiment
de respect ou de terreur commencée » (Helvétius, *De l'Homme*, IV, 121).

(34) Burke, *Recherche philosophique sur l'origine de nos idées du
sublime et du beau*, traduit de l'anglais sur la septième édition avec un
précis de la vie de l'auteur, par Lagentie de Lavaisse, Paris, de l'Imprimerie de Jusserand, an XI, 1803, p. 69.

(35) *Pensées*, II, 253, passage daté du 11 octobre 1805.

orchestrer dans toutes leurs nuances les plus hautes formes
d'expression de l'humain. Les héros cornéliens sont placés
dans des situations inextricables que pour mieux assumer
leur condition humaine; ils ne sont rois ou princes que pour
faire leur métier d'homme; valets ou paysans, ils ne pourraient pas montrer dans toute sa fierté leur souci de grandeur; et ils ne seraient pas hommes s'ils n'avaient pas à se
défendre de l'hypocrisie et de l'ambition, chez eux-mêmes ou
chez les autres; s'ils n'avaient pas à tout instant à mesurer
les limites qu'ils assignent à l'amour ou à la fortune de
l'Etat (36).

Stendhal revalorise sa conception de l'homme quand il
admire Corneille, quand il lit Burke en 1810 et en 1811 pour
achever son éducation philosophique. C'est en s'inspirant de
Burke et de Corneille que Stendhal opère le redressement de
son esthétique littéraire, qui avait été déviée par le goût de la
philosophie sensualiste. C'est en 1810 que se trouvent déjà
préétablis par le critique Stendhal les thèmes prépondérants
du romancier de 1839, les leit-motifs autour desquels s'orga-
nisent ses dernières œuvres. C'est à cette époque qu'il conçoit
de façon empirique le caractère des héros stendhaliens mis au
jour après cette longue gestation de vingt-neuf ans dans la
Chartreuse, Lamiel et les *Chroniques italiennes*. La redécouverte du sublime cornélien fait réapparaître, sous une forme
d'abord abstraite et schématique, ce naturel héroïque qui est
concrètement   vécu par Fabrice, Lamiel, Missirili ou Jules
Branciforte.

2. — TRANSPOSITION DU SUBLIME DANS L'ART

Si le terme « sublime » prend la première place dans le vocabulaire stendhalien, il reçoit des sens divers et désigne aussi
bien la cause qui l'engendre que l'effet qu'il produit. Il est,
dans son acception humaine, l'attribut des âmes d'élite; il est
en même temps le privilège des œuvres d'art dont la réussite
est parfaite, et qualifie l'émotion engendrée par la beauté à
son point extrême. Lorsque l'art ou l'homme transcendent les
vertus moyennes ou médiocres, ils entraînent le lecteur ou

(36) Le sublime, qui s'exprime concrètement chez les héros cornéliens,
trouve son équivalent dans la définition abstraite qu'en donne Burke :
« De là vient le grand pouvoir du sublime, qui, bien loin de résulter de
nos raisonnements, les anticipe, et nous enlève par une force irrésistible.
L'étonnement, comme je l'ai dit, est l'effet du sublime dans son plus
haut degré ; les effets inférieurs sont l'admiration, la vénération et le
respect » (*Recherche philosophique sur l'origine de nos idées du sublime
et du beau*, 102).

le spectateur dans leur domaine d'élection qui se situe hors
des limites de la morale toute faite, du conformisme et de la
médiocrité quotidienne.

Cette exaltation qu'il éprouve en voyant jouer *Cinna*, Stendhal la recherche sous ses multiples formes, dans la peinture
comme dans la musique. Il en nourrit cette sensibilité exacerbée qui ne peut trouver d'apaisement que dans l'émotion
forte : « Rien de plus sublime que les objets d'art. Rien de
plus dégoûtant que la morale. Je marche constamment de
huit heures du matin à quatre, à pied et pour cause. Je suis
si harrassé que je m'endors à six heures jusqu'à huit le lendemain. Du reste, pas d'attaques de nerfs depuis onze jours
que mon extrême curiosité me fait courir » (37).

Les musées de Milan, de Rome, de Naples et de Florence,
la musique italienne, Mozart et Michel-Ange sont les seuls remèdes à l'ennui stendhalien. Ces médecines de l'âme sont les
seules qui puissent guérir Stendhal : les émotions fortes le
libèrent de ces maux que n'ont pu vaincre les physiologues
Pinel et Cabanis. C'est en obéissant à son véritable naturel
que Stendhal trouve l'équilibre.

Son esprit critique s'est refusé à être dupe de son espagnolisme, sa modestie a voulu masquer un tempérament passionné aux yeux de ses amis comme aux yeux du public; Stendhal s'est contraint à chercher la sagesse chez les Idéologues,
mais, au prix de multiples efforts, il n'est parvenu qu'à accentuer son déséquilibre. *Le rejet d'une morale toute faite et
l'acceptation un peu tardive de la morale de l'honneur, le refus des règles de conduite et l'épanouissement de la spontanéité* ont libéré Stendhal des contraintes qu'il s'était imposées
lui-même et ont permis au touriste italien de donner jour au
romancier qui créa la *Chartreuse* en cinquante-deux jours.

Les artistes italiens du Cinquecento ont donc pour rôle de
restituer et de revaloriser le sublime cornélien que méprise
le XIX° siècle français.

A Paris, « les choses sublimes sont mortes : les habitants
songent à leurs petites vanités, à leur petite société du soir,
au sort d'un vaudeville fait par un de leurs amis, etc. » (38).
Déjà, pendant les guerres napoléoniennes, Stendhal découvre
dans la société française une corruption des valeurs humaines qui ne fait que s'accentuer pendant la Restauration.

C'est pour échapper à son siècle que Stendhal cherche dans
l'art italien la restauration du naturel. « En 1829, nous ne
croyons pas à Monsieur de Maistre, et le tombeau napolitain
nous choque. Que sommes-nous ? Où allons-nous ? — Qui le
sait ? Dans le doute, il n'y a de réel que le plaisir tendre et

(37) *Corr.*, V, 26, passage daté du 26 décembre 1816.
(38) *Corr.*, III, 331, lettre adressée à Pauline et datée du 29 octobre 1811.

sublime que donnent la musique de Mozart et les tableaux du Corrège » (39).

*
**

De ce creuset où le tempérament beyliste a fondu le sublime d'Helvétius, de Burke et de Corneille, le sublime stendhalien s'exprime, plus vigoureux et plus pur, dans les œuvres romanesques; dans les œuvres de critique artistique il perd en partie son originalité, revêtant alors une acception plus commune et plus répandue qui est celle du XIX° siècle, il devient le symbole d'une pureté sans désordre, propre à émouvoir l'âme. Si, dans ce sens commun, il ne provoque pas ces émotions où la terreur s'unit à l'admiration, il joue le rôle de moyen terme, fait office de relais et favorise l'épanouissement du véritable sublime stendhalien dont la première tendance est l'héroïsme.

L'humanisme « sublime » de Raphaël fait oublier à Stendhal les modes de vie et la morale du XIX° siècle français : ses qualités d'ordre et d'harmonie introduisent la sensibilité stendhalienne dans ce climat moral et spirituel où elle se fortifie et se développe en toute indépendance et où, se trouvant elle-même, elle s'éveille au romanesque.

L'art italien n'est donc pour lui qu'un raccourci qui lui permet d'accéder plus facilement à la conception du naturel héroïque. C'est pourquoi les œuvres en elles-mêmes comptent peut-être moins à ses yeux que leurs auteurs et les siècles où ils vécurent. On ne peut donc séparer l'esthétique stendhalienne de la morale de l'honneur, ni Stendhal critique d'art de Stendhal moraliste, sans arriver à la contradiction que nous avons signalée. C'est une vision cornélienne de l'homme qui pousse Stendhal à se réfugier dans le Cinquecento pour fuir le XIX° siècle, à chercher dans l'époque et dans la vie de Raphaël ces passions fortes qui n'obéissaient qu'à elles-mêmes. « C'est dans ce siècle de passions, et où les âmes pouvaient se livrer franchement à la plus haute exaltation que parurent tant de grands peintres » (40).

Aussi, dans les tableaux du XVI° siècle, Stendhal cherche-t-il avec obstination l'imprévu et l'exaltation qui sont la marque de ce temps. C'est le goût de l'héroïsme qui le conduit à admirer l'humanisme en peinture : « Nous avons vu cinquante deux fresques, toutes dessinées par Raphaël, peintes sous ses yeux, et quelques-unes retouchées par lui. Le portique immortalisé par ces plafonds sublimes est orné d'arabesques charmantes et qui donnent souvent la sensation de l'imprévu. Le siècle aimable de Léon X est là tout entier » (41).

(39) *Promenades dans Rome*, II, 200.
(40) *Histoire de la peinture en Italie*, I, 35-36.
(41) *Promenades dans Rome*, I, 332-333.

Stendhal ne s'intéresse pas tant aux madones de Raphaël qu'à la morale d'une époque, où seule la spontanéité dictait les actions et fécondait l'art, où les hommes et les artistes n'obéissaient qu'à des codes personnels. Dans les *Promenades dans Rome*, il explique après coup les principes et les mobiles du critique d'art de *l'Histoire de la peinture en Italie* : « Je cherche (...) à donner une idée des mœurs et de la manière de sentir des Italiens, chose difficile et, comme vous savez, dangereuse pour ma tranquillité. C'est du sein de cette manière de sentir que se sont élancés les Corrège, les Raphaël, et les Cimarosa, de tous les hommes que je n'ai pas vus, ceux auxquels je dois sans doute les moments les plus agréables et le plus de reconnaissance. Je ne puis peindre les mœurs d'Italie qu'en me servant, pour le fond de mon tableau, des mœurs de Paris ou d'Angleterre, qui font ombre et marquent les contours par opposition de couleurs » (42).

Les peintres du XVIe siècle n'ont point trahi la morale de leur temps. Mais ils ont figé dans l'immobilité la noblesse que les hommes vivaient dans les passions et les dangers. Les personnages de Raphaël ou du Corrège ont la majesté tranquille des héros après la bataille. Ils sont fixés dans la minute d'apaisement qui précède ou qui suit la violence, la passion ou la mort. « Les têtes de Raphaël même les plus parfaites, qui sont peut-être celles des Cartons d'Hampton Court, peignent plutôt la manière *dont une âme noble cherche habituellement le bonheur,* que le transport désordonné d'un être trop voisin d'un malheur extrême ou d'un bonheur parfait. En un mot Raphaël peint plutôt le caractère que les passions : son triomphe c'est un noble caractère remué par une nuance de passion » (43).

La vie et l'œuvre de Raphaël ont eu donc le rare privilège d'exprimer les plus hautes qualités humaines lorsqu'elles peuvent s'épanouir en toute liberté et ne trouvent point d'obstacles dans la société : leur perfection même n'est pour Stendhal que le signe évident d'un naturel qui jouit sans effort de la liberté et de la noblesse et ignore l'affectation et l'emphase d'un Greuze ou d'un Hubert Robert : « Raphaël eut toujours horreur des compositions *chaudes,* si chéries de Diderot et autres gens de lettres : cette âme sublime avait senti que ce n'est qu'à son corps défendant que la peinture doit représenter les points extrêmes des passions » (44).

C'est un Fabrice heureux, passionné, mais évitant de montrer sa passion et cherchant dans sa prison les moyens les

(42) *Ibid.,* II, 225.
(43) *Idées italiennes sur quelques tableaux célèbres,* deuxième édition revue et annotée par Stendhal, établissement du texte et avant-propos par Danielle Plan, Préface d'Henri Martineau, Paris, 1931, p. 290.
(44) *Promenades dans Rome,* I, 82.

plus modestes de déclarer son amour, c'est une Clélia pleine
de réserve que Stendhal entrevoit déjà en se promenant dans
les musées de Rome : Fabrice, « âme tendre, généreuse, pleine
de grâces » (45), comme celle du peintre, reçoit en partage
cette destinée qui ressemble à celle de tous les « êtres d'élite »,
donc à celle de Raphaël, une existence brève et romanesque,
à l'image de leur naturel spontané qui ignore l'hypocrisie. Raphaël n'eût aucun besoin de l'intrigue : « Né le vendredi saint
1483, il mourut à pareil jour en 1520, à l'âge de trente-sept
ans. Le hasard, juste une fois, sembla rassembler tous les
genres de bonheur dans cette vie si courte. Il eut la grâce et
la retenue aimable d'un courtisan sans en avoir la fausseté
ni même la prudence. Réellement simple comme Mozart, une
fois hors de la vue d'un homme puissant, il ne songeait plus
à lui. Il rêvait à la beauté ou à ses amours. Son oncle Bra-
mante, le fameux architecte, se chargea toujours d'intriguer
pour lui » (46).

La vie des peintres et le temps où ils vécurent donnent donc
un sens concret à la notion de sublime stendhalien. Cet art
qui exalte la noblesse humaine, ne tient pas compte du fait
qu'on la perd parfois à vouloir la diviniser, mais il a donné à
Stendhal les images concrètes qui ont matérialisé sans la fixer
définitivement sa conception du naturel : la morale stendhalienne de l'honneur ne peut toujours être illustrée par un
personnage de Raphaël, mais elle trouve en lui un soutien et
un appui dans un temps qui avait oublié ce qu'était la noblesse.

L'art est en effet pour Stendhal un moyen de libération et
d'affranchissement : ce perpétuel révolté contre son siècle
s'aménage un refuge où ne peuvent pénétrer ni la vanité, ni
l'affectation : dans cette citadelle seuls sont admis les peintres et les musiciens qui orchestrent ou colorent les joies et
les désespoirs stendhaliens et dont la présence engendre
l'exaltation, les sensations fortes et imprévues, tue le vieil
homme et fait naître un homme nouveau qui cherche à se
connaître à travers eux.

Ls grands virtuoses du Cinquecento sont les représentants

----

(45) « L'âme tendre, généreuse, pleine de grâces, du jeune peintre, commence à se faire jour à travers le profond respect qu'il sent encore pour
les préceptes de son maître » (Promenades dans Rome, I, 82).

(46) Promenades dans Rome, I, 80.

les plus purs du sublime (47) stendhalien : les jugements artistiques du touriste italien leur réservent la première place.
Ils ont cependant leurs prédécesseurs et leurs successeurs :
l'art de Haydn, de Mozart, de Métastase et de Rossini, sollicitent aussi bien l'attention du critique que l'art romain. Stendhal écrit la *Vie de Rossini*, la *Vie de Haydn, Mozart et Mé-*
tastase, et ponctue de réflexions sur l'architecture et la sculpture de la Rome antique ses essais et ses souvenirs, comme
les *Promenades dans Rome*, l'*Histoire de la peinture en Italie*,
Rome, Naples et Florence. Car le goût de l'idéalisation fait
l'unité de l'univers artistique où s'est installé le critique.

Dans les œuvres stendhaliennes une correspondance con-
tinuelle s'établit entre la musique, la peinture et les beaux
paysages; au contact des concerts à l'Opéra, dans les musées
ou devant les ruines du Colisée, Stendhal ne s'attache pas tant
à l'objet qu'à l'effet qu'il produit sur lui. A ses yeux, les me-
nuets de Mozart ou les tableaux du Corrège ne sont pas fins
en soi, mais seulement moyens. L'art ou la nature sont,
comme *Le Cid* ou le *Roland Furieux*, des appels à l'exaltation;
ils permettent d'oublier la médiocrité et la vanité sociale,
l'ennui, ou les faiblesses d'un tempérament timide et tourmenté. Les ruines romaines, « ces pans de murs noircis par
le temps, font sur l'âme l'effet de la musique de Cimarosa,
qui se charge de rendre sublimes et touchantes les paroles
vulgaires d'un *libretto* » (48). Les lacs de Côme et Naples, ces
lieux que le touriste italien aime le mieux sur la terre, les
concerts ou les monuments anciens des Romains sont les
porte-paroles et les truchements qu'emploie la pudeur stendhalienne; pour ne point parler de soi, Stendhal parle de ce
qu'il aime; par crainte de l' « étalage du moi », il projette son
tempérament passionné sur l'œuvre artistique qui devient
prétexte à exprimer à titre personnel en imitant la manière
romantique et en ignorant la simplicité. C'est sur l'objet de
son émotion et non point sur son émotion même que Stendhal rejette l'attribut stendhalien du « sublime », mais, là
encore, sa modestie craint l'exagération et s'alarme de ne
point passer pour naturelle : « L'homme le plus fait pour
les arts, J.-J. Rousseau, par exemple, lisant à Paris la des-

---

(47) « Je prie le lecteur d'avoir cette profession de foi sous les yeux,
toutes les fois que je me sers des mots *délicieux, sublime, parfait*. Dans
les moments de froide philosophie et de respect pour les gens secs, je
sens bien tout le ridicule dont ces mots sont susceptibles, mais je les
emploie pour abréger » (*Vie de Rossini*, I, 166). Cf. la remarque suivante :
« Rien n'étant si futile que la musique, je sens bien qu'il est fort possible
que le lecteur se scandalise de me voir faire gravement un nombre infini
de petites remarques, ou raconter quelques anecdotes sans chute piquante,
et d'ailleurs surchargées de ces grands mots de *beau idéal*, de *bonheur*,
de *sublime*, de *sensibilité*, que je prodigue trop ! » (*ibid.*, II, 151).
(48) *Promenades dans Rome*, I, 29.

cription la plus sincère du Colysée, ne pourrait s'empêcher de
trouver l'auteur ridicule à cause de son exagération ; et,
pourtant, celui-ci n'aurait été occupé qu'à se rapetisser et
avoir peur de son lecteur (...). Quelle duperie de parler de ce
qu'on aime ! Que peut-on gagner ? le plaisir d'être ému soi-
même un instant par le reflet de l'émotion des autres. Mais
un sot, piqué de vous voir parler tout seul, peut inventer un
mot plaisant qui vient salir vos souvenirs. De là peut-être cette
pudeur de la vraie passion que les âmes communes oublient
d'imiter quand elles jouent la passion » (49).

C'est pour ne point découvrir un tempérament émotif que
Stendhal utilise ces miroirs sincères de la passion, Rossini ou
Métastase ; ils ont, comme Henry Brulard, le même génie
tantôt angoissé tantôt heureux, ils ont fui comme Beyle lui-
même tout ce qui n'était pas amour de l'art. En étudiant leurs
œuvres et leurs vies, Stendhal analyse ses propres sentiments ;
en portant son attention sur les nuances de leurs mélodies, il
est seulement attentif à la musique intérieure de ses émotions,
aux notes que jouent secrètement et pour eux seuls les souvenirs heureux ou tristes : « Il me semble qu'il arrive alors
une sorte de vérification entre ce que le chant exprime et ce
que nous avons senti, qui nous fait voir et goûter plus en
détail les moindres nuances de notre sentiment, et des nuances à nous-mêmes *inconnues* jusqu'à ce moment. C'est par ce
mécanisme, si je ne me trompe, que la musique entretient et
nourrit les rêveries d'amour malheureux » (50).

Pour cet enfant d'un siècle humaniste, ce sont les attributs
humains portés à leur perfection, c'est-à-dire sublimes, qui
comptent seuls dans la nature ou l'œuvre d'art. Le désir stendhalien d'absolu ne porte que sur l'homme ; c'est son reflet
exact que Stendhal superpose à tout ce qu'il admire, aux
statues de Michel-Ange comme aux fontaines romaines. Le
naturel humain par excellence est une conquête remportée sur
la médiocrité par l'homme qui vit ou par l'artiste qui crée.
Le « sublime » n'est que la perfection humaine portée à son
point culminant, qu'elle s'incarne dans le *Cid*, dans un tableau ou un monument ; elle donne alors cette sensation si
rare que *l'imagination ne peut rien concevoir au delà* (51).

Stendhal amateur d'art ne permet point aux impératifs so-

---

(49) *Prom. dans Rome*, I, 29-30.
(50) *Vie de Rossini*, I, 187-188. Cf. la remarque suivante : « La musique ne peut, ce me semble, avoir d'effet sur les hommes qu'en excitant
leur imagination à produire certaines images analogues aux passions
dont ils sont agités » (*ibid.*, I, 14).
(51) « Auprès des fameux chevaux de grandeur colossale que Cons-
tantin fit venir d'Alexandrie, se trouve une fontaine admirable élevée par
les ordres de Pie VII, et qui donne cette sensation si rare dans les beaux-
arts : *l'imagination ne peut rien concevoir au delà* » (*Prom. dans Rome*,
II, 66).

ciaux, au raisonnement froid et calculateur, de venir troubler
sa contemplation esthétique ; le naturel romanesque chasse
le naturel idéologique qui supprimerait, en voulant les analyser, les meilleures joies stendhaliennes : « Même en musique,
pour être heureux, il ne faut pas être réduit à examiner : voilà
ce que les Français ne veulent pas comprendre : leur manière
de jouir des arts, c'est de les juger » (52).

Les Idéologues français sont définitivement battus par Corneille et ceux qui, aux yeux de Stendhal, ont pris en charge
l'exaltation cornélienne, les artistes italiens. La philosophie
sèche et abstraite n'a pu franchir le col du Saint-Bernard ;
elle est arrêtée par le douanier Stendhal qui lui interdit le
droit de séjour à Rome, Naples et Florence. La spontanéité et
le romanesque ont seuls droit de cité en Italie. « Je dirais aux
voyageurs : En arrivant à Rome, ne vous laissez empoi-
sonner par aucun avis ; n'achetez aucun livre, l'époque de la
curiosité et de la science ne remplacera que trop tôt celle des
émotions ; logez-vous via Gregoriana, ou, du moins, au troisième étage de quelque maison de la place de Venise, au bout
du Corso ; fuyez la vue et encore plus le contact des
curieux » (53).

3. — LA QUETE DE L'HEROISME

L'influence que Corneille exerça sur la vocation littéraire
de Stendhal et sur son œuvre s'exerce aussi, à un degré
moindre, sur le caractère de l'homme Beyle.

Lui qui admire chez Corneille l'audacieuse maîtrise de soi
des rois et des princes, et dans l'histoire l'héroïsme tranquille
de Napoléon ou de Frédéric II, il se sent indigne de ses modèles favoris et plein d'angoisse sur son propre caractère :
« Ce qui me chagrine, c'est l'idée qu'estimant le caractère
comme je fais, peut-être n'en ai-je point. *Ne sais-je pas hasarder et agir dans les choses que j'affectionne*, comme faisait
Frédéric II, ou du moins comme je me figure qu'il faisait ? » (54).

Toutes proportions gardées, Stendhal *ne fait que reprendre
l'attitude cornélienne, qui tient à s'assurer à tout instant de
sa propre valeur*. En toute sincérité, il veut éviter de se duper
sur lui-même et de s'attribuer un mérite qu'il n'a pas : « J'ai
l'air d'avoir un caractère parce que, par le plaisir d'éprouver
de nouvelles passions, j'aime à hasarder ; mais je ne domine

(52) *Vie de Rossini*, I, 235.
(53) *Prom. dans Rome*, I, 22-23.
(54) *Journal*, IV, 164, passage daté du 14 juin 1811.

point en cela ma passion véritable, je ne fais qu'y céder » (55).
L'esprit critique et la lucidité dénoncent la sentimentalité et
la timidité de l'homme Beyle qui arrive bien rarement à se
hausser jusqu'à l'héroïsme. Car la « gloire des écrits » l'a emporté sur celle des « actions » ; et l'écrivain, « penseur par
état et aimant son état » se satisfait bien plus de tout ce qui
est sublime dans le domaine littéraire ou artistique, que des
actions héroïques qu'il pourrait accomplir ; ce n'est point par
pusillanimité, mais par métier et par vocation qu'il préfère
vivre l'héroïsme à travers des personnages imaginaires ou
réels, Fabrice ou Napoléon, au lieu de l'assumer à son compte
personnel : « Le caractère est timide, mais dans des occasions
qu'il croit grandes, se jette avec plaisir dans l'incertain. Cet
homme, étant penseur par état et aimant son état, ne donne
jamais toute l'attention possible à ce qu'il fait » (56).

Mais lorsque l'autocritique cède le pas au romanesque,
Stendhal, qui voudrait bien se persuader que son caractère
est cornélien et épris de grandeur, s'identifie à ses héros favoris et, par une dialectique habile, arrive à se convaincre de
la supériorité de son tempérament : « Les circonstances m'ont
fait sensible délicatement et imaginant l'ennui *o il non
trovar loco altrove che nel grande* (57), me pousser à faire
quelque chose de grand ou qui me paraîtra tel » (58).

Son espagnolisme, qui n'est point exempt de naïveté, va
jusqu'à lui faire croire un instant qu'il a lui aussi ce caractère « sublime », qui, selon la définition d'Helvétius, suscite
chez autrui ce mélange de terreur et de respect réservé pourtant à l'héroïsme seul : « Je fais peur à *Prob(us)*. C'est, je crois,
ce que dit Helvétius : un caractère fort ou cru tel, inspire
toujours un peu de terreur » (59).

S'il n'a point ce « caractère fort », il voudrait bien qu'on
le croit tel ; si sa vie de bureaucrate, d'intendant militaire et
d'auditeur, ne fut guère fertile en épisodes romanesques ou
périlleux, il se place volontairement et de parti pris dans des
situations qu'il juge cornéliennes, pour mieux vivre ces combats intérieurs où l'honneur se mesure avec l'amour : « L'honneur se battant avec l'amour et l'intérêt d'ambition m'ont
mis sept ou huit fois au comble de l'agitation malheureuse
et du bonheur ardent pendant ce mois d'avril. Le cinq mars,
l'honneur m'a brouillé avec Martial ; le cinq avril récon-
cilié » (60).

(55) *Ibid.*, IV, 164.
(56) *Ibid.*, V, 88, passage daté du 20 janvier 1812.
(57) « Ou ne pas trouver place ailleurs que dans le grand » (*Journal*,
IV, 13, note 1).
(58) *Journal*, IV, 12-13, passage de août-septembre 1810.
(59) *Ibid.*, IV, 86, passage daté du 26 mars 1811.
(60) *Corr.*, II, 243, lettre à Pauline datée du 30 avril 1807.

Pour mieux se démontrer enfin qu'il est aussi courageux que le Cid, il cherche les provocations et les duels : « Une de mes raisons pour me croire brave, c'est que je me souviens, avec une clarté parfaite, des moindres circonstances des duels où je me suis trouvé engagé » (61).

Mais il faut bien reconnaître que le naturel héroïque cher au romancier n'est point le mérite principal de l'homme. L'homme qui voudrait inspirer de la terreur, a « une peau toujours beaucoup trop fine, une peau de femme » (62), un tempérament émotif à l'extrême, propre certes à admirer le grandiose mais non pas à le vivre. Ce n'est que par la contrainte et l'effort sur soi qu'il arrive, dans les meilleurs moments, à surmonter une sensibilité exacerbée. Pour ne point avoir peur dans les duels, il s'impose de regarder fixement l'arbre ou le rocher qui sont devant ses yeux alors que l'adversaire vise (63). Rien de moins spontané que l'héroïsme chez Beyle, et ce naturel dans les actions périlleuses que l'homme était impuissant à manifester dans sa vie, ce sont les héros de ses derniers romans, Lamiel, Fabrice, la Campobasso ou Béatrix Cenci, qui l'endossent avec leur « disinvoltura » italienne.

***

Si Beyle n'a pas ce caractère cornélien qu'il ambitionne, il cherche par compensation l'amitié des hommes qu'il estime cornéliens. Les êtres qu'il a le plus aimés sont pourvus, comme les héros stendhaliens, de tous les privilèges du naturel héroïque ; ils ont un courage tranquille, une vie aventureuse, ils ont la majesté des bustes antiques ou la sérénité des figures de Véronèse ou du Corrège.

Son meilleur ami, di Fiore, est un conspirateur napolitain relâché de prison après avoir été condamné à mort par contumace. Il ressemble étonnamment, de l'aveu de Stendhal, au sublime Jupiter Mansuetus (64). Le second de ses amis est Andréa Corner, qui l'a frappé « comme une belle figure de

(61) *Vie de Henry Brulard*, 120.

(62) « J'emprunterais pour un instant la langue de Cabanis. J'ai la peau toujours beaucoup trop fine, une peau de femme (plus tard j'avais toujours des ampoules après avoir tenu mon sabre pendant une heure), je m'écorche les doigts, que j'ai fort bien, pour un rien, en un mot la superficie de mon corps est de femme » (*ibid.*, 183).

(63) « Dans la rue Très-Cloîtres, marchant avec mon témoin Diday, je lui dis : « Pour ne pas avoir peur tandis qu'Odru me visait, je regardais le petit rocher au-dessus de Seyssins. — Tu ne dois jamais dire ça, une telle parole ne doit jamais sortir de ta bouche », me dit-il en me grondant ferme. Je fus fort étonné et en y réfléchissant, fort scandalisé de cette réprimande » (*ibid.*, 345).

(64) « Parmi les complimentateurs, deux me flattèrent. L'un de cinquante ans, grand et fort bel homme, ressemblait étonnament à *Jupiter Mansuetus* » (*Souvenirs d'égotisme*, 69).

Paul Véronèse » (65). Stendhal admire en secret l'audace
spontanée de cet ancien aide de camp sans trop oser déclarer
son amitié : « Un des hommes qui ne m'a pas compris, et,
peut-être, à tout prendre, celui de tous que j'ai le plus aimé
(il réalisait mon idéal, comme a dit je ne sais quelle bête emphatique), c'est Andréa Corner, de Venise, ancien aide de
camp du prince Eugène à Milan (...). Le comte Corner a mangé
cinq millions, dit-on. Il a des actions de la générosité la plus
rare et les plus opposées au caractère de l'homme du monde
français. Quant à la bravoure, il a eu les deux croix de la
main de Napoléon » (66).

Car Stendhal ne peut faire triompher en lui la spontanéité
que dans sa vie de touriste italien, de dilettante ou d'amateur
d'art ; dans ses rapports avec les autres hommes, dans les
salons comme sur les terrains de duel, il n'arrive que bien
rarement à se libérer de l'émotivité ou de la pudeur. Son plus
grand bonheur n'est qu'un bonheur de partage; il ne peut
communier avec le naturel romanesque que par l'entremise des héros que le hasard lui a permis de rencontrer :
« Il y a du plaisir à parler du général Foy, de Madame Pasta,
de Lord Byron, de Napoléon, etc..., de tous ces grands hommes ou du moins ces êtres si distingués que mon bonheur
a été de connaître et qui ont daigné parler avec moi » (67).

Et puisqu'il n'a pu les entrevoir que pendant quelques se-
condes, il écrit pour eux, il s'adresse à eux (68). Il dédie ses
livres à ces âmes d'élite à la fois nobles et tendres, qui ne
pensent point à l'effet produit sur les autres, qui sont naturelles dans la grandeur ; les aventures de Lamiel, de Fabrice
et des héros des *Chroniques* sont conçues pour des êtres à leur
image, pour une Madame Roland ou pour La Fayette (69).
Ce sont les grands personnages historiques qui peuvent seuls
le mieux apprécier les héros stendhaliens de la dernière époque. Mais les fils de Stendhal ont une supériorité sur les hommes illustres : ils ont en plus cette tendresse et cette lucidité
cornélienne qui bien peu souvent se trouvent unies au courage. De même, le Nicomède de Corneille déploie à tout instant cette suprême aisance dans l'ironie qui lui fait démas-

---

(65) *Ibid.*, 106.
(66) *Ibid.*, 105-106.
(67) *Ibid.*, 105.
(68) « Il est sans doute parmi nous quelques âmes nobles et tendres
comme Madame Roland, Mademoiselle de Lespinasse, Napoléon, le condamné Lafargue, etc. Que ne puis-je écrire dans un langage sacré compris d'elles seules ! Alors un écrivain serait aussi heureux qu'un peintre ;
on oserait exprimer les sentiments les plus délicats et les livres, loin de
se ressembler platement comme aujourd'hui, seraient aussi différents
que les toilettes d'un bal » (*Prom. dans Rome*, II, 190-191). Cf. la réflexion
suivante : « Il me faudrait pour lecteur une Madame Roland, et encore
peut-être le manque de description des charmants ombrages de notre
vallée de l'Isère lui ferait jeter le livre » (*Vie de Henry Brulard*, 352).

quer par jeu tous les pièges tendus par l'hypocrisie ; il montre
envers Laodice une passion que la lucidité ne brise pas. C'est
que le Cid ou Fabrice, Nicomède ou Béatrix Cenci doivent
encore plus aux aventures spirituelles et morales de Corneille
ou de Stendhal qu'à l'histoire proprement dite. C'est donc
chez les amis de Beyle et chez les héros stendhaliens que
s'exprime le naturel héroïque. Ce naturel généreux et spontané, qui prend toute sa force lorsque l'écrivain trouve son
épanouissement dans le romancier de 1839, ne diffère pas du
naturel esthétique vécu par le dilettante et transposé dans ses
critiques d'art ou dans ses souvenirs de touriste.

Le romancier et le critique exhaussent les modes de vie qui
ont été ceux de Beyle dans ses meilleurs moments. Le romancier a donné un sens continu et parfait à ce que l'homme
n'a vécu que temporairement et de façon discontinue. Il a
choisi cependant la seule carrière qui lui permettait, au XIX°
siècle, de préserver son amour de l'indépendance et son horreur des compromissions. Les guerres napoléoniennes, la Restauration et la royauté bourgeoise de Louis-Philippe l'ont
amené de Moscou au petit bureau de Civita-Vecchia. Mais,
jeune dragon, il n'a point tremblé en franchissant le Saint-
Bernard à la suite de Napoléon. Si la vie qu'il s'est aménagée
n'est pas toujours aussi héroïque qu'il l'aurait voulu, du moins,
dans ses émotions artistiques ou littéraires comme dans ses
voyages, il a été naturel chaque fois qu'il pouvait se libérer
des contraintes sociales, chaque fois qu'il vivait loin des
salons parisiens.

Stendhal a réalisé en définitive son désir cornélien d'aventure en devenant touriste italien ; il a vécu la morale de l'honneur en méprisant l'ambition, en préférant s'exiler en Italie,
plutôt que de faire la cour à un roi suborneur. Ni dans sa
carrière administrative, ni dans sa carrière littéraire, il ne
s'est soucié de l'intrigue. Si l'on peut remarquer chez lui un
certain manque de naturel dans quelques salons, ce reproche
pèse de peu de poids dans le jugement que l'on peut porter
sur l'homme et l'écrivain dont la spontanéité seule dictait les
actions et les œuvres, et qui a pu dire en toute sincérité :
« J'ai toujours vécu et je vis encore au jour le jour et sans
songer nullement à ce que je ferai demain » (70).

---

(69) « Je sentis aussi, sans que personne m'en avertît, que M. de la
Fayette était tout simplement un héros de Plutarque. Il vivait au jour le
jour, sans trop d'esprit, faisant comme Epaminondas, la grande action
qui se présentait » (*Souvenirs d'égotisme*, 41).
(70) *Souvenirs d'égotisme*, 18.

*
**

Beyle et Rousseau ont lu dès l'enfance la *Vie des grands
hommes* de Plutarque ; si Rousseau ne fut pas fidèle à ses
admirations enfantines, s'il substitua au goût de l'héroïsme
le goût du naturel sentimental, Stendhal, pendant toute sa vie,
s'applique à prolonger l'exaltation qu'avaient produite en lui
les exploits des Romains. Le Cardinal de Retz, Lauzun, Mirabeau et Napoléon deviennent pour lui les successeurs de
Brutus et de Régulus. Les Mémoires ou la vie de ces héros
modernes vivifient le sublime stendhalien et lui donnent le
sens tragique et dramatique qu'il avait perdu en passant dans
la critique artistique.

Car l'histoire échappe à la cohérence, à l'ordre et à l'harmonie que les peintres superposent à la réalité, elle se situe
dans le domaine de l'absurde, et se dérobe aux lois que l'homme voudrait lui imposer. Le caractère « sublime » de ces héros
modernes qu'aime Stendhal, se fait voir à plein jour dans les
luttes qu'ils soutiennent sans cesse contre les forces aveugles,
l'impondérable et le hasard, ou contre la puissance de leurs
rivaux.

Napoléon, Retz ou Mirabeau sont nés dans ces époques
mêmes qu'affectionne l'éthique stendhalienne, dans ces temps
d'anarchie où l'incohérence et la division des pouvoirs donnent jour à des êtres d'élite en les libérant des contraintes
sociales, en permettant à leur violence naturelle d'exploiter
les divisions des partis. Ces époques non conformistes que
furent la Fronde ou la Révolution sont pour Stendhal à
l'image du XVIᵉ siècle italien, « ce siècle de passions fortes » ;
ils assurent à l'individualisme des conditions privilégiées ; ils
permettent aux plus audacieux d'exprimer dans la rigueur
envers eux-mêmes et la dureté envers les autres l'aspect tragique de leur condition humaine. Stendhal déplore que la
civilisation étiole les âmes et ne cache pas l'enthousiasme
qu'il éprouve à voir les progrès de cette civilisation un instant suspendus, la société bouleversée, l'anarchie succédant à
l'ordre ; c'est lorsque les luttes internes ou externes désorganisent les cadres sociaux que quelques hommes peuvent développer leur maîtrise d'eux-mêmes et des événements : « Ce
fut donc au milieu des passions et des événements les plus
semblables à ceux du XVIᵉ siècle, qu'il ait été donné aux siècles modernes de reproduire, que Napoléon naquit. Ces événements pouvaient écraser un génie médiocre et faire du jeune

(71) *Napoléon*, II, *Mémoires sur Napoléon*, établissement du texte et
préface par Henri Martineau, Le Divan, Paris, 1930, p. 47.

Corse un plat esclave de la France ; mais tel n'était pas
Napoléon » (72).

C'est en moraliste et non en partisan que Stendhal aime
Napoléon (72) ; c'est son désir de retrouver le sublime cornélien dans les temps modernes, et non ses convictions politiques, qui lui font commencer en 1817 une *Vie de Napoléon*
dont il se lasse vite et qu'il n'achève qu'en 1836. Il n'est donc
point tellement désireux de réhabiliter la mémoire de l'Empereur, puisqu'un intervalle de dix ans sépare sa première rédaction de la seconde (73).

Mais lorsqu'en 1817, établi en Italie depuis la Restauration,
il se laisse enfin aller au plaisir de jouir de tout ce qu'il aime,
des soirées à la Scala, et de la musique de Cimarosa, lorsqu'il
écrit *Rome, Naples, Florence* et lorsqu'il veut se faire aussi
historien de l'Empereur, il a oublié qu'il a passé les campagnes de l'Empire dans le dégoût et dans l'ennui. Stendhal
amoureux à Milan de Napoléon ne se rappelle plus qu'auditeur au Conseil d'Etat ou intendant en Silésie, il se plaignait
de la médiocrité du niveau intellectuel des officiers et des
soldats.

Les hommes intrépides qu'il côtoyait tous les jours, le danger permanent où il se trouvait lui-même, ce climat enfin
qui était celui-là même du naturel héroïque, ne pouvait lui
procurer ces belles émotions qu'éprouve à tout instant le touriste italien (74). Si après coup il qualifie de « sublime » la

(72) Cf. le livre de M. Ferdinand Boyer : *Stendhal et les historiens de
Napoléon*. Ed. du Stendhal-Club, Paris. Champion 1927.

(73) « C'est à deux dates distinctes qu'il s'attelle à son Napoléon : Il
met en chantier une *Vie de Napoléon* à Milan en 1817-1818, mais en abandonne la rédaction. Il entreprend des *Mémoires de Napoléon* en 1836-
1838 à Paris (...). A la fin de 1836, il revint à un thème qui n'avait pas
cessé de le préoccuper. La monarchie de Juillet n'avait plus à l'égard de
l'Empereur la hargne des premières années. Le retour des cendres allait
s'effectuer bientôt dans une apothéose. Son admiration continue d'aller
à Bonaparte plutôt qu'à Napoléon. Il inscrira en marge des *Mémoires*
d'un touriste : « Napoléon sauva la révolution en 1796 et en 1799 au 18
brumaire. Bientôt il chercha à anéantir la révolution et il eût mieux valu
pour le bonheur de la France qu'il fût tué en 1805 après la Paix ». Il
dispose de toute une documentation nouvelle, le *Mémorial de Sainte-
Hélène, les Mémoires de Napoléon* de Gourgaud et Montholon » (Armand
Caraccio, *Stendhal, l'homme et l'œuvre*, 113-114).

(74) La plupart des lettres écrites par Stendhal au moment des campagnes napoléoniennes montrent l'ennui et le désespoir d'un homme qui
n'était guère fait pour la guerre. Il écrit de Berlin à Pauline : « J'étais
plus heureux à Paris. Si l'on pouvait mettre la vie où l'on veut, comme
un pion sur un damier, j'irais encore apprendre à déclamer chez Dugazon,
voir Mélanie dont j'étais amoureux, avec une mauvaise redingote, ce qui
me fendait l'âme » (*Corr.*, III, 97, lettre à Pauline datée de Berlin, le 26
mai 1808). Intendant en Silésie en 1813, il note dans son journal : « Je
suis plongé depuis mon retour dans une froideur extrême et ennuyeuse.
Depuis quarante jours je cherche en vain mes anciennes passions, je
n'ai plus que des jouissances de réminiscence » (*Journal*, IV, 133-134,
passage du 12 mars 1813). Le travail administratif de l'intendance dé-

campagne de Russie, il oublie qu'en 1812, à quatre-vingts lieues
de Moscou, il ne désirait qu'une seule chose, échapper aux
« platitudes » du milieu militaire et regagner Rome : « Je
vieillis. Il dépend de moi d'être plus actif qu'aucune des personnes qui sont dans le bureau où j'écris, l'oreille assiégée
par des platitudes, mais je n'y trouve nul plaisir (...). Tout
cela tend furieusement à me faire demander la sous-préfec-
ture de Rome » (75).

L'admiration de Napoléon se situe donc très exactement au
moment où Stendhal a déjà retrouvé la vision cornélienne de
l'homme qu'il avait perdue au contact des Idéologues et en
lisant Tracy qui était encore sa bible en Silésie. Son amour
pour Corneille, pour les héros cornéliens de la Rome antique
ou pour ceux du XVIe siècle italien, trouve un prolongement
dans sa vénération passionnée pour le fils de Laetitia Bonaparte, qui devient paradoxalement à ses yeux une héroïne
italienne : « La mère de Napoléon fut une femme comparable
aux héroïnes de Plutarque, aux Porcia, aux Cornélie, aux
Madame Roland. Ce caractère impassible, ferme et ardent,
rappelle encore davantage les héroïnes italiennes du moyen-
âge, que je ne cite point parce qu'elles sont inconnues en
France. C'est par le caractère parfaitement italien de Madame
Laetitia qu'il faut expliquer celui de son fils » (76).

Bonaparte, comme sa mère, possède cette vertu qui fait le
naturel héroïque, cette passion exclusive prête à tout sacrifier
pour se satisfaire : « un homme de vingt-quatre ans désire
deux cents choses par an ; Napoléon n'en désirait qu'une :
l'amour de la gloire » (77).

Napoléon n'est pas tant aux yeux de Stendhal un chef de
parti qu'un aventurier sublime à l'image des *condottieri* italiens. Cet homme qui a choisi la gloire des actions et non
celles des écrits a su ramasser dans une existence où les coups
de tête alternent avec la lucidité, tous les attributs du « su-

---

goûte Stendhal à tel point qu'il tombe malade à Sagan : « Ce travail
n'occupe pas toute ma force ; si je n'ai quelque douce pensée à chan-
tonner entre mes dents, en faisant mes lettres officielles, je suis un animal
flambé » (*Corr.*, IV, 138, lettre à Félix Faure datée de Sagan, le 16 juillet 1813).

(75) *Corr.*, IV, 66, lettre adressée à Félix Faure, datée de Sagan, le
16 juillet 1813. Ce fils d'une « héroïne italienne » en conquérant l'Italie
en 1796, lui a redonné la joie de vivre ; les soldats de Bonaparte en péné-
trant en Lombardie lui ont fait partager leurs destinées héroïques, lui
ont permis de reconquérir les anciennes vertus romaines : « La Lombardie était avilie et énervée par des siècles de catholicisme et de despotisme. Elle n'était qu'un champ de bataille où les Allemands venaient le
disputer aux Français. Le général Bonaparte rend la vie à cette plus belle
partie de l'Empire romain et semble en un clin d'œil lui rendre aussi son
antique vertu » (*Napoléon*, I, 18).

(76) *Napoléon, Mémoires sur Napoléon*, II, 45-46.

(77) *Napoléon*, II, 77.

blime » ; il polarise autour de lui tous les désirs beylistes de
romanesque aussi bien que l'orgueil exaspéré de Julien Sorel.
Comme tous les grands caractères, Napoléon ne saurait retrouver dans les héros cornéliens que des êtres à son image.
Les demi-dieux de l'histoire reconnaissent leurs pairs dans
les demi-dieux de la légende ou de la littérature : « Je remar-
quai que, dans ses moments de génie, lord Byron admirait
Napoléon comme Napoléon lui-même admirait Corneille » (78).

Le sublime cornélien a revêtu sa plus haute forme d'expression dans l'épopée napoléonienne décrite par Stendhal, dans les
guerres de l'Empire que le temps transforma vite en légende
et presque en mythe, et auxquelles le touriste italien, épris de
Raphaël et de Michel-Ange, s'étonne après coup d'avoir parti-
cipé : « les guerres de Napoléon ont été extrêmement *belles* et
un peu *utiles*. De là, leur réputation, qui durera des milliers
d'années. La vieillesse de ceux qui ont vu la retraite de Moscou
ne sera pas ridicule : elle sera protégée par ce grand souvenir
qui dès 1850, commencera à devenir héroïque » (79).

Car l'ex-disciple des Idéologues, qui voyait dans la vertu
le moyen d'assurer le bonheur du plus grand nombre, se défait
peu à peu de ses préoccupations sociales et utilitaires en abandonnant la morale du XVIII° siècle. La recherche stendhalienne
de l'héroïsme n'exclut point les actions peu utiles au bien public lorsqu'elles sont belles.

*
**

Stendhal loue Mirabeau ou Retz d'avoir su dominer la société de leur époque. Il admire l'activité nerveuse de Retz, le
sang-froid dont il fait preuve dans les émeutes, le détachement avec lequel il sait conter, sa phrase coupante et pourtant spontanée. Dans Mirabeau il voit l'aventurier indiscipliné
jouant avec les menaces des lettres de cachet, la jeunesse ora-
geuse et violente, tout un ensemble de qualités désordonnées
qui devaient pourtant s'organiser chez l'homme politique (80).
La science de Mirabeau, homme d'état, lui paraît égaler en

(78) *Corr.*, VI, 115, passage daté de Paris, 1824.
(79) *Prom. dans Rome*, II, 289.
(80) C'est en juin 1804 que Beyle découvre Mirabeau : « J'ai trouvé un
trésor dans la partie des œuvres de Mirabeau intitulé : *Philosophie (Pensées*, II, 112). C'est donc au moment où Beyle étudie les Idéologues et
surtout Helvétius qu'il lit Mirabeau ; il trouve dans les œuvres de l'homme politique la passion et l'exaltation qui faisaient défaut aux Idéologues : « C'est un grand poids que celui de l'opinion du passionné Mirabeau jointe à celle du raisonnable Helvétius » (*ibid.*, II, 108). En juin et
en juillet 1804, Beyle parcourt avec avidité les œuvres de Mirabeau, qu'il
commente dans sa *Filosofia Nova* et dans son *Journal* (Voir *Pensées*, I,
324, 347, et II, 104, 105 et 107 ; voir de même *Journal*, I, 175 et
Courrier anglais, I, 245).

puissance la spontanéité de Mirabeau écrivain, qui disait de lui-même : « Dépourvu de conseil et de guide, il écrivait ; c'était un arbre jeune et vigoureux, qui, tourmenté de sa sève, produisait mille branches gourmandes, qu'un habile jardinier eût élaguées, en veillant avec soin et dirigeant la végéta- tion » (61).

Stendhal apprécie d'autre part chez les mémorialistes, que ce soit chez Lauzun (82), le duc de Choiseul (83), Mirabeau ou le cardinal de Retz, la description passionnée et sincère des temps héroïques : « Lire souvent Mirabeau. Cet homme a dit la vérité avec pleine franchise » (84).

Le cardinal de Retz ne revendique-t-il pas sa sincérité à titre de gloire ? Il faut bien reconnaître que s'il a voulu peindre son caractère et celui des hommes de son temps, il ne fut pas infidèle à son propos. Sur ce point, sa profession de foi est bien semblable à celle de Henry Brulard : « Qui peut donc écrire la vérité, que ceux qui l'ont sentie ? Et le président de Thou a eu des raisons de dire qu'il n'y a de véritables his- toires que celles qui ont été écrites par les hommes qui ont été assez sincères pour parler véritablement d'eux-mêmes. Ma morale ne tire aucun mérite de cette sincérité ; car je trouve une satisfaction si sensible à vous rendre compte de tous les replis de mon âme et de tous ceux de mon cœur, que la raison, à mon égard, a beaucoup moins de part que le plaisir dans la religion et l'exactitude que j'ai pour la vérité » (85).

C'est donc par amour du « petit fait vrai » et par goût du romanesque que Stendhal se passionne pour les Mémoires, alors que l'histoire ne lui donnerait qu'une froide image de la réalité. Les autobiographies ou les récits historiques lui montrent les grands hommes peints par ceux qui les ont con- nus et le sublime cornélien fidèlement raconté par des témoins

---

(81) Œuvres de Mirabeau, Les écrits, Eugène Fasquelle, éditeur, Paris, 1912, 40.

(82) « Les Mémoires de Lauzun sont comme l'ossatura de la comédie du XIXᵉ siècle. Voilà les événements, voilà comme ils s'emmanchent ; la couleur seule est ou paraît fausse. Je dis paraît, car peut-être Lauzun avait-il l'habitude d'écrire ainsi » (Courrier anglais, I, 12).

(83) « Je viens de lire les mémoires du duc de Choiseul, qui m'ont montré je crois l'histoire véritable d'une seule intrigue sous Louis XV. Il a le style d'une noble simplicité à étudier » (Pensées, II, 271, fragment daté du 28 messidor XII, 17 juillet 1804).

(84) Pensées, I, 243, cahier commencé le 27 floréal an XII (17 mai 1804). Il faut distinguer ces « mémorialistes héroïques » des « mémorialistes mondains » dont nous avons déjà parlé. Bien que d'un point de vue tout à fait différent, M. Vittorio del Litto, dans Les sources françaises et étran- gères des idées littéraires de Stendhal, fait cette disjonction dans ses deux chapitres L'histoire et La découverte de l'histoire.

(85) Œuvres du Cardinal de Retz, Nouvelle édition par Alphonse Feuil- let, Paris, 1810, I, 191.

oculaires. Les *Mémoires* de Madame Hutchinson (86) passionnent Stendhal parce que cette femme fut aussi la femme d'un
des principaux lieutenants de Cromwell et que dans ses *Commentaires sur la Révolution de l'Angleterre,* comme dans l'*Histoire de la cour de Berlin* par Mirabeau (87), il voit le jeu des
passions humaines franchement exprimé.

Ce sont les hommes et non point les événements qui ai-
mantent la curiosité de Stendhal et les mémorialistes ne l'intéressent que dans la mesure où ils sont aussi psychologues,
dans la mesure où ils représentent un reflet des temps trou-
blés où ils vécurent. Il recherche à travers eux des âmes sensibles à la grandeur humaine, passionnées de naturel, sincères
comme il le fut lui-même, et dont le but essentiel a été comme
le sien, de montrer comment les passions commandent aux
événements : « Mirabeau avait une connaissance profonde de
la nature humaine » (88), et sa manière de penser était celle
de Stendhal (89).

Ces aventuriers sublimes rassemblent en eux tous les traits
que Stendhal va découvrir dans l'Italie de la Renaissance.
Ils jouent, comme les héros des *Chroniques,* avec le poison,
le déguisement, les coups d'épée ou de pistolet. Mirabeau ou
encore ce Benvenuto Cellini à la vie scandaleuse (90), ont été
pour Stendhal des modèles d'enthousiasme ; ces particules
d'énergie stendhalienne qui étaient demeuré négatives sous
l'influence des Idéologues, Corneille et les mémorialistes les
ont définitivement transformées en particules d'énergie positive et rayonnante.

*
**

Le romancier Stendhal se libère des contraintes sociales
lorsqu'il projette ses tendances naturelles et ses impératifs

(86) « Un soir, assis sur le pont qui est au bas de la terrasse de
Richmond, je lisais les *Mémoires de Mme de Hutchinson ;* c'est l'une de
mes passions » (*Souvenirs d'égotisme,* 75).
(87) « Mirabeau a composé quarante volumes ; lire particulièrement :
Histoire secrète de la Cour de Berlin, pour les caractères (...). Mirabeau
ressemblait beaucoup à une femme ; il en eut en sa vie toutes les passions, excepté l'avarice et l'envie. Mais la *vanité* ne le gouvernait pas »
(*Journal,* I, 174-175, passage du 23 juillet 1804).
(88) *Courrier anglais,* II, 390.
(89) « Je suis flatté de voir que Mirabeau pense souvent comme moi »
(*Pensées,* II, 272, fragment du 28 Messidor XII, (17 juillet 1804). Cf. la
réflexion suivante : « Oh ! que je trouve bien toute ma pensée dans
Mirabeau. Il est permis de douter que l'*Esprit des Lois* survive aux
belles épîtres d'Horace ou même à ses jolies odes » (*Pensées,* II, 107,
cahier portatif d'extraits commencé le 1er messidor an XII, 20 juin
1804).
(90) « Enfin nous avons reçu de Paris la traduction française de la
vie de Benvenuto Cellini, écrite par lui-même. Nous l'avons lue jusqu'à
3 heures du matin. Avant la publication des Mémoires de Casanova de
Seingalt, l'ouvrage de Cellini était le plus curieux de ce genre » (*Prom.
dans Rome,* II, 35).

moraux sur les héros des *Chroniques* et de la *Chartreuse*, de 1837 à 1840. *Avec l'aide et l'appui de tous ceux qui ont peint sur le vif une nature humaine généreuse et spontanée, Stendhal a élaboré les thèmes, mis au jour les procédés de composition et de création qui sont ceux du romancier.*

La société de tous les auteurs « cornéliens » exhausse et sublime par son influence le tempérament passionné de l'homme ; elle alimente la pensée stendhalienne dont l'expression définitive est la morale de l'honneur.

Stendhal a fait appel, comme nous l'avons vu, à des auteurs « héroïques », qui peuvent sembler dissemblables à première vue : leur hétérogénéité n'est qu'apparente. Le moraliste Stendhal apporte à cet ensemble son principe d'unité, et les lectures cornéliennes, si diverses qu'elles soient, ont en commun la naïveté et la franchise dans la peinture des passions. *Les auteurs tragiques comme l'Arioste, Corneille et Shakespeare, les romanciers comme Cervantes et les mémorialistes comme Mirabeau ou Benvenuto Cellini sont, aux yeux de Stendhal, les meilleurs « chroniqueurs » de leur temps.* Ces hommes qui écrivent avant le classicisme ou, comme Mirabeau, dans la période anarchique de la Révolution, narrent les exploits des grands hommes dans un langage qui est proche de la langue parlée et donc dépourvu des raffinements qui comportent l'affectation et l'emphase. L'homme qui disait : « Peut-être serais-je presque constamment heureux si je vivais au milieu de grands événements » (91), a spirituellement vécu au milieu des grands hommes, et parmi les grands événements de l'histoire anecdotique et romancée. Il a exploité toute sa vie les richesses historiques et politiques que lui offrait la veine des chroniqueurs. Car Stendhal, qui n'est point aventurier, mais moraliste, demande le cadre et les grandes lignes directrices de sa morale de l'honneur à tous ceux qui ont su décrire avec simplicité des drames historiques individuels.

Corneille et Shakespeare sont pour Stendhal des « chroniqueurs » qui racontent l'actualité ou qui reprennent sans les affadir les vieux récits de Tite-Live ou de Plutarque. Pour se faire citoyen du XVIᵉ siècle, comme Shakespeare, Stendhal compulse les archives de petites villes d'Italie; pour participer, comme Corneille, aux revendications d'une aristocratie tapageuse, il suit de près l'histoire des princes italiens de la Renaissance.

Par le choix de l'intrigue et par le ton, les récits du XVIᵉ siècle que le touriste italien cherchait chez les bouquinistes s'apparentent aux œuvres de Shakespeare. Car Stendhal, dans son parti-pris d'individualisme et dans son dédain des admirations officielles, fait siens les goûts d'un public élisabéthain.

---

(91) *Journal*, VI, 170, passage daté du 25 janvier 1808.

Il revalorise, au XIX° siècle, les héros shakespeariens qui ont
le mérite de posséder « cette éloquence poétique qui parle à
l'âme en exerçant le moins possible la tête, telle qu'il la fallait
à un peuple grossier » (92). Stendhal se fait contemporain et
allié de tout public primitif; comme ce bas peuple qui su conserver encore dans l'Italie du XIX° siècle les qualités de naïveté et de franchise du peuple anglais du XVI° siècle, le conteur
des *Chroniques* aime un romanesque dépourvu d'emphase : ce
peuple italien, « qui rit de tous les écrits publiés sous la censure de ses maîtres, fait sa lecture habituelle de petits poèmes
qui racontent avec chaleur la vie des brigands les plus re-
nommés. Ce qu'il trouve d'héroïque dans ces histoires ravit la
fibre artiste qui vit toujours *dans les basses classes,* et, d'ailleurs, il est tellement las des louanges officielles données à certaines gens que tout ce qui n'est pas officiel en ce genre va
droit en son cœur » (93).

Il est significatif de voir que l'admiration de Stendhal est
sans cesse aimantée par les personnages littéraires que leur
noblesse cornélienne livre aux actes les plus insensés, tolérés
par un siècle préclassique comme le XVI° siècle. Parmi tous les
héros shakespeariens, Othello et Hamlet sont les préférés de
Stendhal (94). Car la générosité d'Hamlet ou d'Othello comble
tous les rêves d'espagnolisme de Beyle : « Je vivais solitaire et
fou comme un Espagnol, à mille lieues de la vie réelle. Le bon
père Jeki, Irlandais, me donnait des leçons d'anglais, mais je
ne faisais aucun progrès, j'étais fou d'Hamlet » (95). En 1805,
il ne retient d'Othello que les exploits d'un hors-la-loi, et son
enthousiasme semble oublier la férocité du Maure : « J'ai bien
senti le plaisir de la mélancolie, je répétais avec enthousiasme,
ravissement, cet autre passage d'*Othello :* « C'est là le destin
des hommes généreux et des grands caractères que », etc...
J'avais une jouissance indicible en prononçant ce mot *géné-*
reux. J'ai peut-être plus senti, dans cette journée, que Pacé,
Tencin, et Ouéhihé dans toute leur vie. Quelles agita-
tions ! » (95).

Stendhal loue dans Corneille et Shakespeare le fait qu'ils lui
donnent des sensations fortes et sublimes, où le respect s'unit
à la terreur. Nous dirions de nos jours dans le langage du XX°
siècle, que Stendhal est surtout touché par la part de sacré que
renferment les œuvres tragiques de Corneille ou de Shakespeare. Il donne le nom de sublime au merveilleux shakespea-
rien ou à l'exaltation cornélienne. Le disciple des Idéologues

(92) *Molière, Shakespeare, la comédie et le rire,* éd. Martineau, Le
Divan, Paris, 1930, 197-198.
(93) *Chroniques italiennes,* I, 16.
(94) *Vie d'Henry Brulard,* 20.
(95) *Ibid.,* 20.
(96) *Journal,* II, 109, passage du 3 mars 1805.

se sent contraint d'admirer les puissances irrationnelles qui dominent l'homme, qu'elles soient extérieures à l'individu comme dans les fééries de Shakespeare, ou encore qu'elles soient inhérentes à l'homme même, à ce Rodrigue et à ce Polyeucte irrésistiblement poussés au renoncement d'eux-mêmes.

L'œuvre où entre en jeu ce désir stendhalien d'absolu, ce sont les *Chroniques italiennes. Installés dans ces époques troublées du XVI⁰ et XVIII⁰ siècles italiens, qui permettent les manifestations les plus brutales de l'individualisme,* les héros des *Chroniques* cèdent à leurs passions et cherchent leur destin dans des aventures où l'amour se confronte sans cesse avec la mort pour mieux s'éprouver, où, pour mieux se tremper, l'honneur s'affronte avec l'amour.

CHAPITRE IX

L'UNIVERS CORNELIEN
DES « CHRONIQUES ITALIENNES »

1. — *LES TEMPS CORNELIENS : Préfiguration des Chroniques. — Le romanesque des époques héroïques. —
Un décor cornélien : les « oppidums » et Albe-la-
Longue.*
2. — *LES AMES CORNELIENNES : Restauration du pathétique cornélien. — Les héroïnes cornéliennes, leur liberté et ses limites. — Les Romaines et leur destin. —
Spontanéité tragique de l'honneur. — La passion cornélienne. — Attitude cornélicnne devant l'amour. —
Perte de l'honneur.*

1. — LES TEMPS CORNELIENS

Les héros de la Renaissance ont hérité de la grandeur des
anciens Romains que Stendhal aimait à l'instar de Corneille ;
l'Italie antique demeure toujours au second plan des *Chroniques*, mais elle y est toujours présente et vient modifier le
tonus de ces Italiens en leur apportant la fraîche et primitive
vitalité du sang de leurs ancêtres.

La conception stendhalienne de l'Italien telle qu'elle apparaît
dans les *Chroniques* est la condensation de tous les thèmes
beylistes épars dans *De l'Amour*, dans *Rome, Naples et Florence*, ainsi que dans les *Promenades dans Rome*. Le naturel
héroïque vécu concrètement par ces héros du XVIe siècle
ramasse en traits concis et brutaux les observations de Beyle
sur l'amour dans les pays du midi, sur les ruines romaines et
sur les époques de Léon X ou de Jules II, aussi bien que sur
les mœurs de l'Italie du XIXe siècle, les exploits des brigands
calabrais, les enlèvements ou les duels. Dans le traité *De
l'Amour*, écrit sous l'influence de l'Idéologie et inspiré de
Desttut de Tracy, l'amour-passion prenait la première place

et l'Italie y était le climat privilégié, alors que les salons de
la Restauration ne connaissaient que l'amour-vanité.

Rome, Naples et Florence, et *Les Promenades dans Rome*
préfigurent déjà les *Chroniques* de 1839 : alternant avec
l'évocation des œuvres artistiques antiques et modernes, avec
la description du Colisée et les tableaux de Raphaël, les anecdotes sur l'Italie du XIX° siècle, que Stendhal mêle aux analyses
artistiques, exaltent l'énergie avec la même sobriété que les
récits de 1839.

L'Italie stendhalienne des *Chroniques* a donc conquis son
autonomie et son indépendance après ce long travail, qui, depuis ses origines (esquissées dans *De l'Amour* en 1822), lui
a permis de se développer et de s'enrichir grâce aux découvertes du touriste italien devenu amateur et curieux, pour
mieux annexer à son pays d'élection les domaines de la peinture et de la musique du XVI° siècle, l'architecture et la sculpture romaines, aussi bien que cette Calabre qui se révèle si
fertile en hors-la-loi dans *Les Promenades dans Rome.*

Rome, Naples et Florence, en 1817, avait déjà présenté
l'Italie comme la patrie de l'énergie et l'héritière de la grandeur romaine. C'est peut-être en prenant contact avec le sol
de ce pays élu que Stendhal, touriste italien, s'éveille au romanesque et au sublime romains : « Nous sortons par la porte
de Saint-Jean de Latran. Vue magnifique de la voie Appienne,
marquée par une suite de monuments en ruine ; admirable
solitude de la campagne de Rome ; effet étrange des ruines au
milieu de ce silence immense. Comment décrire une telle sensation ? J'ai eu trois heures de l'émotion la plus singulière :
le respect y aidait pour beaucoup (...). La campagne de Rome
traversée par ses longs fragments d'aqueducs, est pour moi la
plus sublime des tragédies » (1). Cette plaine magnifique
recrée pour lui les épisodes héroïques et sanglants des héros
de Corneille. Ces paysages latins de Pompéïa (2), de Volterra
ou de Castel Fiorentino rappellent Stendhal au goût de la noblesse antique. Le paysan toscan n'est plus à ses yeux un homme du XIX° siècle, mais un héros du XVI° siècle, et aussi un
Italien des premiers temps de la république romaine. « Je crois
en vérité que le paysan toscan a beaucoup plus d'esprit que
le paysan français, et qu'en général le paysan italien a reçu
du ciel infiniment plus de susceptibilité de sentir avec force
et profondeur, autrement dit, infiniment plus d'énergie de
passion » (3).

Les Promenades dans Rome montrent en 1829 les résultats

(1) *Rome, Naples et Florence,* révision du texte et préface par Henri
Martineau, le Divan, Paris, 1927, II, 146-147.
(2) « Ce que j'ai vu de plus curieux dans mon voyage, c'est Pompéïa ;
on se sent transporté dans l'antiquité » (*ibid.,* II, 198).
(3) *Ibid.,* II, 131.

des annexions stendhaliennes. Une anecdote de quelques lignes fait déjà pressentir la perfection du récit brutal et franc
des *Chroniques,* elle fait deviner aussi les amours secrètes et
défendues de leurs héroïnes : « Nous avons obtenu communication d'un manuscrit qui raconte la suppression du couvent
de Bajano. Rien ne surpasse, pour l'intérêt déchirant, l'exécution à mort et le spectacle de ces deux religieuses si belles,
contraintes de prendre les grands verres de ciguë que leur
présentent les prêtres délégués par l'archevêque de Naples » (4).

L'Italie devient ainsi pour Stendhal un pays où le déchirement de la tragédie éclate en tous temps et en tous lieux. Même
encore en 1827, « beaucoup de petites villes renferment des
hommes qui, au besoin, suivraient la ligne des Mirabeau, des
Babœuf, des Dupont de Nemours » (5). Bien des personnages
et des acteurs des *Promenades dans Rome* et de *Rome, Naples
et Florence,* sont les frères de leurs compagnons d'armes, des
héros des *Chroniques* ou des héros de Corneille.

En 1839, le naturel héroïque triomphe donc chez Jules Branciforte, Béatrix Cenci, Vanina Vanini ou Missirilli, comme
il triomphe chez Emilie ou Camille. Car seuls les temps trou-
blés où règnent l'individualisme et l'anarchie laissent au naturel héroïque la liberté de trouver ses modes d'expression. Si
Corneille a su peindre une nature humaine généreuse, c'est
qu'il vivait en un siècle où une noblesse bruyante entendait
vivre selon un code de l'honneur entièrement personnel et ne
s'était pas encore pliée à une servilité courtisanesque.

Aux yeux de Stendhal, Corneille est contemporain de
Michel-Ange. Les guerres de religion et la Fronde en France,
les querelles qui opposèrent les princes et les petites républiques en Italie, ont créé des aristocrates orgueilleux de leurs
privilèges. Stendhal établit ce parallélisme en soulignant la
fertilité artistique des Italiens et des Français dans les époques mouvementées, mais fécondes, qui précédèrent l'établissement d'un classicisme : « Les arts naquirent en Italie vers
l'an 1400 ; ils héritèrent du feu que les républiques du moyen-
âge venaient de laisser dans les cœurs. Ce feu sacré, cette générosité passionnée respirent dans le poème du Dante, commencé vers l'an 1300, et qui forma l'âme et l'esprit de Michel-
Ange » (6). Stendhal, passant sous silence ce qu'il est con-
venu d'appeler la Renaissance française, fait du siècle de Cor-

---

(4) *Prom. dans Rome,* II, 354.
(5) *Ibid.,* I, 132. Cf. la courte nouvelle intitulée *Un couvent :* « Fla-
via Orsini gouvernait avec prudence et fermeté le couvent noble de Ca-
tanzara, situé dans la Marche. Elle s'aperçut qu'une de ses religieuses.
l'altière Lucrèce Frangimani, avait une intrigue avec un jeune homme
de Forli qu'elle introduisait la nuit dans le couvent » (*ibid.,* II, 103-
120).
(6) *Mémoires d'un touriste,* I, 430-431.

neille un siècle privilégié et propice à la création artistique
et littéraire ; il ose regretter que Corneille soit le seul génie de
son temps : « Il eût fallu que les arts nacquissent en France
en même temps que le Cid. Les guerres de religion avaient en-
flammé les âmes étiolées par la longue et ignoble féodalité ;
les intrigues de la Fronde avaient aiguisé les esprits, les Français eussent fait de belles choses » (7).

L'individualisme stendhalien ne saurait s'accommoder de
la corruption littéraire ou sociale de la première moitié du
XIX° siècle, il ne saurait, nous l'avons vu, s'intégrer ni à la
société frelatée de la Restauration ni aux confréries littéraires
de son temps ; dans sa volonté toujours constante de faire
bande à part, il se cherche un siècle d'adoption où il puisse
s'épanouir, un siècle encore peu civilisé et par là exempt d'affectation et ignorant la vanité ; ce sont les siècles de Corneille
et ceux des *Chroniques italiennes* : « Il faut ce me semble se
tirer de son siècle et se faire citoyen de celui qui a été le plus
favorable aux productions du génie. Ce siècle est probablement celui des grands hommes, il faut donc devenir contemporain de Corneille » (8).

Ainsi, ce ne sont point les héros stendhaliens ou cornéliens
qui sont romanesques, mais bien plutôt *les temps où ils vécurent*. Ils sont romanesques et pittoresques, ces temps trou-
blés de la Fronde où vécut Corneille, ces temps encore peu
civilisés de la jeune Espagne où il a situé *le Cid*, ou encore
ce XVI° siècle italien qu'aima Stendhal et qui donna naissance
à une Vittoria Accoramboni ; l'extraordinaire y devient naturel. « C'est que vers 1585, la vanité n'enveloppait point toutes
les actions des hommes d'une auréole d'affectation ; on
croyait pouvoir agir sur le voisin en s'exprimant avec la plus
grande clarté possible. Vers 1585, à l'exception des fous en-
tretenus dans les cours, ou des poètes, personne ne songeait
à être aimable par la parole » (9). Si l'on cherche l'homme,
c'est là qu'on peut le trouver, dans les manifestations de ses
passions les plus cruelles et les plus généreuses (10). L'appareil moderne de la justice et des tribunaux n'est pas encore

(7) *Ibid.*, 431.
(8) *Pensées*, I, 13.
(9) *Chroniques italiennes*, I, 187, (*Vittoria Accoramboni*).
(10) « L'on sait assez qu'en ce temps-là, pendant le siège vacant, les
lois étaient muettes, chacun songeait à satisfaire ses passions, et il n'y
avait de force que par la force; c'est pourquoi, avant la fin de la journée, le prince Colonna avait déjà fait pendre plus de cinquante de ses
ennemis. Quant à Jules, quoiqu'il n'eût pas quarante hommes avec lui,
il osa marcher vers Rome » (*ibid.*, I, 172, *l'Abbesse de Castro*).

formé ; la loi est celle du plus fort, et non pas celle de l'Etat ;
le culte de l'honneur, et non point de l'argent, est devenu religion ; la franchise existe parce que l'amabilité n'existe pas
encore. « Cet état de civilisation fait gémir la morale, j'en con-
viens ; de nos jours on a le duel, l'ennui, et les juges ne se
vendent pas ; mais ces usages du seizième siècle étaient merveilleusement propres à créer des hommes dignes de ce
nom » (11).

En ces temps de naturel héroïque, la fille du seigneur
Campireali, comme Chimène, comme Mathilde de La Mole,
estiment avant tout chez l'homme qu'elles aiment son attitude
anticonformiste devant la vie (12).

Car un jeune condottiere comme Branciforte, ou un carbo-
naro comme Missirilli sont, à l'instar d'Antiochus ou de
Rodrigue, seigneurs et rois. Si Rodrigue va combattre les Mau-
res, Branciforte marche contre Rome pour faire le siège d'un
couvent. Corneille, il est vrai, aime la royauté, car elle permet
le libre exercice des plus belles facultés humaines ; le roi se
doit d'être maître de lui puisqu'il ne dépend de personne : la
cruauté ou la noblesse sont les champs ouverts à ses passions.
Mais les héros des *Chroniques* assument eux aussi cette royauté cornélienne que Rodogune engage dans le crime, qu'Auguste sublime dans la noblesse et le renoncement.

Les carbonari du XVIII° siècle et les condottieri du XVI°
siècle ne sauraient être écrasés par les puissants, puisqu'ils
luttent contre eux ; ils trouvent leurs qualités humaines, sublimes ou horribles (chez François Cenci), dans cette lutte
d'homme à homme. Car le naturel héroïque s'exprime dans la
lutte, ou n'existe point. Cléopâtre dans *Rodogune* veut régner
par le meurtre, Auguste dans *Cinna* par la générosité, et les
seigneurs du XVI° siècle italien veulent régner pour conserver
leur indépendance : « A cette époque de bravoure et de force,
les Orsini, les Colonna, les Savelli, les Conti, les Santacroce,
etc., étaient tous condottieri ; chacun d'eux était à la tête de
ce que nous appellerions aujourd'hui un petit régiment ; plus
une grande famille de Rome comptait de jeunes gens en état
de porter les armes, plus elle était respectée. Chaque famille
traitait séparément et de puissance à puissance avec le pape,
le roi de France, ou la République de Florence. Les idées connues aujourd'hui sous les noms de légitimité, rébellion, etc.,
ne se trouvaient dans la tête de personne » (13).

---

(11) *Ibid.*, I, 18, (*l'Abbesse de Castro*).
(12) « Il faut savoir qu'au quinzième siècle les jeunes filles, plus voisines du bon sens républicain, estimaient beaucoup plus un homme
pour ce qu'il avait fait lui-même que pour les richesses amassées par
ses pères ou pour les actions célèbres de ceux-ci » (*ibid.*, I, 56, *l'Abbesse
de Castro*).
(13) *Prom. dans Rome.*, III, 88.

Ni le héros cornélien ni le héros stendhalien ne sont des surhommes : mais ils évoluent dans un milieu qui leur permet de s'exprimer spontanément. Et parce que la libre manifestation de leur personnalité les engage à se confronter directement avec le destin, ils se trouvent nécessairement engagés dans des aventures que l'on s'est plu à qualifier de romanesques. Le romanesque cornélien ou stendhalien n'est point cependant surajouté à ces aventures intérieures ou spirituelles qui contraignent l'Emilie de *Cinna* ou Vanina Vanini à sacrifier tout ce qui n'est pas leur passion, alors que le romanesque est fictif dans *l'Astrée* parce que les héros n'en sont point passionnés.

Les siècles où la rudesse naturelle de l'homme n'a pas encore été appauvrie par les impératifs sociaux qui refoulent les instincts généreux ou cruels, sont les siècles stendhaliens ou cornéliens par excellence ; ce sont les temps héroïques des petites tyrannies italiennes où le seigneur se révolte contre le prince, où l'aventurier Jules Branciforte tue le fils du seigneur de Campireali ; ce sont les époques privilégiées pour Corneille, où des états minuscules, Albe et Rome, la Syrie et le royaume des Parthes dans *Rodogune*, permettent à leurs meilleurs guerriers ou à leur roi d'affronter leur noblesse naturelle et leurs ambitions effrénées ; ce sont les siècles propices au naturel héroïque « où la franchise et la rudesse, suite naturelle de la liberté que souffrent les petites républiques, et l'habitude des passions franches, non encore réprimées par les mœurs de la monarchie, se montrent à découvert » (14).

Les Italiens des *Choniques* sont donc parvenus en 1839 à ce point de perfection où les a conduits l'évolution de Stendhal. Cet Italien construit et organisé par l'âme stendhalienne éprise de grandeur, participe de toutes les acquisitions de son créateur. Il redevient romain et cornélien, il est plus proche de la Rome antique imaginée par Corneille que des temps modernes ; le décor qui l'entoure, aussi bien que l'orgueil qui dicte ses démarches, sont plus près des lieux historiques et des actions d'éclat décrits par Tite-Live que des palais et des orgies de la Renaissance. Cette Italie du XVI⁰ siècle ignore les banquets et les fêtes de l'Italie de Musset dans *Lorenzaccio*. Les palais des *Chroniques* ne sont guère propices à la joie de vivre, ce sont des citadelles qu'il faut assiéger. Les demeures altières ne permettent à leurs habitants que de préserver leur indépendance et leur honneur ; conçues dans ce but, elles ne sauraient s'ouvrir à la gaîté, pas plus qu'à l'infamie. Leurs

(14) *Chroniques italiennes*, I, 31 (l'*Abbesse de Castro*).

parois épaisses et hautes les gardent de toute intrusion ; celui
qui viole leurs portes viole l'honneur d'une famille. Dans
l'*Abbesse de Castro,* le seigneur de Campireali vise avec son ar-
quebuse le jeune Jules Branciforte qui se promène trop souvent
sous les fenêtres de son palais. Dans *Vittoria Accoramboni,*
Louis Orsini, condamné à mort par le Sénat de Venise, transforme sa maison en un château-fort dont la milice doit faire
le siège : « Le seigneur Louis criait avec une grande impétuosité ! Bataille ! bataille ! guerre ! guerre ! Il était très occupé
à faire fondre des balles avec l'étain des plats et le plomb des
carreaux des fenêtres » (15). Ces « oppidums » où s'est réfugié
l'orgueil de petits princes qui luttent d'égal à égal contre la
milice de Padoue comme Louis Orsini ou contre le pape comme les Colonna dans l'*Abbesse de Castro,* dominent une campagne qui a perdu en partie les caractéristiques de l'Italie du
XVIe siècle au profit de celles de l'Italie antique.

C'est dans le décor d'Albe-la-Longue que vit Hélène de
Campireali, et les lieux qui protégeront son amour indépendant et révolté, le Monte Cavi, la petite maison de Jules Branciforte, ce sont les ruines mêmes d'Albe et de Rome. Sans
doute, « un couvent de moines noirs a remplacé, au sommet
du Monte Cavi, le temple de Jupiter Férétrien, où les peuples
latins venaient sacrifier en commun et resserrer les liens
d'une sorte de fédération religieuse ». Mais pourtant, « l'œil
distingue les moindres détails de ce pays sublime qui pourrait se passer d'illustration historique, et cependant chaque
bouquet de bois, chaque pan de mur en ruine, aperçu dans la
plaine ou sur les pentes de la montagne, rappelle une de ces
batailles si admirables par le patriotisme et la bravoure que
raconte Tite-Live. Encore de nos jours l'on peut suivre, pour
arriver aux blocs énormes, restes de Jupiter Férétrien et qui
servent de mur au jardin des moines noirs, la *route triomphale* parcourue jadis par les premiers rois de Rome. Elle est
pavée de pierres taillées fort irrégulièrement; et, au milieu de
la forêt de la Faggiola, on en trouve de longs fragments » (16).
Dans cette Italie des *Chroniques* où la piété s'entoure des
mêmes superstitions que les religions antiques, c'est en « moines noirs » que se déguisent Jules et Hélène pour échapper au
seigneur de Campireali, mais la petite maison de Jules où ils
font vœu de pureté est « construite sur les ruines d'Albe » (17).

(15) *Chroniques italiennes,* I, 223-224.
(16) *Ibid.,* I, 21-22-23.
(17) *Ibid.,* I, 63.

2. — LES AMES CORNELIENNES

Stendhal a été le premier à reconnaître le pathétique cornélien, qui le touche parce qu'il est vrai; alors que son siècle gardait encore les préjugés de Boileau, il est le seul à mettre en évidence la vérité du génie cornélien. Il aime *Nicomède* et *Rodogune* et fait partager son admiration à ses amis : « Tencin a été enchanté de cette pièce (...). Les beautés de *Rodogune* le touchent plus que celles *d'Andromaque* et de *Phèdre*,. qu'il dit bonnes pour les gens passionnés et les femmes. — Ce sont beautés pour les gens à sentiment, dit-il, au lieu que, dans *Rodogune*, diable ! cela vous touche. — C'est, lui répondis-je, qu'il s'agit de la vie, et que tout le monde l'aime » (18).

Stendhal ne retient donc de Corneille que sa réalité tragique. Le moraliste aux aguets veut capter la vie aux moments où la condition humaine accepte de jouer son propre drame dans une splendeur dénudée. *Le sublime est la pointe extrême où s'engage le naturel héroïque au moment où il se dépouille du naturel aimable, où il va au delà du naturel spontané, où il cherche dans la plus sèche intransigeance à s'opposer à la société.*

Le romancier ne peut toujours se satisfaire d'un naturel contemplatif qui serait celui de Saint-Preux ·ou de Delphine; lorsqu'il veut pousser la spontanéité jusqu'à ses dernières limites, il la conduit dans la voie royale des aventures corné-liennes. Car seul le génie cornélien a revêtu le sublime d'une acuité vivante; seule la générosité naturelle d'un Nicomède lui permet d'assumer dans une noblesse dépourvue d'emphase le sentiment tragique de la vie : « *Nicomède,* très bien senti; c'est peut-être le comble de la noblesse que de faire une tragédie où l'on excite tour à tour le sentiment du sublime (terreur commencée) et les ris. Il n'y a parmi nos poètes que Corneille qui eût assez de noblesse dans l'âme pour faire cela » (19).

La simplicité dans l'héroïsme, le naturel dans la grandeur,. font aux yeux de Stendhal tout le prix de Corneille, et la poétique racinienne ne lui paraît qu'affectation, car les héros de Racine n'ont point ces impulsions généreuses qui font franchir allégrement les portes du sacrifice; ils n'ont point cette franchise et cette brutalité qui les conduisent à être libres et hommes en dépit des circonstances et des convenances. Les actions des héros cornéliens sont contraires aux convenances, et par là même, au devoir. Le « devoir » impliquerait bien plus que Rodrigue respecte le père de sa fiancée, que Po-

---

(18) *Journal*, I, 181-182, passage daté du 26 juillet 1804.
(19) *Ibid.*, I, 296-7, passage daté du 6 janvier 1805.

lyeucte reste auprès de Pauline au lieu d'aller briser les idoles d'un temple.

L'athée Stendhal, l'ex-disciple des Idéologues montre en
définitive dans les *Chroniques italiennes* de 1839 une vision
cornélienne et antivoltairienne de l'homme. Il a dû renoncer
à voir l'homme comme la composante de divers facteurs,
comme un conglomérat de sensations, d'idées et de sentiments combinés. Cet écrivain indépendant a vécu à titre personnel les déchirements et les sursauts qu'éprouva la conscience européenne depuis la fin du XVIIᵉ siècle jusque vers
1900; comme elle, l'âme stendhalienne, après avoir refusé
tout ce qui n'était pas réalité humaine cohérente, rationnelle,
explicable par la physiologie, ne peut se satisfaire du rôle de
composante et de facteur auquel elle est réduite. La nature
humaine est alors pour Stendhal un champ de bataille entre
des instincts différents; chez cet écrivain dont la morale s'affranchit de tout dogme, les combats ne s'effectuent pas entre
le bien et le mal, mais entre l'ambition et l'amour de la gloire,
entre le désir de plaire en société et celui, plus humble et plus
orgueilleux à la fois, de faire mûrir dans la solitude l'enthousiasme et la générosité, c'est-à-dire la sincérité personnelle. Avec désinvolture et mesure, sans exaltation, car il a
horreur de l'emphase, il est un des premiers à restaurer les
valeurs humaines qu'un siècle de sociologie, le XVIIIᵉ siècle,
avait abolies. Mais la modestie et la pudeur stendhaliennes
ne sauraient couronner cette renaissance avec pompe ou avec
éclat. Si la générosité, toujours présente dans les œuvres stendhaliennes, finit par s'imposer au lecteur, c'est dans le milieu
frelaté de la Restauration ou dans la petite cour pourrie de
Ranuce-Ernest qu'il faut aller la chercher sous son masque.
Ce n'est que dans les *Chroniques* qu'elle apparaît à l'état pur,
elle y revêt en même temps une forme plus tragique et plus
pathétique.

Mais c'est déjà en 1804 et en 1805 que Stendhal a trouvé,
spontanément exprimé chez Corneille, ce sentiment tragique
de la vie qu'il recherche plus tard dans les annales et dans
les vieilles chroniques italiennes : « A propos de Cinna, j'ai
été témoin de faits qui prouvent que le vieux Corneille a bien
connu le cœur humain : j'ai vu deux personnes très passionnées faire les plus grands sacrifices sans combats, tout naturellement, comme Auguste : « Soyons amis Cinna » au lieu
que Voltaire et Racine n'intéressent que par des combats in-
terminables » (20).

Mais ces êtres spontanés, cornéliens ou stendhaliens, qui
se livrent à des démarches extraordinaires, n'ont rien de sur-
humain : la passion est seulement chez eux portée au paroxys-

_____

(20) *Corr.* I, 234, lettre à Pauline, datée de juillet ou août 1804.

me. Que le naturel cornélien s'exprime chez des êtres d'élite,
chez le Cid ou Auguste, qu'il prenne, dans *Rodogune*, la forme
de la violence et de la haine et conduise alors au crime, il demeure toujours spontané. C'est à ce naturel héroïque et à ses
formes d'expression, à ces luttes d'homme à homme, à ces
dialogues brutaux et toujours décisifs, que Stendhal donne le
nom de sublime : « Le caractère de Rodogune est le deuxième
ou le troisième pour la beauté de tous ceux qui sont au théâtre. Le cinquième acte sublime. Qu'on songe à la force de génie de Corneille, cette pièce vraiment tragique faite par l'auteur du *Cid* et du *Menteur* établit son génie d'une manière
sublime » (21).

Parce que les héros cornéliens ne sont point affectés, leur
naturel les durcit dans cette intransigeance volontaire à
l'égard de tous les impératifs d'une humanité médiocre.
Qu'ils soient paysans ou princes, les personnages des *Chroniques* sont également hostiles aux lois officielles, car « les
mœurs des républiques du moyen âge, du temps desquelles
on se battait pour obtenir une certaine chose que l'on désirait, avaient conservé beaucoup de bravoure dans le cœur des
paysans; de nos jours, personne ne bougerait » (22).

*
**

L'univers stendhalien, limité à quelques villes de l'Italie de
la Renaissance, se décalque cependant sur l'univers cornélien.
Si les durées historiques de ces deux mondes, corréliens et
stendhaliens, ont, comme nous l'avons vu, de nombreux
points d'interférence, la psychologie amoureuse de leurs héros ne saurait trouver une identité aussi parfaite qu'en faisant
appel à une seule et même morale.

Les sentiments et les passions se colorent sans doute de
nuances différentes selon leur localisation; chez Stendhal, ils
empruntent à l'Italie du XVIe siècle sa sensualité et ses désirs
d'animalité heureuse de vivre; chez Corneille, ils demandent
à des temps primitifs des vertus plus austères. Quoi qu'il en
soit, les héros des *Chroniques* et ceux du *Cid* ou de *Nicomède*
mettent en action des règles de conduite identiques. Ils s'ex-
cluent eux-mêmes de leur propre univers s'ils négligent un
seul de leurs principes. Corneille et Stendhal demandent à
leurs personnages une maîtrise incessante d'eux-mêmes. Un
Rodrigue, en obéissant à la morale toute faite et en ne tuant
pas le père de Chimène, se serait rangé du côté des impurs.

Parce que ces êtres d'élite sont pleinement libres, ils doi-

---

(21) *Pensées*, I, 169, passage extrait du cahier portant en tête la date
du 21 thermidor an XI, 9 août 1803.
(22) *Chroniques italiennes*, I, 68.

vent à tout instant mesurer les limites de leur propre liberté.
Bien rares sont les auteurs qui ont doté leurs personnages
d'une telle dose d'indépendance. Stendhal et Corneille créent
des êtres spontanés et leur donnent la pureté et la grâce nécessaires à leurs aventures, mais à la conuition expresse que
cette liberté trouve en elle-même ses propres impératifs, ses
interdictions et ses défenses. Or ces « purs » côtoient sans
cesse les impurs, puisque la volonté de leurs créateurs est
d'unir, dans le temps et dans l'espace, l'univers de la grâce
et l'univers de la morale toute faite, qui doivent cependant
rester toujours spirituellement distincts. Le réalisme d'un
Stendhal ou d'un Corneille est justement la conséquence de
la non séparation du bien et du mal. Les auteurs contemporains de Stendhal et de Corneille, un Honoré d'Urfé ou un
Chateaubriand, donnent seulement place au romanesque en
situant l'*Astrée* ou *Atala* dans des continents et sur des terres vierges de toute hypocrisie.

Le romanesque des héros cornéliens ou stendhaliens est
donc réel parce qu'ils vivent au milieu des puissants, des hypocrites, des envieux et des ambitieux. Ils ont à se défendre
de la bonne volonté de leurs supérieurs ou de ceux qui pourraient être tels. Ce Nicomède tant chéri de Stendhal est fils
aîné du roi Prusias de Bithynie et jouit donc d'avantages
princiers. Etant donné l'incapacité de son beau-père, il est en
fait le chef du royaume, général suprême de l'armée et adoré
comme un maître par les Bithyniens. Mais il connaît aussi la
rançon de son indépendance; il doit déjouer à tout instant les
machinations de la reine, sa belle-mère, il doit limiter lui-
même son pouvoir en refusant d'obéir aux vœux de tous et de
monter sur le trône sans attendre la mort d'un roi impuissant et asservi à une femme.

De même, c'est dans ces petites cours que sont les couvents
italiens (23), que Stendhal charge ses héroïnes de défendre
leurs privilèges contre les tentations du monde. Car il ne les
a placées dans des couvents que pour leur assurer le maximum d'indépendance et leur donner l'occasion d'exercer leur
noblesse naturelle. En revêtant ses héroïnes de l'habit des religieuses, il leur a paradoxalement attribué ce rang princier
qu'assument dans un luxe de générosité les héroïnes cornéliennes. Il les a arrachées à leur famille pour les contraindre
à trouver en elles-mêmes leurs propres règles de conduite. Le
romancier a choisi son époque d'élection dans les XVᵉ et
XVIᵉ siècles italiens, mais le moraliste n'aurait pu se passer
du couvent de Castro, ou de celui de Santa Riparata dans

(23) Cf. l'article de M. Manlio Busnelli, *Les couvents tragiques de
Stendhal* (*Les Etudes Italiennes*, janvier-mars 1934), où l'auteur s'étonne
de l'intérêt que Stendhal a porté à ces couvents de femmes.

Trop de faveur tue, les couvents les plus aristocratiques de
toute l'Italie. De l'aveu du romancier, ce sont des lieux de liberté royale : les jeunes filles des plus nobles familles, qui
n'ont pas droit à l'héritage de leurs parents, y obtiennent les
avantages et les privilèges honorifiques qu'elles n'auraient
point eus dans la maison familiale. Si elles se plient aux
convenances et évitent le scandale, elles peuvent avoir autant
d'amants et de femmes de chambre qu'en eurent Elisabeth
d'Angleterre ou Catherine de Russie.

Et parce que les jeunes filles stendhaliennes sont par définition rebelles aux convenances, le moraliste Stendhal les
enferme de force dans les lieux où leur état de révolte continuel les engage dans une destinée tragique. Ne respectant que
les droits de la passion, elles ne peuvent respecter les préjugés sociaux. Aussi bien les lieux qui sont chers à l'éthique
stendhalienne deviennent les plus dangereux pour elles. Ce
climat d'entière liberté exige pour rester pur une rigueur
constante chez ces êtres d'exception.

Stendhal a choisi pour elles le milieu où elles sont le plus
susceptibles de perdre leur liberté, et par conséquent leur
noblesse, en se soumettant soit aux conventions sociales, soit
à la vanité. Or elles refusent toutes de se plier à la prudence
des religieuses leurs compagnes, qui ont trouvé un accommodement facile entre le libertinage et les pratiques monas-
tiques; une seule accepte le marché que lui proposent les
impurs, Hélène de Campireali.

Une Rosalinde ou une Félize bouleversent les habitudes de
tout un couvent; l'amour-propre, selon le terme stendhalien,
y était excusé, l'amour-passion qu'elles y introduisent en l'affichant y devient intolérable. Le réalisme stendhalien est alors
créé par ces personnages secondaires, ces religieuses dont
l'envie, les calculs sournois et l'hypocrisie se complaisent à
étouffer et à dompter les mouvements sincères et passionnés
des êtres d'élite. *Dans les « Chroniques » le conflit entre le
naturel héroïque et l'hypocrisie des puissants s'installe dans
un couvent pour prendre plus de puissance et d'éclat dans
le très petit espace où il se concentre.*

L'univers que Stendhal a emprunté à Corneille se rétrécit
donc dans les *Chroniques* pour n'en gagner que plus de profondeur et d'acuité dans l'éthique. Car un seul être doit lutter contre la coalition de tous. Les religieuses libertines ou
dévotes s'insurgent contre la passion, l'inquisition la punit.
Ce sont elles qui viennent à bout de Rosalinde devenue Suora
Scolastica. Rosalinde a assez de force pour reconnaître devant tous les droits de sa passion, mais non point pour contre-
carrer les calculs ambitieux de l'abbesse de Santa-Riparata.
Elle ne voit Gennarino que par le petit panneau que son
amant a découpé dans la paroi de l'une des trois pièces qui

composent sa cellule, mais lorsque l'abbesse les surprend, elle
déclare que Gennarino est son époux. Elle devient dès lors la
proie de l'ambition et de l'intrigue, servant les projets d'une
abbesse qui fera retomber sur une seule religieuse, par ailleurs assez innocente, les fautes de toutes. Le naturel est
ainsi châtié par cette société en miniature qui trouve dans
une punition exemplaire un prétexte commode pour rétablir
l'honneur de la collectivité. Dans l'*Abbesse de Castro*, la volonté de réalisme conduit la jeune Hélène à toutes les turpi-
tudes. Le personnage secondaire le plus réaliste et le plus
vigoureusement dessiné est la mère d'Hélène, Victoire Carafa.
La signora de Campireali fait preuve de cet esprit de conduite
et de ce machiavélisme qui appartiennent ordinairement aux
politiques les plus habiles dans les pièces de Corneille, à l'ambassadeur romain Flaminius ou à la reine Arsinoé de
Nicomède. Mais la mère d'Hélène n'a qu'un seul but : elle veut
que sa fille se plie aux convenances, et, de passionnée, se fasse
étourdie et coquette. Si la signora de Campireali est toujours à
l'arrière-plan au moment où le naturel héroïque l'emporte chez
Hélène, elle survient et s'impose dès que sa fille a un moment
d'ennui ou de distraction. C'est Victoire Carafa qui a composé
les lettres d'amour qu'Hélène croit recevoir de Jules, et où elle
a eu soin de montrer une passion qui s'éteint peu à peu. C'est
elle qui, par la simonie et la prodigalité, mettra à exécution
l'idée un peu extravagante d'Hélène et la fera abbesse de Castro.
Mais en croyant à la tendresse de sa mère et en faisant appel à
elle, Hélène s'allie aux impurs.

Romaines par l'énergie et la grandeur farouche, les Italiennes des *Chroniques* exercent leur naturel héroïque dans le
climat spirituel où Stendhal a trouvé ses plus grandes joies :
elles vivent dans ce pays « sublime » que décrit Tite-Live, mais
à ce décor latin vient se superposer une Italie mystique et
pieuse qui se confond avec celle de Latinus pour lui donner
une beauté plus épanouie et plus radieuse. Deux Italies, deux
races, celle de Tite-Live et celle de la Renaissance, sont les
acquisitions du touriste et du critique d'art ; ces deux nations
qui vivaient en des temps et des lieux différents dans *Rome,
Naples et Florence* ou dans les *Promenades dans Rome,* se
fondent et mêlent leur sang dans les *Chroniques italiennes*.
Une Hélène de Campireali et une Campobasso ne sont que
mieux préparées à la mort et à l'héroïsme pour être nées de
ces deux familles spirituelles, celle de Plutarque et celle de
Raphaël.
C'est aux peintres italiens du Cinquecento que Stendhal a
demandé de montrer la majesté royale de ces femmes qui

vivent dans le pays des anciens Romains. Hélène de Campireali appartient à cette race d'êtres corrégiens dont la destinée est toujours fatale dans l'œuvre stendhalienne : « Les lèvres sont fort minces et l'on dirait que les contours de la bouche ont été dessinés par le fameux peintre Corrège. Considérée au milieu des portraits qui l'entourent à la Galerie Farnèse, elle a l'air d'une reine. Il est bien rare que l'air gai soit joint à la majesté » (24).

Mais cependant l'harmonie ou le souci d'idéalisation d'un Raphaël ou d'un Corrège sont parfois impuissants à rendre les mouvements farouches de l'orgueil. Une jeune princesse comme Vanina Vanini ne saurait avoir ce caractère exempt de passion qui appartient d'après Stendhal aux figures de Raphaël : « Une jeune fille que l'éclat de ses yeux et ses cheveux d'ébène proclamaient Romaine entra conduite par son père ; tous les regards la suivirent. Un orgueil singulier éclatait dans chacun de ses mouvements » (25).

Ces Italiennes ont pris, devant les peintres du XVI⁰ siècle, les poses qui mettaient le mieux en valeur leur dignité et leur réserve hautaine ; une fois lancées dans la vie, elles abandonnent cette sérénité qui n'était que d'un jour pour se livrer sans retenue aux démarches les plus audacieuses que peut leur dicter un orgueil cornélien : « Faire la cour à une jeune romaine, c'est se battre avec un monstre d'orgueil » (26). Ces temps privilégiés où les héroïnes des Chroniques aiment, souffrent et meurent, portent à son maximum la vertu cornélienne par excellence qui est obéissance aux mouvements de l'âme : « Je sais bien que l'on peut dire que, dès l'époque de Charles-Quint (1530), Naples, Florence, et même Rome, imitèrent un peu les mœurs espagnoles ; mais ces habitudes sociales si nobles n'étaient-elles pas fondées sur le respect infini que tout homme de ce nom doit avoir pour les mouvements de son âme ? Bien loin d'exclure l'énergie, elles l'exagéraient, tandis que la première maxime des fats qui imitent le duc de Richelieu, vers 1760, était de ne sembler émus de rien » (27). Les femmes ou les jeunes filles de race romaine ou espagnole sont les plus fidèles miroirs de l'énergie cornélienne. Leurs sœurs étrangères, une princesse autrichienne comme Rosalinde, une jeune fille noble du duché d'Urbin, comme Vittoria Accoramboni, se signalent davantage par leur beauté que par leur caractère. C'est la grâce singulière de Vittoria et de Rosalinde et non point leur fermeté et leur hauteur qui les engagent dans une destinée tragique : « Vittoria, entrant dans la maison

---

(24) Chroniques italiennes, I, 28-29 (l'Abbesse de Castro).
(25) Ibid., II, 81-82 (Vanina Vanini).
(26) Mélanges intimes et Marginalia, II, 119, passage daté du 5 août 1832.
(27) Chroniques italiennes, II, 10 (La Duchesse de Palliano).

Peretti, y porta, à son insu, cette prééminence que l'on peut
appeler fatale, et qui la suivait en tous lieux » (28). Elle se
laisse adorer par son mari François Peretti, aussi bien que
par le prince Paul Orsini ; elle semble toujours rester à
l'arrière-plan de l'intrigue, des meurtres et des assassinats ;
seule son éclatante beauté s'impose au lecteur. La douce
Rosalinde s'attire par son charme la protection du roi
Don Carlos, de la reine et du Duc de Vargas, mais se laisse
conduire par les événements. Elle n'oppose aucune résistance
aux rigueurs de sa famille ; enfermée dans un couvent elle ne
sait guère se défendre après avoir été surprise en compagnie
de son amant le jeune Gennarino. C'est au contraire l'autorité
des Romaines ou des Espagnoles, d'une Vanina Vanini, d'une
Campobasso, d'une Campireali ou de la duchesse espagnole
Violante de Palliano, qui mène le jeu, fait et défait l'intrigue
dans les autres nouvelles. Ces quatre femmes, ainsi que l'altière Félize de *Trop de faveur tue,* réalisent dans un amour
tragique et tourmenté tous les désirs stendhaliens de romanesque. Elles se livrent à des coups de tête qui donnent au
récit son mouvement et son dynamisme ; elles assument enfin
dans sa réalité âpre et dure, sous son aspect le plus rocailleux
et le plus désolé, cet « espagnolisme » que Beyle se contentait
de vivre en rêve. Aussi bien ces compagnes d'élection qui sont
chères au cœur stendhalien sont pourvues de tous les attributs masculins : Stendhal ne se satisfait pas de les rendre
belles, il les fait intelligentes, cultivées et énergiques. Violante
de Palliano, « célèbre par sa rare beauté et par les grâces
qu'elle savait se donner quand elle cherchait à plaire l'était
encore davantage par son orgueil insensé (...). Mais elle était
encore plus séduisante quand elle daignait entretenir sa compagnie des idées singulières que lui suggérait son esprit » (29).
Etranglée sur les ordres de son mari, elle meurt « sur le ton
d'une conversation ordinaire » (30). C'est à ces femmes, à
leurs audaces et à leurs rigueurs, que Stendhal abandonne
la conduite de l'intrigue. Ces nouvelles Camille impriment,
par leurs exigences passionnées, cette dureté et cette crispa-

---

(28) *Ibid.,* I, 189 (*Vittoria Accoramboni*).
(29) *Ibid.,* II, 19. C'est avec une indignation bien cornélienne que la
duchesse de Palliano repousse tout d'abord les hommages de Marcel
Capecce : « Marcel, qu'as-tu donc vu en moi, lui dit-elle, qui te donne
la hardiesse de me requérir d'amour ? Est-ce que ma vie, est-ce que ma
conversation se tient tellement éloignées des règles de la décence, que tu
aies pu t'en autoriser pour une telle insolence ? (...) Je te pardonne ce
que tu m'as dit, parce que je pense que tu es un frénétique; mais garde-
toi de tomber de nouveau dans une pareille faute, ou je te jure que je
te ferai punir à la fois pour la première et la seconde insolence » (*ibid.,*
II, 28). La duchesse ne cède à Capecce que grâce aux machinations de
sa confidente Diane Brancaccio, dont le génie singulier et les idées extravagantes finissent par provoquer la mort de Violante.
(30) *Ibid.,* II, 44.

tion au récit, qui sont justement nécessaires à la nouvelle et
en font la beauté. La brutalité de l'action, le renversement
des situations sont voulus et dirigés par ces « monstres d'orgueil », par leur intransigeance, leurs volte-face, leurs brusques décisions.

*
**

Au terme de l'évolution stendhalienne, le sublime cornélien
trouve son acception la plus puissante dans ces tempéraments
féminins qui sont, selon la définition d'Helvétius et de Burke,
plus propres à exciter l'admiration et la terreur que la
pitié. La Campobasso, la « sublime cousine » (31) du pape
Benoît XIII (Orsini), a cette spontanéité dans les sentiments
et dans les actions que ne viennent jamais fléchir l'esprit de
conduite ou la vanité, « car c'était un de ces caractères
naturels et passionnés comme il n'est pas rare d'en rencontrer à Rome » (32).

Pour garder son intégrité sans jamais se souiller des petits
calculs de la vie quotidienne, ce naturel ne peut atteindre ses
formes d'accomplissement les plus réussies que dans les instants les plus tragiques de la vie, c'est-à-dire dans l'amour et
dans la mort. La spontanéité est exhaussée à un tel niveau
chez la Campobasso que « cette âme tendre » (33), n'éprouve
ni regret ni remords, ni la moindre hésitation à provoquer la
mort de l'homme qu'elle aime le plus au monde. La jeune
Béatrix Cenci, en se libérant d'un père qui abuse d'elle montre,
non pas l'énergie d'une femme de tête, mais plutôt cette extrême pointe de la témérité qu'atteint bien rarement l'honneur chez les jeunes filles ; cette nouvelle Lucrèce à la vertu
romaine déploie dans le parricide une froideur et une maîtrise de soi qui sont les résultats de l'exaltation chez des êtres
d'élite, dont le sang-froid se manifeste dans la réalité du
péril ; mais le naturel ignore la prudence et fait négliger les
petits détails qui perdront l'héroïne : « La jeune Béatrix avait
le courage de la pudeur offensée, et non la prudence nécessaire
dans la vie » (34).

Par mépris de l'esprit de conduite, des règles précises et
élaborées qui permettent à l'homme de surmonter les difficultés sociales, le naturel, vivant en dehors de toute précau-
tion, ne peut trouver que la mort au terme de sa destinée
tragique. Pour avoir voulu trop témérairement échapper à
son père, Béatrix ne pourra échapper aux hommes, ni à la
rigueur de leur justice. La mort est pour elle ce qu'est l'amour
pour ses compagnes des *Chroniques,* la plus belle occasion de

(31) *Ibid.*, II, 54, (*San Francesco a Ripa*).
(32) *Ibid.*, II, 55. Le mot naturel est souligné par Stendhal.
(33) *Ibid.*, II, 54.
(34) *Ibid.*, I, 268 (*Les Cenci*).

tenir tête à la société en restant fidèle à elle-même, en ne se
défaisant à aucun moment du seul soutien qu'elle ait au
monde, le souci de sa propre estime, que Corneille eût appelé
le soin de sa gloire : « Les bonnes paroles ni les menaces du
juge Moscati n'y firent rien. Elle supporta les tourments de
la *corde* sans un moment d'altération et avec un courage parfait. Jamais le juge d'instruction ne put l'induire à une réponse qui la compromît le moins du monde ; et, bien plus,
par sa vivacité pleine d'esprit, elle confondit entièrement ce
célèbre Ulysse Moscati, juge chargé de l'interroger » (35).
Ces héroïnes sont chargées d'un tel poids de naturel et de
spontanéité qu'il annihile par sa masse même l'impureté du
crime. Ces femmes et ces jeunes filles ne commettent de faute
qu'en s'abandonnant à la vanité et non pas à ces transports
irréfléchis qui les font aimer, tuer, ou encore comme Vanina
Vanini, dénoncer une « vente » de carbonari pour mieux s'attacher un amant en préférant le voir prisonnier plutôt que trop
amoureux de la patrie.

Cette irréflexion et cette absence de prudence, qui ne sont
pas impulsivité mais obéissance aux mouvements de l'âme
(et aux beaux mouvements d'une âme éprise de grandeur), *ce
naturel enfin qui est le contraire même du naturel idéologique,*
consacrent à eux seuls la pureté de ces Italiennes qui n'hésitent pas à assassiner leur amant ou leur patrie. La franchise
qu'elles mettent dans la brutalité de leurs démarches devient
candeur. Leur entêtement à être spontanées en dépit des
règles des plus élémentaires convenances, envers et contre tous
les préjugés sociaux, leur confère une sorte d'innocence :
Félize « avait eu trois amants ; elle raconta au comte qui était
presque devenu son ami toute l'histoire de ses amours. La
franchise si parfaite de cette jeune fille si belle et de tant
d'esprit intéressa le comte qui ne fit point difficulté de répondre à cette franchise par une extrême candeur » (36).

L'amour ne fait alors qu'orienter cette spontanéité vers
l'héroïsme. La passion précipite vers toutes les formes concrètes que peut revêtir la grandeur humaine ce désir de romanesque qui serait demeuré à l'état latent chez ces jeunes
filles emprisonnées dans leur palais ou dans leur couvent.
Elles ne franchissent les portes de leurs prisons que pour
mieux contempler la forme humaine qu'a pris l'héroïsme chez
leur amant. Leur amour ne s'éveille que parce que leur désir
d'imprévu est enfin comblé par un être indépendant qui vit
généralement en hors-la-loi et provoque tout d'abord leur éton-

(35) *Ibid.*, I, 274 (*Les Cenci*).
(36) *Ibid.*, II, 185 (*Trop de faveur tue*).

nement. *Dans les Chroniques stendhaliennes comme dans les tragédies de Corneille, l'admiration seule fait naître la passion et l'alimente.* Vanina Vanini, qui fuit la beauté et l'élégance des jeunes princes italiens, se donne à Missirilli lorsqu'elle reconnaît en lui les vertus antiques des Romains, le renoncement à l'ambition et la recherche de l'indépendance : « Vanina restait glacée. Ce refus de sa main avait étonné son orgueil ; mais bientôt elle se jeta dans les bras de Missirilli : — Jamais tu ne m'as semblé aussi aimable, s'écria-t-elle ; oui, mon petit chirurgien de campagne, je suis à toi pour toujours. Tu es un grand homme comme nos anciens Romains » (37).

C'est pour mieux s'affranchir du milieu social qui les entoure que les jeunes filles des *Chroniques* choisissent un amant dont les qualités et les défauts tranchent fortement sur la société où elles vivent. Par haine et mépris des conventions, elles sont inévitablement attirées par l'homme dont les manières et la vie leur paraissent nouvelles et surprenantes.

Dans cette cour espagnole que le roi Don Carlos s'est aménagée à Naples après avoir vaincu les Autrichiens, le jeune Gennarino séduit Rosalinde lorsqu'il sait perdre ses attitudes « nobles et même un peu altières » (38) : « Gennarino ne lui avait pas adressé trois fois la parole, mais aucun des sentiments de Rosalinde n'était un mystère pour lui ; lorsqu'il cherchait à prendre les manières gaies, ouvertes, et même un peu étourdies, des jeunes seigneurs de la cour de France, il voyait un air de contentement dans les yeux de Rosalinde » (39).

Les femmes mélancoliques comme Rosalinde, ou encore maladivement tourmentées comme cette Campobasso qui supporte à elle seule tout le poids de l'espagnolisme stendhalien, ont éprouvé la même attraction que Beyle envers les charmantes étourderies du « naturel aimable ». Mais alors que Stendhal n'avait été captivé que temporairement et provisoirement par les manières piquantes et légères de l'esprit français, ses héroïnes vivent leur passion jusqu'à la mort.

Le disciple des Idéologues cherchait à lénifier un tempérament passionné par ces recettes de bonheur qu'il demandait aux mémorialistes souriants du XVIIIᵉ siècle, non pas à un Mirabeau, mais à ce Duclos dont l'esprit amusait son ennui (40). La Campobasso ne peut aimer qu'un chevalier

---

(37) *Ibid.*, II, 96-97, (*Vanina Vanini*).
(38) *Ibid.*, II, 227 (*Suora Scolastica*).
(39) *Ibid.*, II, 213.
(40) Deux groupes distincts de mémorialistes, attirent, nous l'avons vu, l'attention de Stendhal : ceux comme Duclos et Chamfort, qui lui proposent un modèle de « l'esprit aimable », et d'autre part les aventuriers comme Benvenuto Cellini et Mirabeau qui alimentent son exaltation. Il s'agit ici du premier groupe.

comme Sénecé (41) dont l'étourderie française fait contre-
poids au caractère exclusif de la princesse romaine. L'espagnolisme de la Campobasso, son exaltation et sa mélancolie
ne s'apaisent qu'en la présence de ce Français primesautier
et désinvolte qui lui apporte tout ce dont elle manque, la légèreté, le brillant, l'absence de scrupules : « Je lui sacrifie mon
bonheur éternel, se disait-elle ; lui qui est un hérétique, un
Français, ne peut rien me sacrifier de pareil ». Mais le chevalier paraissait, et sa gaieté, si aimable, intarissable, et cependant si spontanée, étonnait l'âme de la Campobasso et la
charmait. A son aspect, tout ce qu'elle avait formé le projet
de lui dire, toutes les idées sombres disparaissaient. Cet état,
si nouveau pour cette âme altière, durait encore après que
Sénecé avait disparu. Elle finit par trouver qu'elle ne pouvait
vivre loin de Sénecé » (42).

*
**

Que ce soit entre deux représentants du naturel héroïque,
chez Hélène de Campireali et Jules Branciforte, ou encore
entre deux êtres violemment contrastés, comme la Campobasso et Sénecé, l'amour dans les *Chroniques* est toujours conçu
à la manière cornélienne, et oppose le plus souvent deux
amants dont l'honneur entre en conflit. Les dialogues cornéliens qu'échangent deux êtres d'élite sont certes raccourcis
dans une brièveté expressive puisque « cette façon passionnée
de sentir qui régnait en Italie vers 1559 voulait des actions
et non des paroles » (43).

Lorsqu'Hélène, entre le respect qu'elle doit à sa famille et
celui qu'elle doit à « son époux devant la Madone », choisit
d'être fidèle à l'honneur des Campireali, et accable Jules par
sa politesse glacée, le jeune Branciforte aime mieux la quitter
plutôt que d'essayer de la reconquérir : « Mais il pensa qu'il
pourrait bien mériter le mépris même d'Hélène s'il répondait

(41) « Fils d'une des maîtresses du régent Philippe d'Orléans, le jeune
Sénecé jouissait en France de la plus haute faveur : colonel depuis
longtemps, quoiqu'il eût à peine vingt-deux ans, il avait l'habitude de la
fatuité, et ce qui la justifie, sans toutefois en avoir le caractère. La
gaieté, l'envie de s'amuser de tout et toujours, l'étourderie, le courage,
la bonté, formaient les traits les plus saillants de ce singulier caractère,
et l'on pouvait dire alors, à la louange de la nation, qu'il en était un
échantillon parfaitement exact » (*Chroniques italiennes*, II, 56, *San
Francesco a Ripa*). Le jeune Gennarino de *Suora Scolastica*, ce jeune
espagnol passionné et jaloux est cependant aussi étourdi et désinvolte
que Sénecé : « Don Gennarino, qu'à la cour on appelait *il Francese*, était
en effet fort gai, fort étourdi, et ne manquait pas de se faire l'ami de
tous les jeunes seigneurs français qui visitaient l'Italie » (*Ibid.*, II, 217).
(42) *Ibid.*, II, 58 (*San Francesco a Ripa*).
(43) *Ibid.*, II, 14 « On trouvera donc fort peu de conversation dans les
récits suivants », ajoute Stendhal.

à ses *politesses* autrement qu'en la livrant à ses remords.
Avant l'aube il sortit du couvent (...). — Me voici exactement
pensa-t-il, comme ces héros de l'Arioste qui voyagent seuls
parmi des pays déserts, lorsqu'ils ont à oublier qu'ils viennent
de trouver leur perfide maîtresse dans les bras d'un autre
chevalier » (44).

Au cours de la seconde entrevue que lui accorda Hélène au
couvent de Castro, Jules, bien loin de céder aux plus violentes
manifestations de la jalousie racinienne, a recours aux arguments d'une logique cornélienne dont la puissance repose sur
le sentiment de l'honneur. L'amant blessé dans sa fierté rappelle la jeune fille, non pas à son amour passé mais à la fidélité qu'elle se doit à elle-même. Jules « avait pris le ton d'un
avocat pour prouver qu'Hélène était sa femme bien avant le
fatal combat des Ciampi » (45). Ce dialogue entre les héros
se développe en deux lignes seulement, mais les attitudes et
le ton des personnages les apparentent à ceux de Corneille.
Cette Chimène du XVIᵉ siècle italien, en se réfugiant dans un
couvent, prend parti pour sa famille et revêt le deuil d'un
frère que l'amour de la gloire avait commandé à Jules, ce
nouveau Rodrigue, de provoquer et même de tuer.

Une affection conjugale est, pour les femmes des *Chroniques*,
amenuisement de la passion et appauvrissement d'elles-mêmes. L'indignité ne consiste pas pour Vanina Vanini à trahir
la cause politique de son amant et à dénoncer une « vente »
de carbonari. Il y a rupture du pacte qui unit les deux amants
si Missirilli adopte à l'égard de Vanina l'attitude d'un mari,
si elle perd elle-même sa fierté en se laissant aller aux larmes.
Pour avoir pleuré devant Missirilli, Vanina sanctionne sa faiblesse en s'imposant de le quitter : « Un jour qu'elle était
venue à Forli pour voir Missirilli, elle ne fut pas maîtresse
de sa douleur que toujours jusque là son orgueil avait su
maîtriser. En vérité, lui dit-elle, vous m'aimez comme un
mari ; ce n'est pas mon compte. Bientôt ses larmes coulèrent ;
mais c'était de honte de s'être abaissée jusqu'aux reproches.
Missirilli répondit à ces larmes en homme préoccupé. Tout à
coup Vanina eut l'idée de le quitter et de retourner à Rome.
Elle trouva une joie cruelle à se punir de la faiblesse qui venait
de la faire parler. Au bout de peu d'instants de silence, son
parti fut pris ; elle se fût trouvée indigne de Missirilli si elle
ne l'eût pas quitté » (46).

Car l'amour cornélien de la gloire, qui est fidélité à des résolutions inspirées par un orgueil sincère, entre à tout instant
en conflit avec l'amour-passion ; ces combats eux-mêmes pré-
cipitent les êtres qui les assument dans des situations sans

(44) *Ibid.*, I, 94-95 (*L'Abbesse de Castro*).
(45) *Ibid.*, I, 100.
(46) *Ibid.*, II, 102-103 (*Vanina Vanini*).

issue, qu'ils ne peuvent dénouer que par la mort s'ils tiennent leurs engagements, par l'infamie s'ils renoncent à eux-mêmes. Tous les incidents du récit naissent de cette attitude cornélienne devant l'amour. L'admiration cornélienne qu'éprouve Félize envers le vicaire du Prince, cet homme singulier dont la conversion l'étonne, se transforme en amour, précipite le couvent dans le scandale et provoque en fin de compte la mort de deux hommes, l'assassinat de l'abbesse, la condamnation au poison de plusieurs religieuses. Pour revoir cet homme simple et naturel, le premier cependant qui n'ait point cédé devant elle (47), l'impérieuse religieuse n'hésite point à mettre tout un couvent en révolution. Par orgueil, pour ne pas laisser deviner à leurs amants la douleur qu'elles auraient à les perdre, Félize, la Campobasso, ou encore Vanina Vanini, se livrent à ces entreprises extravagantes et hardies, qui ne mettent point leur honneur en péril, mais qui se soldent par la mort de plusieurs personnes. Si elles se trouvent parfois effrayées elles-mêmes du résultat de leurs actions, des combats et des emprisonnements qu'elles causent plus ou moins indirectement, elles n'ont point toutefois à rougir de leurs faiblesses. Elles n'ont point à s'accuser d'avoir employé les armes féminines, les supplications et les plaintes qu'elles estiment bien plus dégradantes que les armes masculines, le fer ou le poison. La seule peur qu'ait la Campobasso est de se rendre méprisable par sa faiblesse aux yeux du chevalier. Alors qu'elle est résolue à le faire périr, elle se borne dans leur dernière entrevue, à lui adresser quelques mots polis et froids : « Et, comme il s'en allait un peu indécis : « Viens m'embrasser », lui dit-elle. Elle s'attendrit évidemment ; puis elle lui dit d'un ton ferme : « Adieu, Chevalier... » (48). Telles sont les dernières paroles de la princesse romaine à l'homme dont elle fait déjà préparer la messe d'enterrement.

C'est dans le respect qu'elle se doit à elle-même que la Campobasso trouve la force de se taire alors qu'elle atteint « ce dernier degré de malheur où puisse être jetée une créature humaine, presque résolue à prendre le poison. Tous les plaisirs que l'amour de Sénecé lui avait donnés n'auraient pu égaler l'excès de douleur où elle fut plongée pendant toute une longue nuit. On dirait que ces âmes romaines ont pour

---

(47) « Quoiqu'évitant avec beaucoup de soin tout ce qui aurait pu l'irriter, le comte était loin de lui céder en toutes choses, ainsi que l'avaient fait tour à tour les hommes qui avaient eu des relations avec cette fille si belle, d'un caractère si impérieux et à laquelle on connaissait des amants. Comme le comte n'avait aucune prétention, il était simple et naturel avec elle » (*ibid.*, II, 148, *Trop de faveur tue*).

(48) *Ibid.*, II, 74-75 (*San Francesco a Ripa*).

souffrir des trésors d'énergie inconnus aux autres femmes » (49).

Ces « âmes romaines » puisent leur énergie dans leur piété superstitieuse. Seule la dévotion à la Madone sépare, il est vrai, les héroïnes des *Chroniques* des héroïnes cornéliennes, mais elle ne fait qu'aviver les combats qui partagent une Hélène de Campireali ou une Campobasso entre l'amour et l'honneur ; leur foi sous-tend leur orgueil, à l'égal des antiques principes moraux qui soutenaient l'énergie d'une Lucrèce. L'athée Stendhal, en faisant le portrait de ses héroïnes italiennes a trouvé dans la religion le meilleur moyen d'aviver leur tendrese sauvage. Ces êtres qui sont en révolte perpétuelle contre les modes de vie sociaux surmontent sans crainte les convenances, mais subliment le sentiment religieux jusqu'à en faire le plus grand obstacle à leur amour. C'est précisément ce conflit entre la piété et la passion qui rend tragique la destinée d'une Campobasso ou d'une Hélène de Campireali, qui force leur orgueil à atteindre son point maximum de résistance. L'abbesse de Castro se poignarde lorsqu'elle peut être libre et sortir du couvent : il lui devient impossible de voir Jules, le seul homme qu'elle ait aimé, après avoir rompu ce vœu de pureté qu'ils avaient tous deux prononcé devant la Madone, au moment où, dans les ruines d'Albe-la-Longue, le vent portait jusqu'à eux les sons de l'*Ave Maria* du Monte Cavi.

Ce n'est pourtant pas en allant jusqu'au bout de la passion que les héroïnes des *Chroniques* perdent leur innocence ; c'est en obéissant au « désir de paraître », aux mouvements de la vanité et non à ceux de l'orgueil.

Hélène de Campireali sacrifie ses vertus cornéliennes lorsqu'elle se montre sensible au jugement d'autrui, lorsque, piquée par les réflexions de deux religieuses, elle désire ce que peuvent souhaiter les âmes communes, la réussite sociale (50). En se faisant nommer abbesse du couvent le plus aristocratique de la région, elle obtient ce prestige et cette renommée temporelle qu'elle tiendra plus tard pour méprisables : « Cette place ne fut, pour moi, qu'une source d'ennui ; elle acheva d'avilir mon âme ; je trouvai du plaisir à marquer mon pouvoir souvent par le malheur des autres ; je commis des injustices. Je me voyais à trente ans, vertueuse

---

(49) *Ibid.*, II, 72.
(50) « Après les six mois de réclusion et de détachement pour toutes les choses du monde qui suivirent l'annonce de la mort de Jules, la première sensation qui réveilla cette âme déjà brisée par un malheur sans remède et un long ennui fut une sensation de vanité » (*ibid.*, I, 146, *L'Abbesse de Castro*).

suivant le monde, riche, considérée, et cependant parfaitement malheureuse » (51).

Car l'amour stendhalien de la gloire exige que l'on fasse fi du qu'en dira-t-on. Hélène de Campireali perd sa propre estime et celle de l'auteur à vouloir être estimée et considérée aux yeux du monde. Stendhal établit, en dehors de tout dogme, ses propres notions de pureté et de grâce selon une éthique personnelle du bien et du mal. Les êtres purs sont affranchis des conventions et des préjugés, leurs démarches ne sont point dictées par la vanité mais par le souci d'observer un code de l'honneur strictement individuel et valable pour eux seuls. Ils détruisent ce climat spirituel où tous leurs crimes trouvent grâce aux yeux de Stendhal, s'ils se laissent séduire par des honneurs fictifs et vains.

L'état de grâce stendhalien a une durée historique et concrète qui se limite à quelques siècles privilégiés : « Ce qu'on appelle la *passion italienne,* c'est-à-dire, la passion qui cherche à se satisfaire, et non *à donner au voisin une idée magnifique de notre individu,* commence à la renaissance de la société au douzième siècle, et s'éteint du moins dans la bonne compagnie vers l'an 1734 » (52).

Pour avoir commis le premier péché stendhalien, qui est de vanité, Hélène tombe dans la bassesse. En se laissant séduire par les attraits de l'ambition, elle se bannit elle-même du climat de pureté où l'avait introduite Stendhal. En rentrant pour la première fois dans la sphère des préjugés et des mensonges sociaux, elle ne peut que s'avilir par une longue suite d'infamies : « Nous allons, en effet, assister à la longue dégradation d'une âme noble et généreuse. Les mesures prudentes et les mensonges de la civilisation, qui désormais vont l'obséder de toutes parts, remplaceront les mouvements sincères des passions énergiques et naturelles » (53). Alors qu'Hélène n'a pas connu l'amour avec Jules Branciforte, elle s'avilit à connaître le plaisir avec un évêque qu'elle méprise.

La première faute d'Hélène développe en elle une seconde nature entachée de mal et d'erreur ; de sincère, elle devient hypocrite, de passionnée libertine. Elle prend plaisir à dominer les autres, parce qu'elle est devenue justement incapable de se dominer elle-même. Les injustices qu'exercent les êtres sincères pour se libérer des sujétions sociales sont dans l'éthique stendhalienne des mesures inévitables et nécessaires; les injustices purement gratuites qui cherchent à satisfaire une vanité personnelle font déchoir à jamais les êtres qui s'y livrent. Car la morale stendhalienne prend carrément la contre-partie de l'opinion commune : la société tolère volontiers

(51) *Ibid.,* I, 179-180.
(52) *Ibid.,* II, 11 (*La Duchesse de Palliano*).
(53) *Ibid.,* I, 138-139 (*L'Abbesse de Castro*).

l'erreur chez les puissants et se montre inflexible envers les crimes commis par les hors-la-loi. L'éthique stendhalienne, qui trouve son plein épanouissement dans les *Chroniques,* effectue un déplacement des valeurs couramment admises dans la bourgeoisie et la noblesse de la Restauration. « Les mouvements sincères des passions énergiques et naturelles », même s'ils aboutissent au crime, demeurent toujours dans l'univers de pureté et de grâce. Tous les mouvements qui portent à dominer les autres pour le plaisir de se sentir supérieur à eux appartiennent au monde des impurs.

La morale stendhalienne s'est donc lentement créée autour d'un noyau central constitué par l'admiration du jeune Beyle pour les valeurs cornéliennes. Ce premier enthousiasme s'est affermi de lectures multiples qui ont donné naissance à des concepts stendhaliens tous synonymes ; de Madame de Staël, de Mirabeau, comme de Shakespeare et Corneille, Stendhal retient les attributs du naturel héroïque dont les appellations différentes recouvrent un sens identique : « noblesse », « grandeur d'âme », « générosité », « amour de la gloire », constituent une même et unique qualité.

Ce privilège de la noblesse d'âme, intègre l'Italien des *Chroniques* dans un climat de pureté. Si le terme de pureté n'est jamais prononcé dans les *Chroniques,* les réflexions de Stendhal nous en laissent deviner la signification. Dans l'éthique stendhalienne, l'absence de vanité chez les êtres d'élite les préserve de tout avilissement ; ils sont purs en refusant de faire appel à autrui, et d'avoir recours à l'intrigue et à l'ambition.

TROISIÈME PARTIE

LE NATUREL DANS L'UNIVERS ROMANESOUE

A. — LES FORMES DU NATUREL
ET LA SOCIÉTÉ ROMANESQUE

CHAPITRE X

L'AVILISSEMENT DES VALEURS AU XIX° SIECLE
SELON STENDHAL

*La mise en forme d'une éthique. — Dégradation de l'idéal
idéologique. — Les masques sociaux : le bon ton et le
« tatillonnage ». — L'ennui et les soirées parisiennes.
— Un siècle hostile au naturel.*

Jusqu'en 1810 et 1811, Stendhal a réfléchi sur ses lectures ;
il a demandé tout d'abord aux Idéologues une méthode qui
lui permît d'ordonner le monde, les hommes et les choses,
selon des schèmes simples et précis. De cette technique il a
fait un intermédiaire entre lui-même et la société, un instrument au service de besoins pratiques, dont il constate l'utilité
mais qu'il néglige le plus souvent sous l'influence d'exigences
morales.

Tout en reconnaissant l'efficacité des principes idéologiques
en tant que moyen, il envisage la spontanéité et l'héroïsme en
tant que fin. Cette quête du naturel spontané et héroïque qui
aiguille l'inquiétude stendhalienne n'est point toujours une
volonté lucide et constante. Elle connaît des périodes de relâchement et de déception. Si, de 1800 à 1810, Stendhal s'avoue
uniquement amoureux de l'ambition, on ne saurait prendre
au pied de la lettre cette affirmation par trop globale (1). Et

(1) « On ne désire beaucoup que ce qu'on espère au moins un peu.
Ainsi, je ne désire guère d'être A(uditeur), mais comme il faut bien
faire ce qu'on entreprend, je te prie de faire ton possible auprès de
notre excellent grand-père afin qu'il ait la complaisance d'écrire à M.
D(aru) à peu près les mêmes choses qu'il a mises dans la lettre qui est
arrivée à Vienne, mais que Z. n'a pas lue » (*Corr.* III, 201-202, lettre

cependant, au cours de ces dix années, il s'est efforcé de mettre
en pratique les acquisitions idéologiques en y échouant le plus
souvent.

Ces vélléités d'ambition se sont alors trouvées contrecarrées
par l'élaboration d'une éthique différente. En reprenant les
lectures cornéliennes de son enfance, Stendhal a négligé au
profit de valeurs plus nobles l'intérêt immédiat tel que le dé-
finissait Helvétius. C'est en 1810, en redécouvrant le sublime
cornélien, qu'il élabore plus ou moins inconsciemment cette
éthique de la grandeur qui ne se manifeste dans toute sa plénitude et son acuité que vingt-huit ans plus tard, dans les
Chroniques italiennes. Un intervalle de vingt-neuf ans sépare
la prise de conscience d'une éthique et sa mise en forme.
Pendant ces vingt-neuf ans, Stendhal a demandé à la vie, et
non plus aux expériences livresques, de mettre au point sa
morale de la grandeur.

Car cette éthique ne s'est pas laissé prendre aux pièges de
l'idéalisme ; par son désir de prendre contact avec le réel, elle
a abouti à la création romanesque de 1827 à 1842. Beyle ne
devient romancier que dans sa maturité, en cristallisant sous
une forme vivante ses expériences morales et ses observations sur la société.

Les œuvres stendhaliennes de la maturité, depuis *Armance*
jusqu'à *Lamiel,* expriment le souci d'un moraliste qui pour
ne pas être dupe de ses principes moraux les confronte avec
la vie de son temps. *Ainsi, très indirectement il est vrai,*
l'éthique de la grandeur, en adoptant la forme romanesque,
conserve les traces des préoccupations idéologiques qu'elle a
pourtant refusées. Pour être passé par l'école sensualiste, Stendhal garde toujours la phobie des systèmes tout faits. Ce recours à l'expérience qu'exigeait Tracy dans le raisonnement,
Stendhal le pratique d'une manière imprévue et qui n'aurait
pas manqué d'étonner l'auteur de la *Logique* ; il charge la
société de la Restauration et de Louis-Philippe de vérifier les
valeurs stendhaliennes. Les sots, les hypocrites, les puissants
et les quelques rares hommes d'esprit de ces époques bour-
geoisement morales qui ignorent tout du naturel spontané et
héroïque, le mettent à l'épreuve en l'obligeant à se trouver
lui-même et à parvenir à sa plus parfaite forme d'expression ;
c'est en s'opposant à l'envie et à la domination des « prepotenti » que le naturel se dépouille peu à peu de ses illusions

adressée à Pauline datée du 26 novembre 1809). Stendhal écrit par ailleurs : « Je suis depuis quelques jours dans un accès d'ambition qui ne
me laisse de repos ni jour ni nuit. Je ne m'inquiète pas beaucoup de
cette fièvre de passion, parce que tout sera bientôt décidé et qu'en cas
de non-succès, j'aurai bien vite oublié mes désirs brûlants » (*ibid.*, III,
183-184, lettre adressée à Pauline et datée de Vienne, le 14 juillet
1809).

de jeunesse, de sa naïveté et de son inexpérience. *Stendhal
charge ses héros de défendre ses propres valeurs morales
contre la société.*

Le roman stendhalien est expérience et épreuve : Stendhal
moraliste lance ses ballons d'essai. Ces êtres naturels et spontanés pourront-ils vivre et être heureux en obéissant à des
impératifs strictement individuels et en refusant une morale
toute faite qu'ils condamnent comme immorale ? *Stendhal
précipite dans les tourbillons d'une société qu'il connaît pour
l'avoir pratiquée ses exigences et son souci de la grandeur.*
Il ne met aucune complaisance à favoriser Julien, Lucien ou
Fabrice, il assiste en spectateur à leurs démêlés avec le monde.
En racontant leurs aventures il ne sait pas comment elles se
termineront ; le roman est achevé lorsque les héros ont épuisé
tout leur potentiel de naturel. Volontairement ou involontairement, les dénouements sont abrupts, car Stendhal ne tombe
point dans l'affectation qui consisterait à faire triompher des
valeurs morales aux dépens de la société. Si les lois et les
modes de vie sociaux sont précisément contraires au naturel,
la spontanéité et la grandeur ne peuvent les vaincre que dans
une lutte et une tension sans cesse en éveil. Le roman stendhalien pose toujours la même question : les êtres d'élite
accepteront-ils la lutte ? L'intrigue romanesque est, chez Stendhal, la réponse à cette question. Les événements et l'action
mettent en équation les données du problème, et Stendhal
pose la plume lorsque ses héros ont pris une décision ; lorsque les êtres d'élite se sont engagés à accepter sereinement la
lutte ou à l'abandonner, il est évident que Stendhal n'a plus
rien à dire.

*
**

C'est parce qu'il constatait que la société de son temps était
contraire à l'éthique beyliste que Stendhal a écrit. *Vérification
d'une morale, le roman est aussi pour lui prise de conscience.
En vivant les aventures de Julien, de Lucien et de Fabrice, il
saisit avec plus d'acuité les problèmes que pose le naturel dans
un siècle qui n'est plus le XVI⁰ siècle italien.*

Dès son second voyage en Italie en 1811, Stendhal a fait
de l'Italie du Cinquecento le lieu d'élection où des âmes ardentes peuvent faire triompher leur vertu originelle. Mais l'éthique stendhalienne ne saurait se dérober aux temps présents ;
avant de fuir et de se réfugier dans le passé, elle doit se mesurer avec l'actualité. En s'installant de prime abord dans
le XVI⁰ siècle italien, elle se renierait elle-même, elle serait
refus de principe et pure négativité, elle perdrait tout aspect
positif, et sa grandeur participerait bien plutôt d'un nihilisme
farouche et désespéré que d'un héroïsme actif. Les œuvres
romanesques écrites avant les *Chroniques* reflètent donc l'exi-

gence du beylisme, et son principal souci, qui est de se mesurer avec une société dont le but premier est d'étouffer les vraies valeurs et de ne se nourrir que de valeurs fictives.

Dès 1812, en revenant de la campagne de Moscou, Stendhal s'étonne du rigorisme de son siècle dont est responsable Napoléon : « Tout, en 1812, porte aux bonnes mœurs, au raide, et à l'ennui » (2). Plus tard, le mépris de Stendhal flétrit avec une égale vigueur les temps de Charles X et de Louis-Philippe. De 1812 à sa mort, il dénonce la fausseté des principes qui forment l'armature morale de l'Empire ou de la Monarchie selon la Charte. Le respect d'une morale étroite en est la seule valeur, le sérieux et l'austérité en constituent les premières vertus. Stendhal, qui a passé sa jeunesse à exalter les principes idéologiques, le « sérieux », le « juste » et « l'utile », exerce maintenant son ironie envers ces mêmes principes corrompus et dégradés.

Dans un temps peu propice à l'énergie comme celui de la Restauration, l'éducation idéologique ne peut qu'ôter le naturel et favoriser la frivolité. En 1817, les jeunes gens qui ont appris à raisonner selon la méthode de Tracy, exercent leur science du comportement à choisir la couleur de leurs vêtements. Ils savent certes faire des plans de conduite, mais ils utilisent leur technique à se montrer brillants dans un salon : « Un jeune Français (...) apprend la chimie avec Davy, l'économie politique avec Say, l'art de penser avec Tracy ; mais il pense beaucoup à sa cravate. Entre-t-il enfin dans le monde, sa grande affaire est *d'avoir de l'esprit* » (3).

L'apprentissage idéologique est donc contraire à l'épanouissement du naturel, il ne peut que développer les qualités d'un homme moyen, lui permettre de faire coïncider ses ressources avec le but qu'il poursuit. Si le jeune Français de 1817 veut être un homme aimable dans les salons ou un bureaucrate parfait, la méthode idéologique lui permet de se montrer spirituel au milieu des ennuyeux et des sots, d'exercer son esprit de calcul au profit de son ambition, de mettre enfin une intelligence lucide au service de ses intérêts immédiats. Mais aux yeux de Stendhal cette technique étouffe les qualités humaines : « L'éducation couleur de rose et si remplie de douceur, que les Français donnent à leurs enfant, ôte à ceux-ci l'occasion d'oser et de souffrir » (4).

Stendhal moraliste renverse les idoles du jeune Beyle, intellectuel de l'An X. A cultiver une méthode, l'homme selon le Stendhal de 1817, perd donc le meilleur de lui-même. L'exercice de son intelligence, l'assouplissement de la raison, s'ils

---

(2) *Journal,* V, 103, passage daté du 27 mars 1812.
(3) *Rome, Naples et Florence en 1817,* III, 120, passage daté de Pesaro le 2 juin.
(4) *Ibid.,* II, 265, passage daté du 15 juillet.

ne sont pas sous-tendus par des valeurs morales personnelles
et individuelles, déssèchent et affadissent en ôtant toute possibilité de noblesse ou de grandeur. La préoccupation exclusive
du « bon », du « juste » et de l' « utile » exclut la passion et
la spontanéité et favorise l'hypocrisie et le puritanisme ; elle
crée des ambitieux et des intrigants. Ceux qui ont renoncé à
l'ambition, Stendhal ou ses amis, soulignent les dangers de
cet intellectualisme perverti : « M. d'Italinski, trop vieux pour
être ambitieux, disait : « Un siècle doit exceller dans ce dont
il fait sa grande affaire. Notre affaire à nous est d'opérer des
conversions politiques. C'est dans ce but que, trompeurs comme trompés, nous parlons sans cesse du *bon,* du *juste,* de
l'*utile.* Toute la partie de notre attention et de nos raisonnements qui s'emploie à chercher le bon, le juste, etc., était au
service des beaux arts chez les hommes dont Annibal Carrache
voulait captiver l'attention. Voyez les revues littéraires écrites
par les hommes graves qui dirigent l'opinion publique, quel
effroyable *cant* ! (hypocrisie des mœurs), etc. » (5).

L'ironie stendhalienne s'exerce donc depuis 1812 et surtout
en 1817 envers l'idéal idéologique avili par la société de
l'Empire aussi bien que par celle de la Restauration. Ces armes
idéologiques que les successeurs de Voltaire, d'Helvétius et
de Tracy, mettaient au service de la liberté, ces principes du
« juste » et ces principes de l'« utile », ont été déviés par les
petits-fils de Rousseau. En face de la caste des émigrés avide
de ressaisir ses privilèges, les bourgeois et les fonctionnaires
manifestent bien rarement des convictions antiroyalistes ;
l'idéal républicain s'est durci et ossifié en perdant son sens
primitif. Les notions chères aux Idéologues se sont dégradées
en passant dans une société relativement stable depuis 1815,
et au lieu de favoriser le bonheur général, elles favorisent
l'hypocrisie de tous. Le désir de justice et de bonheur général
a pris le masque d'une fausse vertu : la vertu n'est plus pratiquée qu'avec affectation et bigoterie.

Depuis 1789, la Révolution a mis à la mode des principes
moraux ; cette habitude une fois contractée imposera à la
société une attitude pleine de réserve et de componction où le
moindre mouvement naturel est banni comme immoral. Toute
l'œuvre de Stendhal s'élève contre la pratique de la morale
dans les mœurs de son temps ; car pour Stendhal, une éthique
ne peut être qu'individuelle ou elle tombe dans l'affectation
en tombant dans les mains de tous. Avant la Révolution de
1789, les principes moraux n'avaient pas été élevés au rang de
valeurs suprêmes ; au XVIIIᵉ siècle chacun pouvait sous réserve de bonnes manières pratiquer en toute sincérité une
éthique personnelle et être heureux selon ses convictions et
non pas selon les conventions.

(5) *Promenades dans Rome,* II, 276.

Les contradictions qu'on a si souvent relevées dans les idées
politiques de Stendhal naissent de ses préoccupations éthiques.
Stendhal apparaît tantôt comme républicain, tantôt comme
monarchiste. En fait il refuse tout régime politique qui impose des principes moraux. Le siècle de Henri IV ou de
Louis XIII lui paraît bien plus favorable à la libre expression
de la spontanéité qu'une démocratie américaine où, pour
réussir, les hommes doivent obéir à des règles de vie stéréo-
typées.

*
**

La libre manifestation du naturel est impossible au XIX⁰
siècle. Stendhal annonce à l'avance les thèmes sur lesquels se
centre la littérature de notre temps. Les progrès de la civilisation ont agi comme un corrosif sur les plus belles qualités
humaines qui sont le naturel et la sincérité. A l'égal de Gide,
Stendhal soulève les masques sociaux sous lesquels une société
camoufle ses vices : « Les formes de la société sont comme les
vêtements : elles servent à couvrir des défauts et des plaies
secrètes qui restent cachées jusqu'à ce que l'intimité vienne
à les découvrir ; aussi l'homme sage ne la provoque-t-il pas
légèrement. J'ai souvent été ennuyé à fond pour n'avoir pas
pratiqué cette maxime, mais je m'en vengerai en la suivant
strictement : voir beaucoup de monde, en être au salut avec
cinq ou six cents des douze cents personnes à peu près qui
font la grande société ici, et voilà tout » (6). Ces masques
sociaux sont pour Stendhal le « bon ton » et les « convenances », l'obéissance à des règles de conduite précises et minutieuses qui sont érigées au rang de valeurs universelles. Le
terme stendhalien « tatillonnage » définit à lui seul l'attitude
morale qu'a adoptée la société du XIX⁰ siècle : « Nous parlons
beaucoup d'un défaut général particulier à la nation française, que nous désignons jusqu'à nouvel ordre par le nom de
tatillonnage. C'est une extrême attention et importance de
vanité donnée aux moindres détails (...). Ce défaut chasse presque en entier le naturel, le Français qui parle cherche presque toujours à relever sa propre importance » (7).
En se conformant au bon ton et aux convenances, les hommes du XIX⁰ siècle ont remplacé la sincérité par l'hypocrisie,
la spontanéité par l'automatisme. Uniquement attentifs à jouer
un rôle en société, ils ne vivent que par mécanisme, adoptant
les réflexes que les autres attendent d'eux. Les émigrés se
préoccupent exclusivement de représenter leur caste, les fonctionnaires leur métier, les petits bourgeois la position qui leur
est due. Paradoxalement tout Français, noble ou commerçant,

(6) *Corr.* III, 261-262, lettre adressée à Pauline et datée du 4 juin 1810.
(7) *Journal,* III, 287, passage daté du 30 mars 1810.

reprend à son propre compte l'idée de droit qu'il a héritée de la Révolution. Il s'agit pour lui d'imposer ses droits aux autres et la seule ligne de conduite qui lui paraisse raisonnable ou morale est de ne pas se départir un instant de ses exigences, d'imposer sa position, son nom ou ses mérites personnels ; il n'a pas « autre chose à faire que de paraître avec avantage dans le monde » (8). Stendhal ne saurait blâmer cette prise de conscience qui est due à la Révolution ; il déplore cependant qu'elle ait donné jour à la vanité et au désir de paraître, qu'elle se satisfasse d'une fausse respectabilité. L'ennui est une des formes de la révolte contre toute attitude convention-nelle. Stendhal refuse de participer à la comédie des attitudes et ce refus devient dégoût lorsqu'il n'est point compensé par des valeurs qui s'y opposent : « et alors je prends du café, m'enferme, et M'ENNUIE parce que je n'ai pas de but qui me captive » (9). Stendhal crée une morale et la met en forme dans ses romans pour échapper à cette sorte de nausée que produisaient chez lui les mœurs du XIX⁰ siècle. La société n'accepte que les individus qui consacrent toute leur énergie et leur intelligence à se conformer à ses usages, et la préoccu-pation de ce que l'on doit dire et faire contrarie la rêverie et la passion : « Les convenances de tous les instants que nous impose la civilisation du XIX⁰ siècle enchaînent, fatiguent la vie et rendent la rêverie fort rare. Quand nous rêvons à quel-que chose en France, c'est à quelque malheur d'amour-pro-pre » (10).

La rêverie pour Stendhal ne consiste point seulement à se désolidariser de la société. Il ne s'enferme pas dans un système clos ; il n'y a point chez lui misanthropie ni nihilisme. S'il accorde la première place à la spontanéité dans la rêverie ou dans la passion, il ne conçoit point que cette spontanéité trouve sa forme d'expression uniquement dans la solitude. Le na-turel stendhalien sait se plier aux usages du monde ; mais il n'accepte point que les convenances nécessaires à toute vie sociale soient érigées en impératifs moraux. Toute société est immorale si elle ramène l'usage du monde à la « décence » et même à la « vertu » (11).

(8) *Rome, Naples et Florence en 1817*, III, 109, passage daté du 30 mai 1817.

(9) *Journal*, IV, 191, passage daté du 10 août 1811.

(10) *Promenades dans Rome*, III, 212, passage daté du 28 novembre 1828.

(11) Stendhal écrit au sujet de la société italienne dont il loue la li-berté : « Ici point de gêne, de contrainte, point de ces façons convenues dont la science s'appelle ailleurs *usage du monde*, ou même *décence* et *vertu* » (*Promenades dans Rome*, III, 182, passage daté du 23 novembre 1828).

*
**

La première attitude de Stendhal à l'égard du bon ton a été le repli ; méprisant le cérémonial de l'Empire et l'affectation qu'il introduit dans les mœurs, il fuit une société avide de prérogatives. Les généraux qui s'étaient montrés héroïques dans les guerres napoléonniennes se sont laissés prendre aux pièges de la vanité. Tous se disputent à l'envi les honneurs et les privilèges, et suivent les règles d'une étiquette aussi sévère qu'ennuyeuse. Un chambellan ou un maître de cérémonies comme le Comte de Ségur ne se soucie que de son rôle et de sa fonction : « M. le comte de Ségur, Grand maître des cérémonies à Saint-Cloud en 1811, quand j'y étais, mourait de chagrin de n'être pas duc. A ses yeux c'était pis qu'un malheur, c'était une *inconvenance*. Toutes ses idées étaient *naines*, mais il en avait beaucoup et sur tout. Il voyait chez tout le monde et partout de la grossièreté, mais avec quelle grâce n'exprimait-il pas ce sentiment ? » (12).

De 1811 à 1813, Stendhal a traversé une période de neurasthénie qui est une conséquence directe de l'austérité imposée par l'Empire. C'est précisément l'époque où sa morale n'a pas assez de force pour s'opposer à la sécheresse et à la froideur que l'Empereur a fait despotiquement triompher : « Je me suis aperçu de Mayence ici, que j'avais perdu *my passion for my His (tory) of Painting*. J'en ai été fâché, mais le fait était vrai. Je me suis borné à étudier à quoi on pouvait reconnaître la mort d'une passion : à l'ennui qu'inspirent les choses ennuyeuses (...). Cette passion-là reviendra-t-elle ? Je n'en sais rien. Je me sens mort dans ce moment ; un vieillard de soixante ans n'est peut-être pas plus froid » (13).

Cette asphyxie morale se déclare chez lui chaque fois que les manières de la société parisienne contrarient son désir de naturel, car « à Paris, l'on étouffe par le manque d'air dans les salons les plus à la mode » (14). Cependant, dans ses années parisiennes de 1821 à 1830, son dégoût de la société s'exprime avec moins de vigueur ; son séjour en Italie de 1814 à 1821 lui a permis de voir des êtres naturels et spontanés, d'éprouver de belles émotions artistiques ; le beylisme a pris un aspect positif, a donné la possibilité à l'homme d'oser et d'être lui-même. C'est alors que Stendhal prend contact avec les milieux les plus brillants de Paris, leur variété l'amuse, mais ne le passionne jamais. Le salon libéral de Tracy, les soirées mondaines de la comtesse de Castellane, les réunions littéraires chez Delécluze ou chez l'académicien Ancelot offrent au

(12) *Souvenirs d'égotisme*, 32.
(13) *Journal*, V, 119, passage daté du 4 février 1813.
(14) *Rome, Naples et Florence*, I, 274, passage daté du 8 janvier 1817.

moraliste et au psychologue tous les spécimens sociaux de la
Restauration ; mais ils ne flattent guère sa vanité d'homme
du monde. L'ennui d'y observer les convenances diminue le
plaisir que Stendhal pourrait avoir à se montrer spirituel. Le
salon de Tracy lui semble le parfait exemple de la sécheresse
française : « J'ai vécu dix ans dans ce salon, reçu poliment,
estimé, mais tous les jours moins *lié*, excepté avec mes
amis (...). Il m'a fallu dix ans pour distinguer les unes des
autres toutes ces figures blondes disant des choses *parfaitement convenables,* mais pour moi, à dormir debout, accoutumé
que j'étais aux yeux parlants et au caractère décidé des belles
Milanaises, et plus anciennement à l'adorable simplicité des
bonnes Allemandes » (15).

Sans oser désavouer les œuvres de Tracy, Stendhal se rend
inconsciemment compte que l'idéal idéologique vécu par son
maître est incompatible avec le beylisme. Ce libéral s'est rendu
esclave de sa morale au point de ne pouvoir tolérer la spontanéité. L'idéal idéologique s'est durci en manie et Stendhal
prend plaisir à scandaliser Tracy par des réparties imprévues :
« Les figures de MM. Thurot et de Tracy s'allongèrent pendant l'explication de ce plan, je semblais atroce à ces petites
âmes étiolées par la politesse de Paris. Une jeune femme présente admira mes idées, et surtout l'excès d'imprudence avec
lequel je me livrais, elle vit en moi le *Huron* » (16).

Si l'on a souvent reproché à Stendhal de se montrer bien
peu naturel en société, on n'a peut-être pas assez constaté que
cette société était pratiquement hostile au naturel. L'opposition entre la morale sociale et l'éthique stendhalienne contraint Stendhal à la dissimulation et à la froideur : « J'allais
donner tout ce qu'il y a d'amitié dans mon cœur à la société
Tracy, quand je m'aperçus d'une superficie de gelée blanche.
De 1821 à 1830, je n'y ai plus été que froid et machiavélique,
c'est-à-dire parfaitement prudent » (17).

Après avoir tant de fois répété qu'il préférait la solitude
d'une chambre à la « canaille » humaine, Stendhal, dans ces
années 1821 à 1830, se réconciliera donc avec la société, sans
se départir toutefois d'une certaine réserve. Puisque l'esprit
assure le succès dans un salon, il se décide à se montrer spirituel. Ayant à choisir entre l'attitude de l'homme qui s'ennuie
et celle du causeur brillant et désinvolte, il choisit la seconde
comme un pis-aller. Il donne alors libre cours à son esprit

(15) *Souvenirs d'égotisme,* 49-52.
(16) *Ibid.,* 54.
(17) *Ibid.,* 95.

caustique, et se permet des saillies qui étonnent les honnêtes gens.

Il suit la mode, mais en l'outrant. Les succès du mondain ne satisfont pas cependant les exigences du moraliste; « Le grand *drawback* (inconvénient) d'avoir de l'esprit c'est qu'il faut avoir l'œil fixé sur les demi-sots qui vous entourent, *et se pénétrer de leurs plates sensations.* J'ai le défaut de m'attacher au moins impuissant d'imagination et de devenir inintelligible pour les autres qui peut-être n'en sont que plus contents » (18). Si l'homme se prête enfin sur le tard au jeu de son temps, le moraliste souligne le côté superficiel de ce jeu. Une civilisation qui fait échange de bons mots pour se désennuyer est une civilisation que l'intellectualisme a pervertie en lui ôtant la possibilité de connaître la passion.

L'anti-intellectuallisme qu'annonce Stendhal dénonce les dangers de l'esprit critique, réhabilite la passion sous ses formes les plus concrètes lorsqu'elle ne s'engage pas au service d'une idée : « Ne trouves-tu pas bien singulier que la France, et surtout en France la bonne compagnie manque précisément de cette passion (l'amour), sur laquelle roule la plus grande partie de la littérature, qui amuse la bonne compagnie ? C'est qu'elle a infiniment d'esprit et l'esprit de comprendre cet amour qu'elle ne peut sentir plus d'un jour » (19).

L'abus que le XVIIIᵉ siècle a fait des idées a affiné l'intelligence française au point de lui faire oublier la spontanéité. A force d'être contrôlées par un esprit critique toujours en éveil, les émotions et les sensations se sont peu à peu émoussées : « Il a été donné aux Français de comprendre les arts avec une finesse et un esprit infinis; mais, jusqu'ici, ils n'ont pas pu s'élever jusqu'à les *sentir* » (20). Dans tous les domaines, la civilisation a érigé des règles que chacun se doit d'applaudir : dans l'amour, dans la vie sociale, dans les arts ou la morale, une seule conduite est possible, celle que l'affinement de la culture a mis à la mode. « Voyez le silence morne et complet aux premières représentations des Bouffes; la vanité n'ose parler, de peur de se compromettre » (21).

Stendhal ne condamne point en bloc les acquisitions culturelles de son temps, mais il note avec à-propos ce fléchissement et cette décadence de toute vie morale, sociale et artistique, qui devaient en effet se perdre définitivement dans la pompe et la fausse dignité du Second Empire.

(18) *Vie de Henry Brulard*, 26.
(19) *Corr.* X, 21, lettre adressée à Romain Colomb, et datée de Rome, mars 1836.
(20) *Prom. dans Rome*, II, 188-189, passage daté du 16 juin 1828.
(21) *Ibid.*, 189.

CHAPITRE XI

L'UNIVERS ROMANESQUE DE LA PROVINCE

La vanité dans l'univers stendhalien. — Une petite ville et le cercle de ses vanités. — Verrières et ses « prepotenti ». — Les intrigues de la vanité. — Coteries politiques et naturel primitif. — Les maniaques de la vanité, les légitimistes. — Absurdité des passions politiques. — Le monde de l'avenir et sa fragilité. — Le château de Miossens et ses prétentions. — Les âmes politiques : les préfets. — Les oasis provinciales : les puritains. — Les oasis provinciales : les gens aimables.

Dans l'univers stendhalien, les êtres d'élite vont se trouver en conflit avec tous ceux qui, au lieu de faire triompher le naturel, se plient aux convenances sociales de leur temps. Les cadres sociaux réels, que ce soit en province ou à Paris, sous la Restauration ou sous la monarchie bourgeoise de Louis-Philippe, constituent une armature rigide contre laquelle se brisent les élans de la spontanéité. La société du XIXᵉ siècle ignore les mouvements généreux auxquels s'abandonnaient les partisans des seigneurs italiens dans l'Italie du Cinquecento. De 1830 à 1842, depuis le *Rouge* jusqu'à *Lamiel*, Stendhal peint la montée de la « vanité » qui envahit une nation au point de lui faire perdre de vue l'existence de l'individualisme. La vanité prend le masque de la fausse vertu en créant une morale qui est immoralité pour les héros stendhaliens. Réciproquement les valeurs morales et personnelles des êtres d'élite sont jugées et condamnées comme immorales par la société.

D'autres moralistes avant Stendhal, La Rochefoucauld, Pascal, ont montré comment l'homme, au lieu de chercher sa propre estime, préfère assez lâchement rechercher l'admiration des autres. Stendhal sans doute est le premier à avoir distingué les différentes formes que revêt la vanité et les diverses dégradations où elle conduit. La vanité est plus ou moins puissante selon les moyens de l'homme qui la pratique ;

selon la classe sociale, son rang, sa caste, son degré de fortune
ou son métier, elle sera créatrice de règles de conduite différentes. Dans l'univers stendhalien, le comportement vaniteux
est aussi individualisé que le comportement de l'être d'élite
auquel il s'oppose. Si la vanité est le principal obstacle au
naturel, elle offre à l'homme des ressources infinies pour dégrader le naturel. La multiplicité de ces moyens donne lieu
aux intrigues sociales secondaires. Car les vanités de tout ce
petit monde entrent en conflit perpétuel et c'est la plus forte
vanité qui l'emporte.

*
**

La vanité en province ne saurait donner lieu à ces attitudes
sans doute conventionnelles mais cependant relevées d'une certaine élégance qui représentent le point de référence suprême
de toute mondanité parisienne. Le *Rouge* et *Lucien Leuwen*
soulignent les fausses valeurs morales érigées par la vanité
provinciale ; elles ont créé dans la petite ville de Verrières une
sagesse pratique, mais étroite ; dans le Nancy et la Normandie
de Louis-Philippe, elles se sont assimilées à des valeurs politiques et engendrent des passions absurdes et le plus souvent
figées en elles-mêmes.

Dans la société provinciale du *Rouge et Noir,* la vanité s'exprime sans doute de la façon la plus vile selon l'optique stendhalienne ; elle est étroitement liée à l'intérêt. Dans une ville
où la respectabilité se mesure au degré de fortune, on ne peut
être respecté qu'en étant riche. La vanité chez les provinciaux
devient sordide : elle n'est point prétention à l'esprit ou à
l'élégance des manières ; elle est prétention à la richesse. Il
ne s'agit point là de l'avarice telle que la décrivent Balzac ou
Molière. M. de Rênal et Valenod se disputent Julien Sorel parce
qu'il est de « bon ton » d'avoir assez de moyens pour prendre
un précepteur.

Le Rouge et le Noir montre donc dès l'abord comment une
société uniquement guidée par l'intérêt refoule et abolit le
naturel. Le roman met en scène les valeurs les plus antagonistes : le courage chez un fils de charpentier et la vanité intéressée et pratique chez les notabilités. La noblesse naturelle de Julien Sorel est donc installée dans un cadre qui ne
saurait mieux la desservir. Un Lucien Leuwen vivant à Verrières n'aurait point à calculer pour se faire ouvrir les salons
de la petite ville. Pour conquérir l'estime de Verrières, il suffit d'être fils d'un riche banquier et d'avoir des laquais en
livrée.

Stendhal s'est demandé quelle était la société la plus hostile à un naturel spontané et généreux mais dépourvu de ressources financières. D'après les souvenirs de sa jeunesse à
Grenoble, il a campé une petite ville, il a donné à un petit

paysan comme Julien Sorel l'occasion de constater que la spontanéité est toujours étouffée par les prétentions ridicules des puissants ou par les intérêts d'argent, que le naturel ne peut s'évader de la province qu'en renonçant à lui-même.

C'est en vivant à Verrières, en connaissant un M. de Rênal et un Valenod, que Julien élabore tout d'abord sa vision du monde. Cette première expérience influe sur sa destinée. *La petite ville a donc pour rôle de décevoir les âmes généreuses comme celle du jeune paysan. Elle n'est jamais infidèle à sa fonction, elle se prête complaisemment à son rôle, et ses chefs, de Rênal ou Valenod, se chargent d'incarner, par leurs attitudes, l'esprit de la province.*

Les caractères de M. de Rênal ou de Valenod sont donc construits pour mettre à l'épreuve celui du naturel généreux. Le cercle des vanités où vit Julien ne peut être franchi qu'à l'aide d'une plus forte hypocrisie. Il est évident que, dès l'abord, naturel généreux et société de province ne peuvent que se mépriser mutuellement. Le mépris de M. de Rênal ou de Valenod pour une pauvreté intelligente ne risque guère de desservir leurs intérêts ; le mépris de Julien Sorel pour les notabilités vaniteuses et hypocrites obligerait le naturel généreux à se raidir sur lui-même et à se contenter d'un comportement négatif. Plus les contraintes provinciales sont pesantes, et plus l'être d'élite doit s'engager à les détourner ou à les vaincre.

Dans chacune de ses œuvres, le romancier fait appel à des cadres sociaux réels pour les mettre en présence de valeurs morales dont le naturel supporte toute la charge. Mais ces cadres sont choisis en fonction de la classe sociale dont fait partie le naturel généreux qui est ici celui de Julien. Une société qui met sa vanité au service de l'argent a pour fonction de tendre autant de pièges sur la voie où peut s'engager la destinée du naturel héroïque. L'héroïsme ne peut alors consister qu'à déplacer ces pièges ou à les éviter. Pour démêler les réseaux des intrigues provinciales, l'être d'élite ne peut utiliser que les moyens mêmes qui sont en vigueur dans une petite ville.

La tension entre le héros et son milieu s'exprime dans l'équivalence parfaite entre les moyens mis en pratique par la société et ceux que met en usage le naturel généreux. Ce dernier montre ses qualités d'adaptation au réel en contraignant son exaltation à se défaire du romanesque ; puisqu'il ne renonce pas au monde, il doit compter avec ses volontés, et même composer avec elles. La situation morale de la ville de Verrières exige de Julien des réponses aussi nettes et aussi catégoriques que les problèmes posés par la vanité de M. de Rênal ou de Valenod. Le comportement de Julien, lié à celui d'un ensemble social, n'en est certes pas le reflet ; il est prise de conscience de la vanité d'autrui et effort pour la dominer. La destinée de

Sorel, si elle ne veut pas être renoncement, ne peut représenter qu'une suite d'efforts successifs pour adopter avec une maîtrise supérieure les expédients mêmes de la vanité, l'hypocrisie et le mensonge. Si la politique de Julien se refuse à être une politique de refus, elle doit bien passer à l'action en se faisant engagement total.

Verrières a donc aussi une destinée : elle est ce sentier étroit où l'être d'élite doit passer pour conquérir sa propre liberté. L'intérêt du roman est centré sur la manière dont le héros s'engagera dans le chemin des vanités. C'est pourquoi la description de cette route est déjà une esquisse de l'attitude que va adopter le naturel généreux.

Mais la ville n'offre point à Julien d'occasions d'héroïsme ; elle est le contraire de toute grandeur. Si la vie au XVI° siècle offrait à la liberté du héros des ressources royales, au XIX° siècle, par contre, elle semble nier la liberté. L'univers où vit Julien oppose une série de refus à l'éthique stendhalienne. Ces refus sont autant d'appels à des vertus actives destinées à les vaincre.

Voilà donc une ville qui n'est construite que pour mettre à l'épreuve le naturel généreux. Elle ne semble lui donner, au premier abord, aucune chance de salut. Tout comportement social tend à nier la grandeur ; chacun des personnages met en évidence une des façons de la nier.

*
**

Dans une jolie petite ville comme Verrières, tous les habitants semblent avoir oublié de vivre; fourmis imbéciles et économes, ils accomplissent mécaniquement et sans joie leur travail routinier. Si semblables en cela aux Américains de 1830, ils n'ont pas d'autre dieu ni d'autre culte que celui de l'argent. « Voilà le grand mot qui décide de tout à Verrières : RAPPORTER DU REVENU. A lui seul il représente la pensée habituelle de plus des trois quarts des habitants. *Rapporter du revenu* est la raison qui décide de tout dans cette petite ville qui vous semblait si jolie » (1). L'intérêt immédiat y est donc seul envisagé et les pontifes de la petite ville, le maire, M. de Rênal, ou le directeur du dépôt, M. Valenod, se chargent de faire respecter l'utilité pratique; pour eux toute action gratuite est immorale. En entrant en scène dans l'univers stendhalien du *Rouge et Noir,* les provinciaux marquent dès l'abord leur étroitesse d'esprit, déformant toute beauté et toute noblesse, qu'elles soient celles des choses ou celles des hommes. Ils s'acharnent aussi despotiquement sur un paysage que sur un état d'âme, lorsque celui-ci manifeste quelque désir de vie personnelle ou quelque vigueur dans la spontanéité. « Deux fois par an tous les arbres appartenant à la commu-

ne sont impitoyablement amputés » (2). Car le maire soumet
les arbres aussi bien que les hommes au principe de l'utilité :
« Je fais tailler *mes* arbres pour donner de l'ombre, et je ne
conçois pas qu'un arbre soit fait pour autre chose, quand toutefois, comme l'utile noyer, il ne *rapporte pas de revenu* » (3).
Cette extrême attention aux questions d'argent a gâté la noblesse naturelle d'un homme qui descendait d'une vieille famille. « Il est chevalier de plusieurs ordres, il a un grand
front, un nez aquilin, et au total sa figure ne manque pas
d'une certaine régularité : on trouve même, au premier aspect, qu'elle réunit à la dignité du maire du village cette sorte
d'agrément qui peut encore se rencontrer avec quarante-huit
ou cinquante ans. Mais bientôt le voyageur parisien est cho-
qué d'un certain air de contentement de soi et de suffisance
mêlé à je ne sais quoi de borné et de peu inventif. On sent
enfin que le talent de cet homme-là se borne à se faire payer
bien exactement ce qu'on lui doit, et à payer lui-même le plus
tard possible quand il doit » (4).

M. de Rênal est le symbole d'une noblesse qui s'est avilie
en oubliant les vertus de sa caste. Uniquement respectueuse
des préjugés, elle ne sait plus mettre en pratique cet individualisme qui était principe d'honneur chez les seigneurs de
la Fronde; elle ne se survit à elle-même qu'en singeant les
usages de ses aïeux : « Attentif à copier les habitudes des
gens de cour, dès les premiers beaux jours de printemps, M.
de Rênal s'établit à Vergy; c'est le village rendu célèbre par
l'aventure tragique de Gabrielle » (5). Mais alors que sous
l'Ancien Régime, la noblesse n'avait point le souci de se justifier, M. de Rênal masque son avarice et sa vanité par le
souci de « faire le bien ». Il se croit détenteur d'une vérité
morale incontestable, parce qu'il est royaliste, industriel enrichi et maire de la ville. Toutes les démarches contraires aux
siennes sont nuisibles à l'intérêt public. Un M. Appert, qui
fait des tournées en province pour améliorer le sort des prisonniers, un curé Chélan qui ouvre les portes du dépôt de
mendicité et de la prison à ce libéral, sont des obstacles à une
politique saine, troublent l'ordre social et corrompent les
bonnes mœurs. C'est en toute sincérité que M. de Rênal met
en pratique sa fausse morale. « Tout cela », dit-il en parlant
de M. Appert et des articles jacobins qu'il pourrait écrire,
« nous distrait *et nous empêche de faire le bien* » (6).

Cette respectabilité fictive que M. de Rênal s'est aménagée

(1) *Le Rouge et le Noir*, 8.
(2) *Ibid.*, 8.
(3) *Ibid.*, 8.
(4) *Ibid.*, 4.
(5) *Ibid.*, 48.
(6) *Ibid.*, 9.

grâce à son rang et à sa fortune, est le moyen employé par sa vanité pour triomper des autres vanités de Verrières. Celle du maire se trouve en effet en concurrence avec celle du directeur de dépôt. La noblesse décadente et la bourgeoisie parvenue s'affrontent dans les personnalités rivales et pourtant alliées à l'origine de M. de Rênal et M. Valenod. En face de l'autorité rigide et étroite du maire de Verrières s'est élevée une sorte de coalition de la sottise et de la médiocrité dirigée de main ferme par les intrigues de Valenod : « M. Valenod avait dit en quelque sorte aux épiciers du pays : donnez-moi les deux plus sots d'entre vous ; aux gens de loi : indiquez-moi les deux plus ignares ; aux officiers de santé : désignez-moi les deux plus charlatans. Quand il avait eu rassemblé les plus effrontés de chaque métier, il leur avait dit : « régnons ensemble » (7). Si la vanité du maire recourt à une fausse vertu drapée dans une certaine délicatesse, celle du Valenod utilise les expédients les plus grossiers. Après s'être attaqué à la femme de M. de Rênal, le directeur du dépôt essaie de suborner son précepteur et finit par envoyer une lettre anonyme à celui qui est son chef et son ami.

Mais en province les autorités rivales luttent sous un masque. Ces deux ennemis ne déclarent jamais ouvertement leur hostilité. Leurs passions toujours froides et calculées ne donnent jamais libre cours au naturel ; la sagesse pratique s'est durcie et desséchée sous l'emprise de l'esprit de calcul.

Un tel milieu est donc fait pour condamner par avance toute démarche spontanée. Sa présence même montre au naturel qu'il faut avant tout paraître considéré et respectable. Les plus violents accès de jalousie chez M. de Rênal, ou l'animosité la plus envieuse chez Valenod, se camouflent et prennent l'apparence de la froideur. La passion même n'arrache pas M. de Rênal à sa vanité ; au moment où il se sent abandonné par tous, par sa femme, par Julien Sorel, par ses anciens amis comme par Valenod, au moment où il se rend compte qu'il a été berné par ceux qui l'entourent, la peur du ridicule déforme sa vision des événements et des hommes et condamne cet instant de lucidité. La crainte de paraître un mari trompé aux yeux de toute la ville l'empêche de se venger par un duel des amours de Julien ; le souci de ne pas perdre l'héritage que doit faire Madame de Rênal le décide à garder sa femme auprès de lui.

Les notabilités de la ville offrent donc au naturel spontané ou héroïque le modèle d'un bon sens parfaitement étroit et mesquin qui paraît inconciliable avec tout héroïsme et toute spontanéité. Leurs efforts mêmes tendent à corrompre tout naturel généreux. Les vanités de M. de Rênal et de Valenod

---

(7) *Ibid.*, 145.

entrent en rivalité pour séduire un petit paysan qu'il est devenu de bon ton de rechercher comme précepteur ; elles offrent au naturel généreux autant d'occasions de se renier lui-même. Car M. de Rênal et Valenod incarnent sous des aspects différents la forme que prend l'intérêt vaniteux pour ôter à la générosité et à la spontanéité les moyens et l'envie de s'exprimer. Tous ceux qui ont obtenu par la violence ou la duplicité le respect de leur milieu social sont sans doute esclaves de l'opinion, et soumis à son despotisme ; cependant, tout en obéissant aux conventions, les « prepotenti » peuvent prendre l'initiative de démarches personnelles. Ils ne se voient point obligés de céder à autrui et acquièrent ainsi une liberté relative et un pouvoir que limite seule la peur du ridicule. La prudence et l'esprit de calcul font la puissance et la conservent.

Le père Sorel, Valenod et M. de Rênal sont les échantillons légèrement différents de cette sagesse pratique. Le père Sorel a conduit l'intérêt à son degré le plus bas, il est un prototype de M. de Rênal et de Valenod sous l'aspect le plus sordide. Ce type social se développe avec plus de puissance chez Valenod, avec plus de délicatesse chez M. de Rênal. Le directeur du dépôt est un bourgeois de grande envergure qui a su devenir un financier; il a toutes les perversions de sa fonction, M. de Rênal, la doublure de ce financier, n'est qu'un industriel enrichi qui garde encore quelques traces de noblesse.

Les nobles, les paysans et la classe bourgeoise qui monte, ont donc élu leurs représentants dans le *Rouge et le Noir* : ce sont M. de Rênal, le père Sorel et Valenod. Ils symbolisent chacun un pouvoir différent avec lequel il faut composer. Toute révolte à leur égard est aussitôt châtiée; le naturel ne peut que se supprimer lui-même s'il fait acte de rébellion contre la tyrannie. S'il ne peut enfreindre les lois du despotisme provincial, il ne lui reste qu'à trouver les moyens de les interpréter et de les tourner à son avantage.

Dans le *Rouge et le Noir,* la société est un obstacle à surmonter. Les despotes sordides et vaniteux y prennent la première place. Stendhal accorde d'autant plus d'importance à leurs petites intrigues qu'elles s'opposent à la réussite sociale d'un jeune paysan. Dans *Lucien Leuwen,* la société provinciale où débute le sous-lieutenant constitue moins pour l'être d'élite un obstacle qu'elle ne lui fournit l'occasion d'une *prise de conscience* de ses propres moyens et de ses buts. Aussi, dans le début du *Rouge,* M. de Rênal et Valenod sont-ils décrits objectivement; dans *Lucien Leuwen* la société de Nancy apparaît le plus souvent *à travers les réflexions du héros.* La société de Verrières et ses conventions donnent lieu à des intrigues mesquines et étroites dont le but essentiel est de nier le naturel; si Julien Sorel conquiert enfin une place dans la ville, ce sera grâce à une énergie toujours en éveil et à des calculs savants.

Dans *Lucien Leuwen* au contraire, la société provinciale que le jeune lieutenant se voit imposer au début de sa carrière a pour but essentiel de lui permettre d'approfondir sa morale de la grandeur. Lucien, en observant les ultras et les militaires de Nancy, fait à la fois acte de lucidité et profession de foi beyliste. *Il a recours à la méthode idéologique pour ranger et cataloguer les différentes espèces sociales, et en même temps il se sent obligé de refuser les conventions commandées par la vanité provinciale et à vivre personnellement selon ses propres impératifs moraux.* Les bonnes mœurs de Nancy sont décrites par un moraliste qui se sert de l'idéologie en tant que moyen et non en tant que valeur : « Je devrais les étudier comme on étudie l'histoire naturelle », dit Lucien au sujet des provinciaux. « M. Cuvier nous disait, au Jardin des Plantes qu'étudier avec méthode, en notant avec soin les différences et les ressemblances, était un moyen sûr de se guérir du dégoût qu'inspirent les vers, les insectes, les crabes hideux de la mer, etc., etc. » (8).

La vision de la société impose à Lucien l'attitude froide et objective de l'observateur. Dans ces mémoires d'un jeune sous-lieutenant, l'intérêt romanesque est souvent supprimé au profit de notations multipliées et sèchement exprimées. L'étude des divers spécimens sociaux ralentit l'action pour mieux révéler peu à peu l'esprit et les mœurs de la province. La vanité y est liée non plus à l'intérêt comme à Verrières, mais aux passions politiques; elle donne lieu à un comportement social peut-être moins étroit et moins vil, mais tout aussi absurde.

Depuis *Armance* jusqu'aux *Chroniques italiennes,* le héros stendhalien est perpétuellement en quête d'une société qui favorise la libre expression du naturel. Les étapes de son voyage à travers les vanités provinciales ou parisiennes ne lui offrent guère d'oasis. Sa patrie est l'Italie du XVI° siècle, et, hors de son pays, il est un étranger pour les habitants de Verrières, de Nancy ou de Normandie. Il se trouve en présence d'habitudes et de mœurs qui ne sont plus les siennes. Hors de sa terre d'élection, il n'éprouve d'abord qu'ennui et mépris pour tout ce qui est différent de son propre comportement.

Mais l'ennui et le mépris amènent à se figer dans une attitude passive. L'éthique stendhalienne n'est point un système

(8) *Lucien Leuwen*, Introduction et notes par Henri Martineau, éditions du Rocher, Monaco, 1945, T. I, 121.

clos ; elle est champ ouvert à toutes les initiatives ; elle remet
sans cesse en question ses propres impératifs moraux ; elle
prend même la liberté de refuser la grandeur lorsque cette
grandeur devrait pour s'exprimer se défaire de toutes les formes sociales et se vouer à la solitude de la misanthropie.
L'être d'élite condamne comme superficielle sa propre vision
de l'humanité lorsqu'elle est globale : si elle engage seulement
au dédain, ce ne peut être qu'une vision de myope ; mais si
aucune des petites saletés provinciales ne lui échappe, elle
peut capter aussi les grandes lignes de l'ensemble, saisir avec
netteté les directions souvent divergentes que prennent les
vanités. A l'ennui et au mépris succède alors chez l'être d'élite
une compréhension lucide de toutes les attitudes où se complaisent les prétentions d'autrui. Les « happy few » ne commettent jamais l'erreur de croire que tous ceux qui sont
pour eux des étrangers, c'est-à-dire les vaniteux, se ressemblent. C'est en mesurant sans cesse leur propre souci de grandeur avec les préoccupations maniaques d'une caste ou d'une
fonction sociale qu'ils se libèrent de la manie et des tics.

Les militaires, les préfets ou les légitimistes ne sont pas
seulement conçus pour offrir au naturel héroïque l'image d'un
naturel dégradé et corrompu ; ils sont toujours présents pour
obliger le naturel à renoncer à ses propres buts. Dans l'Italie
du Cinquecento, le naturel a une liberté entière que seul limite le souci de l'honneur. Dans la France du XIX° siècle,
seul l'honneur empêche le naturel d'avoir recours au suicide.
Il est un prisonnier dont les gardiens sont beaucoup moins
complaisants que Grillo. Pour conquérir sa liberté, il ne s'éva-
dera pas de sa prison, il ne se dérobera pas aux contraintes
sociales. Il esssaiera de trouver un moyen terme permettant
un échange de rapports entre ses geôliers et lui. Aussi s'effor-
ce-t-il tout d'abord de comprendre l'état d'esprit du geôlier
et ses manies. Sans lui imposer une attitude, le comportement
d'autrui oblige l'être d'élite à réajuster sans cesse ses propres règles de conduite.

Dans *Lucien Leuwen,* la société provinciale est construite
pour contraindre un fils de famille à renoncer à tout idéal
chimérique, pour faire d'un jeune « philosophe » assez rêveur
un être actif et généreux. Sa vision de la noblesse, de l'héroïsme, de la vertu républicaine, de la maîtrise des hommes politiques, est sans cesse mise au point et, par là même, sans
cesse remise en question : les valeurs fictives imposent l'élaboration de valeurs personnelles et réelles.

La lâcheté serait d'admettre que la noblesse de cœur se
trouve chez les légitimistes, le courage chez les officiers, l'idéal
de justice chez les libéraux, la fermeté et la lucidité chez les
préfets de province. Toute la distance qui sépare la société
telle que la souhaite Lucien Leuwen de celle où il se trouve

engagé mesure la quantité et la qualité des efforts nécessaires au naturel pour assumer une liberté sans cesse menacée.

La société de Nancy et celle de Normandie n'existent que pour mettre en péril un naturel généreux ; si Lucien refuse d'être sous-lieutenant ou chef de mission électorale, il perd sa propre estime et accepte de vivre en fils de famille ; il ne peut donc avoir d'autre attitude que de dénoncer les dégradations qu'entraîne la passion politique lorsqu'elle est liée à la vanité ou à l'intérêt.

La première démarche du naturel est *réflexive* ; elle s'exerce à faire un compte exact et détaillé de tous les pièges tendus par les fausses valeurs morales qui recouvrent de respectabilité leurs manques et leurs faiblesses. La ville de Nancy n'est point une caricature, mais elle concentre les passions humaines les plus dépourvues de naturel, celles qui se sont figées en manie.

Le durcissement de l'esprit de caste et l'hypocrisie de la Congrégation, déjà apparents dans la société de la Restauration, ne prennent que plus de vigueur sous la monarchie de Louis-Philippe. Dans *Lucien Leuwen,* la vanité frappe de mort toutes les passions politiques, car au lieu d'être activement vécues elles deviennent pures théories vides de sens. Les légitimistes de Nancy n'ont pas assez de lucidité pour se rendre compte de l'absurdité de leur position ; parce qu'ils n'ont pas voulu s'adapter à leur temps, ils ne sont que des fantoches ridicules. S'ils représentent une incohérence dans un régime monarchique et bourgeois, il y a cependant une certaine naïveté dans cette incohérence, qui n'exclut pas complètement le naturel. A l'époque de *Lucien Leuwen,* les menées de l'amour-propre ont favorisé le développement des petites coteries rivales entre elles et divisées à l'intérieur d'elles-mêmes, les idées politiques ont donné naissance à des chefs de parti qui inculquent à leurs fidèles leurs principes de vie et leur morale : « Dans cette maudite ville, la jeunesse est républicaine, la noblesse bien unie et dévote. M. Gauthier, rédacteur du journal libéral et chef des républicains, est résolu et habile. M. Du Poirier, qui mène la noblesse, est un fin matois, du premier ordre et d'une activité assourdissante. Tout le monde, enfin, se moque du préfet et du général ; ils sont en dehors de tout : ils ne comptent pour rien » (9).

Républicains et royalistes opposés entre eux ne s'entendent que pour mépriser les partisans du Juste-milieu. Ces derniers, chassés de tous les salons et mis à l'index, officiers de garnison, fonctionnaires et préfets, essaient de compenser leur situation

(9) *Ibid.,* I, 23.

d'infériorité par l'hypocrisie et la platitude. Ils s'attachent tous à justifier leur position sociale et l'arrogance est pour eux le seul moyen de se sauver du mépris. Tous ceux qui se sont battus avec enthousiasme sous Napoléon, le général comte N. ou le lieutenant-colonel du 27ᵐᵉ lanciers M. Filloteau, ne pensent plus qu'à exploiter les situations honorifiques que leur a values l'Empire et que leur soumission aux Bourbons leur a permis de conserver. Un régiment en garnison est la réplique exacte d'un séminaire ; l'espionnage et les lettres anonymes sont les uniques expédients de ceux qui veulent s'assurer la protection du commandant de la place. Quant à ce commandant lui-même, le colonel Malher de Saint-Mégrin, il excite complaisamment ces bassesses et exerce son autorité avec tout l'odieux d'un caractère aigri. Dans cette atmosphère où l'hypocrisie et le mensonge ont remplacé l'héroïsme des anciens temps, seuls les simples lanciers, qui n'ont rien à perdre ou à gagner à faire la cour aux puissants, se laissent aller à leur naturel primitif et rude : « Les propos des lanciers entre eux vinrent distraire Lucien. Ces propos étaient communs au fond (...). Mais la franchise du ton de voix, le caractère ferme et vrai des interlocuteurs, qui perçait à chaque mot, retrempait son âme comme l'air des hautes montagnes. Il y avait là quelque chose de simple et de pur... » (10).

Leur pureté provient chez eux de l'irrespect à l'égard des conventions. Parce qu'ils ne se plient pas aux conventions sociales, ils en ignorent l'hypocrisie. Comme ils ne sont point vaniteux, ils ne sont point serviles, ils ne prennent point cette attitude stéréotypée qui consiste à s'incliner devant l'autorité du plus respecté et du plus considérable. D'une façon peut-être primitive et assez simpliste, ils prennent conscience de leur existence propre lorsqu'ils se disent intérieurement : « Je me moque de tout le monde, et je compte sur moi » (11). Les lanciers ou les soldats prennent donc à leur compte personnel ce souci de leur propre responsabilité qu'éludent les officiers et les généraux : les classes sociales intérieures assument le naturel qui est absent chez leurs supérieurs. Et en effet, sous sa forme la plus primitive, l'éthique stendhalienne est facilement acceptée par les êtres simples ; chez les êtres d'élite elle doit lutter contre toutes les difficultés que provoquent l'intelligence ou le mérite lorsqu'ils refusent de se plier aux conventions.

Un soldat comme Ménuel donne vie à la spontanéité de la façon la plus élémentaire. Cet ancien ouvrier relieur devenu acteur par amour d'une comédienne a fait une fausse lettre de change qui l'a bourrelé de remords. Il s'est échappé de pri-

(10) *Ibid.*, I, 17.
(11) *Ibid.*, I, 17.

son, engagé dans l'armée de Don Carlos, a déserté pour se faire enrôler dans l'armée française. Cette existence d'où la friponnerie calculée est absente semble rachetée par la vivacité des passions. Ménuel n'a point refusé les actions dangereuses, et si ses moyens ne lui ont pas permis d'en venir à bout, il a toujours gardé le remords de s'être montré inférieur à lui-même.

Si l'on fait exception de quelques personnalités comme celle de Ménuel, dans *Lucien Leuwen,* dans *Le Rouge et le Noir,* la société joue donc un rôle négatif. Julien Sorel ne saurait être naturel dans un milieu qui ne peut s'élever au-dessus de son intérêt pratique et immédiat. Lucien Leuwen ne saurait être héroïque dans une armée qui a oublié ce qu'était l'héroïsme. Nancy pas plus que Verrières ne peut comprendre la générosité ni l'exalter. Ces climats réfractaires au naturel doivent donc obliger les êtres d'élite à ne faire appel qu'à eux-mêmes. Au-dessus des intrigues secondaires qui opposent les petites vanités sociales, les intrigues principales nous montreront les moyens adoptés par les « happy few » pour triompher de l'hostilité où ils se trouvent dès l'abord engagés.

Si une armée en garnison est précisément le contraire d'une armée en temps de guerre, si son mode d'existence repousse l'héroïsme et favorise la vanité, il est cependant d'autres milieux en province où la vie sociale pourrait s'exprimer spontanément. Mais les salons de Nancy, d'une manière sans doute plus raffinée, ne font que donner, eux aussi, libre cours à l'intrigue. Lorsque par hasard le naturel s'y développe, c'est pour faire exception et se détacher plus nettement sur un fond général d'hypocrisie. La vanité y prend peut-être un masque moins sordide que chez les militaires ou des pontifes de Verrières, mais elle n'en est pas moins grotesque. Il n'est point question, il est vrai, d'afficher sa fortune dans les salons légitimistes où se hasarde Lucien Leuwen. Mais les prétentions de caste durcissent aussi bien le naturel que les prétentions de l'argent. La vanité chez les ultras de province exclut toute passion qui n'est pas politique. Dans l'univers stendhalien, les êtres conduits par une passion politique, qu'ils soient par ailleurs républicains ou ultras, ne sont que des marionnettes au service d'une cause fictive.

L'idéal politique n'est certes pas condamné dans l'éthique stendhalienne, mais il est dénoncé avec vigueur chaque fois qu'il se trouve corrompu par la vanité. Stendhal ne l'admet que dans les cas très exceptionnels où il peut se trouver sous-tendu par une morale personnelle de la grandeur. Ce n'est pas précisément le cas des légitimistes de Nancy. Seule la peur de perdre leurs privilèges les a faits partisans de Charles X ou de Louis XIX, leur vanité ne saurait souffrir de se voir privés de leur titre, ou déchus de leur rang : « Ces gens-ci ont de l'envie et de la peur, et à cause de ces deux aimables passions ils oublient de vivre. Ces mots, par lesquels Lucien Leuwen se résumait toutes ses sensations de province, lui gâtait la charmante figure de Mme d'Hocquincourt comme l'esprit vraiment supérieur de Mme de Puylaurens. Cette peur continue, ce regret d'un passé qu'on n'ose pas défendre comme estimable, empêchait aux yeux de Lucien toute vraie grandeur » (12).

L'esprit de caste, qui n'est pas en province recouvert par le vernis d'une politesse superficielle, s'exprime avec une sûreté de soi et une arrogance qui n'admettent point la contradiction. L'ultra de province est le type même de l'homme figé par une manie et qui rapporte tout à sa manie. La vanité ne porte attention en effet qu'à ce qui la favorise ; passion exclusive, elle exclut tout autre sentiment ; elle durcit l'individu dans un comportement toujours semblable à lui-même. La passion politique engendrée par la vanité donne lieu aux tics et aux manies ; elle est donc contraire au naturel. Dans l'éthique stendhalienne la spontanéité doit, par définition, faire un effort toujours renouvelé pour adapter son idéal de grandeur aux conditions sociales; ses exigences passionnées mais lucides sont sans cesse en voie de transformation; la passion maniaque par contre se refuse à tout renouvellement. L'ultra de province représente le naturel noué sur lui-même, et inaccessible à toute générosité : « L'ultra de Paris est apprivoisé, se disait Lucien; mais ici je le trouve à l'état de nature : c'est une espèce terrible, bruyante, *injuriante,* accoutumée à n'être jamais contredite, parlant trois quarts d'heure avec la même phrase » (13).

La vie morale de Nancy est fossilisée par l'absurdité de la passion politique. Les chefs spirituels de la ville en sont les chefs politiques. La noblesse légitimiste a perdu tout esprit d'initiative, toute notion d'individualisme; elle se contente de suivre les règles que lui dictent le docteur Du Poirier ou le grand vicaire, le Jésuite Rey : « MM. de Pontlevé et de Vassignies sont les chefs apparents du *carlisme,* commissionnés par Charles X; mais un maudit intrigant qu'on nomme le docteur Du Poirier (on l'appelle docteur parce qu'il est médecin) est, dans le fait, le chef véritable. Officiellement, il n'est que secrétaire du comité carliste. Le jésuite Rey, grand vicaire, mène toutes les femmes de la ville, depuis la plus grande dame jusqu'à la plus petite marchande; cela est réglé comme du papier à musique » (14).

(12) *Lucien Leuwen,* II, 277.
(13) *Ibid.,* I, 121.
(14) *Ibid.,* I, 25.

Les régisseurs de ces petites marionnettes, Du Poirier ou le grand vicaire, imposent les idées et les attitudes qui font loi. La conversation des légitimistes est perpétuel rabâchage des mêmes thèmes; le problème du partage des terres, mis à la mode par Du Poirier y est indéfiniment repris et discuté.

*
**

Ainsi, tous les actes des provinciaux que ce soit dans le domaine de la vie sociale ou dans celui de la vie morale, ne sont que des agissements privés de vie, de fausses illustrations d'idées privées de sève qui ne peuvent être incarnées ni réalisées concrètement. La société légitimiste de Nancy démontre qu'une idée politique ne peut donner jour à un comportement efficace et pratique, soit sur le plan de l'action, soit sur le plan de la morale. Car ces farouches adversaires du régime sont incapables de montrer un dévouement réel à leur propre cause : « Les domestiques de ces gens-ci, après deux ans de guerre dans un régiment commandé par un colonel juste, vaudraient cent fois mieux que leur maître. On trouverait chez ces domestiques un dévouement sincère à quelque chose. Et pour comble de ridicule, ces gens-ci parlent sans cesse de *dévouement,* c'est-à-dire justement de la chose au monde dont ils sont le plus incapables » (15).

Les officiers légitimistes qui ont voulu faire acte de rébellion en démissionnant après les Journées de Juillet consacrent leur énergie à se battre de temps en temps en duel pour se désennuyer et ne pas faire oublier la vie active de leurs aïeux. Les duels et les dissensions intestines sont en effet les seules distractions de cette société dont l'existence est soumise à une discipline dont la rigueur ne peut faire naître que l'ennui. Les nobles de Nancy projettent dans l'avenir ou rejettent dans le passé une vanité qui ne peut satisfaire toutes ses exigences dans le présent; chacun d'eux s'est construit un univers fictif où se sont installées leurs prétentions chimériques : « M. de Vassignies et les gens raisonnables croyaient vivre sous le règne de Henri V; tandis que Sanréal, Ludwig Roller et les plus ardents, n'admettaient pas les abdications de Rambouillet et attendaient le règne de Louis XIX après celui de Charles X » (16).

La passion politique fait ainsi naître des petites sociétés fermées sur elles-mêmes et entravées par leurs conventions. Les intrigues et la calomnie règnent dans chacune d'elles. Les républicains eux-mêmes prennent une attitude stérile et négative; à l'exception de leur chef, le libéral Gauthier, ils ne passent à l'action que pour médire de leurs adversaires, les légitimis-

(15) *Ibid.,* I, 257.
(16) *Ibid.,* I, 112.

tes : « Quoique se disant et se croyant républicains austères, ces jeunes gens étaient navrés au fond de se voir séparés, par un mur d'airain, de ces jeunes femmes nobles, dont la beauté et les grâces charmantes ne pouvaient, à tout jamais, être admirées d'eux qu'à la promenade ou à l'église : ils se vengeaient en accueillant tous les bruits peu favorables à la vertu de ces dames, et les médisances remontaient tout simplement à leurs laquais » (17).

***

Les libéraux de Nancy mettent par ailleurs dans leurs convictions une sorte de fanatisme qui va jusqu'à la folie (18), et leur idéal tel qu'il se trouve réalisé dans la démocratie américaine met la vanité de tous au service de l'argent. Si les jeunes républicains sous Louis-Philippe ne peuvent que donner cours à une exaltation souvent dépourvue d'efficacité pratique, le citoyen de la libre Amérique consacre sa liberté à amasser ou à faire fructifier un capital.

Selon Stendhal et Lucien Leuwen, un idéal politique généreux ne peut que se corrompre lorsque le suffrage populaire, en lui donnant vie, le met à la merci des intérêts pratiques individuels, et d'un « bon sens fastidieux » (19) dont le culte est celui du dollar. La vertu farouche des libéraux de Nancy manque souvent de sagesse, mais du moins elle a une certaine grandeur; les jeunes gens comme « Vindex » ont une passion exclusive à laquelle ils sacrifient tout et seul le milieu étroit de la province les condamne à des enfantillages passionnés. Mais les hommes parfaitement justes et raisonnables qui mettent en pratique les idées libérales, ont ossifié une morale éprise de grandeur en favorisant des passions mesquines et intéressées : « La moralité américaine me semble d'une abominable vulgarité, et en lisant les ouvrages de leurs hommes distingués, je n'éprouve qu'un désir, c'est de ne jamais les rencontrer dans le monde. Ce pays modèle me semble le triomphe de la médiocrité sotte et égoïste, et, sous peine de périr, il faut lui faire la cour » (20).

La petite société républicaine qui doit à Nancy employer son énergie à dire du mal de la noblesse et à défendre ses convictions avec une certaine naïveté, pourrait, semble-t-il, jouer un rôle actif en Amérique et donner au naturel l'occasion de s'exprimer avec la plus entière franchise. Mais la morale de la grandeur se corrompt en passant aux mains de tous, les petits

(17) *Ibid.*, I, 50.
(18) « Excepté mes pauvres républicains attaqués de folie, je ne vois rien d'estimable dans le monde » (*ibid.*, I, 57)
(19) « J'ai horreur du bon sens fastidieux d'un Américain » (*ibid.*, I, 56).
(20) *Ibid.*, I, 56.

intérêts individuels se sont chargés de la déformer en Amérique. L'éthique stendhalienne se voit obligée de refuser les passions de la collectivité qui sont défavorables à son propre but désintéressé. Lucien refait chez M. de Tracy ces mêmes visites qui avaient semblé si ennuyeuses à Stendhal; il y rencontre lui aussi La Fayette, et il a l'occasion de s'y défaire de ses rêves libéraux. Lui qui a souvent été tenté de s'embarquer pour l'Amérique afin d'y trouver une société digne de lui, il doit abandonner peu à peu ses espoirs chimériques : « Quand il rencontrait tous les dimanches M. de Laf(ayette) chez M. de T(racy), il se figurait qu'avec son bon sens, sa probité, sa haute philosophie, les gens d'Amérique auraient aussi l'élégance de ses manières. Il avait été rudement détrompé : là règne la majorité, laquelle est formée en grande partie par la canaille. A New-York, la charrette gouvernementale est tombée dans l'ornière opposée à la nôtre. Le suffrage universel règne en tyran, et en tyran aux mains sales. Si je ne plais pas à mon cordonnier, il répand sur mon compte une calomnie qui me fâche, et il faut que je flatte mon cordonnier. Les hommes ne sont pas pesés mais comptés, et le vote du plus grossier des artisans compte autant que celui de Jefferson, et souvent rencontre plus de sympathie » (21).

L'idéal idéologique s'est donc déformé en passant à la pratique. Les premiers principes beylistes de 1804 sont contraires au beylisme ; les concepts du juste et de l'utile ont perdu, en se concrétisant, toute vigueur exaltante. La majorité, qui s'appelle « canaille » dans le vocabulaire stendhalien, les a mis au service de son avidité arrogante, et les êtres d'élite sont réduits à composer avec les puissants, qui ne sont que des sots enrichis.

Si dans la France de Louis-Philippe les républicains ne vivent que d'avenir, les autres ne pensent qu'au passé ; l'univers stendhalien met en présence deux mondes hostiles l'un à l'autre et où l'être d'élite ne peut trouver sa place. *De 1830 à 1848 le héros stendhalien parcourt toutes les formes sociales où il pourrait s'installer, sans en trouver une qui accepte sa morale de la grandeur. Il ne peut s'adapter qu'à une société suffisamment souple et mouvante pour tolérer les bonds, les sauts et les revirements d'une morale qui ne peut se perfectionner que dans un effort perpétuel d'adaptation.* Avec plus de force que dans *Lucien Leuwen*, *Lamiel* oppose la spontanéité sans cesse jaillissante d'un être d'élite à l'ossification d'une société qui reconnaît comme immuables les règles et le comportement de la féodalité. Le château de Miossens sert à faire apparaître avec plus de vigueur l'absurdité des manies nobiliaires. Ce monde

(21) *Ibid.*, II, 286-287.

replié sur lui-même s'incarne dans *Lamiel* avec plus de verve romanesque que dans *Lucien Leuwen*. Ce qui était réalité observable est devenu satire. L'imagination du romancier a fait du château de Miossens le symbole des aspirations et des rêves chers aux légitimistes de Nancy : « La soirée, et une soirée qui commence à cinq heures avec la cloche du dîner, il fallait faire la cour à Mme la duchesse de Miossens, et elle n'était pas femme à se laisser prescrire ses droits ; pour peu que l'on eût oublié ses droits, un petit mot sec vous eût rappelé au devoir » (22).

Ce qui était intérêt documentaire dans *Lucien Leuwen* est devenu intérêt romanesque, c'est pourquoi la sottise y est attaquée avec plus de force : « Ce qui m'amusait et m'ôtait la sottise de prendre cette maison au sérieux, c'est qu'on ne pouvait pas reprocher à cette future duchesse d'avoir une seule idée juste ; elle voyait toutes choses au point de vue d'une duchesse, et encore dont les aïeux ont été aux croisades » (23).

***

Le comportement moral et social des âmes politiques en province est mis à découvert dans la ville de Nancy et dans le château de Miossens ; les légitimistes se contentent souvent d'un rôle passif et seul un chef, comme Du Poirier, prend des initiatives et des responsabilités. Mais la société de Normandie où Lucien est chargé d'une mission électorale assume un rôle actif en se livrant à l'intrigue.

Les provinciaux de Nancy étaient seulement ridicules ; ceux de Normandie, comme les militaires que Lucien a vus en garnison, ont recours à l'hypocrisie pour satisfaire leurs vanités. L'univers stendhalien distingue de la vanité qui n'est que grotesque celle qui est agissante et venimeuse. La première a une certaine naïveté qui peut, dans des cas exceptionnels, se concilier avec le naturel, alors que la seconde s'exerce perpétuellement à la fausseté et au mensonge. Les préfets de Normandie semblent jouer à être leurs propres caricatures. Dans *Lucien Leuwen*, trois personnages de préfets montrent toutes les dégradations qu'une fonction officielle et représentative fait subir à l'individu lorsqu'elle dépend étroitement de la politique.

Le préfet de Nancy, M. Fléron, est l'exemple d'un naturel qui se voudrait aimable, mais qui n'a pas l'esprit nécessaire pour y parvenir. L'élégance des manières est pour lui la meilleure preuve de fidélité au régime ; mais en portant à l'extrême la recherche du bon ton, il n'en fait que la satire. Cette figure, marchant par ressorts, prétend à la fois à la grâce et à la ma-

(22) *Lamiel*, texte établi, annoté et préfacé par Henri Martineau, Le Divan, Paris, 1948, p. 19.
(23) *Ibid.*, 24.

jesté (24) et « l'essentiel, à ses yeux, était que rien ne parût
avoir pour lui le plus petit intérêt » (25). Le préfet du Cher,
M. de Riquebourg, uniquement préoccupé de ses intérêts pratiques, est aussi ridicule que celui de Nancy. Mais l'hypocrisie
de ces deux derniers est naïve, alors que celle de M. Boucaut
de Séranville est dangereuse. Le petit préfet incarne l'âme politique et ses dépravations lorsqu'elle se met au service de la
cause qui lui paraît la plus opportune. Cet ancien libéral est
maintenant un fanatique du régime juste-milieu : « Il ne
croyait pas plus en 1829 les doctrines libérales qu'aujourd'hui
les maximes d'ordre, de paix publique, de stabilité » (26). Tout
son esprit de calcul s'emploie à élaborer des manœuvres bassement savantes contre les opposants : « En parlant de ses adversaires politiques, ses petits yeux brillaient, sa bouche se con-
tractait sur ses dents (...). Plaisant fat, pensa Coffe pour être
un *homme politique*. Si le cosaque ne fait pas la conquête de
la France, nos hommes politiques seront (des Fox ou des Peel),
des Tom Jones comme Fox, ou des Blifils comme M. Peel, et
M. de Séranville sera tout au plus un grand chambellan ou un
grand référendaire de la Chambre des pairs » (27).

Car les « âmes politiques » de Normandie ne représentent
que l'espèce la plus vile et le degré le plus inférieur. Leur diplomatie et leurs intrigues sont celles d'un petit procureur nor-
mand. Le chef des légitimistes, M. Le Canu, se laisse facilement
corrompre et vend les voix de son parti pour cent mille francs.
Le juge, le Président Donis, nage entre deux eaux, et, pour
obtenir la croix, se prête à toutes les compromissions : « Il
souriait constamment et avec un air qui jouait la franchise.
C'est la plus impatientante des espèces de fausseté » (28).

Dans la société de province, quelques êtres échappent à la
vanité et à toutes ses manifestations sans avoir cependant assez
de force pour faire triompher une morale de la grandeur. Ce
ne sont pas des êtres primitifs comme le simple soldat Ménuel
et ils appartiennent à une classe sociale fière de ses prérogatives, mais ils ont assez de naïveté ou de spontanéité pour s'en
affranchir. Ils représentent la seule ressource pour les âmes
d'élite qu'ils encouragent inconsciemment en leur permettant
de ne pas succomber à un pessimisme absolu. Ils ne sont
certes pas les maîtres ni les disciples du naturel généreux, mais
leur rôle est de ne point le décevoir entièrement et de lui per-

(24) Voir *Lucien Leuwen*, I, 32.
(25) *Ibid.*, I, 32.
(26) *Ibid.*, II, 152.
(27) *Ibid.*, II, 154.
(28) *Ibid.*, II, 171.

mettre de trouver quelque oasis dans ce désert qu'est pour
lui la société. Les passions politiques savent parfois se déten-
dre chez les légitimistes, admettre la sincérité chez les républicains. Dans *Le Rouge et le Noir,* le vieux curé Chélan et
Fouqué, l'ami de Julien Sorel, s'opposent sans cesse aux démarches aventureuses et hardies du jeune paysan, mais ils
savent être spontanés et naturels ; seule la vie de province les
a empêchés de réaliser pleinement une morale de la grandeur.
Dans les yeux du curé brille encore par moments « ce feu
sacré qui annonce le plaisir de faire une belle action un peu
dangereuse » (29). Mais le milieu même où il vit lui interdit
tout acte de rébellion ; il est bientôt destitué par Valenod après
avoir pris l'initiative de faire visiter le dépôt de mendicité par
M. Appert. Quant à Fouqué, il n'a pas trouvé le bonheur dans
la solitude. C'est un naturel généreux à qui ont fait défaut
l'exaltation et la grandeur qui permettent seules de triompher
des vanités sociales.

Dans l'univers stendhalien le naturel ne peut se réaliser
pleinement qu'en acceptant de vivre au milieu d'une humanité
qui lui est le plus souvent contraire. Il est certes plus facile
d'assumer son indépendance en refusant tout contact avec la
société, mais ce n'est pas là le but du héros stendhalien. Pour
avoir voulu vivre au-delà des intrigues dans un séminaire,
pour avoir méprisé les conventions mondaines et refusé de les
comprendre, un abbé Pirard a déformé en lui le naturel généreux ; en se repliant dans un jansénisme rigide, il s'interdit toute émotion et la moindre attitude spontanée : il a pris
lui aussi un masque et si ce masque est celui de la rudesse
et de l'individualisme, il n'en est pas moins conventionnel ;
car il a refoulé la spontanéité naïve.

Julien, lui, n'a pas craint d'entrer dans le jeu des vanités,
il n'a conquis sa propre morale qu'après l'avoir soumise à la
platitude et à l'étroitesse de son siècle, pour mieux éprouver
la vanité des prétentions sociales. Mais Pirard et Fouqué représentent un naturel, qui, par lassitude ou manque de souplesse, a pris une retraite anticipée ; ils se sont dérobés à
leur fonction, qui aurait été de mettre leurs propres impératifs moraux en contact avec ceux des autres. Leur puritanisme n'est pas le naturel.

∗
∗

Le naturel en province peut se replier sur lui-même, il peut
aussi se satisfaire d'une certaine vivacité tout extérieure qui
n'est point sous-tendue par une morale individualiste.

La marquise de Puylaurens, Mme d'Hocquincourt et son
amant M. d'Antin, la bonne Théodelinde de Serpierre, mé-

(29) *Le Rouge et le Noir,* 10.

prisent les convenances de leur milieu, sans toutefois avoir
assez d'esprit ou de caractère pour s'en détacher. Leur désinvolture souriante et aimable repose l'être d'élite de l'affectation, de la bassesse et de l'esprit d'intrigue. Ce petit cercle
d'individus moyens distrait le héros stendhalien par sa bonne
humeur et son enjouement. Ils sont là, exempts de sottise, de
médiocrité et de ridicules, prenant plaisir à la vie sans timidité
ni malice, comme si leur rôle était d'attendre l'être d'élite
pour le divertir et l'obliger à relâcher sa tension. Ils mesurent toute la distance qui sépare l'art de vivre du beylisme.
Car leur morale est celle du plaisir et celle de la bonne humeur, et non celle de la grandeur.

Les salons de Mme de Puylaurens, de Mme d'Hocquincourt,
avec celui des demoiselles de Serpierre, sont chargés à des
degrés divers et avec des nuances différentes de désennuyer
le héros. A leur contact le naturel retrempe ses forces et oublie le temps du mépris. Après avoir été à demi-asphyxié par
la vanité, il aspire enfin une bouffée d'air pur.

C'est l'esprit chez la marquise de Puylaurens qui la sauve
des prétentions de sa caste.

Elle fait pardonner le ridicule de sa passion légitimiste lorsqu'elle préfère l'esprit critique aux convictions, lorsque le
plaisir de se monter spirituelle l'entraîne à se moquer de tous
les préjugés : « C'était une grande femme de trente-quatre
ou trente-cinq ans, peut-être davantage, qui avait des yeux
superbes, une peau magnifique, et, de plus, l'air de se moquer
fort de toutes les théories du monde. Elle contait à ravir, donnait des ridicules à pleines mains et presque sans distinction
de parti. Elle frappait juste en général, et l'on riait toujours
dans le groupe où elle était » (30).

La spontanéité, ou encore un certain abandon aux sensations,
sont donc l'unique chance de salut qu'aient trouvée ces âmes
moyennes ; chaque fois qu'elles se montrent spontanées, elles
échappent à la vanité. Mme d'Hocquincourt, cet être gai, vivait au jour le jour, faite « pour être la maîtresse d'un grand
roi ennuyé de l'ambition et des manèges de ses courtisa-
nes » (31). En un autre temps, et dans une capitale, elle se
serait fait remarquer par son esprit et sa force de caractère,
protégée par un ministre puissant, elle aurait tenu avec autant de brio le rôle de la Sanseverina à la cour de Parme.
Sa volonté d'indépendance lui a permis d'échapper à ce péché capital qu'est pour Stendhal la prétention des provinciaux : « Elle devait à son heureux caractère, à son génie naturel ce point de dissemblance marqué avec la province : elle
s'occupait infiniment peu des affaires des autres, et pour-

---

(30) *Lucien Leuwen*, I, 115.
(31) *Ibid.*, I, 101.

suivait en revanche avec une activité incroyable les projets
qui se présentaient à sa tête folle » (32).

Il n'a manqué à Mme d'Hocquincourt, pour être parfaitement beyliste, que de faire dépendre sa spontanéité du souci
de sa propre estime. Tout aussi belle, intelligente, spirituelle
et passionnée que Gina, elle possède « des façons d'agir gaies,
libres, familières, sans façon, comme d'une princesse qui
s'amuse »(33). Cet esprit indépendant et noble, qui a eu assez
de vigueur pour refuser l'hypocrisie et le calcul, est un bel
exemplaire d'un naturel qui n'a point trouvé un milieu propre à le mettre en valeur. Ses passions mêmes ne peuvent
pas changer d'objet, car elles ne sauraient jamais être comblées par les provinciaux. Si Mme d'Hocquincourt a de nombreux amants, c'est qu'aucun d'eux n'est à la mesure de son
caractère. Le dernier en date, M. d'Antin, ne peut offrir à sa
maîtresse qu'une gaieté assez stupide, mais il a toutes les
grâces du naturel aimable. Sa morale du plaisir divertit sa
maîtresse, car Mme d'Hocquincourt ne saurait comprendre
et admirer une morale de la grandeur. Cet amant, honnête
homme par ailleurs, est une espèce rare à Nancy, puisque
toutes ses démarches sont exemptes de vanité ou d'intérêt
et nullement dictées par des préoccupations politiques :
« C'était un grand jeune homme blond de vingt-huit à trente
ans, pour qui l'air sérieux et important était une impossibi-
lité (...). Le fait est qu'il n'avait pas le sens commun, mais
le meilleur cœur du monde et un fond de gaieté incroyable » (34).

L'esprit chez Mme de Puylaurens, l'individualisme chez
Mme d'Hocquincourt, l'absence d'affectation chez les demoiselles de Serpierre, font mieux ressortir la médiocrité de la
société provinciale. Le poids de cette société les empêche de
s'élever jusqu'au naturel parfait ; paliers entre la société et
les êtres d'élite, ces caractères justifient les moyens employés
par Julien, Lucien ou Lamiel pour s'échapper d'une petite
ville où ils ne peuvent avoir qu'un rôle secondaire.

Le naturel généreux passe à l'action directe, a recours aux
expédients et aux stratagèmes pour se délivrer d'une société
qui asphyxie sa morale. Tous les êtres qui sont au second plan,
comme les demoiselles de Serpierre, nient les conventions sociales, refusent la vanité, mais n'ont pas su remplacer les
conventions par un comportement individualiste et des règles de conduite personnelles ; elles ne sont que l'ombre du
naturel. Leur premier mérite est de posséder des qualités négatives : « Elles ne parlaient point trop haut ; elles ne pen-

---

(32) *Ibid.*, I, 256.
(33) *Ibid.*, I, 100.
(34) *Ibid.*, I, 233.

chaient point la tête sur l'épaule aux moments intéressants de leurs discours ; on ne les voyait point constamment occupées de l'effet produit sur les assistants ; elles ne donnaient pas des détails étendus sur la rareté ou le lieu de fabrique de l'étoffe dont leur robe était faite ; elles n'appelaient point un tableau une *grande page historique,* etc., etc. » (35).

(35) *Ibid.,* I, 106-107.

CHAPITRE XII

LE MONDE PARISIEN

L'apprentissage parisien chez le héros stendhalien. — L'affectation à Paris. — Le héros stendhalien et le temps du mépris. — La peur de l'imprévu à Paris. — Des exemplaires du naturel aimable. — Les fausses passions à Paris. — Les politiciens. — Un ministère.

La société parisienne apparaît tout d'abord aux êtres d'élite comme une sauvegarde et un refuge. A Julien, à Lamiel, à Lucien après son retour de Nancy, la grande ville semble le seul moyen d'échapper au despotisme des vanités provinciales, à leurs prétentions et à leurs intrigues. Ils pensent pouvoir assumer pleinement leur propre destin dans un lieu où les rivalités entrent en conflit à une plus grande échelle et où leur énergie trouvera des obstacles à sa taille. Le naturel refuse de lutter contre les calculs de la vanité qui sont en province l'espionnage et la calomnie : il aime s'opposer à des ambitions plus vastes dont les armes principales sont l'intelligence et la volonté et non pas l'hypocrisie et la bassesse. Pour mieux s'éprouver lui-même, il veut trouver des adversaires à sa mesure.

Ses expériences grenobloises ont permis à Stendhal de construire le petit univers provincial où la vanité prend toutes les formes et tous les masques. Ses expériences parisiennes lui ont offert ces salons où Octave, Julien et Lucien s'entêtent à rechercher la passion. Il s'agit donc de savoir si le naturel peut s'établir à Paris, s'il pourra plus facilement qu'en province y exercer sa morale de la grandeur. Lucien, Julien et Lamiel n'ont point refusé de mettre leur naturel à l'épreuve de la vie provinciale, mais ils ont dû constater que même « un honnête homme (...) ne peut pas s'établir en province et y trouver la paix » (1) ; les prêtres et les nobles l'en chassent. Les êtres d'élite qui ne recherchent pas seulement la tranquillité deman-

(1) *Le Rouge et le Noir*, 230.

dent donc à Paris, non seulement de tolérer la spontanéité et l'héroïsme, mais encore de les élever. Dans des temps qui ne sont pas héroïques à la manière du XVI° siècle italien, la morale de la grandeur, si elle ne peut s'exprimer librement dans l'anarchie et dans les guerres, doit trouver un secours et un appui dans une société où l'esprit d'initiative et l'imprévu ne sont point condamnés à l'avance. Le naturel exige liberté d'action sur le plan pratique : il se met donc en quête d'un milieu qui ne soit point hostile à ses aventures.

Mais si la société de province était construite pour condamner la spontanéité à Verrières, la grandeur à Nancy et en Normandie, les salons parisiens sont conçus pour proscrire toute exaltation. Les « happy few » n'y trouvent point un protecteur assez puissant ou un ennemi assez fort ; la société ne s'y intéresse qu'à elle-même ; elle oblige donc le naturel non pas à lutter mais à abandonner toute exaltation. L'être d'élite se voit frustré de sa violence combative. On peut se demander alors si, dans de telles conditions, il trouvera les moyens de se survivre à lui-même. Il est parvenu en effet au point où le refus des conventions sociales lui paraît inadmissible. Il n'acceptait la société de province que comme un mal provisoire et composait avec elle pour mieux s'en évader. S'il a consacré ses efforts à miser sur la société parisienne, il se voit donc contraint à ne point se démentir. *Le séjour dans la capitale, qui était le suprême espoir, devient l'épreuve suprême.* C'est au contact de Paris que l'être d'élite affine sa morale tout en la fortifiant : son comportement ne saurait être provisoire ; il doit se trouver une ligne de conduite qui engage sa destinée. Pour ne point être infidèle à lui-même, il lui faut renoncer au refus et accepter les règles du jeu.

*
**

A la recherche de passions spontanées ou sincères qui contrarient ou exaltent leur propre générosité, les héros stendhaliens vont donc se trouver en présence de fantoches qui, à Paris, ont l'avantage d'être plus polis et plus aimables que ceux de province : « Par la position qu'ils se sont faite depuis 1830, les hommes les plus aimables de France voient passer la vie, mais ils ne vivent pas » (2).

La vanité a beau se camoufler sous des dehors brillants et séduisants, elle n'en mène pas moins l'élite de la nation : « La bonne compagnie de l'époque actuelle (...) a une âme de soixante-dix ans; elle hait l'énergie sous toutes ses formes » (3). L'affectation s'emploie à singer l'énergie et les élans impé-

(2) *Mémoires d'un touriste*, I, 56-57.
(3) *Ibid.*, I, 82.

tueux ; si elle est ridicule en province, à Paris l'éducation et la politesse ne peuvent que la rendre plus supportable : « De nos jours on a trouvé le secret d'être fort brave sans énergie ni caractère. Personne ne *sait vouloir* : notre éducation nous désapprend cette grande science » (4).

Dans le vocabulaire stendhalien, énergie n'est point le synonyme de volonté : énergie sous-entend passion qui commande le but et intelligence qui fournit les moyens. Or la culture et la civilisation, en affinant l'esprit, semblent avoir émoussé la force des sensations. Toute passion sincère se trouve donc mise en présence d'une passion fictive : il n'y a point possibilité de conflit ou d'entente entre la première et la seconde.

Seuls, les héros des *Chroniques* exercent leur héroïsme à rivaliser d'énergie avec des êtres aussi nobles qu'eux-mêmes. Ces adversaires s'engagent tout entiers dans leurs entreprises. Qu'ils soient cruels ou généreux, ils ne cèdent point à la peur du ridicule : c'est pour eux-mêmes et non pour mériter l'approbation d'autrui qu'ils se lancent dans leurs entreprises hardies. Ils veulent être les seuls responsables de leurs actes et ne laissent point à autrui le soin de les juger.

Mais le naturel déçu cherche en vain à Paris les mouvements dictés par les grandes passions. Le désir exclusif de la société parisienne est de solliciter l'estime d'autrui : il introduit la fausseté, quand ce n'est pas l'hypocrisie. Une étrangère comme Mina Wanghen perçoit plus nettement combien cette passion, qui est celle de *briller dans le monde,* suffit à annuler toutes les autres : « Pour qui a des yeux à la tête, rien ne se ressemble davantage que les passions ou plutôt que la passion unique qui fait mouvoir tous ces cœurs parisiens, c'est *l'envie de paraître* justement un peu plus que ce qu'ils sont ; la très bonne compagnie se distingue pour cela qu'elle veut toujours *paraître,* mais seulement paraître ce qu'elle est. Mais cette *vanité,* cette unique passion, s'appliquant à toutes les positions de la vie, amène les effets les plus contraires. Dans le salon dont vous parlez (...), il paraît qu'on voulait *paraître riche.* Hé bien, pendant assez longtemps après la révolution de 1830, dans les salons de la meilleure compagnie de France, on a cherché à *paraître pauvre,* ruiné, abîmé » (5).

Tous ceux qui sont passés par la province, Julien, Lucien, Lamiel, tous ceux qui ont su dénoncer la « foire aux vanités » et l'éviter, sont en quelque sorte aguerris par leur apprentissage provincial et sont moins atteints par l'affectation parisienne. Seul Octave, pour n'avoir pas subi plusieurs épreuves, succombe à la première. Les diverses étapes que parcourt le héros

(4) *Prom. dans Rome,* I, 309.
(5) *Le Rose et le Vert,* éd. du Rocher, Monaco, 1947, pp. 91-92.

stendhalien à travers la société sont donc indispensables à
l'élaboration de sa morale ; elles élargissent son optique et le
libèrent du mépris. Si la première étape, qui est celle de l'ennui, n'est pas franchie victorieusement par le héros, ce dernier
se voit pour toujours établi dans un stade purement passif.

Or la vanité en province se montre à découvert ; étant plus
ridicule et plus absurde, elle permet d'autant plus au héros de
la considérer comme l'antipode du naturel. La vanité intéressée de M. de Rênal ou la passion grotesque des légitimistes de
Nancy ne se recouvrent point du vernis de politesse brillante
propre à l'affectation parisienne. Le héros n'a donc point de
peine à élaborer secrètement une éthique parfaitement contraire à la moralité provinciale.

*
**

Le parisien Octave, qui se sent un étranger à Paris, ne peut
passer par dessus *le sentiment morbide et troublant que lui
vaut la prise de conscience d'une irréductibilité totale entre
son propre comportement et celui des autres.* Son apprentissage de la société est trop bref ; les expériences lui ont fait défaut ; sa vision de la vanité n'a pas eu d'arrière-plans. A confronter deux morales différentes, Octave éprouve toujours ce
sentiment de gêne et de malaise que n'ont jamais ses compagnons, à la fois plus mûrs, plus désabusés et plus actifs, Julien,
Lucien ou Lamiel. Car la société provinciale avait ses dissensions intérieures, ses ridicules, et surtout manquait d'esprit.
La société parisienne est en apparence aimable et brillante,
elle sait si bien masquer sa vanité que la vie mondaine s'y
donne tous les aspects de la perfection. Après avoir su dominer
la société provinciale, Julien et Lucien ont assez de maîtrise
pour s'adapter à la société parisienne. Octave n'a point acquis
cette habileté qui consiste à jouer la froideur pour mieux conserver une passion secrète. Son exaltation inemployée et tournant à vide ne peut que le conduire au dégoût de lui-même. Sa
lucidité condamne l'affectation, mais son inexpérience l'arrête
à cette étape réflexive.

Le malaise et le sentiment d'étrangeté d'Octave sont dûs à
son recul instinctif devant toutes les formes d'affectation ;
son inexpérience ne lui permet pas de combler l'écart qui sépare la société idéale des « happy few » de la société réelle. On
peut donc dire à Octave : « A vous, Monsieur le philosophe, si
fort sur la logique, je vous dirai : comment connaître les hommes si vous ne voyez qu'une classe ? Et la classe la moins énergique parce qu'elle est la plus éloignée des besoins réels » (6).

(6) *Armance*, ou quelques scènes d'un salon de Paris en 1827, texte
établi avec introduction, bibliographie, notes et variantes par Henri
Martineau, éd. Garnier, Paris, 1950, p. 114.

C'est bien pour élargir sa vision du monde qu'Octave fréquente la mauvaise compagnie : « Le besoin d'agir et le désir
d'observer des choses nouvelles l'avaient poussé à voir la mauvaise compagnie, souvent moins ennuyeuse que la bonne. Dès
qu'il était heureux, une sorte d'instinct le portait à se mêler
avec les hommes ; il voulait les dominer. Pour la première
fois, Octave avait entrevu l'ennui des manières trop parfaites
et des excès de la froide politesse : « Le mauvais ton permet de
parler de soi, à tort et à travers, et l'on est moins isolé » (7).
Mais le système de références d'Octave s'avère trop exclusif
et trop étroit ; à confronter le « mauvais ton » et le « bon ton »,
il perd de vue les nuances intermédiaires, il n'en éprouve que
plus de répulsion pour les salons parisiens. Pour avoir manqué d'étapes nécessaires à travers la société, Octave s'arrête au
stade du mépris : « Je ne suis plus si content de cette bonne
compagnie par excellence, que j'ai tant aimée. Il me semble
que sous des mots adroits elle proscrit toute énergie, toute
originalité. Si l'on n'est *copie,* elle vous accuse de mauvaises
manières. Et puis la bonne compagnie usurpe. Elle avait autrefois le privilège de juger de ce qui est *bien* ; mais depuis qu'elle
se croit attaquée, elle condamne, non plus ce qui est grossier
et désagréable sans compensation, mais ce qu'elle croit nuisible à ses intérêts » (8).

*
**

Le contact avec de gros propriétaires provinciaux comme
M. de Sanréal ou un financier sans scrupules comme Valenod,
ont rendu Lucien et Julien plus sensibles aux raffinements de
la politesse parisienne : à l'ultime stade de leur apprentissage,
ils n'en constatent pas moins que le naturel au XIX° siècle
« se réfugie chez les danseuses » (9).

A l'inverse d'Octave, ils acceptent cette comédie éternelle
qu'est la société parisienne (10) ; elle est pour eux l'image
d'une brillante « commedia dell'arte » hypocritement préparée
à l'avance et où toutes les répliques auraient été rédigées et
soumises à la censure du bon ton. La conversation de ces
acteurs obéit à un code sévère, élaboré sans doute depuis des
siècles, mais que le temps a corrompu en lui faisant perdre
toute souplesse. Le naturel aimable, qui savait encore se montrer désinvolte et étourdi dans les salons du XVIII° siècle, a
perdu toute vitalité ; il meurt étouffé par ses propres contraintes et privé de sève, puisqu'il n'admet plus sa qualité première

(7) *Ibid.,* 87.
(8) *Ibid.,* 88.
(9) *Lucien Leuwen,* II, 116.
(10) « A Paris, j'étais las de cette momédie perpétuelle, à laquelle oblige
ce que vous appelez la civilisation du XIX° siècle » (*Le Rouge et le Noir,*
228).

qui est la spontanéité. Tout son comportement est en effet négatif ; ses règles de conduite sont suppressives. Il a su si bien dompter ses émotions qu'il est devenu incapable de sentiment sincère. Sa politesse parfaite elle-même « n'est que l'absence de la colère que donneraient les mauvaises manières » (11). Le refus de « l'espagnolisme » si cher au cœur stendhalien est la première devise de la noblesse raffinée qui s'ennuie à l'hôtel de La Mole ou des parvenus juste-milieu qui fréquentent le salon de Madame Grandet : « Les hommes réunis dans ce salon semblèrent à Julien avoir quelque chose de triste et de contraint ; on parle bas à Paris, et l'on n'exagère pas les petites choses » (12). Toute exagération est en effet une faute de goût dans le salon de La Mole. Or le naturel, qu'il s'abandonne à la tendresse ou à la colère, est constamment exposé à commettre de telles maladresses. « Mme de La Mole, quoique d'un caractère si mesuré, se moquait quelquefois de Julien. *L'imprévu*, produit par la sensibilité, est l'horreur des grandes dames : c'est l'antipode des convenances » (13).

Les lois de la politesse mondaine condamnent toute saillie. Cette société ne fait que refouler un vieux complexe d'infériorité qu'elle a acquis au cours des temps. Les contraintes qu'elle s'impose l'ont rendue incapable de réagir devant l'esprit naturel, les mouvements spontanés et la violence dans le comportement ou la conversation. Autrefois, « la vie d'un homme était une suite de hasards. Maintenant la civilisation a chassé le hasard, plus d'imprévu » (14).

La noblesse au XIX⁰ siècle a perdu ses réflexes vitaux et primitifs qui permettent de répondre à l'énergie par une énergie égale, à l'insolence par une impertinence. Son code moral et social ne prévoit pas en effet qu'il faille se mesurer avec la passion. Mathilde « se hâta de plaisanter son frère et le marquis de Croisenois sur la peur que leur faisait l'énergie. Ce n'est au fond que la peur de rencontrer l'imprévu, que la crainte de rester court en présence de l'imprévu... » (15). La maréchale de Fervacques est l'échantillon parfait de cette société qui a fait du sang-froid un moyen de protection et de défense : « Le manque d'empire sur soi-même eût scandalisé Mme de Fervacques presque autant que l'absence de majesté envers ses inférieurs. Le moindre signe de sensibilité eût été à ses yeux comme une sorte *d'ivresse morale* dont il faut rougir, et qui nuit fort à ce qu'une personne d'un rang élevé se doit à soi-même » (16). La conversation parisienne a donc ses sujets

(11) *Le Rouge et le Noir,* 307.
(12) *Ibid.,* 242.
(13) *Ibid.,* 264.
(14) *Ibid.,* 327.
(15) *Ibid.,* 312.
(16) *Ibid.,* 403.

défendus : la pensée y est interdite. Dans ce ballet si bien réglé, l'improvisation et la nouveauté dans les idées passent pour
de l'effronterie : « L'homme qui pense, s'il a de l'énergie et de
la nouveauté dans les saillies, vous l'appelez *cynique* » (17).
Chacun de ces salons a donc ses interdits. A l'hôtel de La
Mole « pourvu qu'on ne plaisantât ni de Dieu, ni des prêtres,
ni du roi, ni des gens en place, ni des artistes protégés par la
cour, ni de tout ce qui est établit ; pourvu qu'on ne dît du bien
ni de Béranger, ni des journaux de l'opposition, ni de Voltaire,
ni de Rousseau, ni de tout ce qui se permet un peu de franc-
parler ; pourvu surtout qu'on ne parlât jamais politique, on
pouvait librement raisonner de tout » (18).
Mais le bon ton lui-même se prend à ses propres pièges ; le
sang-froid qu'il préconise se tourne contre lui-même. Si l'air
sérieux est devenu à la mode, s'en départir un instant est une
menace de disgrâce ; pour réussir dans le monde, l'apparence
« imposante » est une nécessité quotidienne.

Puisqu'ils se sont volontairement introduits dans la société
parisienne, les êtres d'élite acceptent de temporiser avec elle ;
ils entrent dans le jeu de ses conventions. Et pourtant cette
morale du plaisir, qui n'est même plus celle du XVIIIe siècle,
semble faite pour contrarier à tout instant leur propre éthique
de la grandeur. Si l'être d'élite cherchait des obstacles à surmonter pour mieux s'éprouver lui-même, il est en présence
d'une difficulté inattendue : comme Don Quichotte, il lutte
contre des moulins à vent et se bat contre des adversaires qui
n'en sont pas. Mais ce donquichottisme n'est que d'un jour ;
Julien, Lucien et Lamiel (du moins en ce qui concerne l'attitude de l'héroïne dans le roman inachevé et non pas dans la
conclusion que Stendhal s'est contenté d'esquisser), assouplissent leur propre idéal jusqu'à le faire coïncider, du moins en
apparence, avec celui de la société parisienne. Leur passion
contenue et secrète s'exerce alors à prendre les dehors du bon
ton et de la froideur. Tous ces petits marquis et ces poupées
parisiennes avec lesquels ils sont en rapport ne parviennent
guère à pervertir l'être d'élite ; ils semblent *faits seulement
pour civiliser par leur fréquentation le naturel généreux*, pour
lui apprendre à masquer sa rudesse naturelle. Ainsi sans jamais renoncer à lui-même, le naturel généreux se défait peu à
peu, au cours de ces lentes expériences sociales, de l'ennui, du
mépris, et enfin, à Paris, de tout ce que sa spontanéité pouvait comporter de grossier.

(17) *Ibid.*, 295.
(18) *Ibid.*, 251.

Au cours des aventures de Julien à travers la société parisienne, le chevalier de Beauvoisis vient corriger l'espagnolisme du jeune secrétaire. Ce parfait exemple d'une politesse un peu niaise a cependant le mérite d'une maîtrise de soi qui ne s'irrite point des événements et des hommes : « Sa physionomie, noble et vide, annonçait des idées convenables et rares : l'idéal de l'homme aimable, l'horreur de l'imprévu et de la plaisanterie, beaucoup de gravité » (19). *Le naturel héroïque, au lieu de voir dans le naturel aimable un adversaire, cherche alors à s'affiner à son contact* : « Il fut si frappé de la douceur des manières de M. de Beauvoisis, de son air à la fois compassé, important et content de soi, de l'élégance admirable de ce qui l'entourait, qu'il perdit en un clin d'œil toute idée d'être insolent » (20). Le jeune évêque d'Agde, que Julien a admiré un jour à Verrières et qu'il retrouve dans le salon de La Mole, le marquis de Croisenois ou encore l'évêque de Besançon, dont l'urbanité est toute parisienne, ont, comme le chevalier de Beauvoisis, réussi à recouvrir leur vanité d'une grâce souriante qui sait fort bien se donner l'air de la spontanéité accueillante.

L'exemple du naturel aimable permet à l'être d'élite d'introduire dans son comportement une complexité et une souplesse qui faisaient défaut aux héros des *Chroniques italiennes.* Sa lucidité toujours en éveil lui fait prendre conscience de l'utilité des masques sociaux, du bon ton et de l'affectation ; son « espagnolisme » perd son enflure et n'en conquiert que plus de force d'expression ; le naturel aimable vient donc obliger le naturel héroïque à ne point se satisfaire uniquement de la violence et à ne point se raidir dans un orgueil stérile. Le sang-froid et les bonnes manières de la société parisienne engagent Julien ou Lucien à mesurer et à délimiter les prétentions de leur propre comportement. Car la vanité pourrait aussi trouver sa place dans une éthique de la grandeur ; l'apprentissage parisien supprime toute trace du donquichottisme qui pourrait dégrader le naturel héroïque s'il était replié sur lui-même et inadapté au réel ; ainsi s'épure-t-il peu à peu de ses propres chimères. L'orgueil, l'aspiration à la grandeur, au lieu de se gonfler de leur propre fierté, se soumettent à la réalité et oublient toute vanité en acceptant de composer avec le monde.

L'être d'élite repousse donc toute personnalité fictive qui se contenterait de se vouloir différente des autres. Sa supériorité consistera à accepter d'être comme tout le monde ; cette attitude seule lui permet de réaliser sa propre grandeur sur le

(19) *Ibid.*, 266.
(20) *Ibid.*, 267.
(21) *Ibid.*, 269.

plan pratique de l'action. Le comportement du chevalier de
Beauvoisis aide Julien à comprendre que « l'affectation diplomatique est bonne à quelque chose » (21) ; la conversation des
amis du chevalier a ce charme dû à la parfaite politesse du
ton : « L'ennui n'est donc point inhérent (...) à une conversation entre gens de haute naissance ! Ceux-ci plaisantent de la
procession de la Fête-Dieu, ils osent raconter et avec détails
pittoresques des anecdotes fort scabreuses. Il ne leur manque
absolument que le raisonnement sur la chose politique, et ce
manque-là est plus que compensé par la grâce de leur ton et la
parfaite justesse de leurs expressions. Julien se sentait une
vive inclination pour eux » (22).

C'est l'amabilité de l'un de ses amants qui a séduit Lamiel.
Ce jeune seigneur est pourtant le type dégradé du naturel aimable tel que l'aimait Stendhal. Pour une fois, le naturel héroïque est tombé dans le piège que lui tendait la société ; en
affectant d'être naturel, d'Aubigné est passé pour naturel aux
yeux de Lamiel : « Le comte paraissait un brillant jeune homme et bien amusant aux yeux de Lamiel ; pourtant il ne disait
pas un mot qui ne fût appris par cœur, mais il n'en faisait que
plus d'impression ; tous ses mouvements d'éloquence étaient
calculés d'avance et arrangés de façon à frapper par de brillants contrastes, — de beaux passages de la plus charmante
insouciance aux idées imprévues les plus attendrissan-
tes » (23).

Le comte d'Aubigné est une copie de la spontanéité à laquelle
la vraie spontanéité s'est laissé prendre. Tous les mondains,
qui dans l'univers stendhalien ont réussi leur carrière, c'est-
à-dire sont parfaitement bien vus dans le monde, se donnent
parfois de grandes passions mais avec beaucoup moins de
maîtrise et d'hypocrisie. Paradoxalement, ces salons qui se
prétendent moraux tolèrent la passion qui rend « imperméable au ridicule ». Les grands sentiments doivent s'exprimer
avec sérieux et componction, ils ne sont pas alors contraires
aux convenances puisqu'ils s'entourent d'une dignité qui exclut toute violence et tout imprévu. Ils confèrent ainsi une personnalité que tous s'empressent de respecter.

Dans ce siècle éminemment moral, le mysticisme d'une maréchale de Fervacques est de bon ton, s'il donne lieu à des attitudes compassées, et à un langage obscur. Tous les bourgeois
parvenus, qui ne doivent la renommée de leurs salons qu'à
l'éclat de leur richesse, s'efforcent en effet de compenser leur

(22) *Ibid.*, 269.
(23) *Lamiel*, 222-223.

absence de titres nobiliaires par ce qu'ils croient être la noblesse de l'âme. Madame Grandet, qui est douée du bon sens pratique d'une épicière enrichie, emprunte pour les soirées mondaines toutes les qualités du naturel, la générosité, la tendresse et même la grandeur. Si l'hôtel de La Môle a oublié ce qu'était la vraie noblesse, Madame Grandet emploie tout son esprit de calcul à la singer. Elle n'avait rien de romanesque dans le caractère ni dans les habitudes, ce qui formait (....) un étrange contraste avec sa façon de parler toute sentimentale et toute d'émotion (...). Elle ne disait pas : *Paris,* mais : *cette ville immense.* Madame Grandet, avec cet esprit si romanesque en apparence, portait dans toutes ses affaires une raison parfaite, l'ordre et l'attention d'un petit marchand de fil et de mercerie en détail » (24).

Dans la société parisienne, toute passion ne peut donc être que contrefaite et habilement adoptée par un esprit de calcul entièrement au service de l'ambition. Les personnages de cette « commedia dell'arte », pour avoir les applaudissements du public, simulent parfois la sentimentalité. Pourtant, le cœur de Madame Grandet « était à peu près l'opposé de ce que l'on se figure comme étant le cœur italien. Le sien était parfaitement étranger à tout ce que l'on appelle émotions tendres et enthousiasme, et cependant elle passait sa vie à jouer ces sentiments » (25).

Mais, parvenu au point où il accepte de transiger avec la société, l'être d'élite ne voit plus dans l'affectation de la passion que sa contre-partie : l'absence de vulgarité chez les mondains. Les propos bas, ou la vulgarité du ton ne viennent jamais choquer Lucien dans les salons de Madame Grandet. Grâce au comte d'Aubigné, Lamiel peut mener une vie imprévue et divertissante, se livrer à ses sautes d'humeur, introduire la fantaisie dans la société qu'elle s'est aménagée. S'il est devenu de bon ton d'aller à l'Opéra et dans les bals masqués, ces divertissements, si conventionnels qu'ils soient, n'en ont pas moins leur charme. La société parisienne, incapable d'éprouver réellement les passions qu'elle affiche, a créé cependant un climat et une atmosphère où l'être d'élite peut s'abandonner aux émotions. Toutes ces passions fictives et conventionnelles semblent être au service des passions sincères. Assister au spectacle ou avoir sa loge à l'Opéra sont devenus des conventions pour les mondains ; si ces « cœurs parisiens » froids et desséchés affectent de s'enthousiasmer pour Cimarosa, les « cœurs italiens » peuvent trouver leurs plus belles joies dans ce qui n'est qu'un programme obligatoire pour les autres.

(24) *Lucien Leuwen,* II, 262.
(25) *Ibid.,* II, 86.

Mais les soirées à l'Opéra ne sont cependant qu'une relâche
dans l'emploi du temps fiévreux de Lucien ou de Julien. Ils
n'ont point à se mesurer tout en l'acceptant avec une société
mondaine, mais aussi avec une société d'hommes politiques. En
devenant administrateurs, bureaucrates ou militaires, Julien
et Lucien ont certes l'occasion de perdre de vue leur propre
morale de la grandeur. Ceux qui faisaient la loi en province,
les maires comme M. de Rênal ou les préfets comme M. de Séranville, exerçaient un despotisme ridicule qu'il était facile de
tourner. Passant de la province à Paris, les politiques sont devenus ministres ou députés, et les êtres d'élite, qui ont eux
aussi monté en grade, se trouvent sous leurs ordres. Les chefs
du pays, qui ont façonné le comportement social et moral de
la nation, ne manquent certes pas de moyens de pression sur
tout homme qui a de l'ambition et veut jouer un rôle dans la
société. Ce despotisme ressemble fort à celui de l'Inquisition
bien qu'il sache se faire plus diplomatique : « Quelle duperie,
dit Montesquieu, que de calomnier l'Inquisition ! Il eût dit de
nos jours : « Comment ajouter à l'amour de l'argent, à la
crainte de perdre sa place, et au désir de tout faire pour deviner la fantaisie du maître, qui font l'âme de tous les discours
hypocrites de tout ce qui mange plus de cinquante mille au
budget ? » (26).

L'être d'élite s'accommoderait de la corruption et de l'avidité des hommes politiques comme d'un mal inévitable. Dans
l'univers stendhalien, les puissants sont facilement excusés de
manœuvres qui ne sont pas toujours irréprochables ; ce que
l'on ne pardonne point, c'est de faire régner la bêtise et l'ennui. Comme la plupart des députés manquent d'esprit, ils encouragent la sottise. Un commerçant enrichi et borné comme
M. Grandet ne doit son succès qu' « à cette importance épaisse
et sotte qui plaît tant à la Chambre des députés. Au fond
ces messieurs abhorrent l'esprit. Ce qui leur déplaisait en
MM. Guizot et Thiers, qu'était-ce, sinon *l'esprit* ? » (27).

Dans l'Italie du Cinquecento, les despotes étaient peut-être
tout aussi corrompus que les hommes politiques du XIXᵉ siècle, mais, du moins, ils ne favorisaient point la médiocrité.
L'esprit de parti rend aveugle à toute intelligence et aussi à
toute beauté, se soumet au code d'une morale sévère, refuse
l'esprit d'initiative et distribue ses faveurs au talent qui
s'abaisse devant lui.

En faisant la cour aux puissants, les artistes et les écrivains non seulement se vendent, mais encore contribuent, par

(26) *Ibid.*, II, 7.
(27) *Ibid.*, II, 248.

leurs œuvres et leurs écrits, à créer une atmosphère ennuyeuse
et pesante, contraire à la gaieté, à la spontanéité, au bonheur
de vivre : « Rien n'est si bête comme notre église de la Made-
leine dont les journaux sont si fiers. Un temple grec, respirant
la gaieté et le bonheur, pour abriter les mystères terribles de
la religion des épouvantements ! Saint-Pierre de Rome lui-
même n'est qu'une brillante absurdité ; mais en 1500, quand
Raphaël et Michel-Ange y travaillèrent, Saint-Pierre n'était
pas absurde : la religion de Léon X était gaie » (28).

Les hommes politiques du XIXᵉ siècle menacent sans cesse
toute morale de grandeur. En entrant dans le cercle des politiciens, Lucien est plus que jamais contraint d'éviter tous les
pièges que pourrait lui tendre l'ambition ; il doit fuir toute
bassesse et toute compromission et pourtant ne pas déserter
son poste. Il semble que le naturel se soit volontairement
placé dans le milieu qui offrait les plus grands dangers à sa
générosité naturelle. Le ministère de l'Intérieur où travaille
Lucien Leuwen devient pour lui un véritable champ de bataille : le jeune secrétaire qui regrettait de ne point s'être
battu lorsqu'il était sous-lieutenant, peut enfin montrer sa
valeur et son esprit d'indépendance. Au XIXᵉ siècle, l'honneur
cornélien choisit un bureau de ministre pour y faire valoir ses
droits.

Ce ministre contre lequel Lucien va entrer en lutte ouverte
n'est pourtant point un diplomate machiavélique et tortueux,
ni un voleur effronté. Il aurait été trop facile au naturel généreux de dénoncer l'infamie ou le vice. Il lui est bien plus difficile de démasquer les pièges que peuvent tendre une fausse
bonhomie et un mérite actif : « Lucien fut tout étonné et fâché de trouver à ce grand administrateur l'air plus que commun, l'air valet de chambre » (29). Cet être borné, timide et
pusillanime, ne vaut que par son activité incessante. Cet ambitieux s'est appliqué toute sa vie à étudier l'art de mener les
hommes. Sa vanité, une fois satisfaite, se croit permises toutes
les grossièretés.

Le zèle administratif que manifeste Lucien, et celui de son
ministre, s'exercent donc en sens contraire. L'être d'élite a
accepté de s'engager dans un métier pour y être pleinement
responsable de ses actes ; il transpose perpétuellement son
éthique de la grandeur dans la fonction dont il est chargé. Or
si M. de Vaize encourage l'ardeur administrative de Lucien,
il blâme sa morale sans en prendre par ailleurs nettement

(28) *Ibid.*, II, 149.
(29) *Ibid.*, II, 38-39.

conscience. Le ministre est le type parfait de l'activité maniaque fermée à tout ce qui ne relève pas de l'administration :
« Mais, mon fils, c'est un animal. Est-ce sa faute si le hasard
a jeté chez lui le génie de l'administration ? Ce n'est pas un
homme comme nous, sensible aux bons procédés, à l'amitié
continue, envers lequel on puisse se permettre des procédés
délicats : il les prendrait pour de la faiblesse. C'est un préfet
insolent après dîner qui, pendant vingt années de sa vie a
tremblé tous les matins de lire sa destitution dans le *Moniteur* ; c'est encore un procureur bas-Normand, sans cœur ni
âme, mais doué en revanche du caractère inquiet, timide et
emporté d'un enfant. Insolent comme un préfet en crédit
deux heures tous les matins, et penaud comme un courtisan
qui se voit de trop dans un salon pendant deux heures tous
les soirs » (30).

Avec M. de Vaize, l'être d'élite doit donc se mesurer avec
l'ambition. Toutes les démarches de Lucien consistent à dé-
celer ce qu'il peut y avoir de bas dans les manœuvres de son
ministre. Sa lucidité attentive contraint M. de Vaize à lever
le masque de l'hypocrisie. Il est la conscience même du ministère.

En luttant contre tout ce qui pourrait sembler dangereux
pour son honneur, Lucien refuse donc l'ambition au moment
même où toutes les chances de succès et de réussite sociale
lui sont offertes. Son souci de la gloire se précise et devient
purement moral. Son éthique de la grandeur se dépouille de
toute vanité. Il sait fort bien que le zèle qu'il apporte à remplir sa mission électorale en Normandie ne sera guère apprécié par le ministère ; son unique souci est d'être fidèle à un
engagement et non point d'obtenir des honneurs : « Eh bien !
tout ce que vous avez fait (...) n'est qu'un *péché splendide*.
Vous serez bien heureux si vous échappez au reproche de ja-
cobinisme ou de carlisme. On en est encore, dans les bureaux,
à trouver un nom pour votre crime ; on n'est d'accord que sur
son énormité. Tout le monde en est à épier les façons dont
le ministre vous traite, vous vous êtes cassé le cou. — La
France est bien heureuse, dit Leuwen gaiement, que ces
coquins de ministres ne sachent pas profiter de cette folie de
jeunesse qu'on appelle zèle » (31).

Les êtres d'élite sont donc parvenus à préserver leur morale
des erreurs où elle pourrait se perdre. *S'ils ont cru un instant
que la grandeur consistait à jouer un rôle dans la société, il
a fallu qu'on leur offre de jouer ce rôle pour qu'ils le refusent
en même temps que l'ambition.*

Dans l'univers stendhalien, Julien, Lucien ou Lamiel ont

(30) *Ibid.*, II, 51.
(31) *Ibid.*, II, 198.

opposé un démenti formel à l'ambition et ne s'en sont jamais repentis. Les vrais tartuffes de ce monde ne sont point Julien Sorel, comme on l'a souvent dit, mais tous ceux qui, comme Desbacs, le collègue de Lucien, ont réussi parce qu'ils respectaient le despotisme des puissants : « M. Desbacs avait le caractère de Blifil (de *Tom Jones*), et c'est ce qui malheureusement se lisait trop sur sa figure extrêmement pâle et fort marquée de la petite vérole. Cette figure n'avait guère d'autre expression que celle d'une politesse forcée et d'une bonhomie qui rappelait celle de Tartufe (...). Comme M. Desbacs disait toujours tout ce qui était convenable et jamais rien au-delà, il avait fait des progrès rapides dans les salons de Paris. Il avait été sous-préfet, destitué par M. de Martignac comme trop jésuite, et c'était un des commis les plus habiles qu'eût le ministère de l'Intérieur » (32).

(32) *Ibid.*, II, 55-56.

CHAPITRE XIII

L'EPANOUISSEMENT ITALIEN

Naissance du beylisme au contact d'une Italie mythique. —
Les instants et les lieux du beylisme. — Là où « tout
est noble et tendre, où tout parle d'amour... ». — La
patrie des gens qui vous ressemblent. — Le point de
perfection du beylisme. — Repentirs et contradictions
du beylisme.

La société provinciale et celle de Paris ont permis au naturel de s'épurer et de s'affiner ; à leur contact, l'être d'élite
a jeté par dessus bord tous ces lests qui assurent la stabilité
de la vie provinciale et parisienne : la vanité, l'hypocrisie et
l'ambition. Il n'a pas craint de s'affranchir de tout ce qui
faisait la sauvegarde et la protection des autres, ni d'être réduit à ses seules ressources. Mais il ne semble se démunir que
dans l'espoir de s'enrichir un jour ; il n'affronte ces passes
difficiles que pour arriver enfin à la terre d'élection. Lorsqu'il
a dépassé le cap dangereux des petites intrigues politiques ou
mondaines en se dépouillant de tout ce qui aurait entravé sa
marche, il peut enfin, allégé par ses refus et ses renoncements,
libre de toute vanité, mettre le pied sur la terre promise,
l'Italie, pays des « happy few ».

En province et à Paris il n'avait rencontré que le contraire
du naturel ; en Italie, conquérant heureux, il s'empare de la
nation qui accepte avec joie son vainqueur et son maître.
Tous les « happy few » de la *Chartreuse*, Fabrice et Clélia, le
comte Mosca et la Sanseverina sont accueillis, là où ils
passent, par ces transports de joie et d'allégresse, cette spontanéité joviale qui accompagnaient les soldats de Napoléon et
Beyle lui-même, lorsque, jeune dragon, il suivait les étapes
d'une armée triomphante et entrait avec elle en Lombardie.

Mais les exigences du romancier et du moraliste ont ennobli
une Italie réelle, Stendhal a enfin satisfait les vœux de ses
personnages ; il a comblé leurs aspirations depuis si long-

temps formulées en leur donnant un cadre digne d'eux. La
réalité s'unit au mythe, la commedia dell'arte toujours im-
provisée que jouent les acteurs de la *Chartreuse* a choisi un
théâtre de plein air ; le lac de Côme et les collines de Grianta
servent de fond à leurs exploits. Cette Italie mythique a deux
origines : les expériences beylistes concrètes et vécues, et les
exigences d'une morale de la grandeur. L'écrivain corrige à
tout instant la réalité dont il s'inspire, la vision du touriste
italien se trouve donc modifiée par une optique de la grandeur. Stendhal ne prend jamais nettement conscience de cette
ambiguïté, ni de l'anomalie de sa vision. Il fait abandon de
son esprit critique et de sa lucidité, pour donner au beylisme
plus de force d'expression, pour ne pas contrarier l'épanouissement du naturel, soit dans l'existence de ses héros, soit dans
sa vie personnelle. Plus que prise de conscience, le beylisme
est en effet enrichissement. *A l'attitude passive qui avait donné lieu à l'observation des ridicules, succède une attitude active ; celle de l'homme qui recherche et conquiert le bonheur.*
C'est dans cette deuxième attitude que le beylisme nous apparaît sous son vrai sens ; c'est donc en Italie que nous pouvons le saisir, dans les périodes privilégiées de sa plénitude.

De plus en plus, Stendhal fait succéder à sa primitive idée
d'une « *méthode de vie* », tirée des Idéologues et fondée sur
le calcul, celle *d'un style de vie, dont la principale valeur est
l'expression du naturel chez l'homme.* A ce style de vie, il
donne lui-même le nom de beylisme ; c'est par cette nouvelle
valeur que, dans la conduite de son existence, il remplace les
plans un peu puérils qu'il traçait sous l'influence des Idéologues.

Non seulement il va chercher à vivre en Italie avec une spontanéité qui implique le naturel en soi et autour de soi, mais
ce style même qu'il ne verra jamais parfaitement réalisé dans
un moment de l'existence, ordonne son univers romanesque
lorsque Stendhal a trouvé sa vraie vocation. *Si nous entendons
par beylisme une lutte du naturel — ou des divers naturels —
contre les obstacles psychologiques et sociaux qui s'opposent
à leur expression et à leur cristallisation en « bonheur » ou
en « héroïsme », nous serons obligés de reconnaître qu'il y a
deux beylismes ; la propre recherche du bonheur de Stendhal,
qui intéresse l'homme, et sa sublimation romanesque, qui intéresse le romancier.*

*
**

Dans ses meilleurs moments, Stendhal s'est montré aussi
naturel que Fabrice ou la Sanseverina, il a été aussi beyliste
qu'eux. Le héros stendhalien profite des jours de bonheur et
d'héroïsme du romancier. Quelques instants de beylisme chez
l'homme forment donc les points de départ de ce beylisme

continu qu'assument les héros stendhaliens. L'éthique de la grandeur qui avait mûri sous le soleil grenoblois s'est réveillée aux principaux tournants de la vie de Stendhal ; elle n'en vivait pas moins lorsqu'elle semblait étouffée par les contraintes combinées des apprentissages parisien et idéologique. Les différents séjours en Italie arrachent Stendhal à son amnésie. Ces chocs révélateurs sont décisifs. Au contact de cette terre heureuse, Stendhal amoureux du *Cid*, cherche le bonheur dans la spontanéité et la grandeur dans l'exaltation.

En franchissant le col du Saint-Bernard en 1800, le jeune hussard de dix-huit ans a été heureux de n'avoir pas connu la peur ; il a partagé la joie et l'ardeur des soldats victorieux ; en un éclair il a sans doute pris conscience de la liberté dont pouvait jouir le naturel lorsqu'il n'était soumis à aucune contrainte sociale.

Dans les années suivantes, de 1800 à 1811, Madame de Staël et Burke, Shakespeare et Corneille, entrant en rivalité avec les Idéologues et les salons parisiens, l'obligent à conserver la nostalgie d'une terre d'élection propice au naturel. A l'Italie vécue se superpose alors une Italie apprise. Les habitants de cette seconde Italie ne sont plus les fières Milanaises, mais Corinne ou Desdémone, Emilie ou Camille, Othello ou Delphine, et tous leurs lointains aïeux. Selon la définition de Burke, ils sont tous sublimes, comme le seront Fabrice ou la Sanseverina ; ils portent à son point extrême ce souci de la gloire qui est l'honneur cornélien, et que Madame de Staël avait interprété avec quelque naïveté et beaucoup de maladresse.

En 1811, tout semble prêt pour que la morale de la grandeur puisse prendre forme et s'exprimer. C'est alors que Stendhal emploie pour la première fois le terme « beyliste » ; le beylisme est cependant encore dans l'enfance ; il fait ses premiers pas, il ne conquiert pas dès l'abord les modes d'expression qui lui conviennent. Stendhal reproche à Crozet de n'être pas beyliste, sans savoir nettement ce qu'il faut lui conseiller (1). Mais cette nouvelle éthique donne pourtant lieu à des actions concrètes : Stendhal part pour Milan dans l'intention de la mettre à l'épreuve. Il sacrifie ses ambitions à ses exigences de moraliste. Il s'agit de savoir si l'Italie, la patrie de

(1) Dans un passage du *Journal* où Beyle s'écrie qu'il « brûle de partir pour l'Italie », il ajoute : « Crozet est toujours amoureux d'A., conduisant sa barque comme un niais, et il en est triste et attristant. C'est ce que je lui dis sans cesse à lui-même pour le rendre un peu beyliste ; mais il regimbe » (*Journal*, IV, 76, passage daté du 17 mai 1811). Nous trouvons le terme beyliste mentionné à nouveau au cours de la même journée : « Il y aurait dans le caractère d'Alfieri pris de ce côté-là le sujet d'une comédie destinée à ramener ces bilieux pleins de vertu au beylisme » (*ibid.*, 78). Désormais, ce terme apparaîtra constamment dans les années 1812 et 1813.

Corinne, est réellement le pays des « happy few ». En 1811, Stendhal se décide à vérifier sur les lieux le caractère italien tel que le décrit Madame de Staël : « C'est l'usage ici », dit Stendhal en citant Madame de Staël, « de ne faire en société que ce qui plaît ; il n'y a pas une convenance établie par un égard exigé : une politesse bienveillante suffit. Voilà, ce me semble, la société nécessaire au cœur de *myself*, mais non pas à son talent » (2).

Le contact réel avec l'Italie ne peut point décevoir le beylisme. La recherche d'un style de vie s'impose avec trop d'acuité à Stendhal pour qu'il ne superpose pas à chaque instant une Italie livresque à l'Italie réelle. Ces deux Italies, l'Italie apprise et l'Italie vécue, réagissent l'une sur l'autre pour donner naissance au pays de Fabrice. En s'enrichissant d'apports concrets, le beylisme trouvera son univers romanesque ; les anecdotes que racontent les belles milanaises dans les soirées italiennes excitent la curiosité du moraliste, ces histoires d'enlèvements et de duels lui font découvrir une troisième Italie, l'Italie du Cinquecento, synthèse parfaite des deux précédentes, qui englobe la totalité des expériences intellectuelles, morales et pratiques de l'homme et du romancier, qui est enfin vraiment stendhalienne.

En revenant en Italie entre 1814 et 1821, en s'échappant de Paris au cours des années 1822 à 1830 pour aller à Naples, Rome et Florence, en s'établissant définitivement dans sa patrie d'élection à partir de 1830, Stendhal a pris une traite sur le beylisme. Il s'est engagé à faire triompher une morale et un style de vie, il a fui tout ce qui était contraire au naturel : « Je suis blasé sur Paris (...). J'étais bien dégoûté du métier d'auditeur et de la bêtise insolente des puissants. Rome, Rome est ma patrie, je brûle de partir » (3). Pour se prouver à lui-même qu'il a été fidèle à son engagement, qu'il a réussi à transporter le naturel dans un climat favorable, il veut qu'une épitaphe en soit la preuve, il désire que le passant s'arrête

(2) *Mélanges de Littérature*, Le Divan, III, 172, passage daté du 22 février 1811. Dans une édition de *Corinne* annotée par Stendhal (Henri Jacoubet, *Dominique et Corinne, Ausonia*, avril-juin 1939, pp. 57-60), le seul commentaire élogieux de Stendhal est placé en marge de la phrase suivante : « Quant aux Italiens qui étaient là, ils ne pensaient point à faire effet par leur enthousiasme ; ils s'y livraient parce qu'ils l'éprouvaient. Ce ne sont pas des hommes assez habitués à la société, et à l'amour-propre qu'elle excite, pour s'occuper de l'effet qu'ils produisent; ils ne se laissent jamais détourner de leur plaisir par la vanité, ni de leur but par la route » (p. 266 du livre annoté). Cette phrase pourrait être signée de Stendhal.

(3) *Journal*, V, 248, passage daté du 4 juillet 1814.

devant le tombeau, non pas de l'écrivain parisien, mais de celui qui fut avant tout un être naturel et spontané, devant « Arrigo Beyle, milanese ». En se retirant « loin des sots et des âmes froides qui peuplent le monde » (4), le naturel conquiert le bonheur ; mais il s'agit ici de joies spirituelles ; cet art de vivre est détaché de tout épicurisme ; il ignore ces recettes que mettaient en pratique les philosophes du XVIIIᵉ siècle, que conseillaient leurs successeurs les Idéologues. De l'aveu de Stendhal, aux séjours en Italie, c'est « l'âme qui a gagné » (5), et non pas l'esprit.

Le naturel, après être demeuré au stade du refus, prend enfin conscience de ses propres richesses, de ses possibilités d'épanouissement : « Au moment où, ce matin, à dix heures, nous avons aperçu le dôme de Milan, je songeais que mes voyages en Italie me rendent plus original, plus *moi-même*. J'apprends à chercher le bonheur avec plus d'intelligence » (6). Mais l'intelligence au service du bonheur ne s'emploie alors qu'à dénoncer tout ce qui peut contrarier le naturel, à éviter le sérieux, la gravité, les règles de conduite : « Mon bonheur consiste à être solitaire au milieu d'une grande ville, et à passer toutes les soirées avec une maîtresse. Venise remplit parfaitement les conditions » (7).

Le beylisme prend alors assez de vigueur pour devenir comportement vécu : Stendhal trouve un compromis entre la solitude et l'agitation mondaine, entre la rêverie contemplative et l'activité de l'esprit : « A Rome, il faut, quand on le peut, vivre trois jours dans le monde sans cesse environné de gais compagnons, et trois jours dans une solitude complète. Les gens qui ont de l'âme deviendraient fous s'ils étaient toujours seuls » (8). Or l'admirable solitude de Rome permet au naturel d'exalter ses rêves de grandeur ; la magnificence des monuments romains invite à la recherche de l'héroïsme. Il est des jours où, sur les grands murs des Thermes de Caracalla, Stendhal perd la notion du temps en lisant la vie des Empereurs romains ; des jours où il croira vivre dans l'Italie du Dante lorsqu'il visite Saint-Pierre-aux-liens et le tombeau de Jules II, lorsqu'il cherche dans la poussière des vieux manuscrits les exploits des hommes du XVIᵉ siècle. Il est d'autres moments enfin où le plaisir de vivre, tout animal, voluptueux et facile, l'emporte sur le souci de l'héroïsme : « Il est des

(4) « Mon premier désir est toujours de me retirer en Italie, loin des sots et des âmes froides qui peuplent le monde » (*Corr.*, IV, 130, lettre adressée à Pauline et datée du 29 avril 1813).

(5) *Rome, Naples et Florence en* 1817, III, 211, Stendhal ajoute « Tous les ressorts de mon âme ont été nourris et fortifiés (...). Les gens secs ne peuvent plus rien sur moi » (*ibid.*, III, 211-212).

(6) *Journal*, V, 200, passage daté du 7 septembre 1813.

(7) *Ibid.*, V, 277, passage daté du 22-24 juillet 1815.

(8) *Prom. dans Rome*, II, 209, passage daté du 23 juin 1828.

jours où la beauté seule du climat de Rome suffit au bonheur ; par exemple, aujourd'hui, nous avons joui du plaisir de vivre en parcourant lentement les environs de la villa Madama » (9).

Cette « flânerie tendre, noble et touchante » (10), à laquelle on a souvent réduit le beylisme, ne représente que son côté négatif, elle est un relâchement nécessaire à une éthique de la grandeur qui pourrait perdre tout contact avec le réel en se laissant emporter par sa propre exaltation. Pour n'avoir pas connu ces instants de détente, la plupart des moralistes épris d'héroïsme se sont enivrés de leurs propres valeurs morales, qu'ils ont enfermées dans des systèmes clos. La rêverie permet à Stendhal de ne plus croire aux méchants, d'adorer le Corrège, de se refaire une âme neuve et d'aborder à nouveau la société après en avoir oublié les laideurs. Le contact avec les beaux paysages italiens est donc pour les êtres d'élite une véritable ascèse purificatrice : « Au milieu de ces collines aux formes admirables et se précipitant vers le lac par des pentes singulières, je puis garder toutes les illusions des descriptions du Tasse et de l'Arioste. Tout est noble et tendre, tout parle d'amour, rien ne rappelle les laideurs de la civilisation » (11). Comme Antée qui retrouvait sa force en prenant contact avec le sol, les héros de la *Chartreuse* demandent à la terre d'Italie de les purifier, de les ennoblir et de revivifier leur morale sans cesse menacée : « L'air des montagnes, l'aspect majestueux et tranquille de ce lac superbe qui lui rappelait celui près duquel il avait passé son enfance, tout contribua à changer en douce mélancolie le chagrin de Fabrice, voisin de la colère. C'était avec une tendresse infinie que le souvenir de la duchesse se présentait maintenant à lui » (12).

Remis à neuf par son séjour « dans ce petit coin du ciel tombé sur la terre » (13), l'être d'élite comme Beyle lui-même, va voir la société à travers une âme d'enfant. Les périodes privilégiées dans la vie de Stendhal, la période milanaise de 1811, et la période romaine sont tellement comblées de bonheur et de joie qu'elles modifient la vision beyliste de l'Italie. C'est ainsi que l'Italie réelle s'introduit dans la patrie imaginaire des « happy few » pour lui prêter une vie toujours

---

(9) *Ibid.*, II, 229-230.

(10) « De là nous sommes allés voir une citerne ornée de marbre dans le jardin attenant à l'église de Sainte-Suzanne. Les ciceroni romains attribuent cette citerne à Michel-Ange. Nous sommes restés une heure peut-être dans ce délicieux jardin ; souvent on passait cinq minutes sans parler. Non, il n'est point dans le Nord de sensation semblable ; c'était une flânerie tendre, noble, touchante ; on ne croit plus aux méchants ; on adore le Corrège, etc., etc. » (*Prom. dans Rome*, II, 51).

(11) *La Chartreuse de Parme*, 23.

(12) *Ibid.*, 145.

(13) Voir *Ecoles Italiennes de peinture*, III, éd. Martineau, Appendice, p. 418.

imprévue, des manières gaies et désinvoltes, un comportement rieur et une sensibilité passionnée.

A Milan, le complot des belles femmes, des soirées dans les salons, de la musique à l'Opéra, épanouit le naturel et lui donne foi en lui-même : « C'est ici que j'ai le plus aimé, c'est ici aussi que s'est formé mon caractère. Je vois tous les jours que j'ai le cœur italien, aux assassinats près, dont au reste, on les accuse injustement (...). Mais cet amour fou pour la gaieté, la musique et les mœurs très libres, l'art de jouir de la vie avec tranquillité, etc..., tout cela est le caractère du Milanais » (14). Et pour parfaire son rôle qui est de mûrir le naturel, Milan offre les joies, les espérances et les déceptions de la passion. Mathilde Dembowski a l'espagnolisme des êtres d'élite, leurs scrupules et leurs intransigeances. Stendhal oublie en l'aimant qu'il avait élaboré, du temps de son apprentissage idéologique, des règles de conduite qui devaient assurer le succès. Cet amoureux ne craint désormais qu'une chose, c'est d'offenser celle qui n'est pourtant pas et ne sera jamais sa maîtresse, et de blesser son honneur.

Formant contraste avec la vie aimable et facile de la période milanaise, les tourments de la sensibilité enrichissent Stendhal d'une nouvelle expérience : « Les deux ans de soupirs, de larmes, d'élans d'amour et de mélancolie que j'ai passés en Italie sans femmes, sous ce climat, à cette époque de la vie, et sans préjugés, m'ont probablement donné cette source inépuisable de sensibilité qui, aujourd'hui, à vingt-huit ans, me fait sentir tout et jusqu'aux moindres détails, fait que je pourrais dicter cinquante pages d'observations d'artiste sur le passage de montagnes en-deçà d'Iselle, par exemple » (15).

Par un bonheur assez singulier dans l'existence de Stendhal, ses premières expériences italiennes lui ont révélé une Italie qui n'était point inférieure à la patrie de Corinne. L'Italie mythique et l'Italie réelle se sont entendues pour permettre une vision stendhalienne de la société conçue comme essentiellement opposée à la société parisienne. Il jouit en effet à Milan ou à Rome de tous les privilèges que l'on concède à un étranger. On excuse volontiers ses paradoxes, dont on ne s'irrite point. Stendhal a évidemment gagné à l'absence de préoccupations matérielles et à une demi-oisiveté. Il sait se montrer plus naturel, plus spontané, et se trouve encouragé dans ses efforts. L'étranger apprécie cet écrivain que dédaignent les coteries littéraires de Paris. Mis en valeur par un cadre qui

(14) *Corr.*, III, 325, lettre adressée à sa sœur Pauline et datée de Milan le 1er septembre 1811.
(15) *Journal*, IV, 248, passage daté de 1811.

lui est favorable, Stendhal oublie de se soucier du comportement d'autrui. Il refoule l'esprit critique, s'abandonne au
plaisir de parler de soi, aux joies de l'amour et des soirées à
l'Opéra, et devient par là moins sensible à la vanité chez autrui. Le naturel, en s'épanouissant, ne songe qu'à profiter de
son enrichissement et se soucie peu d'observer les ridicules
sociaux. Parce qu'en Italie il se livre tout entier à la passion
et à la contemplation artistique, Stendhal voit dans la société
italienne une réunion d'êtres à son image : « Ici les gens ne
passent pas leur vie à *juger* leur bonheur. *Mi piace,* ou *non
mi piace,* est la grande manière de décider de tout. La vraie
patrie est celle où l'on rencontre le plus de gens qui vous ressemblent » (16).

Les instants de bonheur milanais ont donc un prolongement indéfini dans l'existence et l'œuvre de Stendhal. La société milanaise est, à l'avance, la préfiguration de la cour de
Parme où la Sanseverina introduit son dynamisme ardent ;
pourvue de tous les attributs stendhaliens, elle permet au naturel de s'exprimer sans crainte : « L'essentiel de l'*esprit* ici,
à l'égard des femmes, c'est beaucoup d'*imprévu* (...) ; et dans
les personnes beaucoup d'air militaire; le moins possible de
ce qu'on appelle en France l'air *robin,* ce ton de nos jeunes
magistrats, l'air sensé, important, content de soi, réglé, pédant » (17).

Dans ces salons romains où, selon Stendhal, la vanité et la
peur du ridicule sont inconnus, l'esprit n'est point durci par
les préjugés de caste ou les conventions morales ; spontané
et naturel, il s'exprime dans la verve et le brio : « Les gens
d'esprit, à Rome, ont du *brio,* ce que je n'ai observé qu'une
seule fois chez un homme né à Paris. On voit que les hommes
supérieurs de ce pays-ci méprisent l'affectation ; ils diraient
volontiers : « *Je suis comme moi; tant mieux pour vous* » (18).

Si l'on en croit Stendhal, l'Italie à elle seule serait donc
responsable de l'épanouissement du beylisme. Mais en fait,
l'Italie ne fournit que l'image d'une certaine vitalité humaine,
alors que l'énergie stendhalienne demeure une énergie morale ; elle dompte les faiblesses d'un tempérament hypersen-
sible, l'engage dans la voie difficile du renoncement; elle lui
fait mépriser tous les succès que la société distribue si géné-
reusement à l'intelligence, au talent, à l'originalité et à la

---

(16) *Rome, Naples et Florence en* 1817, III, 96, passage daté de Pesaro,
24 mai.
(17) *Pages d'Italie,* éd. Martineau, Le Divan, Paris, 1937, p. 126, passage
daté de Milan le 24 octobre 1817.
(18) *Prom. dans Rome,* I, 54, passage daté du 20 août 1827.

personnalité. Mais tous ces dons, Stendhal les utilise à cultiver le beylisme.

Un pays étranger lui fournit plus de facilités : des facteurs matériels viennent aider l'épanouissement spirituel et moral. Ce pays est hospitalier, parce qu'il offre un beau climat, une vie facile et aisée. Tous les plaisirs de l'esprit deviennent moins coûteux en Italie : les promenades en calèche sur le Corso, les soirées à la Scala, les séjours dans les musées et les voyages. L'esprit de calcul n'a point à intervenir ; il s'efface pour laisser place à des attitudes généreuses. Stendhal se trouve donc amené à mettre sur le compte de l'Italie ses propres conquêtes, son enrichissement et ses refus. Dans la patrie du Corrège « le *naturel* se voit partout » (19), parce que l'écrivain le transporte partout avec lui, et c'est précisément dans la bonne compagnie qu'il y a « le plus d'*imprévu* » (20), parce que Beyle s'est enfin laissé aller à son humeur.

Mais une indépendance joyeuse peut difficilement se prolonger tout au long d'une vie. Se libérer de toutes les compromissions, de toutes les chaînes sociales, refuser à chaque instant de perdre sa liberté dans ces petits devoirs familiers et domestiques qui font de la plupart des hommes des esclaves heureux, c'est aussi vouloir assumer parfois une tension incessante, un effort perpétuel où la spontanéité ne trouve pas sa place. Stendhal a puisé dans l'exaltation de ses jeunes années, au cours des périodes milanaises de 1811 et de 1814, assez d'enthousiasme et de foi en lui-même pour réaliser sur le plan pratique son éthique du naturel.

Tous ces amis du beylisme, qui ont été Angela Pietragrua et Métilde Dembowski, Mozart, Cimarosa et le Corrège, tous ces êtres compréhensifs que furent Madame de Staël avec sa *Corinne,* le Président de Brosses avec son *Voyage en Italie,* ont encouragé son ardeur juvénile. Ces alliés, qu'ils soient hautains ou fiers, un peu bornés ou pédants, permettent au Stendhal de la trentaine de faire une entrée triomphale à Milan. Il est heureux qu'il ait conservé assez de foi en son éthique alors que la maturité, et bientôt la vieillesse, pouvaient au même titre que la vanité et la sottise des autres agir comme des corrosifs tenaces et lents sur ce qui aurait pu être l'éthique d'un jour et la ferveur d'un instant. *Cet équilibre parfait qui ne fut que d'un temps devient désormais un point de référence.* Beyle s'efforce d'être toujours aussi beyliste qu'il l'a été dans la joie et même dans la souffrance.

---

(19) *Mélanges intimes et Marginalia,* II, 27. Le mot naturel est souligné par Stendhal.

(20) « Qu'on juge de mes transports quand j'ai trouvé en Italie, sans qu'aucun voyageur m'en eût gâté le plaisir en m'avertissant, que c'était précisément dans la bonne compagnie qu'il y avait le plus d'*imprévu* » (*Pages d'Italie,* 120, passage daté de Milan, le 24 octobre 1817).

Lorsqu'il pénètre à Rome dans une société plus cosmopolite, il ne se trouve point en présence de l'esprit de parti propre à ces coteries et à ces clans fermés sur eux-mêmes, qu'il méprisait à Paris. La société romaine devient dès lors pour lui la société idéale : « Depuis la lutte établie entre l'aristocratie de la naissance et celle de l'argent, je ne connais pas, en Europe, de salons préférables à ceux de Rome (...) ; n'est-ce pas la perfection de la société ? » (21). Cette société doit sa perfection à la perfection du beylisme ; Stendhal projette un comportement idéal sur des personnes qu'il ne connaît pas assez pour en voir tous les ridicules. Mais chaque fois que son souci de naturel n'aveugle point son esprit critique, Stendhal se voit obligé de constater que « le principe des manières italiennes est une certaine emphase », alors que « le principe des manières parisiennes est de porter la simplicité dans tout » (22).

Des démentis aussi catégoriques sont tout à l'honneur du beylisme. *A l'aide de quelques beaux moments réellement vécus, Stendhal a élaboré un style de vie et lui a donné pour cadre une Italie parfaite.* L'égotisme, que l'on a si souvent confondu avec le narcissisme ému d'un Chateaubriand, n'est qu'un don de transposition et la meilleure exploitation de ce don. Stendhal n'est pas aussi épris de lui-même qu'on l'a dit, puisqu'il tranfère sur les Italiens ses propres exigences morales, puisqu'il est parvenu à les rendre naturels et spontanés. Et comment ne pas parler de soi par ailleurs, lorsqu'on défend une morale qui s'oppose aux conventions de tous ? Mais Stendhal est justement parvenu à éviter les pièges de l'individualisme en appelant Italie un climat intellectuel et moral qu'il s'est créé lui-même.

L'égotisme n'est donc qu'un complément indispensable du beylisme, il est la meilleure ressource de l'imagination contre la niaiserie ou la manie. Cet égotisme a deux manières de s'exprimer, et, à ne considérer que la première, on a souvent oublié la seconde : lorsque Stendhal n'a point assez de force pour s'imposer à la société (dans sa première période parisienne et durant le triste consulat de Civita-Vecchia), il devient un observateur des ridicules. Mais lorsque, dans la contemplation ou dans l'action, il fait prédominer le naturel sur la lucidité, l'égotisme lui permet de construire un univers et des êtres à son image, de projeter sur la nature ou sur autrui ses joies et ses angoisses personnelles. L'égotisme parisien donne lieu à un livre de souvenirs, l'égotisme italien reconstruit un paradis perdu.

---

(21) *Promenades dans Rome*, I, 57, passage daté du 20 août 1827.
(22) *Corr.*, V, 250, lettre à Mme Métilde Dembowski, datée de Florence le 30 juin 1819.

*
**

Déjà même en 1811, cet équilibre entre une éthique et un
style de vie, cette synthèse parfaitement réussie entre une
morale du naturel et un comportement spontané montrent
des failles que les années suivantes ne combleront pas. Cet
homme aime l'énergie, mais il n'en est pas moins un intellectuel pour qui « le grand défaut des conversations de Naples
est l'ennui » (23). L'Italie réelle, si elle n'est point pervertie
par la civilisation, en ignore aussi les raffinements : « Le
manque de société et d'amis que j'éprouve en Italie, l'état
moins avancé de la civilisation qui me donne de petites souffrances de détail me feront retrouver Paris avec plaisir » (24).

Dans l'Italie idéale qui règne en maîtresse sur l'univers
stendhalien, « la première qualité d'un cœur italien (...) est
l'énergie » (25) ; mais dans l'Italie réelle, le séjour à Rome
« tend à affaiblir l'âme, à la plonger dans la stupeur ». En
proie cette fois-ci au démon de la lucidité, Stendhal ajoute :
« Jamais d'effort, jamais d'énergie » (26). Car l'ambition et
la vanité ont leur place à Rome comme ailleurs. A Paris, un
jeune homme de bonne famille devient, grâce à l'intrigue,
préfet ou secrétaire d'un ministre, et Pair à la fin de sa carrière ; à Rome, il passe du titre de « monsignore » à celui de
cardinal : « Un jeune homme appartenant aux grandes familles et un habile intrigant songent également à devenir prélat (*monsignore*). Un monsignore employé se voit cardinal, et
il n'est pas de cardinal qui ne songe à la tiare. Voilà ce qui
chasse l'ennui dans la haute société » (27).

Mais les êtres d'élite se créent leur univers d'où la vanité
est exclue. Et Fabrice devenu monsignore sans le vouloir, et
plus tard grand vicaire et archevêque sans l'avoir désiré, assume ses fonctions sans jamais tenir de quelque prix tous les
honneurs qui lui sont décernés.

Peu à peu Stendhal se défait de son royaume au profit de
Fabrice, de Clélia, de la Sanseverina et de tous les personnages des *Chroniques*. Il abandonne sa patrie à ceux qui, plus
heureux que lui, ont su vivre dans l'Italie du XVIᵉ siècle ou
encore dans cette ville de Parme et cette Lombardie qui se
sont enrichies de toutes les acquisitions stendhaliennes,

---

(23) « Le grand défaut des conversations de Naples est l'ennui. Le Gouvernement et les circonstances ne sont pas arrangées de manière à ce
qu'elles puissent être amusantes. On y recherche comme aimables les nou-
vellistes. Cela seul, aux yeux d'un homme attentif, prouve combien la
civilisation y est peu avancée. Il y a loin de là au salon de Madame
du Deffand » (*Journal*, V, 45, passage daté de 1811).
(24) *Journal*, V, 26, passage daté du 9 octobre 1811.
(25) *Pages d'Italie*, 17-18, (*Sur l'énergie en Italie*).
(26) *Rome, Naples et Florence*, II, 279.
(27) *Prom. dans Rome*, II, 170-171.

qu'elles soient milanaises, parisiennes ou romaines. Après ce
bel élan qui avait conduit Beyle à faire entrer le beylisme dans
sa vie, Stendhal le fait entrer dans son œuvre. De Civita-Vecchia, il peut s'échapper à Rome, au point d'y passer cinq
jours sur sept. C'est le moment où Stendhal est enfin fêté et
adulé, où le milieu diplomatique lui offre les raffinements de
la vie mondaine, le café Greco les joies intellectuelles (28), le
riche banquier Torlonia son palais fastueux ; c'est le moment
où les familles Cini et Caetani créent autour de lui des oasis
de fraîcheur et de gaieté, où le consul va jouer à colin-mail-
lard avec les enfants de la belle comtesse Sandre, au cours de
promenades dans la campagne romaine et aux alentours des
« castelli romani ». Les gens d'esprit l'apprécient, on expose
son portrait. Il est aimé, il est considéré, mais il s'ennuie.
Tous les héros stendhaliens se sont emparés de la patrie des
happy few, et l'homme l'a perdue en la donnant à l'écrivain :
« Je suis bien, certainement, mais je crève d'ennui. Le vrai
métier de l'animal est d'écrire un roman dans un grenier (...).
Adieu, j'ai envie de me pendre, et de tout quitter, pour une
chambre au cinquième étage, rue Richepanse » (29).

Le consul alourdi et fatigué a laissé à Fabrice, à Clélia, à
la Sanseverina, sentinelles émouvantes, le soin de le relever
de sa garde, de sauvegarder le naturel et de le défendre.

(28) Voir A. Caraccio, *Stendhal, l'homme et l'œuvre*, 78 sqq.
(29) *Corr.*, IX, lettre adressée à di Fiore, datée de Civita-Vecchia, avril
1835, 186-187.

CHAPITRE XIV

CONCLUSION : UNE SOCIETE IDEALE

*L'ange gardien des âmes d'élite : le peuple italien. — La race
des Fabrice. — Le cadre de la Chartreuse. — La défaite
des tyrans, des tristes et des pleutres.*

Dans la mesure où il s'est dépris de l'idéal idéologique, Stendhal a fait le peuple italien à l'image de l'éthique du naturel. Ce souci de l'observation et de la méthode qu'il a acquis grâce à Cabanis, il le transpose dans un domaine personnel et beyliste; de l'Italien, il n'observe que le naturel. L'Italie est conçue comme étant exactement le contraire de la France : « C'est que l'éducation, loin de rien faire pour le Romain, agit en sens inverse ; c'est que le gouvernement et la civilisation agissent *contre la vertu* et le travail » (1). A partir du moment où il renia l'épicurisme méthodique, Stendhal chercha un cadre idéal pour satisfaire ses exigences de grandeur; cet homme que l'amour du naturel lançait sur la piste des Lafargue, des Berthet, des Paul III Farnèse et des Cenci, loue dans l'Italie tous ses manques : dans la mesure où ce pays ignore les raffinements de la civilisation, de la culture et de l'intellectualisme, il devient héroïque aux yeux de Stendhal. Désormais, une bonne partie de ce qui est en Italie contraire à la grandeur lui échappe ; il n'y a pas de bourgeois en Italie, ou du moins Stendhal avoue ne pas en avoir vu : « Le caractère de Durzy ou le bourgeois n'a jamais été vu par moi en Italie. Est-ce la faute de mes yeux ou n'existe-t-il pas ? Il y a infiniment plus de grandiose, dans les vêtements et les manières du moins » (2).

Déjà, en 1817, Stendhal voit dans le petit peuple des êtres gais et insouciants, héroïques ou passionnés, à l'image de ce Ludovic qui dans la *Chartreuse* est l'ange gardien de Fabrice, à l'image de la petite Marietta dont la désinvolture et la gaieté

(1) *Prom. dans Rome*, II, 166, passage daté du 7 juin 1828.
(2) *Journal*, V, 227, passage daté du 13 novembre 1813.

tirent un moment Fabrice de son ennui. En se promenant dans
Rome, Stendhal n'y voit que des Ludovic ou des Ferrante
Palla ; dans l'univers stendhalien, seul le petit peuple italien
porte secours aux âmes généreuses, comprend et aide les entreprises folles et hardies de la Sanseverina et de Fabrice;
dans ces rues où aime s'arrêter le touriste italien passent et
repassent les figurants de la *Chartreuse* : « La rue par laquelle nous sommes allés d'ici à la place de la colonne Tra-
jane est curieuse à cause des montées et des descentes. Elle
m'a semblé habitée par le petit peuple; les propos annoncent
un caractère sombre, passionné et satirique; la gaieté de ce
peuple est l'ivresse. On trouve ici toute la *verve* du caractère
italien » (3). Et c'est en Italie aussi que tous les héros stendhaliens vont continuer leur apprentissage par l'intermédiaire de Stendhal. Cet égotiste, à qui l'on a si souvent reproché
le manque d'humilité a donné à l'Italien ses propres richesses : son âme passionnée et son équilibre : « D'après le peu
que j'ai vu, j'accorderai sans difficulté aux Italiens une sensibilité et une sagacité sans bornes. Dans la connaissance des
caractères, ils ont presque tous un peu du Mocenigo » (4).

L'Italie mythique, comme Stendhal lui-même, comme Fabrice, refuse l'épicurisme méthodique, la sagesse pratique et
les leçons du XVIII⁰ siècle; car l'Italien est « sensible, sans
vanité, ardent, vindicatif, presque incapable de l'esprit français proprement dit, celui de Voltaire et Duclos » (5).

Cet Italien vindicatif que la passion porte à des coups de
tête impétueux, cet homme qui est le refus perpétuel du naturel aimable, serait-il donc un double du petit paysan dauphinois Julien Sorel ? Il a cette même froideur, cette maîtrise
de soi que l'on a si souvent appelées hypocrisie chez Julien :
« Les Italiens ont l'air beaucoup plus froids que les Français.
Ils sont presque parfaitement naturels. Ils prêtent une grande attention à ce qu'ils voient ou entendent, et en tirent les
conséquences avec une sagacité extrême. Cette profonde attention leur donne l'air froid » (6). Car les Julien Sorel et les
Italiens appartiennent à une même race. Ils ont ce caractère
cornélien qui leur fait souhaiter les difficultés pour mieux
s'éprouver eux-mêmes, ils ont cette lucidité froide et raison-
neuse, cette passion contenue et secrète qui fait de leur vie
un combat perpétuel pour obtenir le triomphe; leurs plans de

(3) *Prom. dans Rome*, II, 320, passage daté du 6 juillet 1828.
(4) *Journal*, IV, 310-311, passage daté de Milan, le 16 septembre 1811.
(5) *Corr.*, III, 336-337, lettre adressée à Pauline, datée du 8 décembre 1811.
(6) *Journal*, IV, 302, passage daté du 20 septembre 1811.

bataille méthodique canalisent en la concentrant au maximum la poussée brutale des forces sentimentales. Cette race est celle de tous les « happy few », dont l'héroïsme ardent ne connaît pas encore le bonheur et l'épanouissement heureux dans le renoncement au monde : « Les hommes de cette race ne sentent la vie que lorsqu'ils se mettent en colère. Comme ils ont beaucoup de prudence, de sang-froid et de résolution, leurs accès de colère sont presque toujours suivis d'une petite victoire ; mais ils n'y sont guère sensibles. C'est avoir un *obstacle à surmonter* qu'il leur faut. Ils ne peuvent conserver de liberté d'esprit pendant le combat qu'ils livrent à l'obstacle; on les voit entièrement absorbés, et ils réunissent toutes leurs forces. Ils ne savent rien faire en riant » (7).

Ce Julien Sorel défiant et sombre, ignorant la gaieté facile, domptant sa passion jusqu'au moment où un désir impulsif de vengeance emporte toutes les décisions, est dépassé à son tour, au cours de l'évolution du mythe, par son double Italien qui est allé, comme Fabrice, au delà la haine et de la méfiance. Ce qui manque le plus à cet Italien plus épanoui est le sang-froid du premier. Il méprise tout ce que Beyle avait adoré, la logique, la sagesse, l'emploi méthodique des facultés intellectuelles; il ne connaît que la logique de la passion; il est enfin avant la lettre un parfait anti-intellectuel : il « vit par son âme beaucoup plus que par son esprit » (8), ne lit presque jamais, « seulement une ou deux fois par mois » (9); il trouve son bonheur, non point dans l'épicurisme, mais dans un enfantillage passionné.

La petite ville de Parme et le bassin du Pô où se déroule la destinée de Fabrice, forment désormais le cadre mythique et réel où le naturel, dans la lutte et le renoncement, prend en charge la morale de la grandeur. Ce petit univers, qui est fait et conçu pour solliciter à chaque instant l'énergie de l'être d'élite, a une longue histoire. Les moments les plus réussis du beylisme vécu se sont insérés dans la trame d'une vieille chronique italienne pour faire de ce réseau d'intrigues un tissu plus riche. L'histoire du Pape Paul III Farnèse se trouve mise en valeur par une société qui est à la fois celle du début du XIX⁰ siècle et celle qu'a aimée le touriste italien. Alors que dans tous les autres romans stendhaliens on pouvait reconnaître des types sociaux réels, le préfet, le député ou le ministre du XIX⁰

(7) *Prom. dans Rome*, II, 47-48, passage daté du 18 avril 1828.
(8) *Rome, Naples et Florence*, II, 33, passage daté du 12 janvier 1817.
(9) *Mélanges intimes et Marginalia*, II, 22 : « Ils ne lisent jamais, seulement une ou deux fois par mois, lorsqu'on vient à parler de littérature, et ils nomment l'Arioste, le Tasse, Alfieri, etc... ».

siècle, le légitimiste ou le républicain, la *Chartreuse* n'est point
un roman de mœurs ni une satire politique.

La société de la *Chartreuse* n'est créée que pour permettre
au naturel de s'épanouir dans la spontanéité ou dans l'héroïsme; elle est traversée par deux courants antagonistes qui contraignent le naturel à prendre conscience de lui-même et de ses
propres moyens. Les ambitieux, les pleutres, les tristes et les
lâches, depuis leur chef Ranuce-Ernest jusqu'au geôlier Barbone, placent sur la route de Fabrice ces obstacles qui lui permettront d'éprouver sa propre valeur; tous les êtres gais, spontanés et exaltés, qui ont souvent la passion d'écrire comme Ludovic et Ferrante Palla, forment une coalition joyeuse et ardente contre le despotisme de l'hypocrisie et de la tristesse.

Jamais l'être d'élite n'avait rencontré un milieu qui lui fût
si hostile et si favorable à la fois. Toutes ses aventures naissent
des complots des tyrans contre les hommes généreux, de ceux
des hommes généreux contre les tyrans. Aussi Fabrice se trou-
ve-t-il bien plus menacé et aidé qu'Octave, Julien ou Lucien.
Les tyrans l'emprisonnent dans une tour de cent quatre-vingts
pieds de haut, mais plus de quatre-vingts hommes sont mobili-
sés pour le faire évader, sans que, par ailleurs, le ministre de
l'Intérieur lui-même, le comte Mosca, en soit officiellement
averti.

Mais dans l'univers de la *Chartreuse,* on peut aussi reconnaître ces paradis enfantins où le naturel a oublié son souci
de la grandeur pour jouir tout simplement de l'existence. Les
prétextes lui sont faciles : l'arrivée des soldats de Napoléon
suffit pour arracher tout un peuple à son ennui : « La joie
folle, la gaieté, la volupté, l'oubli de tous les sentiments tristes,
ou seulement raisonnables, furent poussés à un tel point, depuis le 15 mai 1796, que les Français entrèrent à Milan jusqu'en avril 1799, qu'ils en furent chassés à la suite de la bataille de Cassano, que l'on a pu citer de vieux marchands mil-
lionnaires, de vieux usuriers, de vieux notaires qui, pendant cet
intervalle, avaient oublié d'être moroses et de gagner de l'argent » (10). Cette même ivresse à la fois voluptueuse et pure
qui avait gagné Stendhal lors de ses deux contacts avec Milan,
après un premier éclat, s'amortit dans la vie de Beyle aussi bien
que dans la *Chartreuse.* S'exprimant dans toute sa naïveté à
Grianta, elle s'affine à la cour de Parme.

Dans le château del Dongo « cette gaieté italienne pleine de
brio et d'imprévu, faisait oublier la tristesse sombre que les
regards du marquis et de son fils aîné répandaient autour
d'eux » (11).

(10) *La Chartreuse de Parme,* 8.
(11) *Ibid.,* 26.

*

Cette joie enfantine connaît plus tard le calme et la maîtrise
de la maturité. Au milieu des intrigues de la petite cour de
Parme, les soirées de la duchesse atteignent ce point de perfection mondaine qu'elles en deviennent nécessaires au Prince,
et qu'elles sont par là même le meilleur moyen de s'opposer
au despotisme des puissants. Dans cette société parfaitement
organisée, l'esprit et la gaieté triomphent de la tyrannie. Alors
que dans les romans parisiens ou français, la vanité et les prétentions des « prepotenti » contraignaient l'être d'élite soit à
se replier sur lui-même, soit à composer avec elles, elles deviennent dans la *Chartreuse* les plus joyeux des obstacles à surmonter.

Un despote tremblant comme Ranuce-Ernest, un valet de
comédie comme le fiscal Rassi, le parti de l'opposition comme
celui de la Raversi suscitent par leurs intrigues ou leur hypocrisie ces mouvements généreux chez les êtres d'élite, qui déci-
dent la duchesse à tout abandonner et à quitter l'état de Parme
après l'arrestation de Fabrice, qui amènent Mosca à sacrifier
une belle position sociale, des années de calcul et de diplomatie
pour suivre la duchesse.

Dans cette petite cour de Parme, les tristes, les tyrans ou les
lâches jouent à la perfection leur rôle qui est de provoquer
l'être d'élite à assumer avec le maximum de brio et de spontanéité les situations les plus imprévues. Certes, « dans un moment d'ennui et de colère, et aussi un peu pour imiter
Louis XIV (...), Ernest IV a fait pendre un jour deux libéraux » (12).

Mais le chef de Parme, c'est le comte Mosca et non pas
Ranuce-Ernest. Les despotes ne sont là que pour faire leur
métier et en supporter toute l'infamie ; ils préservent ainsi
l'indépendance des êtres d'élite. Ranuce-Ernest ne peut se
passer de son premier ministre, ni des soirées de la duchesse :
« Un certain jeudi, il pleuvait, il faisait froid ; à chaque instant
de la soirée le duc entendait des voitures qui ébranlaient le
pavé de la place du palais, en allant chez Mme Sanseverina.
Il eut un mouvement d'impatience : d'autres s'amusaient, et
lui, prince souverain, maître absolu, qui devait s'amuser plus
que personne au monde, il connaissait l'ennui ! » (13).

Car la duchesse est la reine de Parme ; c'est elle qui, par
ses sautes d'humeur ou par son esprit, produit les révolutions
de palais. La naïve et triste princesse Paolina ne peut que
s'employer à faire le jeu de la duchesse : « Elle reçut la duchesse avec une timidité si marquée, que quelques courti-

(12) *Ibid.*, 106.
(13) *Ibid.*, 120.

sans ennemis du comte Mosca osèrent dire que la princesse avait l'air de la femme qu'on présente, et la duchesse de la souveraine » (14). Gina contraint le Prince à faire la cour à sa femme, provoque la disgrâce de son ennemie, la marquise Raversi, fait évader Fabrice, inonder la ville de Parme, assassiner Ranuce-Ernest, brûler par le fils de ce dernier tous les papiers qui la compromettraient et qui dévoileraient son entente avec Ferrante Palla, s'amuse enfin à rendre pendant un temps le jeune prince généreux et sa cour amusante.

L'enthousiasme et l'esprit, par l'intermédiaire de la duchesse et du comte Mosca, se sont donc installés dans cette cour qui ne connaissait que l'ennui, la terreur et la vanité. Les tristes, les pleutres, les tyrans et les lâches ont été finalement battus.

(14) *Ibid.*, 107.

B. — LA GENÈSE DU NATUREL ROMANESQUE

CHAPITRE XV

LE NATUREL PASSIF : OCTAVE

Un héros fatal. — Le naturel entravé par la méthode idéologique. — Résultats de la méthode idéologique : déséquilibre et folie.

Comme Stendhal à travers ses voyages du Nord au Sud de l'Europe, le héros stendhalien à travers ses courses dans l'univers romanesque apprend à connaître la géographie sociale des pays qu'il traverse. Ce continent a ses oasis, ses cités d'activité fiévreuse, Paris et Parme, et ses petites villes provinciales. Qu'il s'appelle Julien, Fabrice ou Lucien, le héros stendhalien ne forme qu'un seul et même personnage : c'est *un être qui est chargé d'assumer l'éthique du naturel sous ses diverses formes* et à divers degrés. Car un roman pour Stendhal, ce n'est point un miroir tendu le long de la route selon sa propre formule, qui malgré sa facilité, est devenue célèbre ; c'est l'histoire d'un homme qui a plus ou moins bien réussi à défendre son éthique contre les pièges du monde et contre ses propres faiblesses. Nous avons vu la route que suivaient ces héros à travers le continent stendhalien ; elle est pour eux un labyrinthe dont il faut connaître le secret et les impasses. Un roman est donc la description de ce labyrinthe et aussi des procédés employés par l'être d'élite pour en suivre les détours. Ce sont ces moyens que nous allons maintenant étudier.

Le héros stendhalien revêt diverses apparences : depuis le triste Octave, ce romantique à l'air fatal, jusqu'au Fabrice épanoui dans la joie et la passion, il ne change de semblant et de situation sociale que pour mieux, semble-t-il, éprouver les difficultés que des passions diverses et des situations différentes peuvent susciter chez un être spontané et sincère. Le naturel, à l'état passif chez Octave, devient amoureux de la gloire chez Julien, sauvage chez Lamiel, désabusé chez Lucien, avide de sacrifice chez Fabrice. Ce jeune noble, ce fils de charpentier, cette petite paysanne, ce fils de famille et ce jeune seigneur italien ne sont que les incarnations multiples que prend une éthique en s'introduisant dans le roman.

*
* *

Pour ne s'être point encore défait des acquisitions idéologiques, de l'esprit de méthode et de calcul, Octave souffre de cet état de déséquilibre nerveux qui fut si diversement interprété. Les commentateurs se sont plu à souligner en lui ses infirmités physiques comme si d'elles seules dépendaient son comportement et ses décisions. On croit enfin avoir tout dit sur le premier roman de Stendhal lorsqu'on a assimilé le romancier au Vicomte de Malivert. Et cependant, si l'on observe cette méthode critique qui consiste à voir dans le romancier un modèle parfait de ses personnages, si donc Octave est Stendhal lui-même, Stendhal est aussi Fabrice et par conséquent, Octave et Fabrice ne font qu'un. On nous dira certes que le créateur a évolué avec l'âge, que Fabrice est l'homme qu'il aurait rêvé d'être, beau, séduisant, désinvolte, amoureux et aimé, alors qu'Octave représente le Stendhal tel qu'il a été réellement. Mais Octave lui aussi jouit de toutes ces protections qui pourraient le rendre heureux, la beauté, la fortune, l'originalité d'esprit, un grand amour partagé. Les stendhaliens ne font-ils point injure à Stendhal, lorsqu'ils se contentent de le confondre avec Octave, alors qu'ils font de Fabrice la projection des rêves stendhaliens ? Nous aimerions entendre dire dans ce cas qu'Octave est un Stendhal caricaturé. En fait Stendhal a toujours emprunté à autrui les sujets de ses romans. Qu'il ait emprunté à Mme de Duras l'histoire d'un « babilan », ne prouve pas que Stendhal ait été « babilan » lui-même : il n'a pas été non plus séminariste (1).

Si l'on étudie par ailleurs le roman lui-même, Octave apparaît non point accablé d'une infirmité physique, mais en proie à ces tourments moraux qui furent le privilège singulier des jeunes romantiques : « Les médecins pensaient que cette monomanie était tout à fait *morale,* c'était leur mot, et devait provenir non point d'une cause physique, mais de l'influence de quelque idée singulière. Aucun signe n'annonçait les migraines de M. le Vicomte Octave, comme disaient les gens » (2).

Octave a tout le mystère d'un héros romantique ; il a le même charme inquiétant et morbide. Ces yeux sombres et pas-

(1) Les rôles de Mme de Duras et de Latouche ne sont pas encore clairement définis. Cf. Frédéric Ségu, *Henri de Latouche,* thèse de Doctorat, 1931.
    (2) *Armance,* 30.

sionnés, ce « caractère singulier » (3), cette sensibilité exacerbée, ce dégoût des hommes, cette recherche de la solitude, cette
mélancolie constante, ne sont-ce point là les attributs de René
aussi bien que d'Octave ? Nous ne connaîtrons jamais le secret d'Octave pas plus que celui du héros de Chateaubriand :
« Peut-être quelque principe singulier, profondément empreint
dans ce jeune cœur, et qui se trouvait en contradiction avec
les événements de la vie réelle, tels qu'il les voyait se développer autour de lui, le portait-il à se peindre sous des images
trop sombres, et sa vie à venir, et ses rapports avec les hommes. Quelle que fût la cause de sa profonde mélancolie, Octave
semblait misanthrope avant l'âge » (4).

C'est que le naturel, avant de trouver sa forme définitive, *est
passé à travers le mythe du héros littéraire*. Octave est chargé
de toutes les tares d'une mode et d'un temps ; l'insatisfaction,
la misanthropie, la nostalgie d'un paradis perdu, tous ces legs
d'une génération littéraire entravent la spontanéité, paralysent les élans généreux et nouent le naturel sur lui-même.
Armance seule comprend à quel point sont chimériques les
inquiétudes d'Octave, et sans doute pourrait-elle les anéantir
d'un geste. Et par ailleurs, ne pouvons-nous pas croire qu'un
mariage entre Octave et Armance ne soit pas irréalisable ? Les
timidités d'Octave ne pourraient-elles pas être emportées par
les élans de la passion ? Car la véritable maladie d'Octave est
une crainte exagérée de lui-même. Son imagination amplifie
quelques incidents sans doute humiliants pour son amour-
propre ; ce qui manque à Octave, c'est avant tout la vanité.

Son émotivité provoque chez lui une conduite d'échec ; il
n'a pas encore assez d'expérience de la vie pour la surmonter
ou la sublimer, comme le feront Julien, Lucien ou Fabrice. Si
Armance était devenue sa maîtresse, elle aurait sans doute pu
lui donner confiance en lui-même. Madame de Rénal et Clélia
n'ont-elles pas fait d'un petit paysan timide un nouveau Roméo
qui monte sur des échelles pour escalader des fenêtres, et d'un
libertin séduisant un amoureux épris de sa prison ? Car
Armance « sentait qu'Octave était la victime de cette sorte de
sensibilité déraisonnable qui fait les hommes malheureux et
dignes d'être aimés. Une imagination passionnée le portait à
s'exagérer les bonheurs dont il ne pouvait jouir. S'il eût reçu
du ciel un cœur sec, froid, raisonnable, avec tous les autres

---

(3) Seul, parmi tous les héros stendhaliens, Octave est le type du
héros fatal selon la mode de 1815 : « Beaucoup d'esprit, une taille élevée,
des manières nobles, de grands yeux noirs les plus beaux du monde
auraient marqué la place d'Octave parmi les jeunes gens les plus distingués de la société, si quelque chose de sombre, empreint dans ces
yeux si doux, n'eût porté à le plaindre plus qu'à l'envier » (*ibid.*, 5-6).
Cf. la réflexion d'Octave : « J'ai par malheur un caractère singulier, je
ne me suis pas créé ainsi » (*ibid.*, 12).

(4) *Ibid.*, 6.

avantages qu'il réunissait ailleurs, il eût pu être fort heureux. Il ne lui manquait qu'une âme commune » (5).

Il possède toutes les qualités du naturel sans avoir su les développer en lui. Dans le petit milieu factice où il vit, sa simplicité et son absence de prétentions se détachent sur ce fond de conventions qu'est la société parisienne : « Octave parla (...). Ses idées étaient vives, claires, et de celles qui grandissent à mesure qu'on les regarde. Il est vrai que la simplicité pleine de noblesse avec laquelle il s'énonçait lui faisait perdre l'effet de quelques traits piquants ; on ne s'en étonnait qu'une seconde après. La hauteur de son caractère ne lui permit jamais de dire d'un ton marqué ce qui lui semblait joli » (6).

Octave doit ses succès, non point à son aisance ni à sa désinvolture, mais à tout ce qui lui fait défaut, à l'absence de vanité, au manque d'intérêt pour les préjugés de la vie mondaine, à l'absence totale d'esprit appris (7) : « Il devait au désintérêt parfait qu'il portait en toutes choses, une supériorité réelle sur ses rivaux; il arrivait sans prétentions au milieu de gens qui en étaient dévorés » (8).

Mais la réussite du naturel est toujours menacée dans le personnage d'Octave. En fait la spontanéité ne produit chez lui que quelques éclats bien peu durables. S'il a le bon goût de ne point faire montre en société d'un « esprit appris », il ne brille guère par le naturel et l'imprévu dans sa conduite : « C'était un être tout mystère. Jamais d'étourderie chez lui, si ce n'est quelquefois dans ses conversations avec Armance » (9). Ce mystère d'Octave, son fameux secret, paraît donc avant tout lié à un comportement social, bien plus qu'à une maladie physique. Si une faiblesse pathologique imposait à Octave une attitude contrainte, ce n'est point avec Armance qu'il se montrerait étourdi et spontané.

En fait, Octave ne peut trouver dans la méthode des philosophes du XVIII° siècle ni un exutoire, ni une sublimation. C'est un jeune fils de famille qui veut se donner l'apparence

---

(5) *Ibid.*, 33.

(6) *Ibid.*, 22.

(7) « Avez-vous observé comme moi, madame, dit-il à Mme de Malivert, que monsieur votre fils ne dit jamais un mot de *cet esprit appris* qui est le ridicule de notre âge ? Il dédaigne de se présenter dans un salon avec sa mémoire, et son esprit dépend des sentiments qu'on fait naître chez lui. C'est pourquoi les sots en sont quelquefois si mécontents et leur suffrage lui manque » (*ibid.*, 183).

(8) *Ibid.*, 60.

(9) *Ibid.*, 91.

froide et sèche d'un jeune lord anglais (10). Il cherche une
éthique de la grandeur, mais la philosophie du XVIIIᵉ siècle
lui enseigne à réfréner ses passions. Il est bien, en ce sens, le
jeune Beyle de 1804, qui voulait conquérir l'équilibre et la sagesse grâce à un épicurisme méthodique. Et la marquise de
Malivert n'a point tort de vouloir arracher son fils à des maîtres dont le matérialisme ne peut faire d'Octave ni un épicurien parfait ni un révolutionnaire, et l'empêchent de savoir
qu'il est avant tout épris de grandeur : « Depuis qu'il pouvait
un jour se trouver à la tête d'un salon influent, la marquise
voulait absolument l'arracher à cette aride philosophie de
l'utile. C'était le nom qu'elle donnait depuis quelques mois à
ce qu'on appelle ordinairement la philosophie du dix-huitième
siècle : « Quand jetterez-vous au feu, lui disait-elle, les livres
de ces hommes si tristes, que vous seul lisez encore parmi les
jeunes gens de votre âge et de votre rang » ? (11).

*Et en effet, toute la conduite d'Octave, qui est une conduite
d'échec, symbolise l'échec de l'idéal idéologique.* Une méthode
rationnelle et une vision matérialiste du monde ne peuvent se
concilier avec les exigences du naturel. Seul un but déraisonnable aux yeux de la société, des entreprises folles et hardies
peuvent passer par l'intermédiaire d'une méthode. Mais Octave entre dans la vie en valorisant tout ce qui est contraire à
l'éthique du naturel, en misant sur les acquisitions du XVIIIᵉ
siècle, la raison, le calcul, l'adaptation des moyens à la fin :
« Depuis bien des années il avait toujours eu la conscience de
ses sentiments, et commandait à leur attention les objets qui
lui semblaient raisonnables » (12).

Le naturel pour s'épanouir ne demande point les coups de
fouet d'une discipline austère, la domination de soi et la recherche de l' « utile », il lui faut la lutte et l'engagement. Sa
stratégie n'est point le repli, mais l'avancée.

***

Le naturel stendhalien est précisément le contraire du naturel aimable. Octave commet la même erreur qui fut celle de
Stendhal en 1806 : à la conquête d'une technique, il prend pour
*le vrai naturel son double ironique et poli, il confond le naturel
généreux avec celui qui n'est que son fantôme, le naturel aimable :* « A vrai dire, depuis six mois, tâcher de me rendre

(10) « L'idée du devoir paraissait trop dans sa manière d'être, et
allait quelquefois jusqu'à lui donner une physionomie anglaise. Sa misanthropie passait pour de la hauteur et de l'humeur auprès de la partie
âgée de la société, et fuyait sa conquête » (*ibid.*, 189).
(11) *Ibid.*, 51.
(12) *Ibid.*, 42.

aimable aux yeux d'un monde égoïste et plat, n'est-ce pas mon seul travail » ? (13).

Le déséquilibre et le désespoir n'éclatent point chez l'être d'élite engagé dans ses projets audacieux, *mais chez ce jeune Octave qui s'impose de ne point commettre de folies :* « J'ai beau faire les plans de conduite les plus raisonnables en apparence, ma vie n'est qu'une suite de malheurs et de sensations amères » (14).

L'émotivité crée chez Octave un état d'inadaptation et un sentiment d'infériorité qu'il s'efforce de vaincre en refrénant ses passions. Mais l'émotivité, conduite d'échec, aboutit à un échec encore plus total à vouloir être annihilée. Les émotions de Fabrice s'épanouiront dans la joie ou dans la douleur; les émotions d'Octave, refoulées par le contrôle de la volonté (15), font irruption dans sa vie avec une violence désordonnée et sauvage dès que l'attention ne les surveille point; la nuit et la solitude, en diminuant le contrôle de la raison, sont alors favorables aux crises, ainsi que tous les instants de relâchement : « Ce n'était pas toujours de nuit et seul qu'Octave était saisi par ces accès de désespoir. Une violence extrême, une méchanceté extraordinaire marquaient alors toutes ses actions, et sans doute, s'il n'eût été qu'un pauvre étudiant en droit, sans parent ni protection, on l'eût enfermé comme fou » (16).

La maladie d'Octave est de ne pas avoir su épanouir en lui le vrai naturel stendhalien. La civilisation au XIXᵉ siècle, et en particulier la société parisienne, réduisent à l'inaction ou à la folie un tempérament passionné. Elle conduit Octave au suicide.

---

(14) *Ibid.,* 24-25.
(13) *Ibid.,* 107.
(15) « Cher Octave, c'est la violence de tes passions qui m'alarme, **et** surtout le chemin qu'elles font en secret dans ton cœur » (*ibid.,* 13).
(16) *Ibid.,* 28.

CHAPITRE XVI

LE NATUREL SAUVAGE : LAMIEL

*L'adolescence du naturel. — Une force vive de la nature. —
Des maîtres d'héroïsme. — Connaître autrui pour mieux
se tremper. — Les manques du naturel sauvage et sa
grâce.*

C'est à l'adolescent sans doute qu'est réservée cette grâce
particulière d'être naturel, généreux et désinvolte sans jamais
être contaminé par l'hypocrisie des relations sociales et la vanité des puissants. Mais cette grâce ne dure qu'un instant ; la
vie oblige à assumer la responsabilité de la condition humaine.
Ceux qui se veulent adolescents perpétuels tombent dans l'affectation ; ceux qui veulent prendre la responsabilité du naturel en entrant en contact avec la société se voient acculés à
une impasse : ils doivent ou refuser de composer avec le
monde, et c'est alors le cas d'Octave qui ne mène qu'au suicide,
ou travestir le naturel pour l'introduire dans la comédie des
masques.

Octave préfère se donner la mort plutôt que d'entrer dans
la carrière où des gladiateurs polis assassinent la générosité et
la spontanéité sous les applaudissements des spectateurs et des
tyrans. Lamiel est une fille du diable parce qu'elle a vingt ans,
et obtient ce qu'elle veut sans l'avoir calculé; elle ne s'engage
à sa volonté et à ses désirs que pour fuir la platitude; cette
fuite saisit le naturel dans son aspect le plus évident. Lamiel
porte le « *naturel* de son caractère écrit sur le front » (1).
Parmi tous les héros stendhaliens, on la reconnaît de loin à
cette marque, qui est le signe de sa royauté. Parce qu'elle est
toujours disponible, elle est toujours spontanée. Chez les êtres
d'élite, la disponibilité est une attitude qui ne peut être permanente. Une Lamiel vieillie, qui exigerait de la vie un héroïsme de plus en plus significatif, perdrait son charme; sur cette

---

(1) *Lamiel*, texte établi, annoté et préfacé par Henri Martineau, Le
Divan, Paris, 1950, p. 224. Le mot naturel est souligné par Stendhal.

pauvre caricature de la beauté et de la désinvolture, apparaî-
traient les grimaces d'une vieille sorcière. Aussi Stendhal abandonne-t-il Lamiel dès qu'elle n'a plus vingt ans. Lorsqu'il
essaie de poursuivre ses aventures et de lui donner un bandit
pour amant, il ne se convainc pas lui-même et ne nous convainc pas non plus.

Et, par ailleurs, qu'a-t-il besoin de faire vieillir Lamiel ?
Lamiel à trente-cinq ans n'est plus cette petite sauvage qui se
révolte contre la société, c'est la duchesse Sanseverina qui a
accepté les compromissions sociales pour mieux se donner le
plaisir de s'en moquer.

Le degré de perfection du naturel se mesure à la perfection
du roman. On considère *Octave, Lamiel* et *Mina de Vanghel*
comme les œuvres les moins réussies de Stendhal; le naturel,
en effet, n'a point trouvé son expression parfaite, c'est un adolescent qui s'éveille devant la vie et qui est neuf au monde; il
a tous les défauts et tous les charmes de son âge. Il connaît,
avec Octave, les hésitations, les embarras et les craintes de la
jeunesse; avec Lamiel et Mina de Vanghel il porte à son point
extrême l'ardeur, la sauvagerie et l'intransigeance. Comme il
est chargé de promesses, ce naturel de vingt ans qui ne sait
pas encore comment employer ses forces et ses richesses ! Il fait
déjà prévoir ce qu'il sera plus tard lorsque le contact avec la
société, la joie et la souffrance l'auront épanoui; il sera alors
Julien, Fabrice ou Lucien, un être mûr qui a appris à canaliser
son besoin d'héroïsme.

Si l'on peut distinguer assez schématiquement deux aspects
dans l'adolescence, le repli sur soi et l'engagement irréfléchi et
irraisonné à la passion, le naturel stendhalien offre lui aussi
cette contradiction : Octave est tout aussi maladroit, indécis
et contraint que Lamiel sera audacieuse et violente; ils n'ont
point eu encore l'occasion de mesurer leurs forces. Ils ont
toutes les chimères et toutes les illusions. Octave désespère du
monde et de la vie sans les connaître; Lamiel, dans son avidité
sans bornes, part à la conquête d'un monde qu'elle croit aussi
héroïque qu'elle-même et prend son amant, le comte de Nerwinde, pour un jeune seigneur du temps de la Fronde.

L'ennui dont souffrent tous les héros stendhaliens est chez
eux la nostalgie du naturel; cet ennui est une sollicitation à
l'engagement et à la lutte. Si Octave renonce à sa mission qui
est de faire triompher le naturel, la jeune Lamiel est guérie
dès qu'elle se livre à une entreprise folle. Elle ignore en effet
tous les troubles pathologiques de l'émotivité qui alourdissent
Octave, Julien, Lucien et même Fabrice. Elle semble vivre dans
ces premiers temps du monde où l'homme pouvait encore se

fier à son instinct pour lutter et pour triompher. L'émotivité, qui gêne les autres héros stendhaliens, est la condition même du succès chez la jeune Lamiel. Ce n'est point dans la réflexion, ni dans le jugement ou la méthode qu'elle puise cette sûreté irrationnelle et infaillible qui la mène de Normandie à Paris, de la petite maison des Hautemare à l'Opéra, aux dîners champêtres sur l'herbe, aux salons parisiens et aux promenades dans le Bois de Boulogne.

Le calcul et l'épicurisme méthodique lui sont inconnus; elle n'a pas besoin de règles de conduite, c'est son avidité de jeune bête qui lui fait trouver le comportement qui vaincra toutes les difficultés. Aussi bien, elle n'a point à chercher l'équilibre ni ces recettes médicales que Stendhal demandait à Pinel et à Cabanis, que Lucien exige de la vie et d'une profession. Son unique passion, qui est une curiosité avide, trouve d'elle-même son équilibre dans l'action; elle lance Lamiel dans cette vie d'amazone exempte de repentirs, de contradictions et de maladresses. Alors qu'Octave, Julien et Lucien s'imposent de réfréner leurs passions pour ne point avoir l'air trop maladroits ou stupides, Lamiel triomphe ingénument en obéissant à ses sensations. Cette jeune louve n'a point conscience des obstacles qui s'opposent au naturel. Elle est toute spontanéité, elle a la logique de l'enfance, elle ne sait point ce qu'est la responsabilité, aussi est-elle délivrée dès l'origine des inquiétudes du naturel.

Lamiel est pourtant tout aussi émotive qu'Octave ou que Julien, elle éprouve ces mêmes battements de cœur à l'approche d'une situation nouvelle : « En arrivant, pour y demeurer, dans ce beau château qui, comme nous l'avons dit, n'avait pas moins de dix-sept croisées de façade et un toit d'ardoises, profondément sérieux et ressemblant à un éteignoir, Lamiel éprouva dans la poitrine une sensation si extraordinaire et si violente qu'elle fut obligée de s'arrêter sur les marches du perron » (2).

Lamiel est tout le contraire de ce que l'on a pu dire à son sujet : au milieu de ses aventures amoureuses, une sentimentalité enfantine préserve sa pureté. Si semblable en cela à Fabrice, elle a cette même ingénuité irrationnelle. Parce qu'elle n'est pas pervertie par l'intellectualisme, elle s'intègre dans les forces cosmiques où elle trouve les meilleurs auxiliaires contre le monde et la civilisation. Elle partage la vie des plantes et des arbres, elle est liée à la vie du cosmos dont elle épouse les mouvements irrationnels, dont elle connaît la logique propre. Seule Lamiel arrive dans l'univers stendhalien avec cette grâce spéciale qui lui permet de s'accorder avec le monde. Ce n'est point par hasard que les commères du village l'appellent

(2) *Lamiel*, 71-72.

fille du diable ; s'il n'y a rien de diabolique chez elle, elle est
faite pour connaître toutes les formes du bien et du mal ; elle
seule rencontre dans la vie ces signes qui lui tracent son destin. Le docteur Sansfin et l'abbé Clément sont pour elle les
pôles d'attraction les plus forts, ceux du bien et du mal ; tous
les autres personnages ne sont que des amusements.

Aussi Lamiel est-elle le type le plus primitif de tous les
héros stendhaliens; elle garde toujours l'âme d'une petite paysanne enracinée dans une terre qu'elle aime et qu'elle comprend; elle demeure constamment ouverte aux sollicitations
d'un univers romanesque qui n'est créé que pour mieux préci-
piter sa destinée. Elle partage avec Fabrice, et avec Julien dans
ses moments de recueillement, le don d'être sensible à ces paysages que l'on pourrait appeler naturels puisqu'il y a aussi
dans la nature la même affectation, la même fausseté, les
mêmes artifices séducteurs que dans la société. Les héros stendhaliens n'aiment que les lieux dont la beauté est dépourvue
d'emphase ; Fabrice appelle sublimes, non point les Alpes dont
la majesté lui semblerait grandiloquente, mais les lieux mêmes
où le grandiose s'humanise : le lac de Côme et ses collines sont
à la mesure de l'homme.

Les tilleuls de la route de Paris semblent appeler Lamiel et
l'inviter à fuir un village hypocrite, ces arbres sont les symboles de la vie aventureuse qu'elle cherchera hors de Carville :
« Lamiel prit en courant un ancien chemin qui du lavoir, conduisait à la route de Paris, en dehors de Carville. Ce chemin la
conduisait aux tilleuls, dont elle voyait de loin la cîme touffue
s'élever par dessus les maisons, et cette vue lui faisait battre
le cœur. Je vais voir de près, se disait-elle, ces arbres si beaux !
Ces fameux tilleuls la faisaient pleurer le dimanche puis elle
songeait à eux tout le reste de la semaine » (3).

Lamiel reste plus qu'aucune autre liée au sol, aux arbres et
aux plantes. Julien et Fabrice savent qu'une prison peut être
douce; cette petite sauvage de Lamiel ne peut vivre qu'en plein
air ; elle dépérit dans ce beau château de Miossens, aussi doré
et argenté qu'une illustration; elle retrouve la santé avec ses
sabots et sa coiffe de Normande; elle apprend ce qu'est l'amour
dans une forêt avec un charretier, donne rendez-vous à Fédor
dans des cabanes de bûcherons, et, plus tard, transporte son
salon dans la campagne parisienne. C'est dans les bois de Verrières, de Meudon et de Poissy qu'elle acquiert sa réputation
de femme spirituelle, qu'elle devient une des reines de Paris.

*
**

Telle est la destinée de cette sauvage qui réussit le tour de
force de demeurer pure au milieu de ses multiples aventures.

(3) *Ibid.*, 58.

L'amour physique ne la séduit jamais car l'unique passion de Lamiel, c'est la curiosité (4). « Cette fille étonnante (...), trop grande et trop maigre » (5) est une amazone. « Elle n'avait aucune disposition à faire l'amour : ce qu'elle aimait par-dessus tout, c'était une conversation intéressante » (6). Parce qu'elle seule, parmi tous les héros stendhaliens, ignore la passion amoureuse, elle est délivrée par là même de tous les troubles de la passion. Elle n'attend de ses amants qu'une seule chose, c'est qu'ils lui apprennent les diverses formes du courage. Les véritables amants de Lamiel, ce sont ceux qui lui enseignent à vivre, ses véritables séducteurs, ce sont le docteur Sansfin et les héros littéraires.

Cet être instinctif qui vit hors de la société, ne se soucie point de son comportement, ce qui l'intéresse, c'est l'héroïsme. Les hommes qui ne peuvent point lui faire connaître l'amour lui enseignent la vie. Lamiel ne leur demande point de satisfaire son plaisir, mais sa curiosité d'esprit. L'éducation de Lamiel, faite par les hommes et par la vie, a le beau désordre qu'entraîne l'absence de méthode. Rien de plus décousu, de plus contraire à l'idéal idéologique, aux conseils de Tracy, que cette instruction hâtive qui peut uniquement contenter son esprit avide. Il semble lui avoir été donné par une grâce spéciale de trouver sur son chemin les êtres mêmes qui peuvent solliciter son besoin d'héroïsme et l'épanouir. Ce n'est point là une complaisance du romancier ; on encourage Lucien et Julien à être polis et aimables, on encourage Lamiel à se montrer cynique et hardie ; c'est que la jeune sauvage ne vit pas au milieu des hommes, mais est toujours en contact avec les forces de la nature. Le docteur Sansfin semble chargé d'une puissance secrète qui magnétise la jeune fille ; de cette paysanne un peu farouche, il fait un être désinvolte, si indépendant qu'il échappera à son créateur.

En obligeant la jeune fille à boire le sang d'un oiseau pour simuler une maladie de poitrine, Sansfin la délivre de toutes les indécisions qui pèsent sur le naturel et l'entravent souvent. Lamiel apprend en un instant ce que Lucien découvrira au cours de son long apprentissage parisien et provincial, que seules « *la bravoure personnelle, la fermeté de caractère* n'offrent point prise à l'hypocrisie » (7), que le monde « n'est point divisé (...) en riches et en pauvres, en hommes vertueux et en scélérats, mais tout simplement en dupes et en fripons » (8).

---

(4) « L'unique passion de Lamiel était alors la curiosité ; jamais il ne fut d'être plus questionneur » (*ibid.*, 211).
(5) *Ibid.*, 113.
(6) *Ibid.*, 123.
(7) *Ibid.*, 127.
(8) *Ibid.*, 127.

Lamiel ne résiste point à la tentation de l'héroïsme. Ce n'est point en vain que le docteur Sansfin lui faire lire la *Gazette des Tribunaux*, Lamiel y trouve un code d'action. Désormais, l'ouvrage du docteur prend assez de vigueur pour échapper à l'influence de ce nouveau Pygmalion. Le grand Mandrin et Monsieur Cartouche, ou encore les héros littéraires comme Enée et Gil Blas, tous ceux qui poursuivent leurs aventures dans la tendresse ou le cynisme seront ses nouveaux maîtres. Car « une histoire de guerre, où les héros bravaient de grands dangers et accomplissaient des choses difficiles, la faisait rêver pendant trois jours, tandis qu'elle ne donnait qu'une attention passagère à un conte d'amour » (9).

***

Le caractère de Lamiel l'immunise donc contre tous les pièges que peuvent lui tendre la société et les hommes. Elle paraît toujours ouverte à toutes les influences, mais ne se guide que sur son instinct. Elle se dérobe au moment même où l'on croit la saisir. Un amant ou un ami l'ont à peine convaincue, à peine transformée, que déjà elle leur tourne le dos. Elle cherche inconsciemment à s'épanouir à leur contact, et ne s'épanouit que pour mieux les abandonner. C'est une Lamiel toujours nouvelle qui fuit le docteur, l'abbé Clément, le duc Fédor et le comte de Nerwinde ; celle qui s'est intellectuellement enrichie à leurs dépens. Lorsqu'elle a besoin de lucidité, lorsqu'elle veut avoir une vision objective de sa propre vie, elle va chercher un confesseur, elle trouve l'abbé Clément sur son chemin, l'amène dans sa calèche et lui raconte ses aventures.

Elle est certes assez sûre d'elle pour ne jamais sentir le désir de se confier à autrui, mais elle a besoin d'autres jauges et d'autres mesures que ses expériences personnelles. Les arguments d'autrui, lorsqu'ils sont contraires aux siens, lui apportent alors les meilleurs conseils. C'est avec une parfaite sincérité qu'elle se joue des autres pour mieux s'engager tout entière dans ses folles entreprises : « Les nombreuses conversations que Lamiel obtint de l'abbé Clément hâtèrent infiniment les progrès de son esprit. Elle avait dit à l'abbé plusieurs choses fort éloignées de la croyance de celui-ci, il n'avait pu les réfuter d'une manière suffisante du moins pour Lamiel ; elle en conclut, non par amour-propre, mais plutôt par estime pour le caractère et la bonne foi de l'abbé, que ces idées étaient vraies. L'abbé lui avait dit : — On ne connaît un homme qu'en le voyant tous les jours et longtemps. Lamiel, dès

(9) *Ibid.,* 123.

le soir même, disgrâcia le marquis de la Vernaye, et fit des yeux charmants à D... » (10).

La passion de Lamiel, qui est la curiosité, ne peut la mener qu'au succès ; toutes ses forces émotives sont orientées et aimantées par ce désir insatiable. *Elle ne prend des amants que pour les provoquer, mesurer leur degré d'héroïsme, et mieux se connaître à leur contact.* Elle se plaît à engager le jeune duc de Miossens, ce beau jeune homme aimable et compassé, dans les difficultés qui sont justement les plus périlleuses pour la vanité du jeune aristocrate. Elle met tout en œuvre pour en faire un héros, le contraint à l'enlever, à lui procurer un faux passeport, à passer tout près de sa mère, la duchesse de Miossens, lorsqu'ils la rencontrent tous les deux au milieu de leur équipée au Havre. Et quand elle voit qu'il ne sera jamais un Mandrin ou un Cartouche, elle lui demande alors d'être pour un temps son professeur de logique. Lamiel n'apprécie point l'épicurisme méthodique de ce jeune polytechnicien formé par l'apprentissage idéologique ; mais si le naturel aimable ne se distingue point par l'énergie, il sait du moins utiliser avec une précision infaillible tous les instruments de la pensée, il possède tout ce qui fait défaut au naturel héroïque, la clarté dans l'exposition des faits, la sûreté dans le jugement. Fédor a passé sa vie à pratiquer l'usage de la propriété des termes : « La fonction d'explicateur des mots était l'une de celles auxquelles Lamiel aimait le mieux employer le jeune duc, il était clair, logique, il s'en tirait à ravir et Lamiel lui laissait voir toute son admiration avec la même clarté qu'elle lui montrait tous ses autres sentiments » (11).

Lorsqu'elle estime qu'elle a appris suffisamment de géométrie avec le duc, elle part pour Paris en emportant toutes les malles de Fédor. Il ne lui a servi que de « point de comparaison pour juger les autres hommes » (12).

Mais Lamiel a beau utiliser ses amants comme des pédagogues, elle ne sera jamais une intellectuelle, elle peut s'adjoindre des maîtres de littérature pour parfaire son éducation, elle reste toujours une jeune sauvage que la civilisation ne fait qu'embellir. La sûreté de son instinct même, qui l'a merveilleusement aidée à dominer les hommes, lui a évité l'échec, les mortifications, les apprentissages longs et pénibles ; mais pour n'être point entrée en conflit avec ses égaux les êtres d'élite, ou avec une société vaniteuse et hostile, elle ignore les

(10) *Ibid.*, 256.
(11) *Ibid.*, 184.
(12) *Ibid.*, 210.
(13) *Ibid.*, 160.

contraintes que s'impose le naturel, ses renoncements et ses refus. Son esprit comme sa conduite ne peuvent conquérir cette souplesse dans les démarches, cette tension déguisée et intérieure dont la sublimation devient sérénité et abandon : « Les conversations de la duchesse et de l'abbé Clément, la rude philosophie du docteur Sansfin avaient cultivé d'une façon brillante les germes d'esprit qu'elle avait reçus de la nature, mais pendant qu'elle employait ainsi de longues soirées, elle n'avait aucune occasion de se soumettre aux impressions et aux petites mortifications que donne le rude contact avec les égaux » (13). Aussi cette autodidacte passionnée manque-t-elle avant tout de jugement, cette âme éprise de grandeur est insensible aux beaux côtés de l'éthique du naturel, qui sont le détachement du monde et l'amour : « Elle avait beaucoup d'esprit parce qu'elle avait une grande âme, mais ce n'était pas un esprit de comparaison et d'étude ; et elle était bien loin de pouvoir juger elle-même et les autres » (14).

Malgré tous ses efforts pour se montrer logique dans sa conduite et dans ses raisonnements, elle n'obéit en fait qu'à ses intuitions. Cette belle amazone est beaucoup plus féminine qu'on ne l'a dit, et c'est là sans doute son unique défaut aux yeux de Stendhal. Mais si son comportement est toujours la projection de la spontanéité, et non point d'une méthode, il a aussi cette grâce que seul possède Fabrice avec plus de candeur, une sorte de volupté joyeuse et aussi plus tard une sérénité sans emphase.

Lamiel entre avec l'impétuosité d'une jeune biche dans les salons du château de Miossens. Elle emplit ses vieilles pièces austères et ennuyeuses de sa fantaisie primesautière, de sa gaieté et de son enjouement : « Dès qu'elle n'était pas immédiatement surveillée par les regards sévères de quelques-unes des anciennes femmes de chambre, elle parcourait en sautant la suite des pièces qu'il fallait traverser pour arriver à celle où se trouvait la duchesse. Avertie par les dénonciations de ses femmes, la grande dame fit placer une glace dans le salon pour apercevoir cette gaieté de son fauteuil. Quoique Lamiel fût la légèreté même, tout était si tranquille dans ce vaste château, que l'ébranlement causé par les sauts s'entendait de partout ; tout le monde en était scandalisé, et c'est ce qui acheva de décider la fortune de la jeune paysanne » (15).

Lamiel garde à Paris son étourderie et sa spontanéité ; n'a-t-elle point refusé tout ce qui leur était contraire ; n'a-t-elle pas quitté le jeune Fédor, parce qu'il n'avait pas l'air vrai et naturel, parce qu'il avait « toujours l'air de jouer une comédie » (16) ? Si elle trouve auprès du comte de Nerwinde tout ce

(14) *Ibid.*, 223.
(15) *Ibid.*, 74-75.
(16) *Ibid.*, 183.

qui avive l'éclat des jolies femmes, les soirées à l'Opéra, les loges bien réchauffées, les voitures rapides et douces, les dîners excellents, les conversations spirituelles sur les prairies de Meudon, si elle se jette joyeusement sur tous les plaisirs d'une civilisation raffinée, elle n'en copie jamais les manières ; elle demeure toujours imperméable à la vanité, à la coquetterie et à l'envie. Sa féminité s'arrête là.

Le naturel sauvage ne se civilise un instant que pour mieux s'affirmer dans la conquête. Sa victoire, c'est d'avoir su entraîner à sa suite la gaieté et la désinvolture parmi de jeunes nobles désœuvrés. Avec ses élans de bel animal jeune et sain, elle fait irruption dans une société corrompue, lui redonne la vie en même temps que la franchise, l'amitié, la bonté et la joie. Car elle n'est pas seulement belle et spirituelle, « elle est bien mieux que cela, dit le vieux baron de Prévan, qui était le dictateur de tous ces jeunes gens, c'est une fille qui s'ennuie du ton de la bonne compagnie, et vous donne bien mieux au risque d'être méprisée par vous. Avec son air doux et gai, elle est l'audace même : elle a le courage, plus humain que féminin, de braver votre mépris, et c'est pourquoi elle est inimitable. Regardez-la bien, Messieurs, si jamais un caprice vous l'enlève, jamais vous n'en verrez une semblable » (17).

(17) *Ibid.*, 244.

CHAPITRE XVII

LE NATUREL REVOLTE :
JULIEN SOREL ET LUCIEN LEUWEN

*L'analyse du naturel. — Les illusions du naturel : création
d'un monde héroïque et fictif. — La vanité humiliée. —
Le naturel insatisfait. — Le refus de la dégradation.*

Aussi bien, *le naturel, pour se conquérir, devra passer par
tout ce qui l'entrave* ; alors que chez Lamiel il est donné dès
l'origine, il s'acquiert chez tous les autres héros stendhaliens.
Le potentiel d'héroïsme, de générosité et de naturel qui échoit
à Lucien et à Julien n'éclate pas en manifestations concrètes
et immédiates comme chez Lamiel. Au premier abord un divorce semble se creuser entre le naturel à l'état virtuel et
l'action réelle de ces héros. Cette incompatibilité n'est qu'apparente ; elle recouvre une union profonde mais cachée entre
l'intention et l'acte : car le travestissement est de rigueur
dans la foire aux vanités, l'hypocrisie y est admissible, mais
non point l'héroïsme ou la sincérité. Julien et Lucien préfèrent passer pour calculateurs et intrigants que pour généreux et passionnés.

Les calculs de Julien, la politesse aimable de Lucien masquent donc chez eux le naturel : ce n'est qu'à l'état virtuel
qu'on peut le saisir. Si nous abstrayons artificiellement Lucien
et Julien des salons provinciaux et parisiens, de leur profession et de leur milieu, nous obtiendrons le naturel à l'état
pur : celui des héros de tragédie, celui même de Lamiel, des
jeunes Romaines et des princes qui jouent leurs drames dans
les décors latins des *Chroniques italiennes.* Un tel découpage
révèle aussi bien qu'une analyse chimique tout ce que voile
le roman : la simplicité de ces nouveaux corps ainsi obtenus
est celle même du naturel. Comme tous les corps simples, le
naturel se dérobe tout d'abord : on n'en perçoit que les effets
et non la matière.

Qui donc a dit que ce petit charpentier était un Tartuffe ?

Seule la vue de la bassesse et de la platitude, seul le climat asphyxiant de l'hypocrisie font baisser chez lui les degrés de la générosité et de l'héroïsme. Dans ces moments perdus pour le naturel, « il n'y avait plus rien de rude et de grandiose en lui, plus de vertu romaine » (1) ; c'est alors que se dissipent « toutes les illusions de grandeur d'âme et de générosité (...) comme un nuage devant la tempête » (2).

Si Julien et Lucien, modernes princes romains, ne portent pas l'habit des seigneurs italiens, c'est pour passer incognito dans un pays où l'inquisition est celle des convenances. Tant et si bien qu'*à force de cacher leur exaltation, ils l'affineront et la poliront en la dépouillant de tout espagnolisme*. La volonté de s'engager est si forte en eux qu'elle détruit les chimères ; aux héros romantiques sont réservés le narcissisme, le plaisir de se complaire à leur propre grandeur ; les héros stendhaliens se doivent avant tout de *faire pénétrer l'héroïsme par la porte étroite de la comédie sociale*, et cette porte est à la fois trop basse pour Don Quichotte et trop étroite pour Sancho Pança : elle les arrête tous les deux au passage, seul peut entrer un être diminué de la hauteur de ses chimères, allégé des bourrelets adipeux de la sagesse pratique et du bon sens épais.

**
*

L'analyse de Lucien et de Julien fait tout d'abord apparaître l'exaltation inséparable de la générosité et de l'héroïsme tant qu'ils ne sont pas entrés en conflit avec la société.

Sans avoir encore vécu, ils veulent que leur vie soit un combat. La devise de Julien est « Aux armes » (3), et il est à tout instant prêt à décrocher sa panoplie. Quant à Lucien, « tel qu'un cheval ombrageux, il voyait des périls qui n'existaient pas, mais aussi il se donnait le courage de les braver » (4). Seule sans doute, la prescience amoureuse de Madame de Rênal nous fait deviner dès l'abord le véritable Julien Sorel. De Julien, elle ne voit que sa belle âme : « La générosité, la noblesse d'âme, l'humanité lui semblèrent peu à peu n'exister que chez ce jeune abbé. Elle eut pour lui seul toute la sympathie et même l'admiration que ces vertus excitent chez les âmes bien nées » (5). Julien et Lucien demandent à la vie ce que la vie leur refusera : l'existence aventureuse des héros de roman. Et dans leurs jeunes années, en l'absence d'énergie réelle dans la société, *ils se créent eux-mêmes un univers héroïque* : « Lucien se remit à écouter les

(1) *Le Rouge et le Noir*, 459.
(2) *Ibid.*, 459.
(3) *Ibid.*, 25.
(4) *Lucien Leuwen*, I, 15.
(5) *Le Rouge et le Noir*, 37.

lanciers, et avec délices : bientôt son âme fut dans les espaces
imaginaires; il jouissait vivement de sa liberté et de sa générosité, il ne voyait que de grandes choses à faire et de beaux
périls » (6).

Ils entrent tous deux dans l'univers romanesque en se
trompant sur la pièce qui va être jouée; *ils voudraient que
ce soit une tragédie cornélienne, mais ce n'est qu'une comédie :* « Toi », dit Monsieur Leuwen à son fils, « tu crois les
affaires et les hommes plus grands qu'ils ne sont, et tu fais
des héros, en bien et en mal, de tous tes interlocuteurs » (7).
Quant à Julien, il croit pendant longtemps n'être point digne
de la scène parisienne qu'il imagine encore peuplée de Bonaparte. Là réside l'angoisse de ce soi-disant Tartuffe : elle naît
chez lui de la crainte devant les obligations qu'il se donne.
Aura-t-il la force de les supporter pleinement, gardera-t-il
jusqu'au bout « cette énergie sublime qui fait faire les choses
extraordinaires » (8) ? Mais quels actes sublimes peut-on
accomplir dans un univers qui se dépouille peu à peu de ce
décor tragique et cornélien qu'avait créé la fausse optique de
Julien et de Lucien ? Quelle est la manière d'assumer le naturel à son degré le plus aigu dans ce siècle qui est donné
comme celui de la platitude et de l'hypocrisie ? « Faut-il voler,
faut-il se vendre ? pensa Julien. Cette question l'arrêta tout
court. Il passa le reste de la nuit à lire l'histoire de la Révolution » (9).

C'est en étranger que Julien pénètre dans le pays de l'hypocrisie en apportant des guides d'un autre temps et d'autres
lieux. Ces livres ne peuvent rien lui apprendre du langage des
vaniteux ; ce sont ceux-là mêmes qu'a aimés Stendhal. Mais
ce triptyque formé par les *Confessions,* le *Recueil des Bulletins de la Grande Armée* et le *Mémorial de Sainte-Hélène* (10)
révèle un monde ancien dont les trois dimensions, la spontanéité, la sentimentalité et l'héroïsme ne peuvent s'accorder
avec cette unique dimension de l'univers parisien ou provincial, qui est la vanité.

Quant à Lucien, il croit vivre encore en ces temps héroïques si semblables à ceux des *Chroniques italiennes.* Il entre
avec fougue dans la carrière militaire en se trompant sur
l'époque où il se trouve ; mais l'épopée de Napoléon et celle
du XVI° siècle italien sont révolues. Lucien est né trop tard,
il ne peut que connaître les survivants d'un siècle propice au

(6) *Lucien Leuwen,* I, 17.
(7) *Ibid.,* I, 54.
(8) *Le Rouge et le Noir,* 75.
(9) *Ibid.,* 296.
(10) *Les Confessions* étaient « le seul livre à l'aide duquel son imagination se figurait le monde. Le recueil des Bulletins de la grande armée
et le *Mémorial de Sainte-Hélène* complétaient son Coran. Il se serait fait
tuer pour ces trois ouvrages (*ibid.,* 20).

naturel. Il ne lui reste plus que la ressource de lire avec Gauthier « la rapsodie ayant pour titre *Victoires et Conquêtes des Français*. Bientôt pourtant M. Gauthier lui indiqua les excellents Mémoires du maréchal Gouvion-Saint-Cyr. Lucien choisissait le récit des combats auxquels avait assisté le brave lieutenant et celui-ci racontait ce qu'il avait vu, attendri jusqu'aux larmes d'entendre les récits imprimés des événements de sa jeunesse. Le vieux lieutenant était quelquefois sublime en racontant avec simplicité ce temps héroïque : nul n'était hypocrite alors ! » (11).

*
**

C'est Lucien sans doute, parmi tous les héros stendhaliens, qui est le plus fortement marqué par une société dont il veut s'évader. Car il est tout d'abord l'élève des salons parisiens. Comme ces enfants révoltés contre leurs pères, il passera sa vie à se défaire de ces maîtres trop polis et trop aristocrates. Mais s'il y a toujours de l'avancement pour l'hypocrisie et la vanité, il n'y en a pas pour le naturel. Le refus des conventions ne mène d'abord qu'à l'échec. Lucien sent cette humiliation d'une manière d'autant plus cuisante qu'il ne peut se délivrer en un instant d'un passé hypothéqué par la vanité. La partie parisienne et vaniteuse de son âme freine sa révolte, retarde l'avancée de Lucien dans le chemin de l'héroïsme. Les petits tourments de l'amour-propre déplacent souvent l'angoisse de ce héros pour la ramener à son stade inférieur. Car « ce n'est pas impunément que l'on habite Paris depuis l'âge de dix ans. Dans quelque salon que l'on vive, dans quelque honneur qu'y soient tenus la simplicité et le naturel, quelque mépris que l'on montre pour les grandes hypocrisies, l'affectation et la vanité du pays, avec ses petits projets, arrive jusqu'à l'âme qui se croit la plus pure » (12).

La vanité vient sans cesse montrer au naturel héroïque combien l'héroïsme et la spontanéité sont dangereux pour l'amour-propre, par quels échecs se solde le refus des conventions. Ce qui blesse Lucien ce ne sont pas les hommes, mais sa propre vanité : « la vanité, fruit amer de l'éducation de la meilleure compagnie, était son bourreau » (13).

Cette fausse estimation de soi engendre les multiples contradictions de Lucien. Son tort est de se prendre beaucoup trop tôt pour un héros. Parce qu'il a refusé la vie brillante que lui offraient la société parisienne et M. Leuwen, il croit déjà avoir conquis le monde et vaincu l'humiliation. Mais quand il s'aperçoit qu'il ne peut faire triompher à Nancy les vertus du na-

(11) *Lucien Leuwen*, I, 60.
(12) *Ibid.*, I, 227.
(13) *Ibid.*, I, 59.

turel, qu'au XIXᵉ siècle les soldats ne se battent pas, que les
belles dames de Nancy préfèrent les légitimistes aux jeunes
lieutenants juste-milieu, il se voit alors placé dans une situation inférieure que son amour-propre ne fait qu'accentuer. Il
faut reconnaître à sa décharge que « notre héros est fort jeune, fort neuf et dénué de toute expérience » (14). Ce n'est point
un Julien Sorel qui rajeunira en vieillissant, c'est une âme
naïve qui exige beaucoup trop des autres et de soi-même. Il
se sent humilié par les autres, parce que les autres ne sont
pas à la mesure de ses propres désirs. Les jeunes républicains
exaltés, les militaires assoupis dans les faux honneurs, les
légitimistes de Nancy qui font étalage de leurs passions politiques sans en trouver l'emploi, ils l'humilient tous, car ils
l'obligent à être aussi fanatique, aussi intrigant, aussi absurde qu'eux-mêmes.

Il a refusé la disponibilité et la liberté et, en s'engageant
dans un métier, il a engagé son capital de naturel. Mais il en
arrive au point où il ne peut plus assumer la responsabilité
de son refus des conventions. En partant pour Nancy, il a
signé un contrat envers l'héroïsme : il ne peut le remplir.

L'être d'élite ne méprise cependant les autres qu'en se méprisant lui-même. Car c'est autrui qui le place dans cette situation inférieure et humiliante. Il faut que le naturel aille
jusqu'au bout du dégoût et de l'ennui, pour savoir comment
on peut dominer l'infériorité. Il faut tout d'abord que Lucien
ait repoussé le suicide et les solutions faciles pour adopter
une solution positive, pour transformer cette infériorité en
supériorité, en domination de soi-même et des autres (15).

*
**

*Le naturel héroïque, en entrant en contact avec la société,
se trouve dès l'abord humilié.* Julien et Lucien connaissent
toutes les formes que peuvent prendre l'humiliation, l'ennui,
la timidité, le dégoût de soi et des autres, les faux pas d'une
émotivité exagérée. En entrant dans un univers qui n'est
point fait pour les accueillir, ils se raidissent comme des chevaux ombrageux, glissent sur ce terrain dangereux, et souvent ne pensent qu'à fuir.

Une fois arrivé devant le portail de Madame de Rênal, l'ardeur de Julien se troublera à voir son but immédiatement

(14) *Ibid.*, I, 106.
(15) « Peu à peu ce genre de vie devint une habitude. Toutes les sensations du jeune sous-lieutenant étaient ternes, rien ne lui faisait plus
ni peine ni plaisir, et il n'apercevait aucune ressource ; il avait pris
dans un profond dégoût les hommes et presque lui-même » (*ibid.*, I, 62).
Cf. « Lucien eut, pour la première fois, quelque idée de se tuer ; l'excès
de l'ennui le rendait méchant, il ne voyait plus les choses comme elles
sont réellement » (*ibid.*, I, 71).

réalisé. Ce n'est pas impunément que l'on quitte la veste de ratine et la chemise d'un paysan pour l'habit d'un précepteur, ou l'habit bleu d'un jeune noble. En changeant de grade au cours de son existence, en obtenant un avancement toujours imprévu, Julien craint sans cesse les faux pas, la maladresse et les retours inopinés de son émotivité. Car l'émotivité est pour lui conduite d'échec; ce qu'il apprend dans la vie, c'est qu'on peut sublimer l'émotivité en conduite de succès.

Il est toujours ce qu'il a été la première fois devant Madame de Rênal, un jeune paysan timide et émerveillé, ému au point de ne trouver rien à dire. L'éducation qu'il se donne a pour unique but de masquer cet émerveillement et ce trouble. *La puissance de la passion est si forte chez Julien qu'elle l'emporte au delà du but* qu'il se propose en lui faisant tout d'abord manquer ce but.

Aussi ressent-il tout d'abord cette émotivité comme une insatisfaction. La situation présente est sans cesse au delà de ce qu'il avait pu imaginer; il doit toujours chercher un comportement différent. La nouveauté et l'imprévu qu'il souhaite sont pour lui des obstacles à surmonter. Il va à Grenoble, il voit une grande ville, des murs épais et hauts, des canons qui les protègent, un café, une belle jeune fille qui tient le comptoir. Tous ces objets nouveaux exigent des réponses de sa part. Julien se doit d'être à leur mesure. Mais il ignore comment on parle à une hôtelière. Tout ce que les autres connaissent depuis longtemps de par leur éducation et de par leur milieu, Julien doit l'inventer à chaque instant.

Mais s'il allait se montrer ridicule, s'il allait être inférieur à lui-même et à la situation présente ? Comme un général sur un champ de bataille, il veut dominer les forces de l'adversaire pour mieux trouver ses propres forces. Le premier comportement de Julien sera une *domination de l'émotivité :* « Il fit effort sur sa timidité; il osa entrer, et se trouva dans une salle longue de trente ou quarante pas, et dont le plafond est élevé de vingt pieds au moins. Ce jour-là, tout était enchantement pour lui » (16).

A l'inverse de Lucien, Julien ressent l'humiliation et l'échec comme dépendant de lui-même et non pas d'autrui. *L'échec, pour lui, c'est d'être ému et troublé* au point de s'effrayer des gros yeux glauques du portier du séminaire, au point de tomber devant l'abbé Pirard et de faire des fautes d'orthographe devant le marquis de La Mole.

Il s'imagine que le monde est fait à la mesure de son désir de grandeur. Ce n'est pas dans un univers réel qu'il fait pénétrer son énergie et son besoin d'action, c'est dans un univers cornélien où les événements et les êtres s'efforcent de se

(16) *Le Rouge et le Noir*, 161.

surpasser. Parce qu'il a beaucoup d'héroïsme à dépenser, il
invente des solutions périlleuses à ce qui ne demanderait
qu'un simple abandon : « D'après je ne sais quelle idée prise
dans quelque récit de la bonne société, telle que l'avait vue
le vieux chirurgien-major, dès qu'on se taisait dans un lieu
où il se trouvait avec une femme, Julien se sentait humilié,
comme si ce silence eût été son tort particulier » (17). La conversation devient alors pour lui un acte d'énergie. C'est qu'il
n'a connu la familiarité et l'intimité qu'avec un vieux curé
et un chirurgien-major : « Son imagination remplie des notions les plus exagérées, les plus espagnoles, sur ce qu'un
homme doit dire, quand il est seul avec une femme, ne lui
offrait dans son trouble que des idées inadmissibles » (18). Il
est avec Madame de Rênal comme il sera lors de son premier
contact avec l'abbé Pirard ou avec le marquis de La Mole :
« Son âme était dans les nues, et cependant il ne pouvait sortir du silence le plus humiliant » (19).

*

Comme Lucien, Julien doit se libérer de son passé et le refaire. Il doit lui aussi recommencer sa vie à vingt ans, oublier
ses origines pour effacer une tare ; ce n'est point ici la vanité
d'un fils de famille, c'est une timidité passionnée.

Cet aristocrate voulait se faire plébéien, ce plébéien voudra
se faire aristocrate; l'un avait à s'appauvrir de tous ces legs
qui abâtardissent le naturel, la renommée et la fortune, une
éducation parfaite, l'autre doit tout conquérir. Aussi bien
Julien entre-t-il dans le décor parisien ou provincial comme
un acteur trop passionné pour son rôle. Parce qu'il ne possède rien, parce qu'il a tout à prendre, son dynamisme ardent
semble toujours prêt à exploser. A travers le Julien Sorel qui
se veut machiavélique et prudent, apparaît toujours ce jeune
homme timide et rougissant qui sonne en tremblant à la porte
de Madame de Rênal. Il aime Rousseau et Napoléon, la générosité et l'héroïsme, il n'a rien vu dans son village que la grossièreté et la vulgarité; entrer dans un château, c'est pour lui
le comble de l'audace, voir une belle jeune femme qui lui sourit, c'est déjà le bonheur.

A mesurer ses rêves de grandeur et la vie de garnison, Lucien n'en retirait qu'un ennui humilié; à confronter sa passion avec la réalité, Julien tout d'abord n'en éprouve que
trouble et désorganisation de ses facultés. Sa passion n'est
pas seulement le désir de vivre la vie ardente d'un héros;

(17) *Ibid.*, 42.
(18) *Ibid.*, 42.
(19) *Ibid.*, 42.

c'est d'obliger la société à le reconnaître comme un de ses fils.

Mais cette passion, en entrant brusquement en contact avec le réel, se trouve dépassée par tout ce qui s'offre à elle. Les militaires en garnison ne représentaient pour Lucien que des sous-produits du courage, une énergie dégénérée en ambition. Le monde et les hommes proposent à Julien de l'enrichir, de l'ennoblir, lui octroient les honneurs, la réputation et non seulement une vie facile mais aussi l'amour. Et par là même, ils s'avilissent à ses yeux.

Or la bassesse d'autrui se prolonge chez Julien sous forme de honte éprouvée à son propre compte. Qu'on ne confonde point cette honte, liée au sentiment de l'honneur, avec l'humiliation d'être un jeune plébéien et d'être traité comme tel. Car l'humiliation est chez lui la forme négative que prend sa noblesse. Il exige des autres comme de lui-même le respect pour la condition humaine et sa dignité. Tous ceux qui désavouent les qualités du naturel héroïque s'abaissent à ses yeux et le rabaissent lui-même. L'éthique de ce soi-disant individualiste est beaucoup plus universelle qu'on ne le croit, si on entend par là qu'elle tient compte non seulement de la morale d'un seul homme, mais de la morale de la collectivité. On peut abstraire une Lamiel de son milieu, on ne peut séparer de la société un Julien ou un Lucien Leuwen. Les milieux parisiens ou provinciaux ne sont pas seulement un paysage moral, un décor fait pour mettre en valeur la noblesse du héros ; ils sont bien plus que cela : ils sont la condition même de cette noblesse ; ils la font vivre, lui donnent les aliments qui la fortifient, l'exaspèrent ou parfois l'annihilent.

Si Julien méprise son père, il méprise tout autant un aristocrate comme M. de Rênal, un riche parvenu comme le Valenod. Car il entre à tout instant chez Julien le besoin de se mesurer avec autrui, et par suite, de l'apprécier à son juste prix, de l'évaluer à son vrai poids. Notre héros est fort jeune, et il n'a point cette maturité des êtres adaptés comme M. de La Mole, qui implique déjà le recul et le détachement. L'estimation d'autrui le conduit paradoxalement à une sorte d'identification avec autrui.

Lorsque l'univers stendhalien dégrade les valeurs morales du naturel, l'effet de la dégradation se poursuit chez Julien comme par ailleurs chez Lucien. Bien qu'ils opposent toujours le vêtement protecteur de l'héroïsme aux vagues de l'hypocrisie qui viennent déferler devant eux, la houle les gifle au visage. Lorsque le père Sorel vient voir son fils dans sa prison, lorsqu'il laisse voir sa vanité intéressée, il ne provoque que le dégoût chez Julien. Mais les visites de Mathilde de La Mole et de Fouqué déclenchent les mêmes réactions. Pour Julien, ce sont tous des traîtres. Sous des formes différentes, ils lui proposent de s'évader de sa condition humaine, *de fuir le naturel pour adopter un mode de vie et de pensée commun et médiocre.* Aussi, « quand Julien se fut enfin procuré la solitude, il se trouva plus accablé et plus lâche qu'auparavant » (20). Voilà bien la naïveté d'un être jeune, qui attend des autres un appel à l'héroïsme, une défense et un secours contre la bassesse et la vanité.

Ainsi s'explique le mépris chez Julien ; on a voulu voir en lui la colère et la rancœur d'un jeune plébéien contre les patriciens. Son idéal de justice est d'un autre niveau. Sa conception des hommes n'est point égalitaire. Il tient avant tout à préserver en lui-même et chez les autres une aristocratie qui est celle du naturel. Il demande aux hommes de respecter en lui, non pas ses succès et son intelligence, mais ses propres valeurs morales. Lorsque le Valenod offre un banquet en son honneur, lorsque tous ces visages adipeux et cramoisis par la bonne chère n'expriment à son égard que des sentiments d'admiration béate, c'est alors que Julien se voit frustré de sa dignité, c'est alors qu'il sent ses propres valeurs morales menacées par l'étalage de la richesse dans la maison d'un parvenu, c'est alors qu'il murmure entre ses dents : Canaille, canaille !

Sa noblesse lui permet donc de passer au travers des mille petites vanités provinciales, de ne pas faire le jeu de Valenod contre son ennemi M. de Rênal. C'est parce qu'il se sent dégradé par la vanité des autres qu'il échappe à toutes les vanités, qu'il évite ainsi les pièges tendus par la société, qu'il peut quitter la province au lieu de demeurer à la solde d'un M. de Rênal ou d'un Valenod.

Ainsi, bien que les héros stendhaliens aient refusé la disponibilité, bien qu'ils amoindrissent apparemment leur liberté en s'engageant tout entiers dans ce que leur offre le hasard, position sociale ou amour, ils demeurent beaucoup plus disponibles que dans le refus. Chaque fois que les vaniteux les dépouillent de cette disponibilité, soit en sollicitant leur vanité, soit en offensant leur noblesse, le mépris devient alors la meilleure arme au service de l'indépendance. L'orgueil de Julien le rend imperméable à la flatterie d'autrui. Il semble au premier abord que Julien mette tout en œuvre pour obtenir la première place partout où il passe. Ne nous y trompons pas, *c'est là une manœuvre de la noblesse réelle et non de l'ambition.* Le respect vil et bas de la société envers tout homme arrivé permet à Julien de se délivrer par là de toutes les séductions qu'offre une belle position sociale, de tous les marchés et les contrats que lui proposent les vaniteux de ce monde.

(20) *Le Rouge et le Noir*, 496.

Il a été haï et méprisé, il va chez l'évêque de Besançon, il y est reçu avec cette nuance de familiarité qui, de la part des puissants, assure le succès de leurs protégés. Il se voit alors adulé et flatté par tous les séminaristes. C'est une raison suffisante pour se délivrer de tous les sentiments de supériorité ou d'infériorité qu'il peut avoir secrètement à leur égard ; désormais ils ne sont plus des êtres qu'il faut dominer ; ils n'existent plus à ses yeux ; *c'est ainsi que Julien parvient toujours au détachement, après s'être montré précisément calculateur.* Il est en effet nécessaire à son éthique d'obtenir le respect des hommes, pour l'estimer ensuite négligeable, pour se défaire de l'humiliation et de la supériorité. C'est alors qu'il est pleinement libre, c'est alors qu'il est un jeune prince romain ou un jeune seigneur du XVIᵉ siècle, c'est alors qu'il peut juger les hommes du haut de sa noblesse, en aristocrate du cœur, après avoir éliminé le poison qui entre dans les relations sociales. Les honneurs le rendent à lui-même en l'amenant au refus des honneurs. Dès que sa fortune est assurée au séminaire, « il n'y eut plus d'envie ; on lui fit la cour bassement : l'abbé Castanède, qui, la veille encore, était de la dernière insolence avec lui, vint le prendre par le bras et l'invita à déjeuner. Par une fatalité du caractère de Julien, l'insolence de ces êtres grossiers lui avait fait beaucoup de peine ; leur bassesse lui causa du dégoût et aucun plaisir » (21).

(21) *Ibid.*, 208.

CHAPITRE XVIII

LE NATUREL DEGUISE

*L'idéal idéologique transposé dans une éthique de l'héroïsme.
— Le calcul nécessaire au naturel. — L'ambition en tant
que titre nobiliaire. — Les camouflages du naturel : la
temporisation opposée à la spontanéité. — Devenir un
coquin amusant ? — Le refus de la vanité. — La domination temporelle et ses satisfactions. — Conclusion :
entente des deux « moi » chez le héros stendhalien.*

Comment l'héroïsme va-t-il pénétrer dans la société de Verrières ou dans celle de Paris ? Comment triomphera-t-il de
l'humiliation, de l'ennui, de l'émotivité ? Ce ne peut être en
affichant ouvertement l'héroïsme qu'ignore ou méprise la société. Le naturel humilié, que ce soit par lui-même ou par autrui, ne peut se défaire de la honte qu'en employant les moyens
du bord. Il peut y avoir de l'héroïsme chez un capitaine à lou-
voyer en utilisant les vents au lieu d'affronter la tempête, ou
bien à rester seul sur son vaisseau à la dérive, en essayant de
le maintenir sur les flots à force de prudence et de calcul.
Car « la première loi, depuis l'insecte jusqu'au héros, *est de
se conserver* » (1). A Julien et à Lucien est échue la mission de
conserver ce dépôt qu'ils portent avec eux contre vents et
marées et qu'ils dissimulent sous leur habit de courtisan, les
valeurs réelles du naturel. Il est assez curieux de voir que des
êtres aussi différents par leur classe sociale et leurs origines
que Julien et Lucien, en viennent précisément à adopter les
mêmes plans de bataille, qu'ils veulent se dépouiller de l'ambition ou s'en accommoder. Ce petit paysan qui est né si pâle
et si chétif, qui semblait n'avoir que peu de temps à vivre, qui
était battu par tous, détesté de tous, et ce jeune fils de famille,
né dans le luxe et méprisant le luxe, l'un cherchant à conquérir
l'aristocratie, l'autre la dédaignant, ces deux jeunes gens qui

(1) *Mélanges de littérature*, II, 359.

font des expériences en sens contraire mettent les mêmes armes au service de causes différentes.

A l'humiliation, chez Julien et chez Lucien, succède l'étonnement. Ils trouvent certes la honte dans l'ennui ou dans les tourments de la sensibilité. Mais bientôt, encore honteux d'avoir échoué, ils s'aperçoivent bien vite combien il est facile de réussir. Ils se doivent tout d'abord de ne pas se mépriser eux-mêmes, donc de ne pas commettre de maladresses ou de faux pas, de ne pas se laisser absorber tout entiers par l'ennui de la situation présente. N'est-ce pas alors pour eux le moment de se souvenir avec surprise, que si le bonheur a ses recettes, l'héroïsme peut avoir aussi les siennes ? Et c'est pourquoi ils n'hésitent pas, pour sauver les valeurs les plus hautes du naturel généreux, à adopter, *comme moyens,* les calculs de l'épicurisme méthodique, à revêtir les masques de l'ambition et de la vanité. Ce faisant, ils donnent à cette sagesse un nouveau sens, et si le Stendhal de 1804 en faisait l'idéal suprême, le fait qu'elle ait été dépassée par la suite ne prouve point qu'elle ait été abandonnée. Elle reparaît chez Julien ou chez Lucien, mais au service de l'idéal héroïque qui l'a remise à sa place.

*Si l'idéal idéologique dégénère en tombant dans les mains de tous, il peut cependant s'ennoblir en devenant la possession des êtres d'élite. Tout ce que les autres mettent au service de leur vanité peut être mis au service de l'héroïsme. Cette relève de l'idéal idéologique par la noblesse et la générosité lui fait perdre son abstraction et son dessèchement primitif. A se con-*fondre peu à peu avec la cause qu'il épouse, il deviendra lui aussi *héroïsme et mépris de la sagesse.* Tel est le revirement que l'être d'élite apporte à son éthique ; il n'est point changement de direction, mais adaptation progressive du naturel à la société, introduction de l'héroïsme dans un milieu qui lui est hostile.

Mais le petit paysan qui n'a pour toute Bible que les *Confessions* et le *Mémorial de Sainte-Hélène* que peut-il connaître d'une méthode, si ce n'est les effets qu'il en voit autour de lui ? Ce que Tracy appelle volonté, ou faculté de plier ses désirs à un but, c'est pour lui l'ambition ; ce que les Idéologues appellent règles de conduite, ce sont pour Julien les démarches de l'hypocrisie. Il se croit ambitieux, il se dit hypocrite, parce qu'il ne trouve pas d'autres noms à ces masques qu'il s'impose pour triompher de lui-même et des autres.

Peu à peu, le naturel, infléchi par l'expérience, admet que l'héroïsme ne consiste point à s'abandonner aux instincts, mais à les contrôler, et au besoin à les repousser. Julien et Lucien rectifient leurs premières conceptions du courage et

de l'énergie, jusqu'à leur donner un sens parfaitement con-
traire à leur acception originelle.

Le naturel déchiré devient héroïque dans la lutte constante
qu'il soutient pour imiter les attitudes d'autrui qui représentent l'inverse de ses attitudes premières. L'énergie stendhalienne s'emploie à refouler l'exaltation, le donquichottisme, le mépris des conventions, tout aussi bien que ce qui
charmait la jeunesse du naturel, la rêverie et la contemplation.

Cette éthique qui n'est que transformation et projet s'im-
mobilise temporairement en règles de conduite précises ; ce
moment de stabilité relative que nous étudions ici ne doit
point nous tromper sur le but définitif. Si elle s'arrête et se
durcit en impératifs raisonnables, ce n'est que pour regrouper
ses forces et reprendre souffle. *Dans ce quart d'heure de halte,*
le héros accepte volontiers de reprendre les gestes ralentis
d'une humanité médiocre dont l'automatisme même le repose.
Pour recharger sa vitalité, la spontanéité elle-même exige ces
moments de silence, et par ailleurs nos héros naissent dans le
roman au moment où on ne leur a pas encore appris à marcher, à parler, à s'avancer dans le monde sans crainte ni faux
pas. Ce sont encore des enfants qui ne savent pas calculer la
distance de l'objet à la main qui veut le saisir. Leur élan les
mène trop loin et ils dépassent ce qu'ils voulaient prendre.
Lorsqu'ils mettent en pratique les règles d'un épicurisme méthodique dégénéré par la société, lorsqu'ils copient l'ambition
et l'hypocrisie, ils ne font qu'acquérir des réflexes et des habitudes nécessaires à un comportement nouveau qu'ils projettent déjà dans l'avenir. Ils font donc leur apprentissage
idéologique comme l'enfant apprend à se servir des instruments et à les manier avec habileté. C'est pour arriver à l'âge
de raison qu'ils copient les adultes.

Ils savent déjà à leur naissance qu'ils sont différents des
autres, mais à cette joie déçue et bientôt transformée en humiliation succède le désir de se vouloir semblables aux autres.
Le naturel, pour avoir plus d'aisance, renie toujours ses ori-
gines et se fait anti-naturel. L'anti-naturel est alors chez les
héros stendhaliens connaissance et action vécue. Nous avons
étudié précédemment la vision de la société chez le héros stendhalien, et nous voyons ici comment sa connaissance des
moyens va se transformer en science des moyens et d'une
technique propre à dominer les hommes.

L'ambition apparaît d'abord chez Julien comme le seul
moyen de salut, l'unique recours contre le mépris d'autrui
et le mépris de soi. S'il mise sur le noir, c'est qu'il fait de

l'habit ecclésiastique une cuirasse contre laquelle viendra se briser la vanité d'autrui. Avec cette cotte de mailles, il se sent invulnérable et garanti contre l'échec ; elle le protège contre lui-même, en lui interdisant toutes les manifestations insolites de l'émotivité. Cette âme exaltée et volontiers naïve, étourdie et souvent imprudente, choisit pour contenir ses élans un vêtement qui maintienne son impétuosité. Julien opte pour la maîtrise de soi et conquiert une fois pour toutes, avec l'habit noir, la prudence et la froideur.

Mais Julien assume la charge de son ambition avec autant de détachement que Fabrice ou Lucien Leuwen savent porter d'autres faveurs du sort, un titre de noblesse, la renommée d'une grosse fortune, l'habit violet ou celui de maître des requêtes. Il fait seul son apprentissage idéologique ; aussi bien, ses règles de calcul, il ne les emprunte pas aux livres, mais à autrui. Pour mieux se délivrer de l'ambition et des intrigues des autres, il les copie. Pour ne pas se laisser prendre par le réseau des intrigues provinciales ou parisiennes, il fabrique lui aussi des pièges sur le même modèle que ceux qu'on lui tend. Mais ne nous y trompons pas, avec Julien, l'ambition sera exhaussée par un luxe de gratuité et de dépenses superflues. C'est un titre de noblesse qui le fait duc et pair ; c'est exactement pour lui ce qu'est la richesse pour Lucien, la protection de sa tante et de Mosca pour Fabrice : une ressource nécessaire pour obtenir le détachement.

A la vanité d'un Valenod et d'un M. de Rênal, Julien oppose la vanité d'un jeune précepteur brillant. Et c'est même parce que les tyrans de Verrières croient Julien au moins aussi intrigant qu'eux, qu'il deviendra en apparence ce qu'on attend de lui. M. de Rênal prend pour du calcul le mépris de Julien à son égard. Parce qu'il exclut de sa conduite les grâces courtisanesques, l'adulation et la flatterie, parce qu'il n'a point l'attitude d'un valet, Julien passe auprès des bourgeois de Verrières pour un nouveau Talleyrand devenu maître dans l'art de la diplomatie. C'est ainsi que les hypocrites eux-mêmes construisent un Julien Sorel à leur mesure. Il suffit que Julien se montre insolent envers M. de Rênal, sans aucune arrière-pensée d'ailleurs, pour que celui-ci tremble de le voir passer au service de Valenod. Les calculs de la sagesse pratique favorisent chez Julien la naissance d'une hypocrisie qui deviendra la défense de son éthique.

Il prend tous les modèles qui s'offrent à lui, et ses adversaires déconcertés se retrouvent eux-mêmes devant le jeune précepteur ou devant le jeune secrétaire comme devant un miroir. Les séminaristes de Besançon voient leur austérité surpassée par celle de Julien, les parisiens au cœur sec s'étonnent, en voyant Julien, que l'on puisse porter la froideur et l'impassibilité à un point aussi extrême. Cette affectation, il est vrai, s'accompagne de quelque étourderie. Julien est ambitieux comme on est aristocrate, entre dans la société fier de son titre, mais ignore les petites manœuvres de l'intrigue s'il en connaît les grandes.

Il y a au séminaire une manière de manger un œuf à la coque qui indique les progrès faits dans la vie dévote ; l'hypocrisie de Julien, qui n'est qu'un déguisement provisoire, ne lui permet pas de soigner les détails ; ce faux Tartuffe n'a jamais su manger un œuf à la coque avec autant de componction que les jeunes séminaristes : « Depuis qu'il était au séminaire, la conduite de Julien n'avait été qu'une suite de fausses démarches. Il se moqua de lui-même avec amertume. A la vérité, les actions importantes de sa vie étaient savamment conduites ; mais il ne soignait pas les détails et les habiles au séminaire ne regardent qu'aux détails. Aussi, passait-il déjà parmi ses camarades pour un *esprit fort*. Il avait été trahi par une foule de petites actions » (2).

Dans ce duel perpétuel que Julien soutient avec la société, ce n'est pas lui qui choisit ses armes, ce sont ses adversaires, et peut-on alors lui reprocher de se battre avec ce qu'on lui donne ? Ce n'est certes pas lui qui aurait opté pour des armes traîtresses ; il ne connaissait d'une bataille que ce qu'en disait un vieux chirurgien-major et le *Mémorial de Sainte-Hélène*.

« Il ne faut pas trop mal augurer de Julien », s'il commence par imiter les formes les plus basses de l'ambition, « il inventait correctement les paroles d'une hypocrisie cauteleuse et prudente. Ce n'est pas mal à son âge. Quant au ton et aux gestes, il vivait avec des campagnards ; il avait été privé de la vue des grands modèles. Par la suite, à peine lui eut-il été donné d'approcher de ces messieurs, qu'il fut admirable pour les gestes comme pour les paroles » (3).

*
**

C'est ainsi que Julien et Lucien affinent et polissent tous les instruments qu'ils rencontrent dans leur course aventureuse à travers l'univers stendhalien. *Pour ne pas tuer en lui le naturel héroïque, pour ne pas se suicider, Lucien préfère entrer dans le jeu des passions politiques de Nancy. Cette solution, qui paraît lâche à première vue, ne recouvre qu'une volonté de survivre à l'absurdité du monde. C'est déjà une affirmation de l'héroïsme*, puisque c'est le refus de la fuite et de la déroute. Octave est mort pour ne pas avoir connu la temporisation, Lucien vivra pour éprouver son amertume et les longueurs qui freinent l'impétuosité du naturel sauvage :

(2) *Le Rouge et le Noir*, 179.
(3) *Ibid.*, 45-46.

« Il est trop évident, se disait Lucien, que si je reste homme raisonnable, je ne trouverai pas ici un pauvre petit salon pour passer la soirée. D'après les dires du docteur, ces gens-ci m'ont l'air à la fois trop fous et trop bêtes pour comprendre la raison. Ils ne sortent pas du superlatif dans leurs discours » (4).

Le fanatisme des républicains éloigne beaucoup trop Lucien de la vie réelle pour le séduire : « Il est aussi trop plat d'être *juste-milieu*, comme le colonel Malher et d'attendre tous les matins, par la poste, l'annonce de la platitude qu'il faudra prêcher pendant les vingt-quatre heures » (5). Le seul déguisement décent est donc celui de conservateur : « Il ne me reste d'autre mascarade que celle d'ami des privilèges et de la religion qui les soutient » (6).

Lucien se doit d'aller jusqu'au bout de sa révolte. Et l'assumer pleinement, c'est faire triompher le parti qu'il a choisi, même lorsqu'il s'aperçoit qu'il s'est trompé. Il a voulu être sous-lieutenant, il doit s'en accommoder. Et pourtant, le monde transforme d'ordinaire en succès les erreurs d'un fils de famille ; Lucien pourrait jouer avec le monde et avec la destinée ; plus qu'un autre, il est entièrement disponible. Toute son énergie s'emploie à fuir les actions gratuites.

Il est précisément le contraire de ce qu'il voudrait être, un jeune prince italien. Pour le seigneur romain, la gratuité est l'héroïsme, c'est dans son honneur qu'il trouve les limites de sa liberté ; pour un fils de banquier vivant au XIX° siècle, c'est dans la société qu'il trouve les limites de sa disponibilité ; la gratuité serait alors pour lui lâcheté. Agir selon l'honneur, c'était pour le jeune Branciforte, faire une guerre de partisan ; pour Lucien, c'est faire dépendre toute question administrative de sa propre éthique de la noblesse. Les solutions qu'a choisies Lucien sont justement les plus mortifiantes pour son amour-propre ; elles deviennent de plus en plus paradoxales à mesure qu'il apprend à les préciser.

Lui qui aimait la désinvolture dans la vie de salon, il se trouve obligé d'imiter la plaisanterie la plus absurde et la plus grossière. Lui qui prise avant tout la finesse dans l'esprit, il doit se montrer stupide. Mais n'est-ce point là du courage chez notre jeune lieutenant amoureux de la guerre, que de changer d'uniforme avec autant de présence d'esprit, que de corriger en un instant sa vision du monde, d'oublier le mirage de la tragédie cornélienne pour ne considérer que la comédie des attitudes ? *Il y a, si l'on veut, un certain héroïsme à se montrer stupide alors qu'on est intelligent*, et cet hé-

(4) *Lucien Leuwen*, I, 90.
(5) *Ibid.*, I, 90.
(6) *Ibid.*, I, 90.

roïsme est le plus fréquent chez les héros de Stendhal, l'autre
ne lui sert que de caution.

Aussi bien la tactique de Julien ne va-t-elle pas sans une
certaine difficulté. Mais l'enjeu en est gros, il s'agit pour Lucien
de ne pas être un autre Octave. Et il se résout à répudier
l'image d'Octave qu'il porte en lui, puisqu'il entre dans la
comédie des attitudes : « Notre héros prit son parti en brave :
non seulement il dansa, mais il parla ; il trouva quelques
petites idées à la portée de ces intelligences, non cultivées
exprès, des jeunes filles de la noblesse de province. Son courage fut récompensé par les louanges unanimes de Mesdames
de Commercy, de Marcilly, de Serpierre, etc. ; il se sentit à la
mode » (7).

C'est ainsi que, d'étape en étape, Lucien se délivre peu à peu
du personnage d'Octave. Si la contrainte lui pèse, elle devient
tout au moins comportement actif et conduite de succès :
« Quelques mots trop sincères avaient déjà nui à l'engouement dont il commençait à être l'objet. Dès qu'il mentit à
tout venant, comme chantait la cigale, l'engouement reprit
de plus belle ; mais aussi, avec le naturel, le plaisir s'envola.
Par une triste compensation, avec la prudence, l'ennui commença pour Lucien. A la vue de chacun des nobles amis de
Mme la comtesse de Commercy, il savait d'avance ce qu'il
fallait dire et les réponses qui allaient suivre » (8).

Les tactiques les mieux étudiées ont leurs points faibles.
L'hypocrisie de Lucien n'a fait que troquer un ennui insup-
portable contre un ennui moins pesant.

*
**

Mais il est donné à Julien comme à Lucien d'épurer peu à
peu l'hypocrisie, d'en copier les formes plus élégantes qu'en
donne la société parisienne. Leur stage provincial est leur
première étape et la moins glorieuse, c'est à Paris qu'ils feront
triompher leur héroïsme calculateur.

Ils seront aidés par des êtres qui ont su merveilleusement
s'adapter à la société sans avoir besoin de l'apprendre, le
marquis de La Mole ou M. Leuwen. M. Leuwen indique à
Lucien les règles qui assurent le succès : il faut avant tout
plaire en mentant. Mais les expériences de Lucien et les conseils de Coffe transforment cet épicurisme méthodique en
apprentissage héroïque. M. Leuwen prépare son fils au concours de la diplomatie, mais Coffe, l'adjoint du jeune maître
des requêtes, lui enseigne ce que la préparation au concours
n'apprend jamais : à porter partout avec lui le détachement.

(7) *Ibid.*, I, 144-145.
(8) *Ibid.*, I, 119.

« Et que désirez-vous que je sois ? demanda Lucien d'un
air simple — Un coquin, reprit le père, je veux dire un homme politique, un Martignac, je n'irai pas jusqu'à dire un
Talleyrand. A votre âge et dans vos journaux, on appelle
cela un coquin. Dans dix ans, vous saurez que Colbert, que
Sully, que le cardinal de Richelieu, en un mot tout ce qui a
été homme politique, c'est-à-dire *dirigeant les hommes*, s'est
élevé au moins à ce premier degré de coquinerie que je désire
vous voir » (9).

Etre un coquin, pour M. Leuwen, c'est connaître à fond les
armes de l'adversaire et s'en servir ; ne pas ignorer la bassesse de tout gouvernement, mais l'utiliser. C'est mentir comme mentent vos ennemis, mais avec beaucoup plus de finesse
et de subtilité que ne le font les ultras de Nancy. Car les légitimistes falsifient la situation réelle, le plus souvent par inconscience. Ceux qui gouvernent un état, justement parce
qu'ils sont parvenus à le gouverner, pratiquent consciem-
ment la science de l'hypocrisie : « Dans le genre sale, vous
dirigez, vous ne faites jamais. Voici le principe : tout gouvernement, même celui des Etats-Unis, ment toujours et en
tout ; quand il ne peut pas mentir au fond, il ment sur les
détails. Ensuite il y a les bons mensonges et les mauvais ;
les *bons* sont ceux que croit le petit public de cinquante louis
de rente à douze ou quinze mille francs, les *excellents* attra-
pent quelques gens à voitures, les *exécrables* sont ceux que
personne ne croit et qui ne sont répétés que par les ministé-
riels éhontés » (10).

Mais dans ce contrat que M. Leuwen établit au nom de son
fils avec les pairs et les hauts fonctionnaires comme le comte
de Vaize, il ne tient pas compte des difficultés que rencon-
trera Lucien — dont la jeunesse est encore éprise de chevaleresque — à vouloir assumer le naturel déguisé. Les êtres
primitifs qui percent tous les secrets des travestissements
jettent de la boue sur celui de Lucien : le peuple de Blois hue
le jeune chef de cabinet en mission électorale. Si Lucien se
montre aussi sensible à cet affront, c'est qu'il reconnaît dans
ce petit peuple une image à cent exemplaires de son propre
naturel sauvage et primitif.

Ces indignités, ces injures, ce sont les seuls coups que peut
recevoir le naturel héroïque, s'il veut accepter son siècle :
« Cette boue, c'est pour nous », lui réplique Coffe, « la noble
poussière du champ d'honneur. Cette huée publique vous

(9) *Ibid.*, II, 13.
(10) *Ibid.*, II, 20.

comptera, ce sont les actions d'éclat dans la carrière que vous
avez prise » (11).

Ce misanthrope austère, qui par ces mots redonne confiance à Lucien, n'est certes pas un Don Quichotte qui enno-
blit la réalité ; s'il devient sans le vouloir, l'ange gardien de
Lucien, c'est bien parce qu'il le rappelle à la hauteur et à la
maîtrise de soi. Coffe est un ange gardien fort grincheux, souvent mécontent de Lucien, mais qui l'aide à transformer le
mépris en détachement, l'humiliation émotive, conduite
d'échec, en maîtrise de soi, conduite de succès. Il rendra Lucien héroïque dans le calcul et la diplomatie, il lui rappelle-
ra qu'il doit s'exclure de la situation présente pour mieux la
dominer. De cet enfant riche, un peu trop rose encore des
joies que donne le succès à Paris, il fera un homme politique.

M. Leuwen et Julien ne connaissent de cuirasses que celles
de l'hypocrisie. Coffe en propose une autre qui s'achète au
prix du faux orgueil et de la vanité, l'armature invincible
qu'est le détachement : « Il faut d'abord dire la vérité quand
on entreprend la tâche ingrate de consoler un homme de courage. Je suis un chirurgien cruel en apparence, je sonde la
plaie jusqu'au fond, mais je puis guérir. Vous souvient-il que
le cardinal de Retz, qui avait le cœur si haut, l'homme de
France auquel on a vu peut-être le plus de courage, un
homme comparable aux anciens, ayant donné d'impatience
un coup de pied au cul à son écuyer qui disait quelque sottise
pommée, fut accablé de coups de canne et rossé d'importance
par cet homme, qui se trouva beaucoup plus fort que lui ? Eh
bien ! cela est plus piquant que de recevoir de la boue d'une
populace qui vous croit l'auteur de l'abominable pamphlet
que vous portez en Normandie » (12).

*Coffe remplace la vanité que Lucien tenait encore de son
éducation parisienne par un orgueil plus haut.* C'est ainsi
que Stendhal, sous l'influence des mémorialistes héroïques
comme le cardinal de Retz, transforme sa conception du naturel aimable en naturel héroïque. Il est une façon de ressentir le mépris d'où on peut exclure l'amour-propre. *Lucien,
grâce à Coffe, sublime l'humiliation.*

Mais la meilleure satisfaction de Lucien est d'éviter tous
les pièges que lui tendent M. de Vaize, un préfet hypocrite et
des hommes politiques retors. Il se passionne pour sa mission
comme on se passionne pour le jeu, car il a à résoudre les
mêmes contradictions. Il doit toujours garder un atout en

(11) *Ibid.*, II, 126.
(12) *Ibid.*, II, 130.

main (qui est pour lui le soin de sa gloire ou l'honneur), et en même temps jouer ses meilleures cartes pour intimider l'adversaire et lui faire peur.

Lucien gagne à chaque coup. N'a-t-il pas déjà appris à manœuvrer les hommes ? « Lucien arriva à se rendre le témoignage qu'il était raisonnable avec ce petit préfet ergoteur, et qu'il donnait l'attention nécessaire à la friponnerie dans laquelle il avait accepté un rôle. Ce fut le premier plaisir que lui donna sa mission, la première compensation à l'affreuse douleur causée par la boue de Blois » (13). A triompher de la vanité d'autrui, son héroïsme se fortifie et n'en prend que plus de sûreté. Avec le préfet de Riquebourg, Julien rend insolence pour insolence, avec Le Canu, chef des légitimistes, il rivalise en subtilité et en finesse normande.

C'est ainsi que *Lucien transforme les entreprises parfois bien peu avouables que lui confie son ministre, en entreprises personnelles où il assume au maximum son idéal de grandeur.* Si aux yeux de tout le Ministère, l'élection de Normandie est un échec, Lucien n'en connaît pas moins à chaque instant les joies de la domination temporelle. Il a concilié ces deux extrêmes, la tactique prudente qui permet de manier les hommes et de s'en servir, et l'audace téméraire qui lui fait rechercher le risque. Cette témérité folle est la forme que revêt l'honneur chez un caractère naturel et maître de ses moyens, elle purifie instantanément tout ce qu'il peut y avoir de bas ou de honteux dans une mission électorale : « Votre conduite a été furieusement imprudente, vous avez donné pleinement dans cette folie de la première jeunesse qu'on appelle zèle » (14), dit à Lucien l'austère Coffe, effrayé lui-même par les réactions de ce jeune fils de famille. Lucien a suivi les conseils de Coffe et des Mémoralistes héroïques, il les a même dépassés ; ne pouvant trouver l'aventure et le risque à portée de sa main, il les a créés ; il s'est placé dans des situations paradoxales et périlleuses pour avoir le plaisir de les dominer. C'est sans doute un des meilleurs triomphes du naturel que d'intégrer à l'intérieur même de la médiocrité et de la vie quotidienne, un héroïsme vivant et vrai. Mais on peut se demander alors si le naturel chez Lucien n'a pas perdu sa générosité et sa spontanéité dans la domination et le calcul triomphateur ; et si, de même, le Julien à l'habit bleu n'a pas oublié les rêves chevaleresques du jeune charpentier.

Malgré ce qu'ils croient et ce qu'on en a dit, les héros stendhaliens ne luttent que contre eux-mêmes. Aussi bien n'est-ce

(13) *Ibid.*, II, 155.
(14) *Ibid.*, II, 196.

point en excellents termes que le vrai Julien et le vrai Lucien
vivent avec leur double ironique et cruel. *Leurs succès ne les
engagent point avec les autres, mais avec eux-mêmes.* Mais
là aussi, ce conflit n'est qu'apparent. En fait, leur moi ingénu,
spontané ou héroïque, doit triompher seul ; c'est après avoir
accepté l'appui de l'autre « moi », qui sacrifie le naturel à la
science du monde, qu'il pourra enfin s'en délivrer pour s'épanouir et être lui-même.

Ce qui fait l'étrangeté de Julien aux yeux du marquis de
La Mole, et même parfois aux yeux du lecteur, c'est que les
deux « moi » de Julien se succèdent et se remplacent dans le
cours du roman sans prévenir. Le Julien qui rit comme Mé-
phistophélès en s'applaudissant d'avoir su choisir l'uniforme
de son siècle, c'est le Julien anti-naturel. Mais le vrai Julien
Sorel, à la fois timide et ingénu, s'étonne le plus souvent de
voir son double imiter si parfaitement les mœurs de son
temps (15).

La perfection de Julien ou de Lucien, envisagée au point
de vue humain, ne tient pas plus évidemment aux succès de
leur moi anti-naturel qu'aux beaux éclats de la spontanéité
ou de l'héroïsme, mais à la cohésion parfaite entre ces deux
« moi », qui rivalisent d'audace sans jamais se blesser.

L'humanité, chez Julien et chez Lucien, a cette grâce particulière de ne jamais dégénérer, de ne jamais être menacée
par les attitudes contradictoires du héros. A copier l'hypocrisie, ils ne s'y perdront jamais. Ils seront encore plus anti-na-
turels que les autres, pour retrouver, à l'étape suivante, leur
naturel toujours disponible à portée de leur main. *Car la pratique de la science du monde n'est pour eux qu'un exercice
de virtuosité.* Ce sont des écrivains qui veulent apprendre à
écrire en imitant pour un temps le style d'autrui. Et ils y
réussissent si bien qu'ils surpassent le modèle original.

Parce que Julien et Lucien *font de l'ambition un exercice
de style,* ils poussent à sa perfection suprême le comportement d'un ambitieux. Celui qui est réellement hypocrite est
toujours entravé par le souci de ses propres intérêts et par
cette obsession constante. Mais les héros stendhaliens sont
détachés de tout but ; aussi dépassent-ils leurs propres modèles en maîtrise de soi.

Eux qui ignorent les tourments de l'ambition réelle, ils
n'ont point à les cacher. Aussi Julien prend-il sans effort cet
air diplomatique et désabusé que les jeunes seigneurs étrangers s'efforcent en vain d'imiter à la cour d'Angleterre : « Vous

---

(15) « Julien fut étonné de ce qu'il avait fait. Ce n'est rien, se dit-il,
il faudra venir à bien d'autres injustices, si je veux parvenir et encore
savoir les cacher, sous de belles paroles sentimentales : pauvre M. Gros !
C'est lui qui méritait la croix, c'est moi qui l'ai, et je dois agir dans le
sens du gouvernement qui me la donne » (*Le Rouge et le Noir,* 279).

êtes prédestiné, mon cher Sorel, lui disaient-ils, vous avez naturellement cette mine froide et *à mille lieues de la sensation
présente,* que nous cherchons tant à nous donner » (16). C'est
bien en vain que le Prince Korasoff s'efforce de donner des
conseils à Julien : « Vous n'avez pas compris votre siècle, lui
disait le Prince Korasoff; *faites toujours le contraire de ce
qu'on attend de vous.* Voilà l'honneur, la seule religion de
l'époque. Ne soyez ni fou, ni affecté, car alors on attendrait
de vous des folies et des affectations, et le précepte ne serait
plus accompli » (17).

Mais Julien a précisément contraint le naturel héroïque à
prendre une forme qui lui semble contraire. Il a su si bien
faire taire provisoirement la spontanéité et ses élans qu'il se
montre beaucoup moins spontané, beaucoup moins naturel
que tous ceux qui l'entourent. Julien et Lucien réalisent donc
ce tour de force d'être plus automates que les autres, de faire
de la froideur un réflexe acquis : Lucien « fit deux ou trois
visites de dix minutes chacune avec la froideur *chaîne de
puits* qui convient, surtout à un jeune homme de vingt ans,
et ce signe d'une éducation parfaite eut tout le succès désirable » (18).

Au moment même où ils commencent à être maîtres de leurs
réflexes, ils sont déjà en partie délivrés de leur moi anti-naturel et hypocrite, car ce moi n'est plus qu'un robot, un personnage mécanique qui remplace le vrai moi en société, qu'il
est commode d'utiliser, mais que l'on peut abandonner à volonté.

(16) *Ibid.,* 276.
(17) *Ibid.,* 276.
(18) *Lucien Leuwen,* I, 40.

CHAPITRE XIX

L'AMOUR HEROIQUE

L'amour cornélien. — Une école de l'héroïsme. — Les enjeux du naturel héroïque.

Il apparaît que dans les préoccupations *à la fois calculatrices et héroïques* de Julien et de Lucien, la recherche et la conquête de l'estime des femmes sont nécessaires à leur éthique. Si l'amour semble le premier moteur des actions, c'est qu'il ne relève pas seulement de la passion amoureuse, il s'apparente aux relations sociales que Lucien et Julien établissent entre les hommes et eux-mêmes. La femme au XIXᵉ siècle est placée en dehors de la société, pour mieux, semble-t-il, en être l'arbitre et le témoin. Il est difficile d'être à la fois juge et partie. C'est donc à la femme que les hommes s'adressent pour exiger d'elle une vision objective de leur propre conduite.

A Madame de Rênal, à Mathilde de La Mole et à Madame Chasteller, Lucien et Julien demandent tout d'abord des confirmations de leur héroïsme. Au moment où leurs expériences sociales les conduisent à introduire dans la société un héroïsme camouflé, au moment où ils ont rejeté la gratuité et l'exaltation et où ils déguisent le naturel, il leur faut s'assurer de l'efficacité et de la séduction de ce masque; le sourire et l'encouragement de silhouettes gracieuses et altières est pour eux désormais une assurance contre l'échec. Bien qu'ils aient ramené la tragédie cornélienne aux justes proportions de la comédie des attitudes, Julien et Lucien éprouvent cependant le besoin de rencontrer des adversaires à leur mesure. Nous avons vu comment l'apprentissage de l'hypocrisie leur était en somme facile, comment ils arrivaient à surpasser leurs modèles. Ils sont donc conduits à projeter sur un être féminin leur besoin exaspéré de rencontrer des obstacles et d'en triompher. C'est bien pour cela même que dans les tragédies de Corneille, comme dans les romans stendhaliens, l'amour emprunte à la langue militaire ses expressions et à la guerre ses tactiques. Le héros cornélien ou stendhalien voit mieux

se dessiner en un autre lui-même son propre but : tout ce
que Julien ou Lucien souhaitent dans la vie, le péril, les situations paradoxales et dangereuses, l'imprévu, tout ce qu'ils
ne peuvent trouver au XIX⁰ siècle, ils le transposent dans leurs
rapports amoureux.

L'amour devient donc pour eux un moyen d'émousser le
tranchant de leur propre sentimentalité. Leurs étapes amoureuses deviennent les étapes d'une ascèse destinée à les purifier des émotions et de la tendresse. C'est une discipline
qu'ils cherchent dans leur comportement d'amoureux. Ce que
les aventuriers trouvent sur les champs de bataille, la fermeté,
l'endurance, le mépris des échecs, l'indifférence à toutes les
humiliations, l'ignorance des tourments de la sensibilité, ils
l'obtiennent dans un parc, dans des salons, sur l'échelle qu'ils
appliquent contre la fenêtre de leur maîtresse. Aussi choisis-
sent-ils des adversaires à la mesure de leur faiblesse et de
leur orgueil. Madame de Rênal et Mathilde de la Mole sont
choisies par Julien dans ce but.

Chez Mathilde, chez Julien, chez Lucien, l'amour est donc
tout d'abord l'aspect que prend leur religion de l'héroïsme.
Tous les risques que l'âme d'élite ne peut assumer dans les
périls de la guerre ou dans les hasards de l'aventure, elle les
assume dans la passion. Si cet héroïsme se durcit dans la
stratégie et dans la tactique, il n'en reste pas moins qu'il prend
son élan initial dans le besoin de domination et de triomphe.
Pour Julien, l'amour est tout d'abord une discipline et un apprentissage de la maîtrise de soi. Son but est avant tout de
trouver dans la vie quelque chose de difficile à faire. L'effort
qu'il s'impose pour aimer Madame de Rênal entoure à ses
propres yeux son comportement amoureux d'une auréole
d'héroïsme. *En fait, c'est la tension perpétuelle et la lutte que
Julien aime dans l'amour, et non Madame de Rênal.*

*Il se montre plus cornélien que les héros de Corneille : les
questions amoureuses ne concernent pour lui que l'honneur.*
Le *Mémorial de Saint-Hélène* devient un manuel à l'usage des
parfaits amants. La naïve et charmante Madame de Rênal
n'est à l'origine qu'un obstacle à surmonter. Julien lui fait la
cour comme on fait la guerre. Un seul geste, qui n'est point
un geste d'amoureux, suffit à déclencher les plans de bataille
de Julien et à faire de Madame de Rênal sa maîtresse. Julien
touche sans le vouloir la main de Madame de Rênal au moment où, dans une belle soirée, dans un jardin de province,
il se montre brillant et spirituel devant deux femmes qui
l'écoutent avec admiration. Que cette main se retire au contact de celle de Julien, un autre n'y aurait point vu de défi.
Mais ce fait minuscule, ce frôlement inaperçu des autres, devient aussitôt pour Julien le moteur qui met en marche un
mécanisme psychologique où les préoccupations amoureuses

ne tiennent pas la première place : « Il faut que je prenne
cette main, se dit-il. Je dois obtenir qu'on me la laisse. Cela
dit, Julien tremble, car enfin il n'a que dix-neuf ans (...). Cependant Julien a l'âme forte, le sentiment du *devoir* est tout
puissant sur lui. Il a puisé cette religion dans le *Mémorial de
Sainte-Hélène* » (1). C'est sur un champ de bataille que Fabrice
se demande s'il est courageux, c'est dans la vie quotidienne
que Julien sublime l'humiliation. Son attitude vis-à-vis de
Madame de Rênal, ses démarches d'amoureux et d'amant ne
sont que des efforts de compensation : les relais et les étapes
de cette transformation sont les plans de conduite successifs
qu'élabore un héroïsme où rien n'est laissé au hasard. Par sa
stratégie, Julien élimine ainsi toutes les menaces d'échec que
le hasard contient en germe, mais aussi toutes les chances
de bonheur. La conduite amoureuse de Julien se réduit à un
conflit entre le devoir et la timidité. Cette terminologie stendhalienne recouvre une notion cornélienne. Le devoir est, comme pour Rodrigue dépassement de soi, la timidité est, comme
pour Curiace, la peur de se montrer inférieur à soi-même. Toute
la différence entre les héros cornéliens et les héros stendhaliens
est que les premiers, princes dès l'origine, ne connaissent point
cet état d'infériorité où le destin et les facteurs personnels,
l'émotivité et le mépris des hommes, ont placé Julien ou Lucien.
Le jeune précepteur imagine des entreprises folles pour se
prouver à lui-même qu'il n'est point lâche : « Neuf heures
trois quarts venaient de sonner à l'horloge du château, sans
qu'il eût encore rien osé. Julien indigné de sa lâcheté, se dit :
« Au moment précis où dix heures sonneront, j'exécuterai ce
que, pendant toute la journée, je me suis promis de faire ce
soir, ou je monterai chez moi me brûler la cervelle » (2). C'est
parce qu'il est insensé d'aller chez Madame de Rênal alors
que son mari dort à côté, que Julien fait d'une femme qu'il
n'aime pas sa maîtresse. Tous les calculs de Julien, toute sa
tactique reviennent pour une bonne part à provoquer en lui-
même une émotion inhibitrice, pour se donner le luxe gratuit
de la dominer et de triompher du tremblement nerveux et de
l'angoisse : « Julien avait raison de s'applaudir de son courage, jamais il ne s'était imposé une contrainte plus pénible.
En ouvrant sa porte, il était tellement tremblant que ses ge-
noux se dérobaient sous lui, et il fut forcé de s'appuyer contre
le mur » (3).

(1) *Mélanges de littérature*, établissement du texte et préface par Henri
Martineau, Le Divan, Paris, 1933, T. II, pp. 362-363. Cette sanction que
se promettent sans cesse les héros de Stendhal, et qui devient conventionnelle chez lui, pourrait être rapprochée du geste, conventionnel lui
aussi, par lequel les héros cornéliens offrent leur épée à leur antagoniste
pour qu'il leur en perce le cœur.
(2) *Le Rouge et le Noir*, 53.
(3) *Ibid.*, 85.

*
**

Julien et Lucien craignent, en s'abandonnant à leurs émotions, le remords qui les accompagnerait : le regret de n'avoir point transformé toute situation imposée en situation périlleuse. La froideur, la dureté voulue, le silence sont leurs armes offensives. C'est à ce prix qu'ils achètent l'amour, c'est à ce prix qu'ils s'éprouvent eux-mêmes, qu'ils surmontent les dangers de la sentimentalité, qu'ils se donnent raison à leurs propres yeux.

Lucien, par vanité, oblige Mme de Chasteller à jouer le rôle même qu'il devrait jouer. Il renverse les positions pour obtenir l'avantage. Par crainte de l'échec, il contraint Madame de Chasteller à lui faire la cour : « Il faut montrer à ces bourgeois malveillants que c'est elle qui me fait la cour, et pour cela faire je ne dirai pas un mot du reste de la soirée. J'irai jusqu'au manque de politesse » (4).

C'est le caractère même de Mathilde qui impose à Julien la dureté à son égard. Il ne conquiert son amour qu'en devenant le personnage autoritaire et froid que seul elle peut aimer : « Julien ne s'abandonnait à l'excès de son bonheur que dans les instants où Mathilde ne pouvait en lire l'expression dans ses yeux. Il s'acquittait avec exactitude du devoir de lui dire de temps à autre quelques mots durs » (5). Le courage de Julien se mesure à sa conformité parfaite avec les désirs de la société ; il est un hypocrite ou un Don Juan, selon ce qu'exigent de lui les autres. Il refuse, pour être aimé, le bonheur d'aimer Mathilde et le plaisir de serrer dans ses bras cette femme charmante.

Remplir de terreur l'adversaire, faire croire à un départ, telle est la tactique employée par Julien. C'est l'attitude d'un être qui établit entre les hommes des rapports d'infériorité à supériorité, et qui transpose ces rapports entre ses deux « moi », son moi inférieur, émotif et maladroit, et son moi supérieur, lucide dans l'héroïsme calculateur. Si les termes « combat » ou « bataille » apparaissent avec autant de fréquence dans l'œuvre cornélienne que dans l'œuvre stendhalienne, c'est qu'il y a précisément lutte constante entre le moi qui se satisferait d'un bonheur simple et ingénu et celui qui le refuse pour se contraindre à la dureté. C'est dans la mesure où Julien ne se laisse pas aller à la joie naïve et simple d'aimer Mathilde, qu'il l'en aime davantage. Si la passion a mille acceptions diverses et jamais définies parce qu'elle est l'expression tourmentée ou heureuse de deux êtres, de leurs caractères et de leurs aspirations, ne pouvons-nous pas croire

(4) *Lucien Leuwen*, I, 255.
(5) *Le Rouge et le Noir*, 429.

que Julien n'adore Mathilde qu'à travers l'effort qu'il s'impose (6) ? Ce qui donne à son amour tout son poids, c'est qu'il est le refus perpétuel du laisser-aller et de l'abandon.

Mathilde est pour Julien la tentation perpétuelle de l'héroïsme. Et c'est sans doute une joie constante pour lui que de refuser à tout instant la médiocrité pour plaire à sa maîtresse. Au-dessus de cette hypocrisie acceptée et volontaire qu'il s'impose envers la société, se place cette stratégie amoureuse qui n'est que le calcul désintéressé d'une âme éprise de grandeur.

Car tous les plans de conduite de Julien, toutes les règles de sa politique amoureuse ne sont que les impératifs d'une ascèse. C'est dans sa passion pour la grandeur, vue à travers le caractère de Mathilde, qu'il touche à la pointe extrême de l'héroïsme.

Le niveau de l'énergie chez Julien ne se mesure qu'au degré de contrainte qu'il s'impose. Aussi bien connaît-il cette joie amère et enivrante que l'homme éprouve au plus fort d'une lutte intérieure et constante qui finit par emporter, dans son désir éperdu de dépassement, l'hypocrisie et le calcul. Tout ce que la sagesse prudente peut avoir de bassement calculateur devient exaltation et amour du risque. C'est pour avoir abandonné les formes les plus relâchées de l'exaltation et de la spontanéité qu'il les rejoint, après les avoir portées à un niveau supérieur, au niveau même de la vie et non point du rêve.

Nous suivons donc ce petit paysan, qui, d'étape en étape, recherche le risque, pour se soumettre les événements, pour triompher de la vie et des êtres, de sa situation de secrétaire et de Mathilde de La Mole, en ramenant sa passion à celle des autres. Quelle est cette exaltation que Julien tire des autres et de ses conquêtes ? C'est celle-là même qui le conduit peu à peu au détachement. Dans la période la plus tendue d'une ascèse, l'homme qui s'y contraint voit déjà le moment où l'observance des règles et de la discipline aura créé en lui un état second, automatique et mécanique, qui permettra à son impulsivité de s'exprimer sans crainte de manquer le but, sans erreur et sans repentir. Julien est au sommet de sa discipline ascétique lorsqu'il s'interdit d'embrasser la femme qu'il adore (7). Après avoir atteint ce niveau, l'homme ne peut le

(6) « Etait-il donc amoureux ? il n'en savait rien, il trouvait seulement dans son âme bourrelée Mathilde maîtresse absolue de son bonheur comme de son imagination » (*Le Rouge et le Noir*, 390).

(7) « Ses bras se raidirent, tant l'effort imposé par la politique était pénible. Je ne dois même pas me permettre de presser contre mon cœur ce corps souple et charmant, ou elle me méprise et me maltraite. Quel affreux caractère ! Et en maudissant le caractère de Mathilde, il l'en aimait cent fois plus ; il lui semblait avoir entre ses bras une reine » (*ibid.*, 417).

dépasser qu'en abandonnant l'acte discipliné pour l'acte créateur. Ce petit autodidacte de Julien a fait tout seul son apprentissage de l'héroïsme ; il en arrive au point où il a déjà presque fini de rédiger ce parfait manuel du courage qui ne peut être valable que pour lui-même. Après avoir appris les lois du genre, il peut passer à l'acte créateur, quitte à enfreindre ces lois ou à s'en passer. C'est qu'il y a une école du naturel. Après avoir appris l'héroïsme, Julien pourra improviser.

Il y a deux Madame de Rênal pour Julien, la femme du maire de Verrières, que le devoir d'un jeune précepteur doit être de séduire, et l'amante naturelle et spontanée qu'il ne découvrira que dans la prison. Madame de Chasteller n'est de même à l'origine pour Lucien que la plus jolie femme de Nancy. Elles ne sont pour eux que le reflet d'un temps, d'un lieu et d'une société. Elles sont le meilleur témoignage de cette société et, par là, le *plus fort enjeu.* Julien et Lucien *cherchent à les séduire pour triompher en même temps d'un milieu dont elles sont la plus parfaite forme d'expression.* Les habitants de Verrières et ceux de Nancy ont délégué à ces deux femmes la mission de les représenter sous la forme de la beauté, de la grâce et de la dignité. Les deux idoles de Nancy et de Verrières comblent par leur pureté tous les manques des bourgeois et des ultras ; leur naturel et leur réserve rachètent aux yeux des hypocrites et des vaniteux tout ce dont les frustrent l'hypocrisie et la vanité.

A une époque où les femmes, de par leur rang social et leur position dans le monde, sont les garants aux yeux de tous des valeurs morales communément admises, Julien et Lucien se doivent donc d'attaquer la société et sa morale dans la personne même de ses représentants. Mathilde de La Mole est aux yeux de Julien l'ambassadeur de la civilisation du XIX° siècle, de cette civilisation qu'il renie parce qu'elle méprise l'énergie : « Tout ce que la civilisation la plus élégante peut présenter de vifs plaisirs, n'était-il pas réuni comme à l'envie chez Mlle de La Mole ? » (8). Mais cette fille singulière ne laissera pas de trahir sa mission. C'est ainsi que Julien se mesure avec un adversaire qui, en fait, est du même bord que lui. Julien, en attaquant Mathilde, croit attaquer l'aristocratie dans ses privilèges ; il ne fait que tourner ses armes contre un autre Julien Sorel, plus favorisé par le sort et même trop favorisé par le sort pour avoir eu le temps de confronter son donquichottisme avec la réalité. Mathilde connaît elle aussi toutes les formes de l'ennui qui ne mènent qu'à l'humiliation. La honte est pour

(8) *Ibid.*, 368.

elle de faire comme tout le monde et de n'y prendre aucun
plaisir. Faire un beau mariage lui semble se condamner à
l'échec. M. de Croisenois est doux et poli, il a des manières
parfaites, trop parfaites : « Lui aussi me suivra au bal avec
cet air borné et content. Un an après mon mariage, ma voiture,
mes chevaux, mes robes, mon château à vingt lieues de Paris,
tout cela sera aussi bien que possible, tout à fait ce qu'il faut
pour faire périr d'envie une parvenue, une comtesse de Roi-
ville par exemple ; et après ?... » (9).

Il faut à Mathilde, à la différence des autres personnages
stendhaliens, un héroïsme à grand fracas, un héroïsme dont
le monde parle et s'étonne. Bien qu'elle fasse tous ses efforts
pour être une sœur des princesses italiennes du XVIᵉ siècle, elle
ne saurait les égaler dans leur courage simple et dénué d'emphase ; les temps du dépouillement total sont révolus ;
Mathilde ne peut effacer de son héroïsme ce vernis brillant que
lui ont donné les conventions sociales et la vanité parisienne.
Son plaisir est de jouer son sort ; aussi s'entoure-t-elle de tous
les accessoires et de tous les personnages qui conviennent aux
tragédies et aux drames. Il n'y a pas de tragédie cornélienne
au XIXᵉ siècle, elle en inventera une. Il n'y a pas d'extraordinaire, elle le construira : c'est ainsi que Mathilde élabore en
son temps une tragédie avec les données de l'histoire et de son
imagination exaltée. Elle sera, au XIXᵉ siècle, une nouvelle
Marguerite de Valois, son amant sera un autre Boniface de
La Mole.

Ainsi, à l'inverse des autres héros stendhaliens qui copient
l'hypocrisie pour mieux la dominer, Mathilde copie les personnages extraordinaires, c'est là sa vanité et sa faiblesse. « Une
fille ordinaire, se disait-elle, eût cherché l'homme qu'elle préfère, parmi ces jeunes gens qui attirent tous les regards dans
un salon ; mais un des caractères du génie est de ne pas traîner
sa pensée dans l'ornière tracée par le vulgaire » (10). Cette
petite fille exaltée n'est au fond qu'une comédienne, une parfaite actrice qui se prend à son rôle au point d'en être émue
et bouleversée. Elle a pris chez son modèle favori, Marguerite
de Navarre, ce besoin d'anxiété qui se transforme en besoin
de risquer à tout moment sa réputation.

Cette anxiété est une des formes que prend le naturel lorsqu'il ne se contraint pas et ne se résout point à entrer dans le
jeu de la société pour mieux se dominer lui-même et triompher
des autres. Mathilde de La Mole est consciente des possibilités
de naturel qu'elle possède virtuellement et des responsabilités
auxquelles elles l'engagent. Elle connaît cette angoisse stendhalienne qui consiste à se sentir chargée d'une plus forte dose

(9) *Ibid.*, 285.
(10) *Ibid.*, 353.

de responsabilité qu'autrui, avec la crainte de ne pouvoir parfaitement l'assumer. Pour faire disparaître cette crainte, elle
se jette dans les situations les plus invraisemblables. L'extraordinaire devient alors une assurance contre l'angoisse. En
un mot Mathilde agit sans cesse pour se prouver à elle-même
qu'elle s'est bien acquittée des fonctions du naturel héroïque.
Mais elle déforme par là le naturel en lui ôtant la spontanéité.
Elle choisit Julien pour amant et ensuite pour mari, parce que
ce jeune plébéien impérieux ne peut que la mener à une destinée spectaculaire, et en cela elle ne se trompe pas. Mais, ainsi,
par ces démarches, elle veut à tout prix forcer sa propre destinée ; c'est qu'elle ne peut être héroïque qu'en s'évadant de
son propre milieu. Au moment même où sa vanité d'aristocrate
prend le dessus, elle se contraint à aimer Julien : « Tout doit
être singulier dans une fille comme moi, s'écria Mathilde impa-
tientée. Alors l'orgueil qu'on lui avait inspiré dès le berceau
se battait contre la vertu » (11).

L'amour entre Mathilde et Julien devient donc un duel où
chacun des deux adversaires provoque l'autre à l'héroïsme ;
il ne peut y avoir entre eux qu'une rivalité constante. Ils ne
cherchent qu'à anéantir les forces de l'ennemi et à entamer
ses réserves d'orgueil. Dans ce duel amoureux, ils se trouvent
chacun à son tour blessé et renversé à terre ; le naturel, humilié temporairement par son partenaire, se voit alors contraint
de s'incliner devant son vainqueur et de l'aimer. Et Mathilde
triomphe tout d'abord de Julien parce que c'est elle qui a ouvert le combat et choisi les armes. Il suffit que Julien se montre
simplement égal à elle en audace pour qu'elle l'oublie, qu'il
soit tendre et sentimental pour qu'elle le méprise. Mais qu'il
invente une nouvelle forme de combat, qu'il déclenche une
nouvelle offensive alors que Mathilde a renoncé à la bataille,
et aussitôt les mouvements de l'étonnement et de l'admiration
provoquent chez Mathilde de La Mole les mouvements de la
passion qu'ils s'appliquent pour l'instant à copier : « J'ai horreur de m'être livrée au premier venu, dit Mathilde en pleu-
rant de rage contre elle-même — *Au premier venu !* s'écria
Julien, et il s'élança sur une vieille épée du moyen-âge qui
était conservée dans la bibliothèque comme une curiosité (...).
Il eût été le plus heureux des hommes de pouvoir la tuer » (12).

Aussi bien le climat héroïque que se créent les deux amants
outre-t-il même celui de Corneille. Si la *Chartreuse* est le triomphe du naturel, le *Rouge et le Noir* nous montre que le naturel
se perd à vouloir trop se chercher. Il y a un niveau de tension
maximum que ne peut franchir l'héroïsme sous peine de tomber dans l'affectation. Le dépassement de soi ne peut être

(11) *Ibid.*, 328-329.
(12) *Ibid.*, 346-347.

valable dans l'éthique stendhalienne que s'il est immunisé
contre la grandiloquence. Le naturel se fuit à se vouloir par
trop sublime ; l'éthique stendhalienne, qui repose sur l'orgueil et l'honneur, exclut l'orgueil et l'honneur lorsqu'ils ne
conduisent point au détachement.

Mais lorsque Mathilde, par orgueil, a tout abandonné pour
Julien, lorsqu'elle consent à vivre à l'écart du monde pour
devenir une simple Madame Sorel, lorsqu'elle se défait de la
vanité parisienne, c'est alors qu'elle aime pour la première
fois le vrai Julien Sorel : « Mathilde ce jour-là, était tendre
sans affectation, comme une pauvre fille habitant un cinquième
étage ; mais elle ne put obtenir de lui des paroles plus simples.
Il lui rendait, sans le savoir, le tourment qu'elle lui avait souvent infligé » (13).

Car il est désormais trop tard pour que Julien s'aperçoive
que Mathilde, au sortir de la tragédie héroïque qu'elle a voulu
si longtemps jouer avec lui, ne donne plus à l'amour l'apparence d'une lutte entre deux adversaires, mais celle de la fraternité entre deux compagnons d'arme.

(13) *Ibid.*, 487.

C. — LES CONQUÊTES DU NATUREL

CHAPITRE XX

LE NATUREL ADAPTÉ

*La maturité du naturel. — Spontanéité et maturité. — Prise
en charge du naturel héroïque. — La fantaisie des puissants.*

Le jeune héros voué à la conquête et à l'expression du naturel remet entre les mains de ses aînés, ces hommes du
XVIII° siècle que sont le marquis de La Mole, M. Leuwen et
le comte Mosca, cette domination temporelle qui ne peut être
que provisoire pour Julien et pour Lucien. Les réussites de
Julien et de Lucien se situent dans le domaine de l'éthique,
celle des autres dans le domaine de l'utilité pratique et immédiate. Il y a strictement autant de formes de réussite que
de naturels. Dans l'univers stendhalien il n'y a de succès que
sur le plan personnel. L'échec de Lucien en Normandie est sa
plus belle palme ; le coup de feu de Julien sur Madame de
Rênal, qui anéantit en une seconde non pas Madame de Rênal,
mais le second moi de Julien, calculateur héroïque, est le premier et le plus beau triomphe du vrai moi de Julien.

C'est dans l'échec que l'héroïsme assume son point de perfection suprême et obtient sa récompense. Julien et Lucien
apprennent ainsi qu'il y a une façon de forcer le destin et d'en
utiliser toutes les virtualités : c'est une science du monde qui
ressemble beaucoup à l'art militaire.

Mais pour des jeunes gens, la science du monde n'est jamais
une fin ; elle n'est que l'un des différents échelons de l'héroïsme. C'est le goût de l'aventure qui contraint Lucien à assumer
avec autant d'impétuosité tous les risques de sa mission.
M. Leuwen et Mosca se révoltent contre la société avec beaucoup plus de souplesse. Au plus fort de la lutte, Lucien ne se
départit pas de sa naïveté et a toujours peur de passer pour

un coquin. Lucien et Julien ne pratiquent l'art du succès qu'avec une fougue sans cesse retenue ; car la réussite n'est qu'un aspect de leur héroïsme ; M. Leuwen et Mosca le pratiquent avec beaucoup plus de désinvolture ; c'est l'affaire de toute leur vie. Les héros meurent toujours jeunes, au plus fort d'une bataille ; ainsi meurent Julien et Fabrice à la fin des romans stendhaliens, au moment où ils ont joué le tout pour le tout, où ils ont livré la bataille du naturel ; ils l'ont perdue aux yeux du monde, ils l'ont gagnée à leur propres yeux.

Mais leurs aînés savent que les réserves du naturel ne se conservent qu'au prix de l'économie des forces. C'est la volonté de faire survivre le naturel qui engage les êtres adaptés à reprendre la tactique des jeunes héros, mais en l'assagissant, en lui ôtant sa témérité folle, en remplaçant l'audace par la souplesse, l'héroïsme par les calculs de la sagesse. Déjà, bien avant la mort de Julien et de Fabrice, nous savons d'avance qu'ils sont relevés de leur fonction, où ils se sont prématurément épuisés, par ceux dont la tâche est, non pas de mener le naturel à la pointe extrême de l'héroïsme, mais de le faire vivre le plus longtemps possible. La jeunesse du naturel paraît à chaque instant menacée par ces mêmes vaccins qui doivent pourtant la préserver : l'hypocrisie voulue, la pratique de l'anti-naturel. La maturité du naturel a survécu aux maladies de son jeune âge.

Alors que dans la guerre qu'ils livrent à eux-mêmes et aux autres, de beaux jeunes gens comme Lucien et Fabrice tombent sur le champ de bataille, Mosca a sauvé l'héroïsme des coups de feu de l'ennemi et de ses propres imprudences. La fin romanesque du personnage de Mosca, c'est de montrer comment le naturel doit se transformer et s'assouplir s'il ne veut point mourir avant l'âge. Mosca nous dit comment il a troqué l'uniforme du naturel héroïque pour celui du naturel adapté : « En Espagne, sous le général Saint-Cyr, j'affrontais des coups de fusil pour arriver à la croix et ensuite à un peu de gloire, maintenant, je m'habille comme un personnage de comédie pour gagner un grand état de maison et quelques milliers de francs » (1).

Ainsi, du naturel sauvage au naturel adapté, toutes les formes humaines du naturel se relèvent en se saluant au passage, sentinelles toujours différentes, qui se reconnaissent à leur mot de passe, mais qui veillent chacune selon une technique différente sur les valeurs que Stendhal leur a confiées. Et elles n'ont, pour s'identifier, qu'un seul mot à se murmurer

(1) *La Chartreuse de Parme*, 91.

à l'oreille, qu'elles sont de la même race. Dans l'univers stendhalien, les êtres adaptés, la duchesse Sanseverina, le comte
Mosca et M. Leuwen, s'entendent non seulement pour parfaire le naturel, mais aussi pour susciter et aplanir les difficultés de leurs cadets, les représentants du naturel héroïque.
Le naturel héroïque se révolte contre l'absurdité sociale, il
copie même l'hypocrisie pour en triompher ; le jeu du couple
Mosca-Sanseverina et celui de M. Leuwen va être d'exploiter
la bêtise et la vanité des autres.

Toute la spontanéité du naturel à l'âge mûr s'emploie à
créer sans cesse des situations nouvelles où il domine les
autres. Cette souplesse dans la conduite ne tient pas au calcul ; le calcul n'est chez eux qu'accessoire; en fait, Julien
et Lucien s'appliquent avec beaucoup plus de rigueur que
Mosca ou Fabrice à mettre en œuvre leurs plans de conduite.
C'est que les premiers s'imposent une contrainte que le naturel, à l'âge mûr, a dépassée. M. Leuwen, Mosca et Gina
sont l'envers même de ces héros durs, fermés à la gaieté et à
la joie de vivre; plus jeunes que leurs cadets, ils parcourent
l'univers stendhalien en riant. M. Leuwen ne craint que deux
choses au monde, les ennuyeux et l'air humide, Gina se livre
à des projets audacieux entre deux sourires, le premier ministre de Ranuce-Ernest a « un air simple et gai » (2). Ils ont,
à l'âge mûr, toutes les qualités qui font défaut à la jeunesse
du naturel, l'étourderie et la joie.

Alors que Julien et Lucien canalisent leur énergie et leurs
efforts pour être temporairement un M. de La Mole ou un M.
Leuwen, Mosca, Gina et M. Leuwen jouent leur propre personnage sans contrainte et sans apprendre leur rôle, en im-
provisant sans cesse. C'est qu'ils s'abandonnent à tout ce qui
fait question pour Julien et Lucien : aux coups de tête, à l'humeur du moment, à la spontanéité qui est pour eux désir
d'imprévu et de nouveauté. La ligne de vie du naturel héroïque est aussi rigide que ses plans de conduite ; celle du naturel adapté est aussi mouvementée que ses sautes d'humeur.

Les actes de Gina et de M. Leuwen obéissent aux mêmes
mobiles, à la recherche perpétuelle de la disponibilité, au
refus de l'engagement. C'est par la spontanéité qu'ils ont raison des autres; et au besoin par l'insolence et par l'impertinence.

La duchesse n'a qu'à se laisser guider par sa passion, par
son enthousiasme ou par son indignation, pour réussir et
dominer. Le monde est pour elle une *commedia dell'arte* où
elle n'a qu'à improviser. Lucien et Julien se construisent un
personnage et lui obéissent; dans la société pacifique et vaniteuse du XIXᵉ siècle, leur naturel héroïque les contraint à

(2) *Ibid.*, 90

jouer un rôle. L'univers que Stendhal a aménagé pour la duchesse dans la petite cour de Parme, lui permet de se livrer au plaisir des actions gratuites. Gina « est une femme toute de premier mouvement ; sa conduite est imprévue, même pour elle; si elle veut se tracer un rôle d'avance, elle s'embrouille ; toujours, au moment de l'action, il lui vient une nouvelle idée qu'elle suit avec transport comme étant ce qu'il y a de mieux au monde, et qui gâte tout » (3).

Si les salons de M. Leuwen peuvent rivaliser avec ceux de la duchesse, si l'art de la vie y est porté à un point de perfection tel que leur éclat ne doive rien aux calculs de l'épicurisme, c'est que Gina et Leuwen s'abandonnent avant tout à l'impression du moment et que cette absence de contrainte est contagieuse. Elle permet aux autres de lever les masques dont ils s'affublent d'ordinaire : « La duchesse Sanseverina Taxis étonnait la cour de Parme par son amabilité facile et par la noble sérénité de son esprit ; sa maison fut sans comparaison la plus agréable de la ville » (4). Si l'on a souvent parlé d'épicurisme chez Stendhal, du bonheur et de l'art de vivre, il est assez paradoxal de constater que les êtres qui portent la science du monde à leur perfection, Gina, Mosca et M. Leuwen, obtiennent le succès et la considération par leur humeur fantasque : « Comme M. Leuwen, ce banquier célèbre, donnait des dîners de la plus haute distinction, à peu près parfaits, et cependant n'était ni moral, ni ennuyeux, ni ambitieux, mais seulement fantasque et singulier, il avait beaucoup d'amis » (5).

Le bonheur et la réussite dans la vie sont donc l'épanouissement de la spontanéité en l'absence même des règles précises que conseille l'épicurisme méthodique. Pour triompher, M. Leuwen n'a point eu à transposer dans l'héroïsme les acquisitions idéologiques. Les Idéologues se prolongent dans le saint-simonisme où les notions de vertu, de sérieux, d'honnête et d'utile, se colorent de ces nuances de ridicule qu'elles n'avaient point à l'origine, et Lucien est un « saint-simonien » qui doit faire sans cesse effort sur lui-même pour se persuader que les autres ne sont point dignes de sa bonté. Même lorsqu'il engage le « saint-simonisme » dans l'héroïsme, il établit entre lui et les hommes des rapports d'égal à égal. M. Leuwen, qui est sans doute la meilleure projection du naturel aimable dans l'univers stendhalien, se trouve af-

(3) *Ibid.*, 134.
(4) *Ibid.*, 104.
(5) *Lucien Leuwen*, I, 8.

franchi des lectures stendhaliennes. Le naturel chez lui est
un aspect du naturel spontané, et non point du naturel que
Stendhal avait construit à la suite de sa première formation
idéologique : « Tu vois les choses par le côté utile », dit-il à
son fils, « et, ce qui est pis encore, par le côté *honnête*. Tout
cela est déplacé et ridicule en France. Vois ton saint-simonisme ! Il avait du bon, et pourtant il est resté odieux et ininteli-
gible au premier étage, au second, et même au troisième; on
ne s'en occupe un peu que dans la mansarde (...). Il faut
voir d'instinct les choses par le côté plaisant, et n'apercevoir
l'*utile* ou l'*honnête* que par un effort de volonté » (6).

Si la réussite du naturel chez M. Leuwen et chez Gina n'est
point liée à la passion, le naturel ne saurait triompher qu'en
se projetant sur un autre qu'il aime plus que lui-même; il
arrive au point culminant de sa carrière grâce à ce bel élan
que lui donne l'amour. Sur ses vieux jours, M. Leuwen se
donne le plaisir de se faire élire député, réunit une troupe de
choc formé des hommes politiques les plus stupides, obtient
la majorité à la Chambre quand il le veut, soutient les projets
de loi les plus absurdes, pour avoir la joie de faire triompher
la bêtise. Ce n'est point par ambition qu'il devient l'homme
le plus influent de la Chambre; c'est par amour pour un
jeune homme chez qui il méprise le sens du devoir; c'est
parce qu'il veut sauver Lucien de ses rêves de grandeur; c'est
parce qu'il veut donner à cette grandeur sans cesse menacée
par les mécanismes sociaux l'appui de la politique et la protection des puissants. Puisque son fils ne veut point être un
coquin ni un ambitieux, M. Leuwen joue ce rôle à la place de
Lucien. L'imprévu, et toujours l'imprévu, est le premier impératif de cet être « plus *naturel* qu'il n'est permis de l'être
à Paris » (7). Cet homme dont on connaît l'impertinence et
l'esprit moqueur consacre la plus grande partie de son temps
à flatter la bêtise de ses quarante députés; il met à défendre
leurs idées les plus inopportunes, autant de conviction et de
soin qu'à les habiller, les nourrir, les loger, les amener chez
le meilleur bottier ou dans les restaurants les plus en vue. Il
n'a qu'un souffle de voix, mais la Chambre le craint, il soutient toujours le parti le plus absurde, mais on applaudit à sa
verve : « Son discours, si l'on peut appeler ainsi une diatribe
méchante, piquante, charmante, mais qui n'avait guère le
sens commun, marqua la séance la plus agréable que la session
eût offerte jusque là. Personne ne put se faire écouter après
qu'il fut descendu de la tribune » (8).

Il exploite jusqu'au bout l'art de mener les hommes par ses

(6) *Ibid.*, II. 51.
(7) *Ibid.*, II, 237. Le mot naturel est souligné par Stendhal.
(8) *Ibid.*, II. 213.

caprices, mais il ne s'agit ici que d'un caprice pour son fils.
Tout ce que l'héroïsme, chez Lucien, ôte au naturel, la désinvolture, l'impertinence et l'insolence, M. Leuwen le prend à
son propre compte. La Banque Leuwen double les actions que
Lucien y avait placées. Il avait engagé des valeurs peu rentables, la conscience et l'honneur, on lui rend son capital sous
les formes les plus sûres : le succès et la domination, dont le
cours ne baisse jamais. Si Lucien échoue en Normandie, si
M. de Vaize le néglige un instant, l'impertinence du banquier
aura eu raison de la bêtise et de la vanité des puissants, même
après sa mort. M. Leuwen, par sa maîtrise et son adresse, se
charge de compenser les échecs de Lucien.

*
**

Le naturel, à son jeune âge, n'a point encore assez d'expérience pour comprendre que seule une conduite absurde peut
venir à bout de l'absurdité du monde. L'héroïsme n'est que la
poursuite raisonnable et calculée d'une entreprise téméraire.
Les héros sont toujours prudents et réfléchis, il s'agit de leur
vie, il s'agit de l'honneur.
Ils essayent de démentir l'absurdité du monde par l'intelligence ou l'audace, en tout cas par la révolte. Mais M. Leuwen
sait bien que les événements et les hommes n'ont jamais la
signification qu'on attendrait d'eux ; qu'il est inutile de mépriser ou de copier les attitudes conventionnelles, de faire pénétrer ses exigences à l'intérieur de ce système dépourvu de
sens qui constitue le mécanisme social. Les héros seuls peuvent
satisfaire leurs exigences passionnées en essayant d'imposer
aux êtres et aux choses une logique forcée. Mais à chaque ironie
du sort M. Leuwen réplique par une ironie semblable ; il
s'installe en triomphateur dans une société absurde et, au lieu
de composer avec elle, il emploie toute son énergie à éviter
de donner un sens à ses démarches.
Cette société que l'hypocrisie et la vanité ont façonnée au
point de la rendre stupide, s'incline devant M. Leuwen, comme
elle s'incline devant les caprices du sort, les coups de la fortune, l'incohérence des événements. M. Leuwen s'est fait dieu
pour elle parce qu'il l'étonne et qu'elle ne le comprend pas.
S'il est l'homme le plus aimable de Paris et peut-être le plus
naturel, sa conduite est sans doute la plus irrationnelle parmi
tous les puissants de ce monde. Cet homme qui n'est pas fait,
après tout, pour être un grand politique, est arrivé, en trois
mois et sans aucun travail, à manier la Chambre à sa guise.
Ce Samuel Bernard en impose au roi qui accède à ses de-
mandes.
Dans cette *commedia dell'arte* qui se poursuit dans l'univers stendhalien, M. Leuwen joue le rôle du bouffon dont les

folies découvrent la bêtise de toutes les actions humaines. Ce bouffon nous dit lui-même qu'il n'a qu'un intérêt dans la vie : se « délasser et rire des sots » (9). Aussi exploite-t-il au maximum la vanité qui actionne la machinerie sociale. Il remplace le faux orgueil de cette mercière qu'est Madame Grandet par un orgueil encore plus absurde ; d'une riche mercière, il fait une femme de député. Car il n'ignore pas que les hommes les moins faits pour gouverner l'Etat, comme M. Grandet, qui joint la stupidité à la vulgarité, sont ceux-là mêmes que prisent et apprécient les hommes politiques, et que l'intelligence et la conscience seraient les pires désavantages.

Mais la gratuité que M. Leuwen semble montrer dans toutes ses démarches n'est qu'apparente. Il ne doit son succès éclatant aussi bien qu'imprévu qu'à sa volonté de tuer en Lucien le naturel héroïque pour le remplacer par le naturel aimable. Il veut que l'héroïsme de Lucien meure d'une mort lente, pour laisser place au naturel triomphant. Lucien est le point de convergence où les efforts de M. Leuwen, apparemment gratuits et désordonnés, se regroupent et prennent leur sens. Il contraint ce misanthrope austère et ce jeune révolté à entrer dans le jeu de l'incohérence sociale. Si Lucien convient qu'il est absurde de faire la cour à une femme sous prétexte que les grandes passions sont à la mode, Leuwen père effacera cette absurdité. Lucien accepte plus volontiers d'aller passer ses soirées chez une femme s'il en est adoré. Et Madame Grandet, qui conclut avec M. Leuwen un pacte politique et fait semblant d'aimer Lucien par calcul, est prise à son propre jeu lorsqu'elle aime réellement Lucien et donne raison à la conduite aussi audacieuse qu'illogique du père de Lucien.

Mais il semble réservé au naturel héroïque de refuser aussi bien l'amabilité que la réussite. Les romans stendhaliens nous démontrent que l'héroïsme ne peut s'infléchir vers l'épicurisme, même le moins calculé, ni vers la domination, même la plus spontanée. Si, parmi tous les pères de l'univers stendhalien, M. Leuwen est le moins détesté, il représente cependant aux yeux de son fils un aspect de la puissance que Lucien est bientôt tenté d'appeler tyrannie. Lucien ne pourrait jamais se pardonner d'être tombé dans les pièges que lui a tendus la fantaisie du naturel aimable, d'être aimé par Madame Grandet à la suite d'un marchandage. Pour plaire au naturel aimable, il a aliéné sa liberté et son droit à la révolte. Après avoir accepté un instant d'être un M. Leuwen, au moment où il est devenu presque aussi puissant et respecté que le riche banquier, il méprise les avantages de la puissance au lieu de les exploiter ; il dédaigne l'amour de Madame Grandet, même lorsque la passion de cette femme est devenue sincère.

(9) *Ibid.*, II. 110.

Le but final de l'héroïsme n'est point de conserver les privilèges de la puissance. Le naturel triomphant n'est point l'aspect dernier du naturel héroïque, ce n'est qu'une de ses apparences et une étape nécessaire ; car pour renoncer à la puissance il faut bien en avoir eu les droits ; pour renoncer à l'ambition, il faut bien s'être montré temporairement et provisoirement ambitieux et calculateur.

CHAPITRE XXI

LES FORCES MAGNETIQUES DE LA GENEROSITE DANS LA « CHARTREUSE DE PARME »

1. — LE COUPLE GINA-MOSCA

Dans la *Chartreuse de Parme*, l'héroïsme rend un autre son. Si l'héroïsme ne vit que dans le dépassement, la destinée de Fabrice et ses aventures mobilisent à chaque instant l'énergie de la duchesse et forcent son honneur et son souci de la gloire à se révolter contre la domination des puissants. Car la du- chesse n'est point seulement une femme aimable qui règne par son charme, elle porte à leur point de perfection les qualités cornéliennes que Stendhal exigeait de Lamiel et des héroïnes des *Chroniques*.

Nous croyons davantage à l'héroïsme de Gina qu'à celui d'Hélène de Campireali ou de Beatrix Cenci. Car l'héroïsme de la première ne vit point dans le milieu restreint des *Chro- niques italiennes*, dans ce champ magnétique où les forces an- tagonistes reçoivent une augmentation constante de leur oppo- sition même. L'énergie se développe avec plus de facilité dans une rivalité où les deux adversaires sont égaux. Les âmes d'élite, à combattre entre elles, trouvent le meilleur aiguillon de leur gloire. Nous admirons davantage la duchesse lors- qu'elle a réussi à dominer un petit univers bassement étroit et calculateur qu'Hélène lorsqu'elle s'oppose à son amant en se réfugiant dans un couvent. Car le caractère de Gina se dé-

finit avant tout par son désir de surmonter des obstacles, c'est
dans ce besoin qu'elle trouve la joie de vivre ; et Fabrice lui-
même ne semble créé que pour susciter des difficultés à la
duchesse. Il existe toujours, dans l'univers stendhalien, une
équivalence exacte entre les obstacles que rencontre l'héroïsme
et cet héroïsme même. Aussi mesurons-nous le niveau du courage au niveau des difficultés. Dans les sociétés des *Chroniques italiennes,* la liberté est en quelque sorte garantie par
les tyrannies des petits princes qui s'annihilent en s'opposant ;
les sociétés plus larges des XVIIIᵉ et XIXᵉ siècles sont relativement plus fermées sur elles-mêmes parce qu'elles sont ré-
glées sur un rouage et sur un mécanisme sur lesquels se brisent les initiatives individuelles. Aussi pouvons-nous dire que
l'héroïsme n'a été transposé dans les temps modernes que
pour s'affranchir de toute facilité.

La sincérité de Gina devient son meilleur atout dans son
combat avec la société. Dans le langage stendhalien, la sincérité n'est point seulement désaffection envers tout ce qui
concerne la vanité, mais absence de contrainte, refus de l'anti-
naturel, expression libre et souvent désordonnée de la passion.
C'est son amour pour Fabrice qui commande toutes les démarches de la duchesse. Aussi l'humiliation chez Gina se me-
sure-t-elle aux outrages faits à l'honneur de Fabrice. Puisque
sa gloire est attachée au personnage de Fabrice, Gina ne peut
vivre sans réhabiliter cette gloire lorsque celle-ci se trouve
offensée en la personne de son neveu. C'est elle et non pas
Fabrice qui ressent l'infamie d'une arrestation arbitraire et
l'indignité de la prison. Stendhal a chargé la duchesse de souffrir plus que son neveu de tous les périls qu'encourt le naturel
en la personne de Fabrice. Dans l'univers stendhalien, il y a
une sorte de communion entre les êtres d'élite. Les diverses
formes du naturel sont liées entre elles plus qu'on ne pourrait le croire. Si elles arrivent à développer leur domination
sur le monde, ce n'est jamais à titre individuel, c'est dans la
mesure où elles s'épaulent l'une l'autre. Il se forme donc
une communauté qui ne se maintient que par l'observance
de ses propres lois. Nous nous étonnons volontiers de la possibilité d'une telle communauté où chacun vit pourtant en suivant les codes d'un honneur qui est toujours individuel. C'est
que chaque forme de naturel admet les aspects les plus contraires que peut prendre le souci de la gloire.

C'est surtout dans la *Chartreuse* que Stendhal nous montre
une société idéale telle qu'il la conçoit : c'est une société naturelle ; elle ne peut naître que spontanément ; elle n'est point
conditionnée par la forme politique du pays où elle se trouve ;
elle est la libre expression d'exigences personnelles qui se regroupent dans un but qui n'est d'ailleurs pas toujours senti
comme commun, dans le but implicite et inavoué la plupart

du temps de donner à l'un des membres de cette confrérie le maximum de puissance et de privilèges. C'est en général pour celui qui, parmi eux, est le plus détaché de l'ambition, que les autres recherchent et obtiennent les honneurs. Comme M. Leuwen pour Lucien. Le naturel adapté, en la personne de Gina et de Mosca, prépare au naturel « détaché » une destinée qui doit être comblée de gloire.

Dans une telle société se regroupent, sans doute, les exigences politiques et sociales de Stendhal. Ni aristocrate ni républicain, il remet sa foi politique à un petit nombre d'êtres qui n'en ont aucune. Cette société se trouve par là même libérée de tout asservissement à un dogme politique ; Stendhal sait trop bien que toute théorie est corrompue par la vie et que seule une société naturelle peut pratiquer une morale ouverte, constamment renouvelée par les expériences individuelles ou communes, par les conflits et les accords des divers naturels entre eux, qui transforment cette société même en l'enrichissant. *Une éthique de la grandeur, non pas spontanée et codifiée en règles précises, mais toujours ouverte,* est l'aimant le plus fort qui attire les êtres d'élite et les contraint à se grouper.

Mais cette liberté et cette spontanéité qui conditionnent l'existence même d'un tel groupe, peuvent-elles survivre longtemps aux attaques de la société réelle ? Les aventures du couple Gina-Mosca nous font suivre l'histoire de cette communauté, nous montrent sa grandeur et sa décadence ; mais au faîte de sa grandeur la société des êtres d'élite a porté à la société réelle le coup mortel dont elle ne se relèvera pas.

Les membres d'un tel groupe ne peuvent vivre sur le plan de la neutralité ; comme chez Corneille, l'estime et l'admiration entraînent la passion et ses conflits. Aussi sommes-nous amenés, pour suivre la genèse de la communauté stendhalienne, pour étudier ses succès et ses échecs, à tenir compte de l'amour qui lie ses membres et des conflits qui en sont la conséquence.

*
**

Plus que des projets longuement médités, c'est la force de sa passion pour Fabrice qui alimente l'énergie de la duchesse et lui permet de venir à bout du mécanisme social. Car ce n'est que chez une Italienne que la passion peut s'exprimer spontanément ; l'amour chez elle ignore les retours sur soi-même, la paralysie, le doute et l'embarras. La duchesse ne peut s'arrêter longtemps à un rôle déterminé, elle ne peut se satisfaire d'être reine à la cour de Parme ni d'établir sa domination et celle de Mosca en déjouant les manœuvres de ses adversaires. Sans qu'il y ait rien de chimérique en elle, elle glisse sans cesse du plan de la domination temporelle au plan de la générosité. Cette femme d'esprit est une maîtresse ai-

mable pour Mosca, mais elle s'est avant tout chargée de la
destinée de Fabrice.

C'est par sa générosité, et non par sa science du monde,
que Gina brise les rouages du mécanisme social, fait voler
en éclats les différentes pièces qui composent la personnalité
factice de Ranuce-Ernest. Pour réaffermir la situation de
Mosca, elle se donne le plaisir de faire pâlir d'envie les courtisans par l'éclat de ses réceptions. Mais lorsqu'il s'agit de
la liberté de Fabrice, elle surmonte les difficultés en se livrant
à ses impulsions. Gina prend sans cesse sur elle la charge de
réparer les torts faits à l'être d'élite. C'est la personnalité de
Fabrice qui attire la générosité de Gina, parce que Fabrice
est le plus jeune des héros stendhaliens, parce qu'il n'a point
eu le temps d'apprendre ce que pratiquent ses aînés, les règles
du jeu que l'on doit mettre en action dans la société réelle.
Si la duchesse, de par son adaptation au réel, estime la compagnie de Mosca, son imagination italienne et ardente lui
rend impossible la vie sans Fabrice. Fabrice, sans le savoir et
fort ingénument, joue à ses yeux le rôle d'un héros. S'il est
aimé, c'est qu'il contrarie à chaque instant les projets de Gina,
c'est qu'il lui permet de mettre en cause à chaque minute
une position honorable et enviée dont l'imagination exaltée
de sa tante ne peut se contenter pour longtemps. Fabrice
donne à Gina le plaisir de tout perdre, et ce sont des joies de
cette qualité que cherche la duchesse. Et si Gina triomphe,
c'est que la société commune est désarmée et impuissante
devant le renoncement, l'abandon et les brusques volte-face.
Gina mène le jeu de la petite communauté avec un brio qui
effraye tous les assistants et les membres de ce groupe. *Car
elle se trouve constamment prête à risquer les succès tempo-
rels de la société des « happy few » lorsque l'honneur du
groupe est en péril.* Dans les plus beaux passages des scènes
cornéliennes, nous ne pouvons trouver un tel mépris des
accommodements, une telle dureté à l'égard de tous ceux qui
trahissent le naturel héroïque.

Dans l'univers stendhalien, ce n'est point sur les champs
de bataille que l'héroïsme touche au sublime, c'est lorsqu'une
femme outragée défend son honneur. Si l'effet du sublime,
selon Stendhal et d'après Helvétius, est de produire chez
autrui l'admiration et la terreur, d'anéantir son « moi » superficiel et mécanique en lui faisant prendre conscience, en
un instant d'étourdissement, de forces inconnues à lui-même
et qui le dépassent, la duchesse anéantit en effet toutes les
réactions de Ranuce-Ernest au moment même où elle lui annonce son départ : « La duchesse parlait assez lentement,
afin de se donner le temps de jouir de la figure du prince ;
elle était délicieuse à cause de l'étonnement profond et du
reste de grands airs que la position de la tête et des bras

accusait encore. Le prince était resté comme frappé de la foudre ; de sa petite voix aigre et troublée il s'écriait de temps à autre en articulant à peine : *Comment ! comment !* » (1).

C'est donc par l'effet de sublime que la société naturelle désarme la société anti-naturelle, c'est-à-dire la société réelle. Dans ces moments où les « happy few » abandonnent plans de conduite et méthode, ils déroutent l'adversaire par la surprise. Ces instants de triomphe, si brefs soient-ils, permettent à l'éthique de la grandeur de s'enrichir en se renouvelant. Car, chez Gina, le calcul vient toujours après l'impulsion généreuse : « En rentrant chez elle, la duchesse ferma sa porte, et dit qu'on n'admît personne, pas même le comte. Elle voulait se trouver seule avec elle-même, et voir un peu quelle idée elle devait se former de la scène qui venait d'avoir lieu. Elle avait agi au hasard et pour se faire plaisir au moment même ; mais à quelque démarche qu'elle se fût laissé entraîner elle y eût tenu avec fermeté. Elle ne se fût point blâmée en revenant au sang froid, encore moins repentie : tel était le caractère auquel elle devait d'être encore à trente-six ans la plus jolie femme de la cour » (2).

Le but de Stendhal dans la *Chartreuse* est donc de montrer qu'un naturel parfait, incarné dans le personnage de *Fabrice, ne peut vivre dans la société des médiocres et des hypocrites que grâce à l'appui et aux efforts des êtres d'élite ses compagnons.* La destinée de Gina est de donner à l'héroïsme de Fabrice la possibilité de s'exprimer, de venger l'honneur de Fabrice lorsqu'il est outragé. Si le prince manque à sa parole et veut faire mettre à mort Fabrice, c'est la duchesse qui souffre de ces menaces et non point Fabrice. Gina use sa vie, sa santé, sa beauté et son énergie dans une vengeance cornélienne.

***

C'est Fabrice lui-même qui, par sa témérité et son détachement du monde, met en péril l'entente et la communion des esprits à l'intérieur du petit groupe qu'il forme avec Mosca et la Sanseverina. Tout se passe comme si la communauté des « happy few » ne pouvait maintenir son éthique de la grandeur que dans le déchirement et les conflits. Stendhal ne se résigne jamais à abâtardir dans le bonheur et dans la joie de vivre les aspirations des êtres d'élite.

S'il nous montre leur entente, elle n'est que d'un jour ; le romancier semble avoir peur que la félicité de ses trois héros ne les fasse tomber dans la médiocrité et la facilité. Car le bonheur est un arrêt dans leur développement et dans leur

(1) *La Chartreuse de Parme*, 231-232.
(2) *Ibid.*, 238.

course ; c'est ainsi que l'on doit entendre le bonheur stendhalien, toujours mis en cause par l'héroïsme, la passion ou la
spontanéité.

L'accord tripartite de Gina, Mosca et Fabrice est sans
doute la meilleure réussite du naturel adapté, en la personne
de Mosca, le premier ministre de Ranuce-Ernest. Mais la société des « happy few » n'obéit que bien peu souvent à la
science du monde, elle finit par céder à la générosité et à l'héroïsme. La loi secrète de cette société est de remettre le com-
mandement entre les mains de celui d'entre eux qui surpasse
les autres en grandeur.

Or Mosca atteint sans doute le faîte de sa propre grandeur
lorsqu'il réussit à faire converger sur lui-même toutes les aspirations héroïques que nourrit sans cesse l'imagination
exaltée de la duchesse. *Gina commence à aimer Mosca lorsqu'elle commence à l'admirer.* Gina a besoin, de par sa nature, de remettre toujours tout en question, pour mesurer les
limites de son audace, de son énergie, de son mépris d'une vie
facile et comblée. Sans doute l'attitude de Gina est constamment dépourvue de ce que l'on appelle les caprices féminins.
Car elle demande à Mosca ce qui peut être la plus belle preuve d'héroïsme pour un ministre tout-puissant qui ne doit ses
succès qu'à des années de calculs savants : de mépriser les
honneurs et d'abandonner son poste. Ainsi Mosca, par amour,
se laisse entraîner dans ce monde plus dense où gravitent les
âmes d'élite; et pour conserver cet amour, il est contraint de
se hausser à la pointe extrême du détachement.

Gina hasarde la position du comte et sa propre situation en
osant ce que de mémoire d'homme on n'avait jamais eu le
courage de faire à Parme : elle prie Ranuce-Ernest de ne
point lui faire la cour, mais de faire la cour à sa propre
femme qui le mériterait tout autant. Et devant l'embarras du
prince, peut-elle attendre autre chose que la disgrâce ? « Ce
que vous avez fait est bien hardi », lui répond le comte, « je
ne vous l'aurais pas conseillé; mais dans les cœurs bien épris,
ajouta-t-il en riant, le bonheur augmente l'amour et si vous
partez demain matin, je vous suis demain soir » (3). Le
comte n'est plus alors aux yeux de Gina un courtisan, mais
un homme héroïque : « L'amour et l'amour-propre de la duchesse eurent un moment délicieux; elle regarda le comte, et
ses yeux se mouillèrent de larmes. Un ministre si puissant,
environné de cette foule de courtisans qui l'accablaient d'hommages égaux à ceux qu'ils adressaient au prince lui-même,
tout quitter pour elle et avec cette aisance ! » (4). La passion

(3) *Ibid.*, 121.
(4) *Ibid.*, 122.

préserve donc le comte de lui-même et le porte au-dessus de ses habitudes courtisanesques.

Pendant un court moment pourtant, Mosca fait de l'éthique de la grandeur une morale stable, avant tout pratique et utilitaire. Il semble chargé d'étouffer les aspirations héroïques latentes chez sa maîtresse et son neveu en leur faisant connaître la joie et les plaisirs du succès. Il installe Gina et Fabrice dans un univers confortable et luxueux, ferme toutes les portes qui pourraient conduire à la passion ou à l'héroïsme. Gina elle-même essaie de transformer le naturel héroïque de Fabrice en naturel adapté : « Mais puisque tu acceptes jusqu'à nouvel ordre le parti des bas violets, le comte qui connaît bien l'Italie actuelle, m'a chargé d'une idée pour toi. Crois ou ne crois pas à ce qu'on t'enseignera, *mais ne fais jamais aucune objection*. Figure-toi qu'on t'enseigne les règles du jeu de whist; est-ce que tu ferais des objections aux règles du whist ? (...) La seconde idée que le comte t'envoie est celle-ci : s'il te vient une raison brillante, une réplique victorieuse qui change le cours de la conversation, ne cède point à la tentation de briller, garde silence; les gens fins verront ton esprit dans tes yeux. Il sera temps d'avoir de l'esprit quand tu seras évêque » (5).

Mais c'est en vain que Mosca croit préserver la société des « happy few » en la comblant de privilèges; elle ne peut échapper aux attaques des hypocrites. Lorsque Mosca reçoit une lettre anonyme dénonçant les amours de Gina et de Fabrice, cet édifice de sagesse et de bonheur qu'il avait soigneusement équilibré, s'écroule brusquement devant lui. La jalousie transforme un ministre toujours maître de lui en un Don Quichotte impulsif. Tout l'espagnolisme que le naturel à l'âge mûr a refoulé pour s'adapter au monde, réapparaît soudain au moment où Mosca croit voir Gina et Fabrice s'embrasser devant ses yeux. C'est qu'il s'aperçoit que les années de bonheur qu'il a données à la duchesse sont bien ternes à côté de ces instants de joie naïve et tendre que Fabrice peut offrir à sa tante. Si Mosca, en les voyant, est soudain désespéré, c'est qu'il se trouve déjà exclu de la société des « happy few », il se sent trop vieux, trop chargé d'expériences et de sang-froid, trop sûr de lui-même pour participer à la communauté des êtres d'élite et en être le chef ; il ne peut déjà plus suivre cette société dans ses impulsions généreuses ou héroïques.

S'il cache sa jalousie toutefois et la surmonte, si le Sancho Pança qui est en lui fait taire Don Quichotte, c'est qu'il n'a plus qu'un seul rôle à jouer : il appartient à son honneur de ne point jeter le trouble et le désordre dans le groupe qu'il a

(5) *Ibid.*, 117.

formé ; sa fonction est, non point de le conduire à l'héroïsme ou à la discorde, mais de lui permettre de se conserver identique à lui-même.

*
**

Peut-être partiellement corrompu par son adaptation même à l'âge mûr, Mosca a relativement trahi le petit groupe qu'il protège, et la duchesse le lui fait bien sentir lorsqu'il commet une faute de « courtisan » en ménageant la susceptibilité du prince dans la rédaction de la lettre qui doit décharger Fabrice. Car il ne peut y avoir d'entente entre l'hypocrisie et les êtres naturels : à vouloir à tout prix établir des compromis, à vouloir préserver cette entente et la consolider, Mosca a été entraîné à sacrifier l'intérêt des êtres d'élite : « C'était l'instinct de courtisan qui vous prenait à la gorge », lui dit Gina, « sans vous en douter, vous préfériez l'intérêt de votre maître à celui de votre amie. Vous avez mis vos actions à mes ordres, cher comte, et cela depuis longtemps, mais il n'est pas en votre pouvoir de changer votre nature; vous avez de grands talents pour être ministre, mais vous avez aussi l'instinct de ce métier. La suppression du mot *injuste* me perd; mais loin de moi de vous la reprocher en aucune façon, ce fut la faute de l'instinct et non pas celle de la volonté » (6). Mais Mosca reconnaît sa faute et les trois figures de proue de la *Chartreuse* se trouvent à nouveau unies.

Toute l'énergie du groupe va donc s'employer à sauver l'honneur du naturel humilié en la personne de Fabrice. Il ne reste plus à Mosca, pour se réhabiliter aux yeux de la duchesse, que de trahir les « prepotenti » et d'être infidèle à Ranuce-Ernest. Mais là où l'héroïsme serait nécessaire, il ne montre que de l'activité et de l'adresse. L'arme la plus puissante du naturel adapté, la science du monde, est bien insuffisante pour sauver Fabrice. Mosca sait fort bien utiliser la vanité des puissants, suborner Rassi, marchander la liberté de Fabrice au prix d'une croix et d'un titre de noblesse accordés au fiscal général; mais ce ne sont plus maintenant les calculs de la sagesse qui peuvent triompher. Un exalté comme Ferrante Palla est seul capable de perdre sa vie au service de la société des êtres d'élite. La conduite de l'action change de chefs ; elle passe au triumvirat formé par Gina, Pallante et Clélia. Mosca n'a plus désormais qu'un rôle secondaire; il seconde les tentatives des conspirateurs, mais ignore leur entente secrète et le but dernier de leur révolte qui est de faire périr Ranuce-Ernest. S'il aime la duchesse, il ne peut cependant pas entrer avec elle dans cet univers héroïque où elle a

_____

(6) *Ibid.*, 273-274.

rencontré Ferrante Palla (7). Le comte s'est banni lui-même
de la société des « happy-few »; il est tombé dans les pièges
de l'adaptation ; une étourderie, sans doute, ne dégrade jamais le naturel, mais une manœuvre bassement calculatrice,
comme celle de Mosca, le perd aux yeux de ses compagnons.

2. — LE COUPLE CLELIA-FABRICE

Si la communauté de la *Chartreuse* fait dépendre sa destinée de la destinée de Fabrice, si elle remet son salut entre les
mains du plus jeune, il faut donc que Fabrice incarne un naturel parfait qui soit préservé de toutes les dégradations.

Le Stendhal de cinquante-trois ans retrouve en Fabrice ses
propres aspirations à l'héroïsme qui, depuis son enfance grenobloise jusqu'à la *Chartreuse,* ont fait peu à peu éclater le
déguisement que lui imposaient Julien Sorel et Lucien Leuwen. C'est avec Fabrice que Stendhal ose enfin montrer l'héroïsme à découvert; Fabrice est un héros du Tasse et entraîne
tous ceux qui l'aiment à partager sa destinée aventureuse.
Comme tous les héros de tragédie, *Fabrice laisse à tous les
autres personnages le soin de régler les détails du drame; ses
impulsions généreuses suffisent à provoquer l'action.*

*Stendhal confie donc à Fabrice la mission de porter le na-
turel jusqu'à la perfection;* aussi bien, pour préserver sa pureté, le prive-t-il de ces armes qui sont indispensables au succès des autres : les règles de conduite et la science du monde.
Désarmé et impuissant devant la société réelle, Fabrice ne
peut en triompher que par sa générosité, mais, en fait, les
vertus de Fabrice déclenchent un enthousiasme et une admiration qui contraignent les autres à se charger de sa réussite
et à venger ses échecs. Puisqu'il ne peut être intrigant, les
autres le seront pour lui.

Alors que tous les personnages stendhaliens ont un destin
individuel, celui de Fabrice se rattache étroitement à celui
d'une collectivité à laquelle il donne une signification et des
buts éthiques. Toutes les démarches de Gina, de Mosca, de
Clélia ou de Ferrante Palla n'ont d'autre sens que de permettre à Fabrice de mener une vie contemplative et personnelle.
Aussi Fabrice nous apparaît-il dès le début du roman comme
un être prédestiné, non point rattaché à la société réelle,
mais à un monde imaginaire et moral. C'est bien la volonté

(7) « Dans les derniers jours qui précédèrent cette tentative, qui pouvait amener la mort du prisonnier, et de plus d'une façon, la duchesse
ne pouvait trouver un instant de repos qu'autant qu'elle avait Ferrante
à ses côtés ; le courage de cet homme électrisait le sien ; mais l'on sent
bien qu'elle devait cacher au comte ce voisinage singulier » (*ibid.,* 356).

de Stendhal de faire de la personne de Fabrice un univers
éthique, un champ d'attraction où viennent se regrouper et
se recharger de vitalité tous ceux qui subissent la contagion
de la noblesse et de l'héroïsme.

Parce qu'il incarne une perfection humaine et morale, Fabrice est le plus beau de tous les personnages stendhaliens.
Son aspect physique à lui seul, l'extrême noblesse de cette
« physionomie à la Corrège », annonce à ses pairs qu'il est la
plus belle expression de leur race : « Réellement », se dit Mosca, « cette tête joint l'extrême bonté à l'expression d'une certaine joie naïve et tendre qui est irrésistible. Elle semble dire :
il n'y a que l'amour et le bonheur qu'il donne qui soient chose
sérieuse en ce monde. Et pourtant arrive-t-on à quelque détail où l'esprit soit nécessaire, son regard se réveille et vous
étonne, et l'on reste confondu. Tout est simple à ses yeux
parce que tout est vu de haut » (8). Car Fabrice ne voit jamais le monde avec ces œillères qui sont naturelles à Mosca,
que s'imposent Julien, Lucien et Gina lorsqu'ils veulent entrer dans le jeu et dans la comédie des masques. En grand
seigneur, Fabrice juge inutile de réviser ses valeurs morales
et de les confronter avec la réalité. Cette naïveté et cette simplicité sont ses principales forces. Aussi son héroïsme n'est-il
jamais calculateur comme chez Julien, mais il naît de la spontanéité et du détachement du monde ; il méprise la science
du calcul.

Car la fugue héroïque de Fabrice à Waterloo annonce ce
que nous confirme tout le reste du roman, c'est qu'il n'y a
dans Fabrice aucune possibilité d'attachement au monde. Là
résident la beauté, la nécessité de cet épisode considéré souvent comme un hors-d'œuvre. La première démarche de Fabrice à dix-sept ans est une évasion et toutes ses attitudes
postérieures ne tendent qu'à le préserver de l'hypocrisie. Car
« il n'y avait pas encore de place pour l'*imitation des autres*
dans cette âme naïve et ferme, et il ne fit pas d'amis dans la
société du gros bourg de Romagnan; sa simplicité passait
pour de la hauteur; on ne savait que dire de ce caractère » (9).
Aussi la communauté prend-elle en charge tout ce dont doit
s'abstenir le naturel parfait et triomphant de Fabrice, l'hypocrisie et les intrigues. C'est sans l'avoir désiré qu'il acquiert
une belle position sociale; l'indifférence de Fabrice et son
mépris de l'ambition lui assurent autant de succès que les
calculs que Mosca et Gina font à tout instant pour lui. Lorsque Monseigneur Landriani fait nommer Fabrice vicaire général et plus tard coadjuteur avec future succession, Fabrice
« n'eut point l'air étonné de cet incident, il prit la chose en

(8) *La Chartreuse de Parme*, 136-137.
(9) *Ibid.*, 88.

véritable grand seigneur qui naturellement a toujours cru
qu'il avait droit à ces avancements extraordinaires, à ces
coups de fortune qui mettraient un bourgeois hors des
gonds » (10).

Avec Fabrice, l'éthique du naturel obtient dès l'abord cet
épanouissement qui demande à Julien toute une vie d'efforts
et de calculs patients. Lorsque le naturel est porté à sa per-
fection, il réussit dans le monde grâce à son mépris du monde.
Il y a donc un point où la générosité et le dédain de l'ambi-
tion semblent forcer le destin, et c'est à ce point que l'éthique
stendhalienne passe du pessimisme à un optimisme qui de-
meure pourtant menacé. Les succès de Fabrice sont constamment involontaires. Il y a un moment où la société reconnaît
le naturel et s'incline devant lui lorsqu'il s'est dépouillé des
fausses attitudes et des masques que s'imposaient Julien Sorel et Lucien Leuwen. La *Chartreuse* marque un renouvellement de l'éthique stendhalienne; il n'y a plus rupture entre
le naturel et la société mais accord tacite entre eux. Cette
entente est établie lorsque Mosca et Gina ne sont plus nécessaires à la destinée de Fabrice, *lorsque Fabrice dépasse lui-*
même, par ses vertus personnelles, tous les espoirs que Gina
avait nourris à son égard : « Le prince continuait à le traiter
avec une distinction qui le plaçait au premier rang dans cette
cour, et cette faveur il la devait en grande partie à lui-même.
L'extrême réserve, qui, chez Fabrice, provenait d'une indifférence allant jusqu'au dégoût pour toutes les affectations
ou les petites passions qui remplissent la vie des hommes,
avait piqué la vanité du jeune prince; il disait souvent que
Fabrice avait autant d'esprit que sa tante. L'âme candide du
prince s'apercevait à demi d'une vérité : c'est que personne
n'approchait de lui avec les mêmes dispositions de cœur que
Fabrice » (11). Car le naturel, après être passé par l'imitation
des autres avec Julien et Lucien triomphe enfin à se montrer
naïvement et ingénument tel qu'il est. C'est parce que Fabrice ne donne jamais dans la comédie des attitudes, c'est
parce qu'il demeure constamment hors du monde qu'il le domine par là même : « Il n'avait été sensible ni à son acquitte-
ment, ni à son installation dans de belles fonctions, les premières qu'il eût eues à remplir dans sa vie, ni à sa belle position dans le monde, ni enfin à la cour assidue que lui faisaient tous les ecclésiastiques et tous les dévots du diocèse » (12).

Fabrice s'est donc préservé de tous les péchés qu'ont dû
assumer Julien ou Mosca. Et sa pureté lui confère une sorte

(10) *Ibid.*, 175.
(11) *Ibid.*, 457.
(12) *Ibid.*, 435.

26

de maîtrise sur les êtres, les événements et les choses, qui
surpasse même celle de Mosca et de Julien.

*Avec lui, l'éthique stendhalienne atteint d'emblée la cohé-
rence et la domination temporelle, grâce à la spontanéité et à
l'absence de toute règle de conduite.* Si tout Parme se précipite aux sermons de Fabrice, c'est que la société réelle reconnaît et vénère l'éthique du naturel ; si le jeune prince, les
courtisans et le peuple estiment Fabrice, c'est que la société
réelle a la nostalgie du naturel. Ainsi s'explique et s'achève
cette division que Stendhal avait longtemps maintenue entre
la société des hypocrites et la communauté des « happy few ».
L'univers stendhalien ne fut composé et mis en œuvre par
son créateur que pour, en fin de compte, monopoliser la réussite au profit de l'âme d'élite qui se montrerait la plus généreuse et la plus spontanée, c'est-à-dire au profit de Fabrice.
Si les hypocrites sont nécessaires aux âmes d'élite, un Fabrice
est tout aussi indispensable à la vie des hypocrites. Tous ceux
qui ne peuvent avoir une vie spirituelle et morale l'assument
cependant pour un temps par l'entremise de Fabrice ; c'est
pourquoi tout Parme pleure dans les églises où prêche Fabrice.

L'éthique stendhalienne trouve sa conclusion dans l'optimisme : le naturel doit triompher, car il est une exigence de
la condition humaine. Tous les hommes sont contraints de
reconnaître la grandeur sous quelque forme qu'elle se présente. La société prend ses héros là où elle les trouve, chez
un jeune archevêque devenu prélat sans vocation, mais qu'un
amour malheureux a purifié plus qu'aurait pu le faire une
longue ascèse. Fabrice « déclara que, par des motifs de piété,
il continuerait sa retraite dans le petit appartement que son
protecteur, monseigneur Landriani, l'avait forcé de prendre
à l'archevêché; et il alla s'y enfermer, suivi d'un seul domestique. Ainsi il n'assista à aucune des fêtes si brillantes de la
cour, ce qui lui valut à Parme et dans son futur diocèse une
immense réputation de sainteté (...). Toute cette conduite, qui
n'avait été inspirée que par le désespoir où le plongeait le
mariage de Clélia, passa pour l'effet d'une piété simple et sublime » (13).

Fabrice contraint ainsi tous les êtres de l'univers stendhalien de la *Chartreuse*, depuis Mosca jusqu'aux bourgeois, à
tomber dans les pièges de la grandeur et de la noblesse ; ce
que le public aime en Fabrice, c'est justement sa spontanéité
et sa naïveté : « Tout à coup le public ravi s'aperçut que son
talent redoublait ; il se permettait, quand il était ému, des
images dont la hardiesse eût fait frémir les orateurs les plus
exercés ; quelquefois s'oubliant soi-même, il se livrait à des

(13) *Ibid.*, 441.

moments d'inspiration passionnée, et tout l'auditoire fondait en larmes » (14). Comment Fabrice a-t-il donc réussi à porter le naturel à ce degré de perfection qu'il attire à lui non seulement la communauté des êtres d'élite, mais encore la société réelle ?

*

C'est qu'avec Fabrice le naturel est libéré de toutes les entraves du rationalisme, sans cependant devenir l'esclave des forces irrationnelles. Fabrice ne mène pendant un temps l'existence aimable et joyeuse d'un jeune seigneur étourdi que pour constater qu'il ne peut s'en satisfaire. Les amours de Fabrice avec la petite Marietta et la Fausta ont tout le charme des amours enfantines et le romanesque que pourrait souhaiter une imagination italienne. Mais elles ne sont que des passe-temps pour Fabrice, un relais forcé où le naturel n'a point encore trouvé un but qui mobilise toute son énergie. Lorsque le jeune Monsignore s'amuse à ravir une jeune actrice à son amant ou lorsqu'il donne des sérénades sous la fenêtre de la Fausta, il laisse agir un moi mécanique et superficiel, celui qui obéit aux mœurs de la société et qui disparaît peu à peu au cours du roman, au profit du vrai Fabrice. Il y a deux Fabrice qui sont tous les deux représentatifs de l'éthique stendhalienne à ses divers moments. Le Fabrice rationaliste amoureux des philosophes du XVIIIᵉ siècle n'est que le garde-fou de l'autre Fabrice, superstitieux et anti-intellectualiste.

Ainsi s'expliquent les contradictions de Fabrice, que l'on pourrait facilement accuser de simonie et de libertinage. Il n'a aucun scrupule à être un ecclésiastique sans vocation, car sa foi est avant tout un mysticisme qu'il vit spontanément, sans penser à lui donner la première place, mais qui lui permet cependant d'accorder un sens aux moindres circonstances de sa vie. Il reste toujours, en dépit de sa volonté de rationalisme (15), ce jeune enfant qui ne trouve de bonheur et d'épanouissement que dans une liaison constante soit avec les forces cosmiques, soit avec tous les êtres qui sont comme lui détachés du monde réel. Son intelligence se refuse à se soumettre à l'influence de l'abbé Blanès, mais sa destinée est celle d'un mystique qui se défendrait perpétuellement du mysticisme. Ni ses expériences héroïques, ni ses aventures galantes ne parviendront jamais à le dépouiller de cet anti-intellectualisme qu'il tient de l'abbé Blanès : « C'est ainsi que, sans manquer d'esprit, Fabrice ne put parvenir à voir que sa demi-croyance dans les présages était pour lui une religion,

---

(14) *Ibid.*, 459.
(15) « Il faisait trois lieues à pied (...), pour lire le *Constitutionnel,* qu'il trouvait sublime : cela est aussi beau qu'Alfieri et le Dante ! s'écriait-il souvent » (*ibid.*, 87).

une impression profonde reçue à son entrée dans la vie. Penser
à cette croyance, c'était sentir, c'était un bonheur » (16). Les
résidus de l'épicurisme méthodique, axé sur le culte de la
raison et du bonheur, se sont déposés en Fabrice, sans pouvoir cependant entamer la véritable éthique stendhalienne,
qui prolonge la spontanéité dans le mysticisme et dépasse la
première conception du bonheur épicurien : « Et il s'obstinait
à chercher comment ce pouvait être une science *prouvée,*
réelle, dans le genre de la géométrie par exemple. Il recher-
chait avec ardeur, dans sa mémoire, toutes les circonstances
où des présages observés par lui n'avaient pas été suivis de
l'événement heureux ou malheureux qu'ils semblaient annoncer. Mais tout en croyant suivre un raisonnement et marcher
à la vérité, son attention s'arrêtait avec bonheur sur le souvenir des cas où le présage avait été largement suivi par l'acci-
dent heureux ou malheureux qu'il lui semblait prédire, et son
âme était frappée de respect et attendrie ; et il eût éprouvé
une répugnance invincible pour l'être qui eût nié les présages,
et surtout s'il eût employé l'ironie » (17).

*
**

Cette concordance parfaite entre les prédictions de l'abbé
Blanès et la destinée de Fabrice, ne montre-t-elle pas que le
neveu de Gina échappe aux projets que font pour lui tous
ceux qui pratiquent la science du monde, et qu'il obéit secrètement à une volonté inconsciente, irrationnelle et mystique, qui lui fera trouver la liberté dans une prison ? Car le
véritable bonheur stendhalien, c'est celui que goûte Fabrice
lorsqu'il peut s'accorder, dans une sorte de méditation où la
pensée discontinue a le premier rôle, à tous les aspects non
pas de l'univers stendhalien, mais de l'univers cosmique,
lorsqu'il se trouve isolé des hommes. Les « haut-lieux » stendhaliens sont le symbole de cette élévation mystique qu'atteint le naturel, aux moments où, comme Fabrice dans le
clocher de l'abbé Blanès, il prend en un éclair conscience de
lui-même et s'aperçoit sans angoisse que rien ne peut le rattacher au monde, qu'il a dépassé le stade de la révolte et du
mépris et que le bonheur qu'il cherche ne peut s'exprimer
que dans le recueillement et la solitude : « Tous les souvenirs
de son enfance vinrent en foule assiéger sa pensée ; et cette
journée passée en prison dans un clocher fut peut-être l'une
des plus heureuses de sa vie. Le bonheur le porta à une hauteur de pensées assez étrangère à son caractère (...). Tous les
intérêts si compliqués de cette petite cour méchante m'ont

(16) *Ibid.,* 149.
(17) *Ibid.,* 149.

rendu méchant... Je n'ai point du tout de plaisir à haïr, je crois même que ce serait un triste bonheur pour moi que celui d'humilier mes ennemis si j'en avais » (18).

L'âme italienne de Fabrice, qui l'emporte sur les traits français de son caractère, transpose l'éthique stendhalienne du plan humain au plan cosmique. Le plus souvent, par ailleurs, le mysticisme de Fabrice prend la forme d'un enfantillage passionné ; il s'exprime avec une naïveté qui était alors absente de l'éthique stendhalienne, chassée par l'héroïsme calculateur de Julien et de Lucien. Les scrupules et les tourments de Fabrice tournent autour des sujets qui paraissent les plus futiles ; il ne trouve de satisfactions réelles qu'à s'occuper de tout ce qui semble ridicule aux yeux du monde : « Oserons-nous indiquer les véritables causes de sa joie ? Son arbre était d'une venue superbe, et son âme avait été rafraîchie par l'attendrissement profond qu'il avait trouvé dans les bras de l'abbé Blanès » (19).

Car le naturel, arrivé à l'épanouissement, non seulement refuse l'esprit de calcul, mais s'en montre incapable. Fabrice est destiné à mener l'existence d'un ascète et à ne connaître que les joies puériles qui sont celles d'un ascète. Il est né pour vivre solitaire dans une tour et apprécier, comme les plus belles de toutes, les plus minces des distractions des prisonniers. Toute « politique raffinée était une prétention de sa part : dans la situation d'esprit où il était, il trouvait son bonheur à jouer avec ce chien. Par une bizarrerie à laquelle il ne réfléchissait point, une secrète joie régnait au fond de son âme » (20).

*
**

Fabrice enfin trouve le seul mode de vie qui lui convient, celui qui lui permet de s'entendre et de communiquer, fût-ce de fort loin, avec le seul être d'élite qui lui ressemble ; le destin de Fabrice et celui de Clélia n'est-il pas d'être d'éternels prisonniers, qui se rencontrent justement au moment où l'un d'eux est en butte aux attaques de la société réelle ? Parce qu'ils sont tous les deux des hors-la-loi, leur rôle est de se protéger mutuellement. Dans l'éthique stendhalienne, l'amour entre Fabrice et Clélia est une alliance souvent tourmentée et tragique qui leur permet de mieux se dérober à toutes les formes de l'hypocrisie, de la lâcheté ou du mensonge. C'est lorsque Fabrice a dix-sept ans, lorsque Clélia n'en a que douze, qu'ils se rencontrent sur la grand'route de Milan ; c'est à ce moment qu'ils s'aperçoivent déjà en un

(18) *Ibid.*, 156.
(19) *Ibid.*, 165.
(20) *Ibid.*, 294.

éclair qu'ils sont tous deux différents des autres, qu'ils sont
tous deux naturels, spontanés et héroïques : « Il sourit, elle
rougit profondément ; ils restèrent un instant à se regarder
après que la jeune fille se fut dégagée de ses bras (...). Elle
regardait avec étonnement ce jeune héros dont les yeux semblaient respirer encore tout le feu de l'action. Pour lui, il
était un peu interdit de la beauté si singulière de cette jeune
fille de douze ans, et ses regards la faisaient rougir » (21).

Mais lorsque Fabrice devient le prisonnier du père de Clélia,
les rôles sont alors renversés, Clélia se voit entraînée, malgré
ses résistances, dans le climat héroïque où vit Fabrice. *Grâce
à Clélia, Fabrice se détache à jamais du monde ; grâce à
Fabrice, Clélia devient héroïque. L'amour entre deux êtres
semblables ne peut être que cornélien* ; il a toutes les exigences, tous les scrupules. Si la passion est une ascèse pour
Fabrice, elle mène Clélia aux démarches les plus audacieuses
auxquelles se livrent les héroïnes des *Chroniques*. Elle sacrifie
à Fabrice sa pudeur, sa réserve, sa conduite de jeune fille
raisonnable. Cette petite sectaire du libéralisme, toujours prudente en ses démarches, réservée et hautaine, timide et silencieuse, se révèle tout à coup une autre Hélène de Campireali.
La communauté stendhalienne elle-même la force à jouer ce
rôle qui la remplit pourtant de crainte. Ce n'est point à la
duchesse qu'il est donné de sauver Fabrice, c'est à Clélia.
Clélia seule peut faire de la prison de Fabrice un séjour de
paix et de joie, c'est encore elle qui a la responsabilité de
l'évasion de Fabrice et qui la décide. Il apparaît donc que les
valeurs stendhaliennes, le naturel, la spontanéité et l'héroïsme, incarnées dans la personne de Fabrice, ne peuvent se
maintenir dans la petite communauté que si elles sont puri-
fiées par cette valeur suprême qui est celle du sacrifice.

Mais les sacrifices de Gina sont de peu de poids à côté de
ceux de Clélia. La duchesse ne fait que rejeter la domination
temporelle. Clélia, pour aimer Fabrice et pour le sauver, se
voue à l'angoisse et au remords. Connaître l'humiliation et la
honte à cause de Fabrice est peu de chose pour cette fille si
fière : « Cette fille si timide à la fois et si hautaine en vint
à courir la chance d'un refus de la part du geôlier Grillo ; bien
plus, elle s'exposa à tous les commentaires que cet homme
pourrait se permettre sur la singularité de sa conduite. Elle
descendit à ce degré d'humiliation de le faire appeler » (22).
Parmi tous les héros stendhaliens, Clélia éprouve avec le plus
d'intensité l'angoisse des âmes généreuses. Elle se place par
là même au centre de l'intrigue, dépassant en un sens les
autres par son énergie morale et sa capacité de souffrance.

(21) *Ibid.*, 78-80.
(22) *Ibid.*, 330.

Au moment où l'on parle dans Parme de la mort du prisonnier, « pendant ces cinq journées, si cruelles pour Fabrice,
Clélia était plus malheureuse que lui ; elle avait eu cette idée
si poignante pour une âme généreuse : mon devoir est de
m'enfuir dans un couvent, loin de la citadelle ; quand Fabrice
saura que je ne suis plus ici, et je le lui ferai dire par Grillo
et par tous les geôliers, alors il se déterminera à une tentative
d'évasion. Mais aller au couvent, c'était renoncer à jamais
à revoir Fabrice » (23).

Clélia prend en charge désormais le personnage de Fabrice
et le naturel héroïque emprisonné par les despotes ; cette jeune
fille tranquille devient un champ de bataille constamment
déchiré soit entre l'honneur et l'amour, soit entre l'amour et
la piété. Et il paraît surprenant au premier abord que l'éthique stendhalienne trouve sa sublimation, au delà de l'honneur, dans la piété de Clélia. C'est par un sentiment bien cornélien et bien stendhalien, le souci de la gloire, qu'elle décide
Fabrice à s'évader. Mais l'éthique stendhalienne, qui a conquis enfin son épanouissement dans le renoncement, ne peut
se satisfaire de l'honneur qui était auparavant son dernier
impératif. Seule la religion italienne, à la fois superstitieuse
et naïve, avant tout mystique, peut accueillir les vertus stendhaliennes, qui sont celles du sacrifice. On s'est souvent étonné que l'athée Stendhal ait compris et admiré les formes irrationnelles de la foi en Italie ; ces formes étaient nécessaires
à son éthique. Il arrive un moment où les qualités du naturel
brisent spontanément le cadre de l'univers rationaliste où
elles s'étaient tout d'abord installées. Elles se trouvent alors
placées dans l'univers religieux qui est celui d'une Italie naïvement pieuse. Car où le naturel peut-il trouver un prolongement de sa propre exaltation, si ce n'est dans une foi populaire et primitive, refusant la rigueur du dogme et vivant
d'élans passionnels et sentimentaux ?

La dévotion à la Madone chez Clélia recouvre les exigences
les plus folles et les plus élevées que lui impose son exaltation. Ce vœu envers la Madone, par lequel Clélia s'engage à ne
plus voir Fabrice, pourrait ne révéler qu'une piété superstitieuse. En fait, il exprime, sous une forme romanesque et
par là même exagérée, le point de perfection où l'éthique
stendhalienne a conduit le naturel. Le souci de la gloire finit
par transgresser les bornes purement humaines. Le désir
d'être loyale envers elle-même la mène en fin de compte à
refuser le bonheur et l'amour, à paraître ne point aimer
Fabrice alors qu'elle a tout sacrifié pour lui. Puisqu'elle a
tout mis en cause pour le sauver, tout ce qui comptait à ses
yeux, sa pudeur et la réputation de son père, elle ne peut

(23) *Ibid.*, 329.

désormais, pour ennoblir cet amour, pour s'ennoblir elle-
même et ennoblir Fabrice, que s'imposer ce qui lui paraît
impossible : ne plus revoir celui qu'elle aime. Ce désir éperdu
de se surpasser, qui est l'expression d'une volonté toujours
contenue et farouche, met Clélia bien au-dessus des héroïnes
des *Chroniques*, au niveau même des héroïnes de Corneille,
et pour un temps, au-dessus même de Fabrice, qui avait fait
de leur amour une contemplation amoureuse.

*

Ainsi, la *vie d'une communauté stendhalienne se déroule sur
le rythme que suit la communauté cornélienne ; chacun de
ses membres n'obéit qu'au désir de dépassement* et le chef
de la communauté, que ce soit Chimène ou Polyeucte, celui
qui entraîne tous les autres, est celui qui a assumé les plus
lourds sacrifices. *Dans « Polyeucte » comme dans la « Chartreuse », l'héroïsme et la générosité sont contagieux. Dans
« Polyeucte » comme dans la « Chartreuse », Stendhal et Corneille ont eu tous les deux recours aux puissances surnatu-
relles et mystiques qui pouvaient seules engager la générosité
dans la voie la plus difficile* et qui seules pouvaient conduire
le renoncement à son niveau le plus élevé. Clélia succède donc
à Fabrice comme Fabrice avait succédé à Gina, comme Gina
avait succédé à Mosca ; tous les membres de la communauté en
ont été les chefs temporaires parce que toujours l'un d'entre
eux se montrait supérieur à tous les autres.

Aussi bien, le bonheur dont se contente Fabrice n'est pour
Clélia qu'une pause, une halte où elle a la joie éphémère de
communier un instant, comme jadis sur la route de Milan,
avec un être naturel et spontané. En découvrant pour la première fois qu'il aime, Fabrice, dans sa tour, s'aperçoit qu'il
est né pour la vie contemplative. L'amour n'est pour lui que
le moyen de poursuivre une ascèse où il remplace toutes les
satisfactions de la vanité par une joie enfantine. Mais Fabrice
ne peut renoncer au monde que grâce à l'encouragement et
à la présence de Clélia. Dans l'éthique stendhalienne, le couple
seul peut conquérir une sorte de pureté qui le préserve du
monde. Si le couple Fabrice-Clélia l'emporte en durée et en
importance romanesque sur l'association entre le comte et
Gina, c'est que Fabrice et Clélia apportent dans l'amour la
naïveté et la spontanéité du naturel. Parce qu'ils ignorent l'un
et l'autre ce qu'est l'amour, parce qu'ils n'ont ni expérience
ni audace, ils connaîtront pendant longtemps cette joie puérile
qui leur permettra d'exprimer leur passion dans un vocabulaire secret et mystique. Les plus beaux jours de leur amour
n'ont-ils pas été ceux où Fabrice craignait d'offenser Clélia
par une déclaration trop précise, ceux où Clélia avait peur

de désespérer le prisonnier par un geste de rigueur ? Cette entente entre deux formes de naturel, entre le naturel héroïque chez Fabrice et le naturel détaché chez Clélia, semble avant tout craindre de se transformer en passion : « Si même en n'employant que le langage si imparfait des signes il eût fait la moindre violence à l'âme de Clélia, probablement elle n'eût pu retenir ses larmes, et Fabrice eût obtenu l'aveu de tout ce qu'elle sentait pour lui ; mais il manquait d'audace, il avait une trop mortelle crainte d'offenser Clélia, elle pouvait le punir d'une peine trop sévère. En d'autres termes, Fabrice n'avait aucune expérience du genre d'émotion que donne une femme que l'on aime ; c'était une sensation qu'il n'avait jamais éprouvée, même dans sa plus faible nuance » (24).

L'amour de Fabrice le fait passer par une sorte de purification ascétique ; celle-ci le dépouille de ses étourderies et de son insouciance ; elle lui impose une discipline constante. Après le vœu de Clélia, cette passion fera du jeune archevêque un anachorète. La duchesse ne reconnaîtra plus ce jeune homme autrefois volage qui est passé peu à peu de la vie contemplative à la vie ascétique : « Elle le trouva tellement changé, ses yeux, encore agrandis par l'extrême maigreur, avaient tellement l'air de lui sortir de la tête, et lui-même avait une apparence tellement chétive et malheureuse, avec son petit habit noir et râpé de simple prêtre, qu'à premier abord la duchesse, elle aussi, ne put retenir ses larmes » (25).

C'est lorsque Fabrice aura atteint le dépouillement total que Clélia, devenue la marquise Crescenzi, ne pourra plus rester enfermée dans son vœu orgueilleux. Fabrice, à son tour, a surpassé Clélia en abnégation et en renoncement. Clélia se voit alors obligée de céder devant une noblesse et une générosité qui sont supérieures à son engagement héroïque, à sa résolution de ne plus revoir Fabrice.

(24) *Ibid.*, 314.
(25) *Ibid.*, 443.

CHAPITRE XXII

LA RENAISSANCE DU NATUREL

Un optimisme toujours menacé. — La mort du naturel calculateur. — Les heures heureuses. — Aux sources du naturel. — Equilibre des valeurs stendhaliennes. — La valeur du sacrifice. — Conclusion : la fraternité humaine chez les êtres d'élite.

Tout moraliste atteint à un moment le point crucial de son éthique sans que celui-ci en soit pourtant la conclusion. Souvent même, l'impératif dernier de sa morale est beaucoup moins vigoureux et frappant que les propositions qui l'avaient précédé. Dans l'éthique stendhalienne, le naturel parfait se trouve bien rarement au point de départ ou au point d'arrivée. Car le naturel n'est pas davantage l'absence de contrainte que le résultat d'une longue contrainte. Sans cesse il doit se maintenir entre deux limites extrêmes et se perdrait s'il les enfreignait, entre le donquichottisme dépourvu de calcul et l'héroïsme calculateur. C'est entre ces deux pôles qu'il trouve la perfection. Dès son entrée dans le monde, Fabrice s'est placé d'instinct au point même où les coordonnées diverses de l'héroïsme, de la spontanéité et de la tendresse, au lieu de diverger, convergent pour s'unir. En fait, l'éthique stendhalienne est portée à son point culminant lorsque l'éthique de l'honneur se transforme en une éthique de l'harmonie. Nous ne saurions dire que ce point culminant soit constitué par le dénouement des romans stendhaliens ; tout au moins pouvons-nous le situer à la pointe de la création romanesque. C'est pourquoi Julien et Lucien, à leurs meilleurs moments, rejoignent Fabrice lorsqu'ils découvrent que la condition humaine n'est point un refus ni une révolte ou une mission, mais une acceptation — l'acceptation des vertus les plus diverses du naturel — et une harmonie entre les qualités et les défauts du naturel. C'est à ce moment que l'éthique stendhalienne devient optimiste et rectifie sa vision du monde et des hommes.

Le résultat immédiat de cet optimisme est de revaloriser des valeurs jusqu'alors méconnues : l'émotion, la tendresse et tout ce que les puissances sentimentales entraînent avec elles, le trouble, la timidité, voire la gaucherie et la maladresse. Les puissances irrationnelles l'emportent donc sur un héroïsme fondé par la raison. On pouvait jusqu'ici retrouver, dans la conduite de Lucien et de Julien, les traces d'un rationalisme méthodique que le sentiment de l'honneur détournait de l'épicurisme et faisait pénétrer dans la voie de l'héroïsme. Pourtant l'éthique stendhalienne trouve en eux son épanouissement *lorsqu'ils laissent aux valeurs émotionnelles le soin de conduire leur vie.*

L'amour est le seul prétexte à cette révision des valeurs. Lui seul donne à la spontanéité sa véritable place ; lui seul permet à l'être d'élite de voir le monde non point comme un champ de bataille, mais comme une harmonie qu'il importe de réaliser dans une entente étroite avec un être de sa race. Mais le naturel à qui l'amour donne sa perfection et sa vie ne peut connaître qu'un bonheur relatif et éphémère. A assumer le naturel dans toute sa plénitude l'être d'élite ne peut en effet qu'éprouver angoisse, scrupules et remords.

Car cette renaissance du naturel chez Lucien et Julien ne peut tout d'abord s'effectuer qu'à la suite de la décomposition totale du personnage qu'ils s'étaient eux-mêmes créé. En aimant Madame de Chasteller, Lucien assiste en spectateur impuissant à une remontée de forces émotives qui lui semblent tout d'abord absurdes et qu'il condamne a-priori : « Est-ce que j'aurais la peste ? se dit-il. Puisque l'effet physique est si fort, je ne suis donc pas blâmable moralement ! Si j'avais la jambe cassée, je ne pourrais pas non plus marcher avec mon régiment » (1).

Accoutumé à chercher avant tout la domination de soi-même et à suivre les démarches de la raison, Lucien ne peut que repousser son nouveau comportement émotif et passionnel, qui est à ses yeux d'homme froid et calculateur un objet de scandale : « On annonça Madame de Chasteller. A l'instant, Lucien devint entrepris dans tous ses mouvements ; il essaya vainement de parler ; le peu qu'il dit était à peu près inintelligible. Il n'eût pas été plus surpris si, en allant au feu avec le régiment, au lieu de galoper en avant sur l'ennemi, il se fût mis à fuir. Cette idée le plongea dans le trouble le plus violent, il ne pouvait donc se répondre de rien sur son propre compte ! » (2).

(1) *Lucien Leuwen*, I, 141.
(2) *Ibid.*, I, 139.

Le naturel ne peut s'épanouir, l'amour ne peut naître,
qu'en raison de la violence du choc qui disjoint jusqu'à l'écla-
tement la personnalité temporaire construite par l'héroïsme
calculateur et le besoin de réussite. En rencontrant un être de
leur race, que ce soit Madame de Rênal ou Madame de Chasteller, Julien et Lucien, malgré eux, se voient contraints à
prendre contact avec ce moi ingénu et spontané qu'ils avaient
pendant un temps refoulé. Mais ce moi qui est leur moi véritable ne peut réapparaître avec tant de violence que parce
qu'il avait été rejeté. Le vrai naturel se trouve fortifié de cette
attente forcée pendant laquelle il est repoussé dans les zones
de l'inconscience. Sa possibilité d'expression semble croître
en proportion des obstacles qui lui sont opposés. Au moment
où Julien et Lucien entrent dans la vie, leur naturel est affaibli par les embarras et les maladresses de l'adolescence. Mais
lorsque le jeune sous-lieutenant s'est imposé à la société de
Nancy, lorsque le secrétaire du marquis de La Mole est arrivé
au faîte de sa carrière d'ambitieux, c'est alors que les forces
irrationnelles du naturel spontané, d'autant plus puissantes
qu'elles ont été longtemps contraintes, font irruption dans la
zone claire de la conscience et chassent le moi calculateur arrivé au terme de ses désirs. En contemplant Madame de Chasteller, Lucien ne fait qu'accorder enfin son attention aux valeurs morales du naturel, à la générosité et à la simplicité,
voire même à la naïveté, que son désir de succès lui avait
fait oublier. Mais, en contre-partie, il s'abstient maintenant
d'être cette copie de l'homme à la mode qui constituait son
idéal : « Lucien restait immobile, à trois pas de Mme de Chasteller, à la place où son regard l'avait surpris. Il n'y avait plus
rien chez lui de l'enjouement et de l'assurance brillante de
l'homme à la mode ; il ne songeait plus à plaire au public, et
s'il se souvenait de l'existence de ce monstre, ce n'était que
pour craindre ses réflexions » (3).

L'éthique stendhalienne doit donc se doubler d'une psychologie toute proche de la psychiatrie moderne pour formuler sa conclusion. La renaissance du naturel ne peut s'opérer
qu'à la suite d'une disjonction de la personnalité. Déjà, avant
la *Chartreuse,* le personnage d'élite acquiert au cours d'une
transformation soudaine cette perfection dans le naturel qui
est la caractéristique de Fabrice. C'est ainsi que Julien atteint
le niveau de Fabrice après une crise passionnelle qui le renouvelle et le rajeunit. Lorsqu'il apprend qu'une lettre de
Madame de Rênal lui a fait perdre désormais l'appui du marquis de la Mole et a détruit en une heure tant d'années d'hypocrisie consciente, il part pour Verrières tirer un coup de feu
sur la femme qu'il avait autrefois aimée. Une fois revenu à

(3) *Ibid.,* I, 148.

lui-même, il s'aperçoit que ce n'est point la vengeance qui l'a poussé à ce geste, par ailleurs absurde pour un ambitieux. Julien a voulu étouffer ce naturel généreux dont il constatait la présence en lui-même aussi bien qu'en Madame de Rênal. Mais l'assassin a succombé sous sa propre violence. *Le naturel calculateur est mort de ses propres efforts, pour faire place au vrai naturel qui peut alors se manifester ingénument :* « L'ambition était morte en son cœur, une autre passion y était sortie de ses cendres; il l'appelait le remords d'avoir assassiné Mme de Rênal » (4).

Il faut donc que l'héroïsme calculateur ait porté l'hypocrisie et l'ambition à leur point culminant, il faut que cesse « l'état d'irritation physique et de demi-folie où il était plongé depuis son départ de Paris pour Verrières » (5), pour que Julien se heurte enfin à l'évidence de son amour pour Madame de Rênal.

***
**
***

A la suite de cette décomposition de la personnalité, apparaissent donc les véritables personnages de Lucien et de Julien. S'il y a deux « moi » chez Lucien, il a évidemment deux comportements distincts en amour. Il fait la conquête de Bathilde chaque fois qu'il laisse parler non point l'homme froid et calculateur, mais le moi ingénu : « Jusque là, le ton de Mme de Chasteller avait été convenable, sage, froid, aux yeux de Leuwen du moins. Le son de la voix avec lequel il prononça ce mot : *eh bien ?* eût manqué peut-être au don Juan le plus accompli; chez Leuwen il n'y avait aucun talent, c'était l'impulsion de la nature, le *naturel* (6). Ce simple mot de Leuwen changea tout. Il y avait tant de malheur, tant d'assurance d'obéir ponctuellement dans ce mot, que Mme de Chasteller en fut comme désarmée » (7).

Le bonheur, pour Lucien et Bathilde, comme pour tous les êtres d'élite chez Stendhal, ne peut être alors que l'abandon simultané et éphémère à un naturel généreux; et la rareté du bonheur tient à la rareté des instants de spontanéité. Car seul cet abandon leur permet de se voir tels qu'ils sont et par suite de s'aimer. Le bonheur est alors harmonie entre deux caractères naturels et généreux. Mais cette harmonie ne peut être durable puisque le naturel se contraint lui-même dans son besoin de dépassement; aussi l'optimisme de l'éthique stendhalienne n'est-il qu'une possibilité sans cesse contrariée. Lucien n'est heureux qu'en obéissant aux forces irrationnelles de la passion et en méprisant les règles de conduite :

(4) *Le Rouge et le Noir*, 471.
(5) *Ibid.*, 455.
(6) Nous soulignons ici.
(7) *Lucien Leuwen*, I, 263.

« Jamais il n'imposait une gêne, une peine, un acte de prudence au présent quart d'heure pour être plus avancé dans
ses prétentions amoureuses auprès de Mme de Chasteller
dans le quart d'heure suivant. Il lui disait la vérité surtout » (8). Au lieu de profiter des instants de faiblesse de Bathilde et d' « établir un traité de paix fort avantageux pour
les intérêts de son amour (...), il n'avança point ses affaires
et fut parfaitement heureux » (9).

A ces moments où deux êtres jettent à terre toutes les armes qui les défendaient contre les autres et contre eux-mêmes,
ces boucliers et ces cottes de mailles qu'étaient leur honneur
et leur héroïsme, ils se reconnaissent enfin. Lorsqu'ils ôtent
le déguisement qu'ils portaient dans le monde, lorsqu'ils se
voient tous deux faibles et désarmés, lorsqu'ils n'ont plus
honte d'être ce qu'ils sont puisqu'ils sont naturellement nobles, ils peuvent enfin se comprendre : « Dans la spontanéité
noble du ton qu'il osa prendre spontanément avec Mme de
Chasteller », Lucien « sut faire apparaître (...) cette nuance de
familiarité délicate qui convient à deux âmes de même portée
lorsqu'elles se rencontrent et se reconnaissent au milieu des
masques de cet ignoble bal masqué que l'on appelle le monde » (10). Des moments aussi parfaits sont uniques et irrem-
plaçables; ce sont les moments privilégiés de l'éthique stendhalienne, où l'accord harmonieux entre deux êtres d'élite
semble se prolonger indéfiniment et se répercuter sur tout ce
qui les entoure. L'homme se trouve alors miraculeusement
adapté aux autres hommes, à la nature entière. Il n'est point
un enfant qui se défend contre l'hypocrisie sociale, il participe à une harmonie universelle. Ces promenades dans les
Bois du Chasseur vert, que Lucien fait en compagnie de Bathilde, lui font redécouvrir le monde. Et le monde n'est plus
désormais réduit à cette ligne de démarcation qui sépare deux
camps ennemis; c'est un terrain sans accidents et sans for-
tifications, où tous les êtres s'entendent d'un accord tacite :
« Dans les bois du *Chasseur vert*, la gaieté douce et la bonhomie de la conversation furent extrêmes » (11). Lucien et
Bathilde n'ont pas besoin d'apartés pour savoir qu'ils sont
heureux de s'aimer. La bonne Théodelinde et toute la famille
de Serpierre, au lieu de gêner les deux amants, participent
inconsciemment à la joie de deux êtres, qui devient ainsi un
bonheur général. Ce climat de tendresse semble gagner les
musiciens et même la nature : « Il y avait ce soir-là, au *café-
hauss* du *Chasseur vert*, des cors de Bohême qui exécutaient
d'une façon ravissante une musique douce, simple, un peu

(8) *Ibid.*, I, 224.
(9) *Ibid.*, I, 223.
(10) *Ibid.*, I, 153.
(11) *Ibid.*, I, 196.

lente. Rien n'était plus tendre, plus occupant, plus d'accord
avec le soleil qui se couchait derrière les grands arbres de la
forêt » (12).

Julien semble n'avoir tiré sur Madame de Rênal que pour
apprécier des moments semblables, pour revivre dans sa prison l'existence naïve et simple qu'il partageait avec Madame
de Rênal dans le château de Vergy. Le bonheur chez lui n'est
qu'un bonheur de souvenir. C'est dans le recueillement et la
solitude de la prison, qu'il recrée ce qui fut la plus belle époque de sa vie. Ainsi le bonheur apparaît comme une création
qui a exigé du naturel les efforts les plus contradictoires, le
calcul et le renoncement au calcul. Julien paiera par sa mort
le prix de ce bonheur. Il meurt pour montrer que la spontanéité et la générosité qu'il a connues à Vergy grâce à Madame
de Rênal, sont les seules valeurs du naturel et que la condition humaine ne peut consister qu'à les accepter : « Jamais
cette tête n'avait été aussi poétique qu'au moment où elle
allait tomber. Les plus doux moments qu'il avait trouvés
jadis dans les ·bois de Vergy revenaient en foule à sa pensée
et avec une extrême énergie » (13).

Et sans doute, nulle transformation psychologique, nulle
conclusion romanesque n'a été accompagnée de moins d'ar-
tifice que celle du *Rouge et Noir*. Julien découvre à la fin de
sa carrière que l'art de vivre se réduit à la contemplation :
« Il est singulier pourtant que je n'aie connu l'art de jouir de
la vie que depuis que j'en vois le terme si près de moi » (14).
La méditation à laquelle se livre Julien n'a d'autre but que de
regrouper toutes les minutes où il fut dépourvu d'ambition et
de sagesse pour les ajouter l'une à l'autre et démentir par ce
total les intrigues et le calcul. Le petit paysan, devenu parisien avant d'aller à l'échafaud, ne compte de sa vie que les
instants où il a eu l'âme italienne, où il a préfiguré le personnage de Fabrice. Car il y a eu un Julien Sorel qui n'était
ni un jeune séminariste dissimulé ni un amant épris avant
tout de sa propre grandeur : c'est le Fabrice que contient en
puissance le personnage de Julien Sorel, l'homme qui pleure
à la Malmaison, qui fond en larmes dans les bras de l'abbé
Pirard (15), qui se livre à la joie d'aimer Madame de Rênal
avec des transports enfantins.

(12) *Ibid.*, I, 196.
(13) *Le Rouge et le Noir*, 506.
(14) *Ibid.*, 475.
(15) « Il y avait si longtemps que Julien n'avait entendu une voix
amie, qu'il faut lui pardonner une faiblesse ; il fondit en larmes. L'abbé
Pirard lui ouvrit les bras ; ce moment fut bien doux pour tous les
deux » (*ibid.*, 197).

Lorsqu'il fait le bilan de sa vie, le jeune prisonnier s'aperçoit qu'il a été naturel et tendre lorsqu'à Vergy il vivait comme
un enfant sincère et sentimental, lorsqu'il faisait la chasse
aux papillons avec sa maîtresse et ses élèves et qu' « après
tant de contrainte et de politique habile (...), il se livrait au
plaisir d'exister, si vif à cet âge, et au milieu des plus belles
montagnes du monde » (16).

Il n'a pas été seulement un homme qui élaborait un plan de
conduite avant d'aborder sa maîtresse, au point de rester dé-
concerté et muet si les réponses que l'on exigeait de lui
n'avaient point déjà été écrites dans son programme : « Souvent la sincère admiration et les transports de sa maîtresse
lui faisaient oublier la vaine théorie qui l'avait rendu si compassé et presque si ridicule dans les premiers moments de
cette liaison (...). Il y eut des moments où lui, qui n'avait jamais aimé, qui n'avait jamais été aimé de personne, trouvait
un si délicieux plaisir à être sincère, qu'il était sur le point
d'avouer à Mme de Rênal l'ambition qui jusqu'alors avait été
l'essence même de son existence » (17).

Mais l'art de trouver le bonheur dans la spontanéité n'est
point dû à l'instinct. S'il y a une dialectique implicite dans
l'éthique de Stendhal, elle nous prouve que le naturel n'est
point un don du caractère ou une grâce qui touche quelques
êtres; c'est pour avoir assumé la condition humaine dans
toute sa plénitude et porté l'héroïsme et la réflexion jusqu'à
leur point extrême, que Julien atteint ce faîte de l'héroïsme
qui est le renoncement à la grandeur.

La vraie noblesse apparaît donc chez Stendhal comme une
conquête perpétuelle et un refus de cette conquête. Et si
l'amour entre à tout instant en jeu dans l'œuvre romanesque,
c'est qu'il mesure le prix du sacrifice et lui donne sa valeur.
Le détachement est impossible pour celui qui ne possède rien.
Il est alors fuite de la responsabilité et refus de la vie.

La grandeur, pour le petit précepteur comblé par l'amour
de Madame de Rênal, ne pouvait être qu'un mirage et une
exaltation. Elle devient réalité lorsque Julien, victorieux de
lui-même et du monde, accumule ses triomphes pour mieux
s'en défaire. Il rencontre le sublime dans sa destinée au moment où il n'y pensait déjà plus. L'éthique stendhalienne n'a
été élaborée que pour faire apparaître cette rencontre d'un
homme avec son destin. Les héros stendhaliens poursuivent
longtemps des buts fictifs et vains, qui ne sont que l'apparence de leur véritable but, celui d'accepter le naturel, chez soi-
même et chez autrui. Julien ne tire sur Madame de Rênal que
pour arriver à la reconnaître enfin.

(16) *Ibid.*, 50.
(17) *Ibid.*, 91-92.

C'est ainsi qu'il est donné aux femmes, du moins à certaines d'entre elles, de représenter aux yeux de leurs amants l'aspect concret de l'éthique stendhalienne; elles font vivre la théorie et l'assouplissent; elles empêchent Julien ou Lucien de dépasser les frontières du naturel. C'est dans sa prison que Julien s'aperçoit que Madame de Rênal est une femme sublime; ce n'est que par éclairs que Lucien voit Madame de Chasteller telle qu'elle est réellement; aussi leur bonheur n'est-il lié qu'à l'exacte vision qu'ils peuvent se faire de leurs maîtresses. Madame de Chasteller et Madame de Rênal sont une invitation perpétuelle au naturel; ce sont des âmes généreuses, qui ne partagent point l'héroïsme calculateur de leur amant, et dont le rôle est à tout instant de rappeler que le naturel existe et qu'il doit triompher. L'amour n'est pour elles que l'occasion de développer les qualités du naturel qui restent cachées pour les autres : « Madame de Chasteller était simple et froide, mais de cette simplicité qui charme parce qu'elle daigne ne pas cacher une âme faite pour les émotions les plus nobles, mais de cette froideur voisine des flammes, qui semble prête à se changer en bienveillance et même en transports, si vous savez les inspirer » (18). Leur simplicité et leur candeur nous étonnent. Madame de Rênal est « une âme naïve qui jamais ne s'était élevée même jusqu'à juger son mari, et à s'avouer qu'il l'ennuyait » (19). Madame de Chasteller est une « âme simple, sans expérience des choses de la vie ni d'elle-même. Elle avait passé dix ans au couvent et seize mois dans le grand monde. Mariée à dix-sept ans, veuve à vingt, rien de tout ce qu'elle voyait à Nancy ne lui semblait agréable » (20). Le plus grand plaisir de Bathilde est de rêver, celui de Madame de Rênal d'aimer ses enfants. Leur pureté pourrait passer pour de la pruderie, leur réserve pour de la hauteur. Car ces deux femmes qui sortent du couvent pour être des prisonnières dans la maison la plus aristocratique de la ville, ont, dans l'univers stendhalien, la mission de préserver le naturel et de veiller sur lui. Leur naïveté et leur simplicité ne sont poussées à l'extrême que pour permettre à Julien et à Lucien de reconnaître en elles le naturel. C'est pour mieux désarmer leurs amants et les dépouiller de leur héroïsme calculateur qu'elles exagèrent parfois leur rôle et qu'elles se montrent ingénues et parfois puériles.

Mais le naturel ne peut s'épanouir que pour un temps. Il exige des garanties pour survivre à lui-même, et ces garan-

(18) *Lucien Leuwen*, I, 152.
(19) *Le Rouge et le Noir*, 14.
(20) *Lucien Leuwen*, I, 170.

ties refusent le bonheur. L'optimisme stendhalien ne peut
éclore que parce qu'il est préservé par un pessimisme constant. Le bonheur stendhalien ne connaît pas la tranquillité de
la sagesse méthodique, et la spontanéité stendhalienne ignore
la confiance illimitée faite à l'irrationnel. Il nous est apparu
jusqu'ici que la spontanéité de Julien et de Lucien avaient
été préservées par leur volonté d'héroïsme. Ils n'ont jamais
cédé ni à l'enthousiasme de la jeunesse, ni à l'exaltation ou
à la témérité ; bien loin de manifester la spontanéité dans le
désordre et l'agitation, dans l'irréflexion et l'imprudence, ils
ont patiemment attendu qu'un être de leur race leur apprenne
ne à oublier la contrainte. L'amour est leur vraie libération,
mais une libération qui s'effectue dans l'harmonie.

*L'héroïsme permet donc la spontanéité et la précède ; si le
naturel héroïque n'est qu'une préparation au naturel spontané, la générosité, qui est le garde-fou de la spontanéité, la
préserve de tout excès. Ainsi s'équilibrent dans la création
romanesque les valeurs qui avaient séduit le lecteur des
Idéologues, celui de Rousseau et de Madame de Staël, et le
touriste italien amoureux du Cinquecento.*

L'héroïsme et la générosité sont parfois confondus chez
Stendhal qui leur donne le dénominateur commun de noblesse. Il est bien exact de dire qu'ils révèlent en effet la noblesse ou la grandeur d'âme chez l'être d'élite, mais nous ne
saurions à notre tour les confondre.

Si ces deux attributs stendhaliens s'appuient également sur
l'honneur, l'un d'eux s'exerce dans le calcul et l'autre ne peut
naître que dans l'angoisse. Parmi les êtres d'élite, il n'en est
aucun qui ne connaisse l'angoisse stendhalienne liée aux scrupules et aux remords, cette angoisse qui accompagne inévitablement le naturel et suit le bonheur. *Le naturel spontané
est une qualité si fragile et si menacée que l'être d'élite craint
constamment de l'offenser ou de l'avoir offensé en lui-même
ou chez autrui.*

Clélia est victime du désespoir parce qu'elle doit sans cesse
mesurer les limites de sa générosité, et c'est bien parce qu'il
est impossible par définition de connaître les frontières du
renoncement que *la vie du naturel ne peut être qu'une suite
de souffrances délibérément voulues et acceptées.* Clélia meurt
du sacrifice qu'elle a fait pour Fabrice, pour avoir cédé au
caprice de sa tendresse et lui avoir permis d'enlever leur fils.
Si la mort de Sandrino entraîne celle de Clélia, celle de
Fabrice et celle de la duchesse, c'est que tous les êtres d'élite
sont liés entre eux. Toutes les formes du naturel se rejoignent dans l'amour ; les remords et les angoisses de l'un
d'eux se répercutent indéfiniment sur les autres. Comme

Clélia, Madame de Chasteller et Madame de Rênal tombent
dans les pièges de la générosité. Parce que Bathilde s'est montrée dans un bal à Lucien telle qu'elle était et n'a point eu
l'hypocrisie de cacher son trouble amoureux, elle se croit désormais déshonorée, et le remords d'avoir déclaré son amour devient chez elle une obsession qui chasse le bonheur. Le sentiment de l'honneur, qui était l'aiguillon de l'héroïsme, devient
donc le principal obstacle à la générosité. L'optique cornélienne, se trouve désormais dépassée. Ces Chimène et ces Rodrigue
que sont les personnages stendhaliens pour un jour perdent
leur équilibre à se vouloir parfaits : « Ses fautes réelles lui
semblèrent alors bien autrement pesantes : elles les voyait
sans nombre. Alors elle pleura de nouveau. Enfin, après des
angoisses d'une amertume extrême, comme faible et à demi
morte de douleur, elle crut distinguer qu'elle avait surtout deux
choses à se reprocher » (21).

Chez Madame de Rênal comme chez Clélia, le sentiment de
l'honneur est joint à une piété naïve, tendre et superstitieuse,
et la souffrance n'est pour elles qu'un rachat et le prix de la
joie. Seuls les scrupules de Madame de Rênal ont permis à
Julien de s'apercevoir de la grandeur d'âme chez sa maîtresse :
« Julien fut profondément touché. Il ne pouvait voir là ni hypocrisie, ni exagération. Elle croit tuer son fils en m'aimant, et
cependant la malheureuse m'aime plus que son fils. Voilà, je
n'en puis douter, le remords qui la tue ; voilà de la grandeur
dans les sentiments, mais comment ai-je pu inspirer un tel
amour, moi, si pauvre, si mal élevé, si ignorant, quelquefois si
grossier dans mes façons ? » (22).

Ainsi la simplicité enfantine de Bathilde et de Madame de
Rênal n'était qu'une apparence. En fait, comme tous les êtres
stendhaliens, elles cherchent avec inquiétude ce que peut être
le naturel et de là viennent leurs remords et leurs scrupules ;
car l'éthique stendhalienne ne s'exprime pas en impératifs
catégoriques. Est naturel aux yeux de Stendhal tout ce qui est
garanti par l'héroïsme et la générosité. L'être d'élite est
réduit à courir sans cesse de l'héroïsme à la générosité, entre
ces deux sauvegardes qui le préservent de lui-même. Madame
de Rênal s'arrache aux bras de Julien pour courir au chevet
du petit Stanislas et abandonne Stanislas pour aller embrasser
son amant. Ces femmes ne sont point des ingénues comme on
aurait pu le croire, mais des êtres qui renient le monde absurde
des conventions et cherchent un refuge dans les forces irrationnelles de l'amour et de la piété, ou dans un désir héroïque et
superstitieux de dépassement.

L'hypocrisie est le moyen le plus facile d'assumer la condi-

(21) *Lucien Leuwen*, I, 171.
(22) *Le Rouge et le Noir*, 113.

tion humaine : et l'héroïsme calculateur, qui n'est souvent
qu'une hypocrisie provisoire, constitue aussi une solution commode qui aide l'être d'élite à surmonter le choc de la réalité
et qui lui permet de ne pas être écrasé par elle. Mais le naturel
spontané, s'il veut en même temps être héroïque et généreux,
supporte le poids de l'angoisse et a peur du bonheur. Julien
a fait renaître en lui le naturel, l'amour et la joie, au prix de
l'angoisse et de la mort. S'il recrée dans la prison un autre
Julien Sorel, s'il refait sa vie, s'il recompose le bonheur, c'est
dans le déchirement. Il ne peut aimer Madame de Rênal
qu'après avoir essayé de la tuer, mais alors le remords du
crime fait des joies de l'amour un bonheur tragique. Julien
ne peut se montrer naturel et tendre auprès de Madame de
Rênal qu'en méprisant Mathilde et en se repentant de la dédaigner. Les tourments de l'héroïsme et même de l'ambition
ne comptent guère auprès des tourments du naturel : « Plus
honnête homme à l'approche de la mort qu'il ne l'avait été
durant sa vie, il avait des remords non seulement envers
M. de La Mole, mais aussi pour Mathilde. Quoi donc ! se
disait-il, je trouve auprès d'elle des moments de distraction
et même de l'ennui. Elle se perd pour moi et c'est ainsi que
je l'en récompense ! Serais-je donc un méchant ? Cette question l'eût bien peu occupé quand il était ambitieux » (23).

Alors même qu'il a tout fait pour être généreux, alors
qu'il a brisé sa carrière d'ambitieux, il se trouve inférieur en
générosité à Mathilde et à Madame de Rênal. Il abandonne la
première, il a voulu tuer la seconde. Et s'il oublie Mathilde il
éprouve cependant l'angoisse de ne pas s'être montré aussi
noble que Madame de Rênal : « Ses remords l'occupaient
beaucoup et lui présentaient souvent l'image de Madame de
Rênal, surtout pendant le silence des nuits, troublé seulement,
dans ce donjon élevé, par le chant de l'orfraie ! » (24).

Car le naturel ne peut être que création perpétuelle. Comme toute création, il ne peut naître que dans la souffrance
et dans l'angoisse. Il est prise de conscience réfléchie et lucide
de ses propres possibilités et de la situation où il veut s'engager, et en même temps abandon aux puissances irrationnelles qui défont à tout moment les résultats de l'esprit de
calcul.

Loin d'être fermé sur lui-même, comme on l'a souvent dit,
le naturel ne méprise pas la société. Il ne fait que détourner
ses manœuvres lorsqu'elles feraient avorter l'éthique sten-

(23) *Ibid.*, 469.
(24) *Ibid.*, 456.

dhalienne. L'être d'élite ne demande point, il est vrai, à la
société de le justifier ou de l'aider, mais il exige de ses pairs
la fraternité et la générosité. Il est bien loin d'être cet égotiste
auquel on l'a réduit. L'angoisse de la condition humaine, il
ne la tire point de lui-même, mais des conflits et des accords
qu'il a eus avec les êtres de sa race. Il n'y a pas de bonheur
ou de souffrance chez lui qui ne dépende d'un autre. Si la
générosité est le terme dernier auquel parvient l'éthique
stendhalienne, le naturel ne trouve sa perfection que dans un
sacrifice qui annihile les autres valeurs en faveur de
l'héroïsme et de la spontanéité. Aussi pourrions-nous dire
que ce qui domine l'éthique d'un moraliste qui a été appelé
individualiste parce qu'il fut jadis épicurien, c'est le sens
de la fraternité humaine entre les êtres d'élite.

BIBLIOGRAPHIE

BIBLIOGRAPHIE

EDITIONS CITEES DES ŒUVRES DE STENDHAL

Nous avons constamment utilisé les *Œuvres Complètes*, établissement du texte et préface par M. Henri Martineau, Paris, Le Divan, en 79 volumes, in-16, 5 volumes de *Tables Alphabétiques*, à l'exception des titres suivants :

Armance, ou quelques scènes d'un salon de Paris en 1827, texte établi avec introduction, bibliographie et notes par Henri Martineau, Paris, Le Divan, 1950, in-12, 311 p.

La Chartreuse de Parme, texte établi avec introduction, bibliographie, chronologie, notes et variantes, par Henri Martineau, Paris, Librairie Garnier, in-12, 1942, XXI - 688 p.

Lamiel, texte établi, annoté et préfacé par Henri Martineau, Paris, Le Divan, 1948, in-8°, 306 p.

Lucien Leuwen, introduction et notes par Henri Martineau, seconde édition revue et corrigée, Monaco, Ed. du Rocher, 2 vol., in-8°, XXXV - 324 et 354 p.

Le Rose et le Vert, suivi de *Mina de Vanghel*, Monaco, Ed. du Rocher, 1947, in-16, 237 p.

Le Rouge et le Noir, texte établi, avec introduction, bibliographie, chronologie, notes et variantes, par Henri Martineau, Paris, Librairie Garnier, in-12, XXXIV-608 p.

Souvenirs d'égotisme, nouvelle édition établie et commentée par Henri Martineau, Paris, Le Divan, 1941, XXVI - 432 p.

Vie de Henry Brulard, nouvelle édition établie et commentée par Henri Martineau, Paris, Le Divan, 1943, 2 vol. in-8°; Tome I, XX - 522 p.; Tome II : Chronologie, notes et commentaires, 424 p.

*
* *

Sans utiliser cette collection dans nos références, nous avons pu nous aider des notes figurant dans les volumes parus des *Œuvres Complètes* aux Editions Champion :

De l'Amour, texte établi et annoté par Daniel Muller et Pierre Jourda, 1926, 2 vol. in-8°, CXLIII - 294 et 465 p.

Armance, ou quelques scènes d'un salon de Paris en 1827, texte établi et annoté par Paul Arbelet, 2 vol. in-8°, CXII - 393 et 555 p.

Journal, texte établi et annoté par Henri Debraye et Louis Royer, 5 vol. in-8°, 1923-1934, XLI - 448, 525, 512, 343 et 342 p.

Lucien Leuwen, texte établi et annoté par Henri Debraye, 4 vol. in-8°, 1926-1927, CXXXIV - 396, 462, 438 et 505 p.

Napoléon, texte établi et annoté par Louis Royer, 1929, in-8°, L - 454 p.

Racine et Shakespeare, texte établi et annoté par Pierre Martino, 1925, 2 vol. in-8°, CXLII - 263 et 367 p.

Rome, Naples et Florence, texte établi et annoté par Daniel Muller, 1919, 2 vol. in-8°, LXXIX - 417 et 515 p.

Le Rouge et le Noir, texte établi et annoté par Jules Marsan, 1923, 2 vol. in-8°, LXXXI - 446 et 627 p.

Vies de Haydn, de Mozart et de Métastase, texte établi et annoté par Daniel Muller, 1914, in-8°, LXXXV, 495 p.

Vie de Henry Brulard, texte établi et anoté par Henri Debraye, 1913, 2 vol. in-8°, XLVIII - 318 et 420 p.

Vie de Rossini, texte établi et annoté par Henry Prunières, 1923, 2 vol. in-8°, LXIV - 381 et 513 p.

L'ouvrage de M. del Litto, *En marge des manuscrits de Stendhal* (Paris, Presses Universitaires, 1956) fournit des fragments inédits.

OUVRAGES BIBLIOGRAPHIQUES

...*Parmi les Manuels, le Manuel Bibliographique de Lanson et celui de Thieme.*

Une *Bibliographie stendhalienne* a été publiée par Henri Cordier (Paris, Champion, 1914, in-8°, XIV - 416 p.; pp. 3-253 : Œuvres de Stendhal; pp. 257-377 : Ouvrages et articles relatifs à Stendhal).

Le volume : *Etat présent des études stendhaliennes,* de M. Pierre Jourda (Paris, Les Belles-Lettres, 1930, in-8°), contient une bibliographie critique des études ayant trait à Stendhal jusqu'en 1929 (pp. 101-121). Les « chroniques stendhaliennes » d'Emile Henriot et les « Petites notes stendhaliennes » de Henri Martineau représentent aussi une bibliographie critique. On trouve des indications bibliographiques en relation avec le sujet dans : Gordon M. Brown, *Les idées politiques et religieuses de Stendhal* (Paris, Jean Renard, 1939, in-8°, 200 p.) et dans *Le Cœur de Stendhal* de M. Henri Martineau (Paris, Albin Michel, 1952-1953, 2 vol. in-16, 449 et 487 p.).

Louis Royer avait entrepris, à partir de 1928, une bibliographie qui donne, année par année, les éditions et publications des textes stendhaliens, ainsi que les ouvrages et articles concernant Stendhal : *Bibliographie stendhalienne,* 1928-1929 (Paris, Champion, Ed. du Stendhal-Club, N° 30, 1930); 1930-1931 (Paris, Champion, Ed. du Stendhal-Club, N° 33, 1932) ; 1932-1933 (Paris, Champion, Ed. du Stendhal-Club, N° 34, 1934); 1934-1935 (Grenoble, Arthaud, 1936); 1936-1937 (Grenoble, Arthaud, 1938). Ce dernier fascicule contient un index décennal 1928-1937. M. Vittorio del Litto a continué cette publication sous le même titre : *Bibliographie stendhalienne,* 1938-1943 (Grenoble, Arthaud, 1945); et 1944-1946 (Grenoble, Imprimerie Allier, Extrait des *Annales de l'Université de Grenoble,* 1947) (1). L'ouvrage de M. Luigi-Fosolo Benedetto, *Arrigo Beyle, Milanese* (Firenze, Sansoni, 1942, in-8°, XXIV - 727 p.) contient une recension des articles parus sur Stendhal en langue italienne.

*
* *

Il n'était point dans notre propos de donner une bibliographie exhaustive des études publiées sur Stendhal. Pour faire valoir notre thèse sur la double origine et la complexité de la notion de « naturel » chez cet écrivain, nous utilisons d'une part certains éléments d'information sur la vie, les influences subies, les opinions et les attitudes de Stendhal, nous mettons en question d'autre part les interprétations qui ont été données de l'œuvre stendhalienne et de sa signification. C'est selon ce principe que nous avons classé notre bibliographie.

(1) Au moment où nous mettons sous presse, un nouveau fascicule va paraître : 1947-1952 (Grenoble, Arthaud, 1955).

Il ne nous était point possible de donner une bibliographie chapitre par chapitre, qui aurait amené des chevauchements et des répétitions. Nous n'avons pu suivre que dans l'ensemble un ordre chronologique dans l'étude des diverses acceptions de la notion de « naturel ». De nombreuses études d'ailleurs sont fondées elles-mêmes sur des chevauchements. Nous classons donc *logiquement* les sources d'information, *en renvoyant, lorsque cela est possible, à tel chapitre de notre travail en particulier.*

A. — *SUR LA VIE, LES OPINIONS ET LES ATTITUDES DE STENDHAL*

Notre travail s'appuie en grande partie sur certains points particuliers de la vie de Stendhal, l'influence des Idéologues, celle d'un certain nombre d'autres lectures stendhaliennes, celle des séjours en Italie et du mythe italien. Toutefois, même si nous tenons pour décisifs ces éléments dans l'évolution de la notion de « naturel » chez Stendhal, leur action ne peut être interprétée que dans le cadre d'une biographie complète. C'est pourquoi, avant de donner la bibliographie de ces questions, nous ferons appel à une information biographique générale.

1. — *Information biographique générale*

En tête de toute information biographique il convient de placer les ouvrages qui ont historiquement contribué à la découverte progressive de Stendhal. Nous citerons plus loin ceux qui, s'attachant moins à la biographie, comportent sur l'œuvre une thèse et une interprétation particulières.

Les contemporains de Stendhal eux-mêmes ont donné sur lui certaines études parmi lesquelles celles de Sainte-Beuve (*Causeries du Lundi*, Tome IX, et *Nouveaux Lundis*, T. III), celles de Mérimée (Cf. la notice *H.B.* de 1850; *Portraits historiques et littéraires*, éd. par P. Jourda, Champion, 1928; *Lettres libres à Stendhal*, éd. de la Grenade, 1928). La *Notice sur la vie et les ouvrages de M. Beyle*, par Romain Colomb (Paris, Schneider et Langrand, 1845, in-8°, 82 p.), a son rôle historique, et l'on trouve des souvenirs dans Auguste Bussière, *Henri Beyle* (*Revue des Deux Mondes*, 15 janvier 1843, pp. 250-299), Arnould Frémy, *Souvenirs sur Stendhal* (*Revue de Paris*, 1er septembre 1855, pp. 681-703), Etienne-Jean Delécluze, *Souvenirs de soixante années* (Paris, Michel Lévy, 1862). M. Pierre Jourda a recueilli les témoignages écrits de ceux qui ont connu Beyle dans *Stendhal raconté par ceux qui l'ont vu* (Paris, Stock, 1931, in-16, 233 p.); l'ouvrage contient également des résumés biographiques.

Le premier grand travail d'ensemble sur Stendhal fut celui d'Albert Collignon, *L'art et la vie de Stendhal* (Paris, Baillière, 1868, in-8°, 535 p.), mais il faut signaler dans la même année une brochure d'Alfred de Bougy, *Stendhal, sa vie et son œuvre* (Grenoble, Prudhomme, 1868, in-8°, 47 p.). C'est, avec les dernières années du XIXᵉ siècle, la redécouverte de Beyle, les articles de Paul Bourget, les « chroniques stendhaliennes » de Rémy de Gourmont (Coffe) dans l'*Ermitage* en 1906, puis les études des premiers stendhaliens, que suivront très vite les « beylistes » (mais nous ne citerons par exemple le livre de Léon Blum que dans les *interprétations* de l'œuvre stendhalienne). Les études de « la vie et l'œuvre » vont se succéder; *Stendhal*, par Edouard Rod (Paris, Hachette, 1892, in-16, 160 p.), *Stendhal-Beyle* par Arthur Chuquet (Paris, Plon, 1902, in-8°, 548 p.), *La vie anecdotique et pittoresque des grands écrivains : Stendhal*, par Alphonse Séché (Paris, Michaud, s. d., in-8°, 192 p.).

Deux Vies de Stendhal donnent le naturel et le mouvement à la biographie de l'homme et de l'œuvre : *La Vie de Stendhal*, par Paul Hazard (Paris, Nouvelle Revue Française, 1927, in-16, 255 p.) et *Stendhal* par Albert Thibaudet (Paris, Hachette, 1931, in-16, 190 p.) *Etat présent des études stendhaliennes,* de M. Pierre Jourda (Paris, Les Belles-Lettres, 1930, in-12, 122 p.), marque une date et contient une bibliographie critique. Le livre de Maurice David, *Stendhal, son œuvre* (Editions de la Nouvelle Revue Critique, 1931, in-16, 77 p.) est un survol très rapide de la vie et de l'œuvre suivi d'une bibliographie en très grande partie empruntée au Manuel Bibliographique de Lanson. Le cours de M. Jules Marsan, professeur à la Faculté des Lettres de Toulouse, *Stendhal* (Paris, Editions des Cahiers Libres, 1932, in-16, 291 p.) reprend la biographie et l'analyse des œuvres majeures, et contient (pp. 43-75) une étude des influences italiennes. *Stendhal, l'homme et l'œuvre,* de M. Pierre Jourda (Paris, Desclée de Brouwer, 1934, in-8°, 297 p.) est une biographie suivie d'une analyse de l'art et du style. L'étude de M. Glauco Natoli, *Stendhal, saggio biografico critico* (Bari, Laterza, 1936, in-8°, 263 p.) apporte des éléments nouveaux sur la chasse au bonheur et l'influence de l'Italie. Peu d'originalité dans l'étude de M. F. C. Green, *Stendhal* (Cambridge University Press, 1939, in-8°, 336 p.), dont la documentation est cependant moins sûre, et *Trois poètes de leur vie, Stendhal, Casanova, Tolstoï,* par Stefan Zweig, (Paris, Stock, in-16, XIV - 274 p.) n'apporte rien non plus. La partie biographique du livre de M. Maurice Bardèche, *Stendhal romancier* (Paris, Ed. de la Table ronde, 1947, in-8°, 476 p.) est faussée par les considérations personnelles de l'auteur. *Le Stendhal par lui-même* de M. Claude Roy (Paris, Ed. du Seuil, 1951, in-16, 190 p.) est un recueil de textes de Stendhal sur lui-même, présentés avec verve.

La curiosité a été éveillée par le « Stendhal-Club », à la fois très mythique et très réel, qu'évoqua Casimir Stryienski en 1905 (*Soirées du Stendhal-Club,* Paris, Champion, 1905), puis en 1908, avec la collaboration de Paul Arbelet (2° série, 1908). MM. Henri Martineau et François Michel ont donné, en 1950, des *Nouvelles Soirées du Stendhal Club* (Paris, Mercure de France, 1950), en faisant appel aux principaux stendhaliens. Nous citons chacune des études qui composent ces ouvrages à sa place logique dans notre bibliographie. M. Jacques Boulenger avait entretenu la demi-légende du Stendhal-Club par sa *Candidature au Stendhal-Club* (Paris, Le Divan, 1926) et l'éditeur Champion a publié sous la dénomination d'*Editions du Stendhal-Club* une série d'études sur des points particuliers que nous citerons à leur place. Le « Stendhal-Club » a suscité nombre d'articles journalistiques de curiosité ou de dénigrement, au-dessus desquels se place l'étude plus savante et plus mesurée de M. Emile Henriot dans *Stendhaliana* (Paris, Crès, 1924, in-16, 238 p.). Cf. *Esiste o non esiste lo « Stendhal Club ? »,* de M. Alberto Lumbroso (*Il Messagero,* 20 mars 1931).

La quasi-totalité des études biographiques sur Stendhal est aujourd'hui dépassée par les ouvrages de M. Henri Martineau, qui s'appuient sur les recherches personnelles de l'auteur aussi bien que sur tout l'acquis des travaux précédents et sur la connaissance de toutes les études de détail que nous citerons par la suite.

La biographie la plus complète et la plus exacte est donc *Le cœur de Stendhal* (Paris, Albin Michel, 1953, 2 vol. in-16, 452 et 487 p.) qui, bien qu'envisageant en principe l'évolution de la sensibilité de Beyle, réunit tous les éléments d'information sur sa vie. *L'œuvre de Stendhal,* du même auteur, constitue la biographie intellectuelle de l'écrivain, mais ce livre doit être cité en tête des études de l'œuvre stendhalienne. Dans les chapitres postérieurs de notre bibliographie, portant sur des points plus précis de notre étude, nous nous dispenserons de citer ces ouvrages de M. Henri Martineau, qui, sur chaque question, contiennent des pages ou des chapitres décisifs.

La biographie générale de Beyle a pu être envisagée sous un éclairage particulier dans certains ouvrages, comme *La vie littéraire de Stendhal,* par Adolphe Paupe ((Paris, Champion, 1914, in-8°, II - 223 p.). On trouvera les budgets (réels) de Stendhal dans *Comment a vécu Stendhal.* de M. Auguste Cordier (Paris, Villerelle, s. d. XIII - 207 p.). *La vie amoureuse de Stendhal,* par Jean Mélia (Paris, Mercure de France, 1909, in-18, 418 p.) et *La vie amoureuse d'Henry Beyle,* par Abel Bonnard (Paris,

Flammarion, 1926, in-12, 185 p.) sont deux ouvrages hâtifs et, en dehors des études partielles, il faut se reporter au *Cœur de Stendhal*.

Les *itinéraires de Stendhal* avaient été étudiés dès 1908 par M. Paul Léautaud (Paris, Mercure de France, 1908) et dans une brochure de M. Henri Martineau. *L'itinéraire de Stendhal* (Paris, Messein, 1912, in-8°, 101 p.). Ces travaux sont effacés par les précisions que donne M. Martineau dans le *Calendrier de Stendhal* (Paris, Le Divan, 1950, in-8°, 412 p.). Cet ouvrage apporte de plus une chronologie très précise, année par année, et donne les logements de Stendhal à Paris, avec plans. Il comporte un Tableau Alphabétique et permet de retrouver et de situer instantanément les événements et les rencontres de la vie de Stendhal. Sur les personnes qui sont citées par Stendhal ou qui ont été en contact avec lui, il existe de nombreuses études particulières, mais aussi une étude plus générale, le *Petit Dictionnaire Stendhalien* de M. Martineau (Paris, Le Divan, 1948, in-8°, 504 p.), qui se limite cependant à éclairer la *Vie de Henry Brulard* et les *Souvenirs d'Egotisme*. Pour les noms cités dans d'autres œuvres, les notes abondantes de l'édition Champion des *Œuvres Complètes* peuvent être utiles en ce qui concerne les ouvrages parus dans cette collection.

*
* *

Il peut convenir de signaler quelques numéros spéciaux de revues où l'information biographique se mêle à l'interprétation de l'œuvre. Nous avons éventuellement classé à leur place dans notre bibliographie les articles importants :

Le Gaulois, supplément illustré du 26 juin 1920, publié à l'occasion de l'inauguration du monument de Stendhal.

Tentatives (Chambéry). Numéro spécial sur Stendhal daté de 1924.

Les Cahiers de Radio Paris, Paris, 15 *septembre* 1935, pp. 847-882.

    H. Martineau : La vie de Stendhal.

    A. Thérive : Stendhal voyageur et cosmopolite.

    A. Billy : Stendhal analyste du cœur humain.

    A. Thibaudet : Stendhal romancier. « Lucien Leuwen », « La Chartreuse ».

    René Lalou : Actualité de Beyle-Stendhal.

Micromégas : Numéro spécial du 10 novembre 1938 à l'occasion du centenaire de la *Chartreuse*.

Le Divan : numéro spécial, *Stendhal*, 27 *janvier* 1783-23 *mars* 1842, N° 242, avril-juin 1942.

Ausonia, numéro spécial consacré à Stendhal, janvier-septembre 1942 (à l'occasion du Centenaire de la mort).

Cahiers de Paris. - *Centenaire de la mort de Stendhal*. — Etudes et opinions par André Cuisenier, Léon Lemonnier, André Porté, etc. (Paris, Cahiers de Paris, 1942, in-16, 92 p.).

*
* *

2. — Sur le milieu familial et grenoblois

(Cf. notre chapitre VIII, section I.)

L'opposition entre l'éducation de l'abbé Raillane et Grenoble sous la Révolution, entre la tante Elisabeth et Chérubin, laisse voir dans les origines familiales et grenobloises de Stendhal, le germe des conflits intimes de Stendhal. Le docteur Gagnon est un maître épicurien propre à consoler l'enfant de la tutelle de Chérubin et du précepteur que ce dernier lui a imposé, mais Elisabeth est une cornélienne qui laisse entrevoir au jeune Henri un héroïsme au-dessus de l'épicurisme.

Le milieu familial et provincial est donc un élément important dans la pré-formation de la notion de « naturel » (Cf. notre chapitre VIII,

section 1). Une étude d'ensemble est constituée par le tome I de la
Jeunesse de Stendhal : Grenoble, 1783-1799 (Paris, Champion, 1919,
XVIII, 403 p.). Elle avait été précédée par : Casimir Stryiensky, *L'en-
fance d'Henry Beyle* (Grenoble, A. Gratier, 1889).

La généalogie des familles paternelle et maternelle a été envisagée
par Ed. Maignien dans *La famille de Beyle-Stendhal, notes généalogiques*
(Grenoble, Drevet, 1889, in-8°, 15 p.), puis établie par Paul Ballaguy
dans *La généalogie de Stendhal, le côté paternel* (*Mercure de France,*
15 juin 1925) et *Quelques précisions nouvelles sur la généalogie de*
Stendhal (*Mercure de France*, 15 juillet 1926), ainsi que par Henri
Chobaut et Louis Royer : *La famille maternelle de Stendhal : Les*
Gagnon (Grenoble, B. Arthaud, 1938, gr. in-8°, 44 p.).

Sur le père de Stendhal, nous avons : Paul Arbelet : *Le père et le*
Fils (*in : Soirées du Stendhal-Club*, 2ᵉ série, Paris, Mercure de France,
1908, pp. 46-59); Marius Rouget : *La Vie grenobloise du père de Sten-*
dhal (Paris, Le Divan, 1930, in-16, 95 p.); *Pour le dossier de Chérubin*
Beyle (*Le Divan*, N° 283, juillet-septembre, 1952, pp. 440-443); François
Michel et François Vermale : *La Légion d'Honneur de Chérubin Beyle,*
(*Le Divan*, N° 264, octobre-décembre 1947, pp. 196-197); Vittorio del
Litto : *Le père de Stendhal et ses moutons* (*Le Divan*, N° 288, octobre-
décembre 1953, pp. 224-236).

Pour les Gagnon, et spécialement pour Henri et Romain Gagnon,
les articles de René Johannet, *Romain Gagnon et Joseph de Maistre* (*Le*
Divan, N° 159, mai 1930, pp. 219-221), de Vittorio del Litto, *Le testa-*
ment du Docteur Gagnon (*Le Divan*, N° 294, avril-juin 1955), et surtout
celui de François Vermale : *Les attitudes politiques du grand-père de*
Stendhal (*Annales de l'Université de Grenoble*, 1935, pp. 77-93), qui
établit que Henri Gagnon fut le chef du parti patriote jusqu'en 1790 pour
passer ensuite à l'opposition.

Ces études particulières restent fragmentaires, et bien que nous nous
efforcions d'éviter ici les répétitions, il nous faut signaler l'importance
des ouvrages de M. Henri Martineau sur la question. Le milieu grenoblois est dépeint par G. Cucuel dans *La vie de Société dans le Dauphi-*
nois au XVIIIᵉ siècle (*Revue d'Histoire Littéraire de la France*, juillet-
septembre 1935, pp. 344-374), Louis Royer : *La Société de Grenoble au*
dix-huitième siècle d'après les militaires qui y ont séjourné (*Revue des*
Cours et Conférences, 15 et 30 juillet 1937) et par Félix Jourdan : *La*
Ville de Stendhal (*Le Divan*, n° 242, avril-juin 1942, pp. 191-195). Ce
dernier article fait ressortir le caractère morne de la vie provinciale.
Ajoutons que les griefs réciproques de Beyle et des Grenoblois ont été
exposés par M. Henri Martineau dans *Stendhal méconnu* (Les Terrasses de
Lourmarin, 1934, in-16, 70 p.).

Un aspect intéressant et déterminant de la vie grenobloise d'Henri
Beyle et de sa famille est formé par les incidences de la Révolution; on
sait que de nombreux passages de la *Vie de Henri Brulard* font allusion
à cette période. La situation de la famille Beyle est définie par Paul
Ballaguy : *Stendhal et sa famille sous la Terreur* (*Revue de Paris*, 15 mai
et 1ᵉʳ juin 1923, pp. 386-409 et 667-687) et par François Vermale : *Les*
prisons du père de Stendhal sous la Terreur (Grenoble, B. Arthaud,
in-8°, extrait du *Bulletin de l'Académie Delphinale*, 1934, pp. 325-337).
L'attitude d'Henri Beyle apparaît dans Robert Daroles, *Autour de*
Stendhal et de la Révolution (*Le Dauphiné*, 10, 17 et 24 avril 1938) où
l'auteur évoque le brûlement du mannequin de Lamoignon, dans François Vermale : *Stendhal et le complot de l'arbre de la Fraternité*
(*Annales de l'Université de Grenoble*, 1935, pp. 95-101) et dans V. del
Litto, *Le bataillon de l'Espérance* (*Le Divan*, n° 260, octobre-décembre
1946, pp. 431-442).

Dans la famille de Beyle, un personnage important a été assez peu
étudié, bien qu'il soit le confident d'Henri, car sur Pauline, en dehors
des études de M. Martineau, nous n'avons trouvé que l'article de Paul
Arbelet : *La sœur de Stendhal, Pauline Beyle* (*Revue Bleue*, 1907, pp.
725-730, texte repris dans la 2ᵉ série *des Soirées du Stendhal-Club*, pp.
11-32 et 33-49) et celui de M. André Clot, *Henri Beyle et sa sœur ou*

Stendhal et l'éducation des filles (*Le Trésor des Lettres*, 1ᵉʳ décembre 1935, pp. 771-775).

Sur l'abbé Raillane, Pierre Avril, *Un réfractaire instituteur de Stendhal, l'abbé Raillane*, 1756-1840 (*Minerva*, 1ᵉʳ mars 1903), Auguste Bouchayer, *Chez Raillane, précepteur de Casimir-Périer et de Beyle-Stendhal* (*Le Dauphiné*, 6, 13, 20, 27 novembre et 4, 11, 18, 25 décembre 1938, 1ᵉʳ et 29 janvier, 5 février, 5 et 19 mars, 9 et 16 avril 1939), Georges Letonnelier, *Quelques lettres de l'abbé Raillane* (*Ausonia*, janvier-septembre 1942, pp. 24-39) et Vittorio del Litto, *Quelques nouveaux documents sur l'abbé Raillane* (*Le Divan*, n° 248, octobre-décembre 1943, pp. 161-185).

Sur l'Ecole Centrale, nombre d'ouvrages concernant les influences idéologiques feront allusion à cette pré-formation, comme y fait allusion *La jeunesse de Stendhal*. M. del Litto s'est attaché à *Un professeur de Stendhal, Louis-Joseph Jay* (*Le Divan*, n° 242, avril-juin 1942, pp. 120-129) et M. Masimbert à un autre professeur : *Gabriel Gros* (Grenoble, Impr. Allier, 1929, in-8°, 13 p.).

Un épisode particulier de la vie grenobloise est examiné par M. Félix Jourdan, *Stendhal et Mlle Kubly* (*Le Divan*, n° 238, avril-juin 1941).

On trouve le cadre pittoresque de l'enfance de Beyle dans les pélerinages de M. G. Faure : *Au pays de Stendhal* (*Revue des Deux Mondes*, 1915, pp. 431-444), *Pélerinages dauphinois, Grenoble ville de Stendhal* (Grenoble, Rey, 1927), *Pélerinages littéraires, aux Echelles avec Stendhal* (*Le Figaro*, 9 janvier 1932), *Retour aux Echelles* (*Le Divan*, n° 242, avril-juin 1942, pp. 196-200). Dans *Stendhal à Thuellin* (*Le Divan*, n° 197, mars 1936, pp. 92-101), Louis Royer étudie les rapports postérieurs de Beyle et de la famille Périer-Lagrange.

3. — *Information biographique. De 1799 à 1830.*
L'époque napoléonienne. Le séjour à Milan. La vie parisienne

Sur Stendhal après 1799, l'étude d'ensemble est constituée par le Tome II de *La jeunesse de Stendhal*, par Paul Arbelet, *Paris-Milan, 1799-1802* (Paris, Champion, 1919, in-8°, 244 p.) Quelques points sont précisés par M. Henri Martineau, *Stendhal candidat à l'Ecole Polytechnique* (*Le Divan*, n° 253, mars 1945, pp. 40-42). Il n'a guère été fait allusion au premier voyage en Italie que dans des études d'ensemble, mais M. Emile Gaillard a établi *Les hôtes et les logements du sous-lieutenant Henri Beyle en Piémont* (*Aurea Parma*, Parme, juillet-décembre 1950).

L'aventure grenobloise de 1802 est évoquée par *Les amours romantiques de Stendhal et de Victorine*, par Paul Arbelet (Paris, Emile-Paul, 1924, in-8°, 117 p.). Les tentatives de Stendhal comme dramaturge appartiennent à l'examen de l'œuvre, mais les cours d'art dramatique qu'il suivit sont étudiés, par Paul Arbelet encore, dans *Quand Stendhal rencontrait Talma* (*Le Figaro*, 29 octobre 1927), *Premier voyage de Stendhal au pays des comédiennes* (Paris, l'Artisan du Livre, 1928, in-8°, 64 p.), *Stendhal tragédien* (*Le Figaro*, 14 avril 1928), *Stendhal à l'école Dugazon* (*Revue de Paris*, 1ᵉʳ septembre 1929, pp. 202-224), *Stendhal au pays des comédiennes* (Grenoble, B. Arthaud, 1934, in-8°, 200 p.). Mélanie Guilbert est évoquée toujours par Paul Arbelet avec *Stendhal amant de Mélanie* (*Revue de France*, 1926, pp. 98-138), *Mélanie* (*de Stendhal*) *débute au Français* (*Revue de France*, 15 octobre 1927, pp. 714-745), *Qui était Mélanie de Stendhal ?* (*Le Figaro*, 15 mars 1931), où l'acte de baptême de Mélanie Guilbert est retrouvé à Caen, et *Louason ou les perplexités amoureuses de Stendhal* (*Revue de France*, 1ᵉʳ et 15 août, 1ᵉʳ septembre 1932, pp. 434-466, 638-652, et 54-72 et Grenoble, Arthaud, 1937, in-8°, 236 p.). Un récit de l'aventure marseillaise est fait dans *Un grand écrivain dans le négoce, Stendhal épicier à Marseille*, par Paul Arbelet (*Le Petit Provençal*, 19 et 21 août 1913), et, du même auteur, *Stendhal épicier ou les infortunes de Mélanie* (Paris, Plon, 1926, in-16,

255 p.) et *Stendhal dans la société marseillaise* (*Revue Hebdomadaire*, 1926, pp. 313-331). MM. Henri Martineau et François Vermale ont apporté des précisions sur une liaison qui suivit de près celle que Stendhal eut avec Mélanie : *Stendhal et Madame Galice* (*Le Divan*, nº 232, septembre-décembre 1939, pp. 247-254).

La vie de Stendhal pendant les guerres napoléoniennes trouve sa chronologie dans *Le sillage de Stendhal en Allemagne*, de Charles Simon (Ed .du Stendhal-Club, nº 21, 1926, in-8º, 32 p.). Elle a fait l'objet d'un article de M. Emile Henriot, *Le Journal de Stendhal : de Marseille à Brunswick* (*Le Temps*, 19 janvier 1952). M. André François-Poncet a étudié *Stendhal à Brunswick en 1807 et 1808* (*Bulletin de l'Académie Delphinale*, 1944). Sur Stendhal au début même des guerres de l'Empire, *Stendhal et San Remo*, de M. Louis Royer (*Le Divan*, nº 204, décembre 1936, pp. 319-324), montre Stendhal au camp de Saint-Omer (anagramme de San Remo). M. Auguste Dupouy a donné des précisions sur le séjour en Allemagne dans *Notes Stendhaliennes; en Allemagne sous Napoléon* (*Revue Bleue*, 20 janvier 1934, pp. 72-74). M. Henri Martineau a posé la question : *Stendhal était-il à Iéna ?* (*Le Divan*, nº 110, juin 1925, pp. 332-333). Sur Beyle en 1807, nous avons également *Les souvenirs du baron de Strombeck et de Louis Spach sur Stendhal* (Paris, Champion, Ed. du Stendhal-Club, nº 9, 1925, in-8º, 15 p.). Une précision sur la vie de Beyle est apportée par *Stendhal et Livia*, de M. François Michel (*Le Divan*, nº 203, novembre 1936, pp. 291-296). L'aventure avec Angelina Bareyter est évoquée par Paul Arbelet, *Stendhal et le Petit Ange* (Paris, Champion, 1926, in-16, 35 p.).

On trouve des détails sur la carrière administrative et militaire de Stendhal dans : François Vermale, *La nomination de Stendhal-Beyle dans le corps de l'Intendance militaire* (*Bulletin de la Société amicale de l'Intendance militaire*, janvier 1934); René Dollot : *Comment Stendhal devint auditeur au Conseil d'Etat* (*Le Divan*, nº 208, avril 1937, pp. 99-112); cet article étudie le soin tout particulier et même les intrigues que Beyle employa pour obtenir cette nomination. Le rôle administratif de Stendhal lorsqu'il fut promu à ce poste est suivi, toujours par M. Dollot, dans *Stendhal auditeur au Conseil d'Etat* (*Le Divan*, nº 242, avril-juin 1942, pp. 136-149). On sait que le Conseil d'Etat mena Beyle au Garde-Meuble et cette période de sa vie est étudiée par M. Ferdinand Boyer, *Stendhal inspecteur du mobilier de la couronne, 1810-1814* (*Le Divan*, nº 242, avril-juin 1942, pp. 150-163).

L'activité de Stendhal en **1814** a été suivie de près de M. François Vermale dans *Stendhal 1814* (*Le Divan*, nºˢ 223, 226, 229, 234). Il existait déjà une étude de Paul Ballaguy sur *Stendhal en 1814* (*Revue Universelle*, 1ᵉʳ juin 1923, pp. 40-65). Un détail est apporté par *Stendhal et Madame Doligny*, de M. François Vermale (*Le Divan*, nº 234, avril-juin 1940, pp. 205-215).

Nous réunirons plus loin l'ensemble des séjours italiens de Stendhal. Sa passion pour Métilde Dembowski a été étudiée par Paul Arbelet, *Le plus grand amour de Stendhal* (*Le Figaro*, 4 mars 1933) et Vittorio del Litto, *En marge de Métilde* (*Le Divan*, nº 234, avril-juin 1940, pp. 231-236). Ce dernier article s'appuie sur les documents de la Bibliothèque de Grenoble.

Les attaches anglaises de Stendhal et surtout sa collaboration aux revues britanniques ont été suivies de près. M. Vermale a étudié *Le premier voyage de Stendhal à Londres en 1817* (*Bulletin de l'Académie Delphinale*, 1944, pp. 17-23). Nous ne citerons pas tous les ouvrages et articles concernant les relations de Stendhal avec l'Angleterre. Le premier travail sur la question est la thèse de Mme Doris Gunnell, *Stendhal et l'Angleterre* (Paris, Bosse, 1909, in-8º, X - 322 p.). Le journalisme anglais de Stendhal est principalement mis en lumière par M. Dollot, *Stendhal journaliste* (Paris, Mercure de France, 1948, in-8º, 269 p.) et *Une Chronique de la Restauration : Stendhal correspondant des revues anglaises de 1822 à 1829* (*Annales de l'Université de Grenoble, section Lettres-Droit*, 1943, pp. 1-28). M. F.-C. Green a donné une étude **sur**

Stendhal et la Literary Gazette (Le Divan, n° 278, avril-juin 1951, pp. 90-95).

La vie parisienne de Stendhal, avant ou après 1821-1823 (où il hésitait entre la France et l'Italie), le voit introduit dans les salons ; Stendhal et les salons de la Restauration, par Casimir Stryienski (Paris, Imbert, 1892, in-16, 23 p.), Stendhal et le salon de Madame Ancelot, par M. Henri Martineau (Paris, Le Divan, 1932, in-16, 208 p.). Ses relations surtout prennent de l'importance : Casimir Stryienski, Les amis de Stendhal, Mérimée, E. de Montijo, les salons de la Restauration, Donato Bucci (in : Soirées du Stendhal-Club, 1re série, Paris, Mercure de France 1905, XX - 322 p., 175-248) ; Deux amis de Stendhal, le Baron de Mareste et Maisonnette, par André Lelarge (Le Divan, nos 221, 224 et 228, juillet-août 1938, décembre 1938 et avril 1939). Ses amitiés et ses rencontres dans cette période ont été particulièrement étudiées : Stendhal et le comte Rœderer, par M. René Dollot (Le Divan, n° 210, juin 1937, pp. 169-186); Stendhal et Duvergier de Hauranne, par J. Boulenger (in : Candidature au Stendhal-Club, Paris, Le Divan, 1926, in-8°, 161 p., pp. 7-58); Stendhal et Alfred de Musset, par M. Martineau (Le Divan, n° 236, octobre-décembre 1940, pp. 314-323), et, à propos des Mémoires d'un Touriste, Stendhal, Sabran et Custine, de M. François Michel (Le Divan, n° 194, octobre-décembre, 1935, pp. 553-554). L'amitié de Stendhal et de Mérimée a été rappelée par Paul Hazard dans Cent ans de vie française (pp. 96-102) et par M. Emile Henriot dans le tome II de son Courrier Littéraire.

L'aspect sentimental de la vie de Stendhal pendant le séjour parisien de 1823 à 1830 a pour première figure la comtesse Curial. Mme Marie-Jeanne Durry l'a étudiée dans Une passion de Stendhal, Clémentine (Paris, Champion, Ed. du Stendhal-Club, n° 22, 1926, in-8°, 16 p.). M. Henri Martineau lui a consacré deux études : Menti, Grandbois et Stendhal (Le Divan, n° 242, avril-juin 1942, pp. 214-227) et Un amour orageux de Stendhal (Revue de Paris, février 1952, pp. 66-79). M. François Michel a utilisé les documents des Archives Nationales pour préciser l'image de Bathilde Curial (in : Nouvelles Soirées du Stendhal-Club, Paris, Mercure de France, 1950, pp. 13-132). Un autre amour de Stendhal, Alberthe de Rubempré ou Madame Azur, est étudié par M. Robert Vigneron, Stendhal et Sanscrit (Modern Philology, may 1936, Chicago, n° 4, vol. XXXIII, pp. 383-402). Bien que postérieures au départ pour l'Italie, il faut citer deux amours françaises de Stendhal : Stendhal et Madame Os, où M. Robert Vigneron éclaire la galanterie de Beyle envers Mme Bouchot, et Un dernier amour de Stendhal : Eugénie de Montijo, par Paul Arbelet (Revue Hebdomadaire, 31 décembre 1932, pp. 580-610).

4. — Information biographique - après 1830

(Voir aussi Stendhal et l'Italie)

La carrière diplomatique de Stendhal à partir de 1830 avait été envisagée dès 1892 par Louis Farges, Stendhal diplomate (Paris, Plon, 1892, in-12, 295 p.). M. Ferdinand Boyer l'a étudiée sous le titre Le gagnepain de Stendhal, 1830-1842 (Paris, Champion, Ed. du Stendhal-Club, n° 6, 1924). Mme Marie-Jeanne Durry a donné dans Stendhal et son travail consulaire : un échantillon inédit (Paris, Champion, Ed. du Stendhal-Club, n° 11, 1925), un exemple du travail du consul. M. René Dollot a suivi la carrière administrative dans Les papiers d'Henri Beyle au Ministère des Affaires Etrangères (Le Divan, n° 215, janvier 1938, pp. 11-23) : ces documents comportent le dossier personnel d'Henri Beyle et sa correspondance de Trieste et de Civita-Vecchia. M. René Dollot a défini la situation matérielle et morale de Beyle dans Stendhal et les prestiges de la Diplomatie (Revue d'Histoire Diplomatique, janvier-mars 1954).

Le détail de la carrière consulaire apparaît dans Ferdinand Boyer,

Les débuts de Stendhal dans la carrière consulaire, 1830-1831 (Dante, septembre-octobre 1935, pp. 344-352).

Sur la tentative triestine de Beyle, nous avons les études de René Dollot : *Stendhal consul de France à Trieste.* (Ed. du Stendhal-Club, Paris, Champion, n° 23, 1927) et *Les journées adriatiques de Stendhal* (Paris, Argo, 1929, in-16, 223 p.). Elles sont complétées par *Stendhal à Venise* (Paris, Champion, Ed. du Stendhal-Club, n° 25, 1927) et par l'étude de M. François Michel, *La première mésaventure du consul Beyle* (*Revue d'Histoire Diplomatique*, janvier-décembre 1948).

**

Sur Rome et Civita-Vecchia, *Stendhal à Rome, les débuts d'un Consul* de M. Roger Boppe (Paris, Editions de France, 1944), *Stendhal Consul dans les Etats Romains*, par M. Wladimir d'Ormesson (*Aurea Parma*, juillet-septembre 1951), *Stendhal consul de France à Civita-Vecchia*, par Edouard Frémy (*Le Moniteur universel*, 21 avril 1892). Les difficultés de la mission de Stendhal ont été soulignées par Charles Simon, *Stendhal et la police autrichienne* (Paris, Champion, Ed. du Stendhal-Club, n° 2, 1923, in-8°, 16 p.) et surtout par les recherches de Mme Marie-Jeanne Durry : *Stendhal et la police pontificale* (Paris, Champion, Ed. du Stendhal-Club, n° 11, 1925, in-8°, 18 p.). Dans *Stendhal et le gouvernement pontifical* (*Le Divan*, n° 194, octobre-décembre 1935, pp. 558-562), M. Henri Martineau enregistre les démêlés du consul et du gouvernement auprès duquel il était envoyé, en tenant compte de l'article de M. Pietro Paolo Trompeo, *Stendhal fra un cardinale e un Nunzio* (*Nuova Antologia*, 1° febbraio 1935). Sur les difficultés que Stendhal trouva à l'intérieur même de son consulat, c'est-à-dire essentiellement sur Lysimaque Tavernier, de Madame Durry, *Un ennemi intime de Stendhal, lettres inédites* (*Le Correspondant*, 1924, pp. 1084-1111), et *Un ennemi de Stendhal* (Paris, Le Divan, 1928, in-16, 61 p.). M. Ferdinand Boyer a présenté quelques pièces *Pour le dossier de Lysimaque Tavernier* (*Le Divan*, n° 193, juillet-septembre 1935, pp. 512-513), où ce dernier apparaît comme un protégé du Comte de la Tour-Maubourg, et il a également signalé *Un employé du Consul Beyle, Antoine Albert, héros stendhalien* (*Ausonia*, n° 1-3, janvier-septembre 1942, pp. 92-98). M. François Michel a précisé *Le chiffre du consul Beyle* (*Le Divan*, n° 269, janvier-mars 1949, pp. 16-23), dans un article qui fait ressortir combien les précautions de secret prises par Stendhal étaient aussi vaines dans sa correspondance diplomatique que dans les mots déformés de son *Journal.*

Pour les logements et les voyages de Stendhal en Italie, nous n'avons pas cru devoir séparer cet élément d'information de la bibliographie italienne que nous donnons dans un chapitre à part. En effet, l'importance que nous accordons à l'Italie dans les transformations de la morale beyliste, comme le fait que certaines études traitent de Stendhal et l'Italie sans séparer le séjour consulaire des séjours antérieurs, nous ont amenée à réserver un paragraphe à l'Italie stendhalienne. Ce paragraphe au demeurant constitue la bibliographie particulière d'une partie de notre travail.

Un chapitre de la vie de Beyle après 1830 est constitué par l'aventure Giulia Rinieri : Ferdinand Boyer, *Le mariage manqué de Stendhal* (Paris, Champion, éd. du Stendhal-Club, n° 29, 1930), et *A propos de Giulia Rinieri-Martini* (*Le Divan*, n° 184, septembre-novembre 1933), ainsi que : Luigi-Foscolo Benedetto, *Indiscrétions sur Giulia* (Paris, Le Divan, 1934, in-16, 184 p.) et François Michel : *Les Amours de Sienne* (Paris, Le Divan, 1950, in-16, 47 p.).

5. — *Les origines idéologiques de la pensée de Stendhal et les lectures de Stendhal*

De l'information générale sur la vie, les opinions et les attitudes de Stendhal, nous détachons ici quelques points particuliers en relation plus étroite avec notre travail : les origines idéologiques de la pensée de Stendhal et ses lectures, le tempérament de Stendhal et sa théorie des tempéraments, les attitudes politiques de Stendhal, Stendhal et l'Italie. Nous avons déjà signalé le rapport étroit du milieu familial et grenoblois avec certains passages de notre étude.

Avant les travaux de M. Alciatore, la formation idéologique de Beyle, qui constitue le point de départ de notre étude, avait été sinon étudiée systématiquement, du moins fort souvent signalée et partiellement précisée. *La jeunesse de Stendhal,* de M. Paul Arbelet (Paris, Champion, 1919, tome II), met en lumière l'influence de l'Ecole Centrale de Grenoble et le prolongement de cette influence dans les lectures de Stendhal. M. Henri Delacroix intitulait en 1917 *Stendhal et l'Idéologie* un article paru dans la *Revue de Métaphysique et de Morale* (n° 24, pp. 383-427) où il recensait la plupart des lectures idéologiques de Beyle. *Les Pages Stendhaliennes* de M. Henri Dumolard (Grenoble, éd. J. Rey, B. Arthaud, successeur, 1928, in-8°, 195 p.), reprenaient (pp. 1-38) sous le même titre que celui de M. Delacroix, une étude fondée surtout sur le *Journal* et la *Correspondance.* L'article de M. Pierre Jourda, *Stendhal inspiré par Destutt de Tracy* (*Annales de l'Université de Grenoble,* 1924) porte uniquement sur l'influence du *De l'Amour* de Tracy sur le *De l'Amour* de Stendhal. Sur le même sujet, Gilbert Chinard, *Destutt de Tracy, De l'Amour* (Paris, Les Belles Lettres, 1926, in-8°, 81 p.).

Après 1920, environ, la plupart des ouvrages généraux consacrés à Stendhal mentionnent les écoles idéologiques de Beyle, et l'on peut citer comme exemple M. Henri Jacoubet qui, dans *les Romans de Stendhal* (Grenoble, Dreyet, 1933, in-8°, 208 p.), analyse la méthode de création de Stendhal en tenant essentiellement compte de cette première formation. L'article de M. André Billy, *Stendhal à vingt ans,* porte spécialement sur les exercices d'école et la *Filosofia Nova* (*l'Œuvre,* 21 avril 1931).

Mme Elisabeth Revai reprend ce thème d'une manière plus précise dans sa thèse *La psychologie de la volonté chez Stendhal* (*Publications de l'Institut Français de l'Université de Budapest*) où elle montre la naissance chez Stendhal d'une conception volontariste à partir de la lecture des Idéologues. Nous n'avons pu consulter de cet ouvrage en langue hongroise que le sommaire fort détaillé qu'en donne M. Martineau dans *Le Divan* (*Petites notes stendhaliennes,* n° 175, janvier 1932).

M. François Vermale a précisé un aspect des rapports de Stendhal et de l'Idéologie. Dans *Stendhal idéologique* (*Le Divan,* n° 207, mars 1937, pp. 83-89), il montre Beyle subissant l'influence de son ami Joseph Rey. M. Vermale entend là l'Idéologie en un sens politique et fait apparaître que Stendhal fut, avec les Idéologues, hostile aux ambitions du Premier Consul et favorable à la conspiration de Moreau. *Stendhal courtisan et philosophe* (*Le Divan,* n° 212, septembre-octobre 1937, pp. 229-236) et *L'élaboration du Beylisme* (*Le Divan,* n° 213, novembre 1937, pp. 267-277) établissent les dates de lecture des Idéologues par Stendhal et montrent parallèlement l'évolution de Joseph Rey et de Beyle ; il s'agit cependant en grande partie encore d'attitudes politiques. Sur Joseph Rey, ainsi lié aux premières lectures de Stendhal, M. H. Dumolard, *Joseph Rey, de Grenoble* (1789-1855), *et ses Mémoires politiques* (*Annales de l'Université de Grenoble. Section Lettres-Droit,* 1927, pp. 71-111). La bibliothèque de Grenoble possède un manuscrit de Rey lui-même, *Ma Biographie morale et politique de 1779 jusqu'en 1820* (côte T. 3940).

Les travaux de M. Jules C. Alciatore représentent les ouvrages décisifs sur la question. Ils ont d'abord été accessibles sous forme d'articles publiés dans les revues américaines : *Stendhal et Helvétius, les sources de quelques idées stendhaliennes sur le beau* (The University of Chicago Libraries, 1941, in-8°, 21 p.), *Stendhal et Lancelin* (sur la classification des passions; *Modern Philology*, august 1942, pp. 71-102), *Stendhal et Pinel* (*Modern Philology*, november 1946, pp. 118-133), *Stendhal et Destutt de Tracy : la Vie de Napoléon et le Commentaire sur l'Esprit des lois* (*Modern Philology*, november 1945, pp. 98-197), *Le catéchisme d'un roué par Stendhal et l'influence d'Helvétius sur ce fragment* (*Symposium*, Syracusa's University, vol. II, 1948, pp. 210-220), *Stendhal et Destutt de Tracy; les désirs contradictoires, source de malheur* (*Le Bayou*, Houston University, n° 42, été 1950, pp. 151-156), *Stendhal et Brissot de Warville* (*Modern Philology*, november 1952, pp. 116-129). En Europe, M. Alciatore a publié : *Stendhal et Helvétius, les sources de la philosophie de Stendhal* (Genève, Droz, 1952, gr. in-8°, 303 p.) *et Stendhal et Maine de Biran* (Genève, Droz, 1954, gr. in-8°, 48 p.).

Les rapports de Stendhal et de Destutt de Tracy peuvent être complétés par : Louis Bourjade, *Destutt de Tracy et Stendhal, jugement général sur Destutt de Tracy* (Ed. de la Baconnière, « Etre et penser », Neuchâtel; 36ᵉ cahier, septembre 1952, pp. 9-16) et par *Stendhal and America* de James F. Marshall (*The French American Review*, oct.-déc. 1919, pp. 240-267), qui fait apparaître l'influence du *Commentaire sur l'Esprit des Lois* de Tracy.

*
* *

Sur l'ensemble des lectures de Stendhal, les textes stendhaliens, et spécialement les *Pensées*, le *Journal*, la *Correspondance*, demeurent la principale source, concurremment avec la reconstitution des bibliothèques personnelles de Beyle.

Après l'étude d'Adolphe Paupe sur *La bibliothèque de Stendhal* (in : *La vie littéraire de Stendhal*, pp. 77 sqq.), M. Ferdinand Boyer a fixé l'essentiel : *La bibliothèque de Stendhal à Rome* (*Revue de Littérature Comparée*, 1923, pp. 450-462), *Bibliothèques stendhaliennes à Civita-Vecchia* (Paris, Champion, Ed. du Stendhal-Club, n° 10, 1925) et surtout *Les lectures de Stendhal* (Paris, Champion, Ed. du Stendhal-Club, n° 14, 1925, 240 p.). Un complément utile est apporté par Louis Royer, *Les livres de Stendhal dans la bibliothèque de son ami Crozet* (*Bulletin du Bibliophile*, septembre-octobre 1923, pp. 444-446) et par André Doderet : *A Civita-Vecchia dans la bibliothèque de Stendhal, documents inédits* (*Revue de France*, 1ᵉʳ janvier 1933, pp. 52-61). La bibliothèque de Civita-Vecchia avait été longtemps préservée grâce à Donato Bucci. Sa dispersion a donné lieu à des articles comme *Que va devenir la bibliothèque de Stendhal?* par M. Charles Pichon (Tunis-Soir, 19 septembre 1942).

La thèse de M. Vittorio del Litto, *Les sources françaises et étrangères des idées littéraires de Stendhal* (Paris, 1954) suit l'évolution littéraire de Stendhal et donne une utile recension de ses lectures.

Sur les influences d'auteurs particuliers, le XVIIIᵉ siècle est privilégié. Une thèse de Leipzig a étudié — mais sans grande précision — l'influence globale du XVIIIᵉ siècle : c'est surtout entre le caractère psychologique et intellectualiste de la littérature de ce siècle et l'œuvre de Stendhal que M. Wolfgang Wagner voit une affinité, dans *Stendhals Beziehung zum 18 Jahrhundert und sein Werk* (Dresden, Risse Verlag, 1933, in-8°, 32 p.). M. Carrère présentait un *Saint-Simon annoté par Stendhal* dans *Le Temps* des 12 et 13 février 1908, auquel il faut joindre l'étude de M. Francis Ambrière, *Le Saint-Simon de Stendhal* (*Nouvelles Littéraires*, 13 septembre 1920). Un volume de Montesquieu, *Considérations sur les causes de la grandeur des Romains* (Didot, 1814), annoté par Stendhal, appartient à la Bibliothèque Nationale. On trouve l'influence de Laclos dans : Octave Aubry, *Stendhal et Choderlos de Laclos* (*Candide*, 30 juillet 1931). M. G. Saintville montre, dans *Stendhal et Vauvenargues* (Paris, *Le Divan*, 1938, in-16, 58 p.), que les œuvres de jeunesse de Stendhal citent, discutent et utilisent Vauvenargues, et M. del Litto a relevé les *Marginalia inédits de Stendhal sur un Vauvenargues* (*Mercure de France*, mai 1951, pp. 95-118).

Des rapprochements semblables sont faits par M. Luigi Magnani dans *Beaumarchais, insospettata fonte stendhaliana* (*Aurea Parma*, Parme, juillet-décembre 1950) et par Pierre Martino dans *Stendhal et Lesage* (*Le Divan*, nº 279, juillet-septembre 1951, pp. 190-191), tandis que M. Martineau établit *Une source de Stendhal, Marmontel* (*Le Divan*, nº 256, décembre 1945). Les *Scholies Stendhaliennes* de M. del Litto ont signalé *Quelques notes de lecture : Montaigne, Lavater, Della Casa, Racine* (*Ausonia*, janvier-mars 1939, pp. 17-22). Sur une autre lignée, *Racine, Fénelon et Stendhal*, de M. R. Gavelle (*Revue d'Histoire Littéraire de la France*, 1930, pp. 77-89). Sur les Mémorialistes en général, M. del Litto a consacré aux lectures par Stendhal de Retz, Marmontel, Saint-Simon, etc..., un chapitre de sa thèse *Les sources françaises et étrangères des idées littéraires de Stendhal* (Deuxième partie, Chap. I, section 2, *La découverte de l'histoire*, pp. 469-480 du texte dactylographié).

Nous avons accordé une grande importance à l'influence de Mme de Staël : les lectures de Mme de Staël par Stendhal sont très précisément établies par M. del Litto dans *Scholies Stendhaliennes : quelques notes de lecture de Stendhal en 1803 et 1804 : Alfieri et Mme de Staël* (*Ausonia*, octobre-décembre 1938, pp. 161-168) et par le relevé des annotations de Stendhal fait par M. Henri Jacoubet (*Dominique et Corinne*, *Ausonia*, avril-juin 1939, pp. 57-60). M. René Dollot étudie Madame de Staël vue par Stendhal dans *Autour de Stendhal* (pp. 206-237), où l'on trouve également Chateaubriand jugé par Stendhal (pp. 193-206).

M. del Litto a repris et tranché définitivement la question des dates de lecture de Mme de Staël dans *Stendhal et Mme de Staël* (*Nouvelles soirées du Stendhal-Club*, Paris, Mercure de France, in-8º, 1950, 275 p., pp. 117-126). M. Armand Hoog a signalé un autre « intercesseur du romantisme » : *Victor Cousin vu par Stendhal* (*Revue des Sciences Humaines*, Faculté des Lettres de Lille, nº 63, septembre 1951, pp. 184-200). Quant à l'influence possible de Gœthe — lectures dont la résonance n'est guère certaine et rencontres d'amis communs —, elle a été analysée par M. François Vermale dans *L'influence de Gœthe sur Stendhal* (*Annales de l'Université de Grenoble, section Lettres-Droit*, 1937, pp. 53-71). M. Baldensperger l'avait signalée dans les *Mélanges Vianey* (Paris, Presses Françaises, 1934, pp. 333-343).

Nous n'avons point trouvé d'étude précise de l'influence de Corneille, influence à laquelle nous nous sommes attachée : on a le plus souvent considéré Corneille comme un modèle *dramatique* (et non moral) de Stendhal et il est examiné sous cet angle dans les ouvrages qui font allusion aux essais dramatiques de Beyle.

Les lectures italiennes de Stendhal figureront dans le chapitre Stendhal et l'Italie.

APPENDICE : Ouvrages cités à propos des lectures de Stendhal

BESENVAL. — *Mémoires du Baron de Bésenval*, avec une notice sur sa vie, des notes et des éclaircissements historiques, par MM. Berville et Barrière. Paris, Baudoin frères, 1821, 2 vol.

BRISSOT DE WARVILLE. — *De la vérité ou Méditations sur les moyens de parvenir à la vérité dans toutes les connaissances*. Paris, Desauges, 1782.

 Correspondance universelle sur ce qui intéresse le bonheur de l'homme et de la Société. Londres, Impr. de E. Cox., 1783.

BURKE Edmund. — *Recherche philosophique sur l'origine de nos idées du sublime et du beau*, traduit de l'anglais (...) par E. Lagentie de Lavaïsse A Paris, chez Pichon (...) et Mme Depierreux. An XI (1803).

CABANIS. — *Rapports du physique et du moral de l'homme*. Paris, Béchet jeune, 1884; 2 vol.

CAYLUS (Mme de). — *Souvenirs*. Paris, chez Barrois l'aîné, an XII, 1804.

CHAMFORT. — *Œuvres complètes*, seconde édition revue, corrigée, précédée d'une notice sur sa vie. Paris, Colnet, 1808.

CHOISEUL, Duc de. — *Mémoires de M. le Duc de Choiseul*. A Chanteloup et à Paris, chez Buisson, libraire, 1790.

CHOISY (Abbé de). — *Mémoires de l'abbé de Choisy pour servir à l'histoire de Louis XIV*. Paris, Librairie des bibliophiles, 1888, 2 vol.

CONDILLAC. — *Traité des sensations*, publié avec une introduction, un extrait raisonné et des notes par T. V. Charpentier. Paris, Hachette, 1886.

— *De la Logique, ou les Premiers développements de l'art 'de penser, ouvrage élémentaire*. Paris, A. Delalain, 1831.

— *Essai sur l'origine des connaissances humaines*, publié avec notices biographiques et bibliographiques par R. Lenoir. Paris, Armand Colin, 1924.

CONDORCET (Mme de). — *Huit lettres sur la sympathie* (précédées de la traduction de la *Théorie des sentiments moraux* d'Adam Smith). Paris, chez Buisson, an VI (1798).

CONDORCET (Marquis de). — *Esquisse d'un tableau historique des progrès de l'esprit humain*. A Paris, chez Agasse, An III (1795).

CORNEILLE. — *Théâtre de Pierre Corneille*. Paris, E. Flammarion, 1898, 5 vol.

DEFFAND (Madame du). — *Correspondance inédite de Mme Du Deffand*. Paris, Michel Lévy Frères, 1853, 2 vol.

DESTUTT DE TRACY. — *Eléments d'Idéologie*. A Paris, chez Mme Levi, 1827, 5 vol.

— *Principes logiques ou Recueil de faits relatifs à l'intelligence humaine*. Paris, chez Mme Vve Courrier, 1817.

— *Commentaire sur l'Esprit des Lois de Montesquieu*. Paris, Théodore Desoer, 1819.

— *De l'Amour*, avec introduction de Gilbert Chinard. Paris, Les Belles-Lettres, 1926.

DUCLOS. — *Considérations sur les mœurs de ce siècle, suivies des Mémoires sur les mœurs*. Paris, Janet et Cotelle, 1823.

DUMARSAIS. — *Essai sur les préjugés ou De l'influence des opinions sur les mœurs et sur le bonheur des hommes*. Paris, chez Niogret, libraire-éditeur, 1822.

GENLIS (Mme de). — *Les souvenirs de Félicie L...* A Paris, chez Maradan, an XII, 1804.

HAMILTON Antoine. — *Mémoires du chevalier de Grammont*. Cologne, P. Marteau, 1713.

HELVETIUS. — *De l'Esprit*. A Paris, chez Durand, libraire, MDCCLIII.

— *De l'Homme* (Tomes 3, 4 et 5 des *Œuvres complètes*). A Londres, MDCCLXXXI.

HOBBES. — *The english works of Thomas Hobbes of Malmesbury*, now first collected and edited by Sir William Molesworth, London, Bart, 1840, 11 vol.

Spécialement vol. IV, *Human nature of the fondamental elements of policy*.

HUTCHINSON Lucy Apsley. — *Mémoires de Mistress Hutchinson*, publiées par J. Hutchinson. Paris, Béchet aîné, 1823, 2 vol.

LANCELIN. — *Introduction à l'analyse des sciences, ou de la génération, des fondements, et des instruments de nos connaissances*. Paris. Tome I : Bossange, an IX, 1801 : Tome II, Fuchs, an X, 1802 ; Tome III : Fuchs, an XI, 1803).

LAUZUN, Duc de. — *Mémoires de Monsieur le Duc de Lauzun*. Paris, Barrois l'aîné, 1822.

LAVATER. — *Règles physiognomoniques, ou Observations sur quelques traits caractéristiques.* La Haye, J. Van Cleef, an XI, 1803.

— *L'art de connaître les hommes par la physionomie,* nouvelle édition augmentée par Moreau de la Sarthe. Paris, L. Prudhomme, 1806.

MAINE DE BIRAN. — *Influence de l'habitude sur la faculté de penser.* Paris, Henriches, An XI (1801).

MARMONTEL. — *Mémoires,* précédés d'une introduction par F. Barrière. Paris, Firmin Didot Frères, 1846.

MIRABEAU. — *Esprit de Mirabeau ou Manuel de l'homme d'Etat, des publicistes, des fonctionnaires et des orateurs.* Paris, Chez Buisson imprimeur-libraire, 1797.

— *Œuvres de Mirabeau. Les écrits,* avec une introduction et des notes, par Louis Lumet. Paris, Charpentier, 1912.

— *Mémoires biographiques, littéraires et politiques de Mirabeau.* Paris, A. Auffray, A. Gagot, et A. Delaunay, 1834-1835, 8 vol.

PINEL. — *Traité médico-philosophique sur l'Aliénation mentale ou la Manie.* Paris, chez Richard, Caille et Ravier, an IX, 1801.

— *Nosographie, philosophique ou la Méthode de l'analyse appliquée à la médecine.* Paris, J.-A. Brosson, 1810, 3 vol.

RESTIF DE LA BRETONNE. — *Les nouveaux mémoires d'un homme de qualité.* Paris, Duchesne, 1774, 2 vol.

RETZ (Cardinal de). — *Mémoires du cardinal de Retz,* éd. par Alphonse Feuillet. Paris, L. Hachette, 1866.

RICHELIEU (Duc de). — *Mémoires authentiques du maréchal de Richelieu.* Paris, Société de l'histoire de France, 1918.

ROUSSEAU (Jean-Jacques). — *Œuvres Complètes.* Paris, J. Bry aîné, 1856-1857, 2 vol.

ROUSSEL. — *Système physique et moral de la femme.* Paris, Charpentier et Fortin, Masson et Cie, 1845.

SAINT-REAL (Abbé de). — *De l'usage de l'histoire. Œuvres Complètes,* tome I. Amsterdam, 1730.

SAINT-SIMON (Duc de). — *Mémoires sur le Siècle de Louis XIV et la Régence.* Paris, Larousse, 1911, 4 vol.

STAEL (Mme de). — *De l'influence des passions sur le bonheur des individus et des nations.* Holstein. Paris, chez Maradan, libraire, 1818.

— *Corinne ou l'Italie.* Paris, Garnier, s. d. (1931).

— *De l'Allemagne.* Paris, Garnier, s. d. (1932), 2 vol.

SMITH Adam. — *Théorie des sentiments moraux,* traduction nouvelle de l'Anglais, par M. l'abbé Blavet. Paris, chez Valade, MDCCLXXIV.

BILLION J. — *Madame de Staël et le mysticisme.* Revue d'Histoire Littéraire de la France, 1910, pp. 107-123.

CAILLET Emile. — *La tradition littéraire des Idéologues,* with an introduction by Gilbert Chinard. Philadelphia, American Philosophical Society, 1943.

DAMIRON. — *Essai sur l'histoire de la philosophie en France au XIXᵉ siècle.* Paris, Schubart et Heideloff, 1828, 2 vol. in-8°.

NADAL Octave. — *Le sentiment de l'amour dans l'œuvre de Pierre Corneille.* Paris, Gallimard, 1948.

PICAVET François. — *Les Idéologues.* Paris, Alcan, 1891.

PORTE Maria T. — *Madame de Staël e l'Italia.* Firenze, Gonnelli, 1910.

SEILLIERE. — *Les étapes du mysticisme passionnel. Corinne, Delphine.* Paris, Renaissance du Livre, 1917.

VIATTE Auguste. — *Madame de Staël et Lavater, d'après des documents inédits. Revue de littérature comparée,* 1923, pp. 640-650.

6. — Sur le tempérament de Stendhal et sa théorie des tempéraments

(Cf. notre chapitre IV, sections 2 et 3)

Dans la mesure où la théorie des tempéraments est utile à la genèse de la notion de naturel chez Stendhal, nous avons accordé une grande importance aux formes qu'a reçues cette théorie chez Stendhal, ainsi qu'aux applications qu'il a tenté d'en faire à son propre caractère — qui était l'objet premier de ses observations psychologiques.

Le caractère propre de Stendhal a été étudié sous forme de fiches cliniques par le Docteur Paul Gauzy (*Stendhal malade*, Bordeaux, Imprimerie de l'Université, V. Cadoret, 1928, 52 p.), par Constant de Horion (*La vie pathologique de Stendhal*, Le Drapeau Bleu, Liège, février 1935), par le Docteur Voivenel, sous le pseudonyme de Campagnou (*Consultation médicale sur Stendhal*, l'*Archer*, septembre-octobre 1938), par le Docteur Xavier Rousseau dans sa thèse de Paris, *Notes médicales sur Stendhal* (Paris „Jouve et Cie, 1938, in-8°, 86 p.) et par Yvon Delteil (*Au chevet de Stendhal*, Le Progrès Médical, 10 janvier 1953). Il s'agit là d'études médicales. Une mise au point est faite par M. Bosselaers dans *Le cas Stendhal* (Essai typologique et littéraire, Paris, E. Droz, 1938, IV - 240 p.), mais dans l'ensemble, toutes ces études n'aboutissent qu'à tenter de classer Beyle parmi les « tempéraments cycloïdes et hypomaniaques, traversés par des éléments schizoïdes ». Le souci d'étude pathologique gêne les auteurs, dont les conclusions se ramènent habituellement à reconnaître chez Stendhal divers états maladifs affectés du correctif *hypo*. M. Henri Martineau était doublement qualifié pour réduire ces études à leur véritable valeur (*Le Divan*, passim, in *Petites Notes Stendhaliennes*).

Il convient de signaler un essai d'étude psychanalytique par Edmund Bergler (*Talleyrand, Napoléon, Stendhal, Grabbe*, Psychoanalytisch.-biogr. essays, Wien, Internat. Psychoanalyt. Verlag, 1935, 165 p.). Sur l'amour de Stendhal pour sa mère, l'article de Michel Puy, *L'amour du petit Beyle* (Le Divan, n° 190, déc. 1934 - févr. 1935, pp. 356-360), insiste sur le caractère émotif, mais non anormal de cet attachement.

L'article de M. Ernest Seillière, *L'égotisme pathologique chez Stendhal* (*Revue des Deux Mondes*, 15 janvier 1906) a le mérite, malgré son titre, de ne point réduire la vie psychologique de Stendhal à la pathologie et de définir clairement son caractère. Le *Traité de caractériologie* de M. René Le Senne (Paris, P.U.F., 1945) range Stendhal parmi les « nerveux » (pp. 151, 156-157, 176, 185) et le prend fréquemment à titre d'exemple. L' « ennui » a fait l'objet d'une dissertation très scolaire de Mme Dora Brauchlin, qui est un simple relevé du thème : *Das Motiv des « ennui » bei Stendhal* (Strasbourg, Heitz und Cie, 1930). Dans *Notre Stendhal* (Paris, Albin Michel, 1948, in-16, 189 p.), M. Jean Davray fait ressortir le caractère exceptionnel de la sensibilité de Stendhal dans sa vie et dans ses réactions devant la vie.

Sur la timidité de Stendhal, l'article de L. Dugas, *La timidité de Stendhal et la timidité d'après Stendhal* (Mercure de France, n° 141, 15 juillet 1920, pp. 336 sqq.) offre une heureuse distinction et une étude très précise. Un exemple de timidité stendhalienne est donné par la fameuse visite à Béranger (voir notre chapitre IV, paragraphe 3), dont M. Henri Martineau discute la vraisemblance dans *Stendhal et Béranger* (Le Divan, n° 193, juillet-septembre 1935). Ajoutons que malgré son caractère général, le livre de Maurice David, *Stendhal, sa vie et son œuvre* (Paris, Ed. de la Nouvelle Revue Critique, 1931, in-16, 77 p.) accorde une grande importance au tempérament de l'écrivain.

L'iconographie peut fournir quelques éléments. L'ensemble le plus complet est formé par les 173 pages d'illustration des *Documents iconographiques* de M. Henri Debraye (Genève, P. Caillier, 1950, in-16, 55, 173 p.).

*
* *

S'il faut distinguer objectivement le caractère personnel de Stendhal
et sa théorie des caractères (qu'elle soit appliquée par lui-même à lui-
même ou à autrui), il n'en reste pas moins vrai que Stendhal sépare
assez mal les observations qu'il fait sur lui-même et celles qu'il fait
sur les autres. C'est sur ce double sens que jouent les études de M. Henri
Delacroix, *La Psychologie de Stendhal* (Paris, Alcan, 1918, 286 p.) et
de M. Eugène Leroy, *Stendhal psychologue* (*Journal de Psychologie normale et pathologique,* n° 17, 1920, pp. 266-288). La théorie personnelle
de Stendhal est étudiée par M. Remi Bosselaers dans *Les tempéraments
selon Stendhal* (*Le Divan,* n° 270, avril-juin 1949, pp. 70-97) et par
M. R. Lenoir dans *La philosophie nouvelle de Beyle* (*Journal de Psychologie normale et pathologique,* T. XXV, 1928, pp. 577-596).
L'incidence du caractère de Stendhal sur ses opinions ou sur son
œuvre est envisagée par M. Eugène Marsan dans *Politique et psychologie
de Stendhal* (*La Revue des idées et des Livres,* n° 20, 1913, pp. 588-
599).

7. — *Sur les opinions politiques de Stendhal*

Il nous a été indispensable de faire état des opinions de Stendhal
et des positions politiques et « philosophiques » qu'il a pu prendre :
la notion de « naturel » ne peut être déterminée que dans le cadre
de ces prises de position.
Les deux études de J. Mélia, *Les idées de Stendhal* (Paris, Mercure de
France, 1910) et *Ce que pensait Stendhal* (Paris, Mercure de France,
1938), qui touchent par ailleurs à d'autres sujets, ne pourront rien
apporter de certain.
L'attitude d'opposant de Stendhal a souvent été soulignée. Elle est
mise en lumière par François Vermale dans *Stendhal et la Révolution*
(*Annales historiques de la Révolution Française* (mars-avril 1934,
pp. 146-151) et dans *Stendhal et Bernave* (*Livre d'or du Dauphinois,*
Tome II, Grenoble, 1952). On peut la suivre dans l'étude de M. Gérard
Bauer, *La Société sous le Consulat : Stendhal et Paul-Louis Courier*
(*Conferencia,* 20 oct. 1930, pp. 431-442). Il est aisé de la retrouver dans
les indignations de Beyle contre la terreur blanche (François Vermale :
Stendhal 1815, Le Divan, n° 235, juillet-sept. 1940), et dans le rôle d'ailleurs douteux que Stendhal put jouer dans l'affaire Didier : François
Vermale, *Stendhal conspirateur* (*Le Divan,* n°s 240 et 241, oct.-déc. 1941
et janv.-mars 1942); François Vermale et Yves du Parc, *Un conspirateur
stendhalien, Paul Didier* (Paris, S.G.A.F., 1951, in-8°, V, 324 p.); Henri
Dumolard, *La terreur blanche dans l'Isère, Jean-Paul Didier et la Conspiration de Grenoble* (Grenoble, B. Arthaud, 1928, in-4°, 307 p.). Un
autre article de M. Vermale complète le dossier de l'affaire, de manière
assez ironique : *Chérubin Beyle et l'affaire Didier* (*Bulletin de l'Académie Delphinale,* décembre 1946). Il est discuté par M. Henri Martineau (*Le Divan,* avril-juin 1947, pp. 96-98). Il semble bien qu'après
1816, cette attitude oppositionnelle n'ait plus trouvé à s'exprimer dans
un demi-engagement réel et se soit définie seulement dans des tendances
et des jugements livresques, puisqu'à partir de cette date, nulle étude
ne fait état de cette tendance chez Beyle.
Les idées politiques de Stendhal ont donné lieu à de nombreuses
études : la complexité de ses attitudes fait que ces travaux restent
presque tous académiques et composés de centons. On ne peut donc
que les citer :
AUBRY Octave. — *Stendhal politique* (*Candide,* 22 octobre 1931).
BALLAGUY Paul. — *Stendhal et son pays* (*La Revue Universelle,* 1924,
pp. 316-332).
BLUM Léon. — *Les idées politiques de Stendhal* (*Marianne,* 25 janvier 1933).

BRUSSALY Manuel. — *The political ideas of Stendhal* (Publications of the Institute of French Studies. Columbia University, New-York, 1933, 233 p.).

DOLLOT René. — *Talleyrand vu par Chateaubriand et par Stendhal* (*Revue d'Histoire Diplomatique*, 1943-1945).

— *Stendhal et la presse de son temps* (*Journal des Débats*, Clermont-Ferrand, 11, 18, et 25 janvier 1944).

DUMOLARD Henri. — *Autour de Stendhal* (Grenoble, B. Arthaud, 1932, in-8°, 155 p.), où Stendhal apparaît à la fois aristocrate et libéral (pp. 7-93).

HORION, Constant de. — *Les idées politiques de Stendhal* (Bruxelles, Le Flambeau, 1935, in-8°, 8 p.).

LEROY Maxime. — *Stendhal politique* (Paris, Le Divan, 1929, 68 p.), où Stendhal est un monarchiste libéral.

On retrouve le contenu de la plupart de ces ouvrages dans : Gordon Brown, *Les idées politiques et religieuses de Stendhal* (Paris, Jean Renard, 1939, gr. in-8°, 200 p.). Tout en restant gêné comme les précédents par le fait que Stendhal s'intéresse à tout en politique et s'exprime par boutades sans cependant payer de sa personne, cet ouvrage a le mérite de constituer un examen systématique et une synthèse.

On a généralement fait à juste titre de Stendhal un « libéral ». Il convient de noter que ses opinions sur la démocratie américaine ne sont point faites pour confirmer définitivement cette thèse. C'est ce qui apparaît, malgré les efforts des auteurs, dans *Stendhal et l'Amérique* de James Hayden Siler (*Le Divan*, n° 263, juillet-septembre 1947, pp. 131-134 et dans *Stendhal and America*, de James F. Marshall (*The French American Review*, october-december 1949, pp. 240-267). Cette réserve, qui nous paraît importante, ne saurait pourtant justifier en rien les thèses de Maurice Bardèche dans son *Stendhal* (pp. 73-129), où l'on peut dire que l'intelligence de l'auteur a été surprise et coiffée par la passion personnelle.

Les articles de Maxime Gorki, *Les écrivains et l'histoire ou Stendhal examiné à la lumière du marxisme* (Le Mois, 1er février et 1er mars 1932) et *Stendhal écrivain révolutionnaire* (Gavroche, 5 juillet 1945) constituent une tentative intelligente pour interpréter Stendhal à la lumière d'une pensée qui n'était pas née à la mort de notre écrivain. Stendhal y est présenté comme un précurseur involontaire, de même que dans le livre de Claude Roy, *Stendhal par lui-même* (Paris, Ed. du Seuil, 1951) et dans *Signification de Stendhal*, par M. René Andrieu (*La Pensée*, septembre-octobre 1949). Le caractère oppositionnel de Stendhal est souligné par ces études, et leurs passages les plus valables montrent que dans la situation où il se trouvait, Stendhal ne pouvait faire de lui-même qu'un individualiste en désaccord avec la société de son temps.

Du moins ces efforts d'exégèse affirment-ils la position anticléricale, athée et antimonarchique de Stendhal, qui ne saurait être mise en doute.

Les idées politiques et religieuses de Stendhal, malgré les constantes que nous venons de signaler, n'ont jamais fait l'objet d'une étude complexe et sérieuse — et pour cause. Pour que les tendances politiques *générales* de Stendhal puissent paraître affirmées, il faudrait que Stendhal, qui fut tellement séduit par le romanesque des « vente » de « carbonari », ait risqué sa vie dans l'action. Il s'en garda et, quelque profession de foi politique qu'on lui puisse prêter, il y manquera toujours la signature.

Il convient cependant d'ouvrir son dossier maçonnique : la question fut posée en 1935 par un article de M. Henri Martineau, *Stendhal Francmaçon* (Le Figaro, 5 octobre 1935). Les échos en furent nombreux : Bernard Fay : *En feuilletant les papiers de Cambacérès; Stendhal Francmaçon* (Candide, 24 octobre 1935); Antonio Coen et Albert Lantoine : *La L... Italienne Ecossaise de Sainte-Caroline* (Bulletin mensuel des ateliers supérieurs, novembre 1935) ; Francis Ambrière : *La « Loge » de Stendhal* (Mercure de France, 1er sept. 1936, pp. 295-306). Ce dernier article montre d'ailleurs qu'il n'existe point de trace d'appartenance de Stendhal à la maçonnerie après 1807. La mise au point de M. François Vermale (*Le dossier maçonnique de M. de Beyle, Le Divan*, n° 209, mai 1947, pp. 145-153), fixe les dates d'entrée et sortie de Henri Beyle dans la maçonnerie et consacre fort opportunément une partie de l'article à l'évocation des souvenirs maçonniques dans *Le Rouge et le Noir*.

Stendhal devant Napoléon est envisagé par M. Ferdinand Boyer, *Stendhal et les historiens de Napoléon* (Paris, Champion, Ed. du Stendhal-Club, 1927, in-8°, 8 p.). M. Charles Dédéyan montre *Stendhal et le Risorgimento dans la Chartreuse de Parme* (*Revue de Littérature comparée*, avril-juin 1952, pp. 168-182.)

Le « cosmopolitisme » de Stendhal est examiné par Pierre Martino *Stendhal à Cosmopolis* (*Revue de la Méditerranée*, janvier-février 1946 et *Nouvelles Soirées du Stendhal-Club*, Paris, Mercure de France, 1950, pp. 47-78). Cet article fait heureusement ressortir les contradictions de Stendhal dans les jugements qu'il porte sur la France, l'Italie ou l'Angleterre, et laisse entendre que son cosmopolitisme peut être dû à ses contradictions. Sur l'usage même du terme chez Stendhal, Mme Jeanne Reydan trouve dans l'opéra *I pretendenti delusi* l'origine de la formule *Vengo adesso di Cosmopoli* (*Le Divan*, n° 178, juin-août 1932, pp. 162-163).

Sur l'attitude de Stendhal devant l'Eglise (cf. notre étude *Stendhal et le sentiment religieux*), il faut reprendre les attitudes religieuses de Beyle dès son enfance et en face de l'abbé Raillane, ainsi que les chapitres consacrés à la question religieuse dans les ouvrages précédemment cités.

Aucune de ces études n'est concluante, bien que plusieurs d'entre elles apportent des précisions. Il nous est apparu, jusqu'à plus ample information, que la position *politique* de Beyle ne pouvait être déterminante de façon majeure dans l'interprétation de son œuvre. Elle demeure une utile indication.

8. — *Stendhal et l'Italie*

(Cf. chapitre VIII, sections 2 et 3, chapitre IX et chapitre XIII.)

L'influence de l'Italie est prépondérante dans l'évolution de la notion de « naturel ». Paysages, mœurs, et visions artistiques concourent à marquer la sensibilité de Stendhal, à lui faire créer le mythe d'un cadre privilégié qui est celui de la péninsule italienne, dans lequel il livrera ses dernières défiuitions du bonheur et de la vérité.

L'établissement des dates et des circonstances de ses séjours italiens n'est point indifférente à une juste compréhension de l'influence qu'il subit, qu'il la créât, l'imaginât sous forme de mythe, ou la reçut réellement des hommes rencontrés, des paysages admirés, des mœurs qu'il étudiait.

Nous possédons peu d'études sur son premier séjour en Italie. Mais nous savons que dès 1811 Stendhal rêvait de sa patrie privilégiée (Ferdinand Boyer, *Le projet d'une mission de Stendhal à Rome en 1811, Le Divan*, n° 173, nov. 1931, pp. 416-417). Sur ses contacts en général avec l'Italie nous avons les travaux d'Eugène Marsan, *Stendhal et l'Italie* (*Revue critique des Idées et des Livres*, n° 26, 1919, pp. 683-693), de M. Maurel, *L'art de voyager en Italie. Théorie : Rabelais, Gœthe, Ruskin, Stendhal* (Paris, Hermès, 1921, 250 p.), de L. Vaillet, *Taine, Stendhal et l'Italie* (*Revue de Belgique*, 1904, pp. 111-136), et de M. Pierre Jourda, *Stendhal en Italie* (*Revue des cours et conférences*, n° 25, 1924, pp. 688-708).

Stendhal Milanais d'adoption a été suivi de près par M. René Dollot, *Sur les pas de Stendhal à Milan* (*Letteratura moderne*, Milano, Agosto 1952, pp. 412-421). Une étude de M. Paul Arbelet portait le même titre dans la deuxième série des *Soirées du Stendhal-Club* (Paris, Champion, pages 59-599). M. René Dollot étudie *Les logis de*

Stendhal à Milan (*Etudes Italiennes*, avril-juin 1935, pp. 145-162) en 1800-1801, en 1811, en 1813 et de 1814 à 1821. Il livre quelques détails précis et pittoresques dans *Stendhal et le Casin di San Paolo* (*Le Divan*, n° 185, décembre 1933-janvier 1934, pp. 8-32) et dans *Stendhal et la Simonetta* (*Le Divan*, n° 199, mai 1936, pp. 159-167), où il rappelle les rapports de Beyle et d'Angela Pietragrua. On retrouve l'ensemble des études de M. Dollot sur Stendhal en Italie dans *Autour de Stendhal* (Milano, Istituto editoriale Italiano, 1948, XIV - 303 p.).

Le long séjour à Rome et à Civita-Vecchia a été éclairé par MM. Ferdinand Boyer (*Les logements de Stendhal à Rome en 1831 et 1832*, Ed. du Stendhal-Club, Paris, Champion, n° 5, 1924, 5 p.), Roger Boppe (*Le premier séjour de Stendhal à Rome en 1831. Le Divan*, n° 214, décembre 1937, pp. 308-314). M. Jean Carrère a précisé *Les maisons de Stendhal à Civita-Vecchia* (*Le Temps*, 24 juillet 1924).

Les voyages de Beyle en Italie sont suivis de près dans *La mission de Stendhal à Ancône*, de M. Ferdinand Boyer (*Le Figaro*, 14, 21 et 28 juillet 1923), *Les voyages à Sienne du Consul Beyle*, par M. Henri Martineau (*Le Divan*, n° 191, mars-avril 1935), *Viaggi a Siena del console Beyle*, de M. Luigi-Foscolo Benedetto (*Mélanges Vianey*, Paris, Les Presses Françaises, 1934, *Les voyages de Stendhal à Ravenne en 1835*, de M. Boyer (*Aurea Parma*, juillet-décembre 1950), et enfin les séjours florentins sont étudiés par M. Luigi-Foscolo Benedetto : *Giornate fiorentine dello Stendhal* (*Pegaso*, n° 5, mai 1933), *Un campagno di soggiorno fiorentino dello Stendhal* (*Marzocco*, 18 décembre 1932) et *Le voyage de Stendhal à Florence en août 1841* (*Le Divan*, n° 221, juillet-août 1938, pp. 216-220).

Une pittoresque Italie stendhalienne est présentée par les *Pélerinages stendhaliens* de M. Gabriel Faure, *A San Pietro in Montorio* (*Le Figaro*, 21 mars 1931) et *A la Madonna del Monte* (*Le Figaro*, 9 mai 1931), ainsi que par les *Promenades dans Rome sur les traces de Stendhal* du Comte Primoli (Abbeville, Paillart, 1923). M. Pierre Martino évoque *La Parme de Stendhal* (*Le Divan*, n° 242, avril 1942, pp. 75-86), et M. Foscolo Benedetto fait de même dans *La Parma di Stendhal* (Firenze, Sansoni, 1950, in-8°, 552 p.). Ces deux articles apportent d'utiles précisions sur la topographie de *La Chartreuse*. Les relations de Stendhal avec la Parme plus ou moins imaginaire de son roman sont spirituellement étudiées par Fernandino Bernini dans *Enrico de Paoli e gli umori di Parma verso « La Chartreuse »* (*Aurea Parma*, juillet-décembre 1950).

*
* *

Si de la biographie italienne de Stendhal nous passons à la sensibilité italienne de l'écrivain, nous trouvons nombre d'études sur l'ensemble du séjour italien et la fascination de l'Italie, dont une des premières est *Stendhal et l'Italie*, par Paul Hazard (*Revue des deux Mondes*, 1er et 16 décembre 1926, 1er janvier 1927). *Nell'Italia romantica sulle orme di Stendhal*, de M. Pietro-Paolo Trompeo (Roma, Casa editrice Leonardo da Vinci, 1924, XXIV - 368 p.), suit d'assez près les pas de Stendhal mais s'attarde aussi à interpréter ses impressions. Ce souci est plus apparent encore dans trois études italiennes, *L'Italia e l'Italiana dello Stendhal*, de G. Barbero (*Il Marzocco*, 1912, pp. 16-18), *Stendhal e l'anima italiana d'un secolo fa*, de V. Cian (*Nuova Antologia*, n° 183, 1916, pp. 415-419) et surtout *Stendhal e l'anima italiana*, de Novati (Milano, Cogliati, 1915, 178, p. 9).

Il se mêle à un souci formel d'écoles et de théories littéraires dans l'ouvrage de M. A. Bisi, *l'Italie et le romantisme français* (Milan et Rome, Albrighi e Segati, 1914, in-8°, 425 p.).

On trouve quelques relations personnelles de Stendhal en Italie dans *Les amis de Stendhal à Civita-Vecchia*, par M. Ferdinand Boyer (in : *Nouvelles Soirées du Stendhal-Club*, Paris, Mercure de France, 1950, pp. 105-116) et sa fréquentation chez le libraire Vieusseux, ainsi que son amitié avec le groupe de *l'Antologia* à Florence sont établies par M. Pierre Jourda dans *Vieusseux et ses correspondants français* (Paris, Champion, Ed. du Stendhal Club, n° 16, 1926). Il faut faire une place à part, parmi les amis italiens, à Domenico di Fiore, sur lequel nous renseignent Benedetto Croce dans *L'amico napoletano di Stendhal, Domenico Fiore* (*La Critica*, 20 mars 1939, pp. 157-158) et M. François Michel dans *Un ami de Stendhal, Domenico di Fiore, alias François Leuwen* (*Le Divan*, n° 267, juillet-septembre 1948, pp. 370-380).

*
* *

Les rapports de Stendhal et de la littérature italienne ont fait l'objet de nombreuses études : le sujet s'y prêtait et était offert à l'amitié franco-italienne. Stendhal n'a pas ignoré la littérature italienne de son temps, comme le montrent M. Pierre Jourda (*Stendhal et la littérature italienne, Mélanges offerts à Henri Hauvette*, Paris, Les Presses Françaises, 1934, pp. 567-584), M. Ortiz (*Dal Manzoni allo Stendhal. La Cultura*, 1923, pp. 248-261), M. Vermale (*Manzoni et Stendhal, Annales de l'Université de Grenoble, Section Lettres-Droit*, 1946, pp. 147-151) ou, en un rapprochement plus lointain, M. Pietro-Paolo Trompeo (*Carducci e Stendhal, La Stampa*, 24 octobre 1953), et M. Manlio Busnelli, *Leopardi et Stendhal, Mélanges Hauvette*, pp. 585-595). Y eut-il réellement sympathie littéraire ? Seulement dans la mesure où Stendhal s'intéressa au « romantisme » théorique ; fort peu dans la mesure où Stendhal, plus qu'un romantique classé comme tel, est surtout un homme formé par le XVIII° siècle finissant et qui se pose, à sa manière purement personnelle, les problèmes que pouvaient léguer les « philosophes » épicuriens. L'article de M. Armand Caraccio, *Stendhal et Foscolo* (*Le Divan*, n° 180, nov. 1932-janvier 1933, pp. 241-271), montre très justement que l'auteur des *Ultime Lettere di Jacopo Ortis* fut davantage un trait d'union entre Métilde et Beyle qu'un auteur goûté de Stendhal. Au demeurant, celui-ci ne pouvait que rester réticent devant les « romantiques » italiens comme devant les romantiques français : l'emphase et le pathétique ne s'atténuaient guère en devenant ultramontains.

Que Stendhal connût fort bien la littérature italienne antérieure au XIX° siècle est hors de doute. Ce fait est souligné par les articles de Manlio Busnelli, *Stendhal traducteur de Goldoni* (Ed. du Stendhal-Club, Paris, Champion, 1926) et de Carlo Cordié : *Il Petrarca e il petrachismo nelle testimonianze di Stendhal* (*Studi Petrarcheschi*, vol. 4, Bologna, Minerva, 1951), *Le annotazioni di Stendhal al Del Cenacolo di Leonardo di Giuseppe Bossi* (*Symposium*, Syracusa's University, U.S.A., vol. 2, nov. 1952), *Tra i fogli di un vecchio Lanzi, con pagine e annotazioni inedite di Stendhal* (*Annali della Facolta di Filosofia e Lettere dell'Universita di Milano*, vol. V, fasc. 1-2, gennaio-augusto 1952), et *Stendhal et les conteurs italiens* de M. Armand Caraccio (in : *Variétés Stendhaliennes*, Grenoble, Arthaud, 1947, pp. 30-50), qui met surtout en lumière l'influence de Bandello et de Cellini.

Mais plus qu'une amitié italienne, qui porte aussi bien sur la littérature que sur l'art et les relations mondaines (cf. *Stendhal et Vigano*, par Robert Vigneron, *Modern Philology*, vol. XXXIX, n° 3, february 1932, Chicago; *Stendhal et Canova*, de M. Pierre Jourda dans *les Nouvelles Soirées du Stendhal-Club*, pp. 198-217; *Stendhal ammiratore del « Gran Muratori »* de M. Carlo Cordié, *Convivium*, n° 4-5, 1950, pp. 604-605), nous avons voulu noter les influences plus particulières des auteurs héroïques et « cornéliens » : *Un cahier inédit de Stendhal sur la Jérusalem du Tasse*, par M. Del Litto (*Ausonia*, octobre-décembre 1936, pp. 188-197). Nous estimons prépondérante l'influence des chroniqueurs italiens (cf. notre chapitre IX). Un reflet de cette influence apparaît dans l'article de M. Armand Caraccio : *Une « chronique » des Promenades dans Rome : l'histoire de Fabio Cercara et de Francesca Polo, d'après Bandello* (*Le Divan*, n° 242, avril-juin 1942, pp. 170-190). L'en-

semble des études de M. Caraccio sur Stendhal et l'Italie se retrouve dans
Variétés Stendhaliennes (Grenoble, Arthaud, 1947, in-16, 255 p.). Et
l'influence majeure de la « littérature » italienne sur Stendhal nous
paraît magistralement indiquée dans l'article, capital pour nous, de
Manlio Busnelli, *Les couvents tragiques de Stendhal* (cf. tout notre chapitre IX), où l'auteur fait remarquer combien il est étrange que Stendhal se soit intéressé aux couvents de femmes des XVIᵉ et XVIIIᵉ siècles
en Italie, et établit, à l'aide de la Chronique du couvent de Baiano, les
sources de *Trop de faveur tue* et de *Suora Scolastica*. (*Etudes Italiennes*,
janvier-mars 1934, et Paris, E. Leroux, 1934, in-8°, paginé 41-55).

Cet article nous conduit aux sources des *Chroniques Italiennes*. Elles
ont été examinées dès 1908 dans les *Soirées du Stendhal-Club* (2ᵉ série,
pp. 214-266) par Casimir Stryiensky et Paul Arbelet. En 1927, on songea
à attribuer à Stendhal la brochure : *Histoire de la famille Cinci, traduit
sur l'original italien par M. l'Abbé Angelo Maio* (cf. Emile Henriot,
*Stendhal et l'Histoire de la famille Cinci, in : Esquisses et notes de
lecture*, Paris, Ed. de la Nouvelle Revue Critique, 1928, pp. 127-139).
Toujours sur les Cenci, *Stendhal et Béatrice Cenci*, d'Alfred Lombard
(*Revue de Genève*, 1ᵉʳ janvier 1927). M. Henri Martineau a résumé l'ensemble de la question dans *Stendhal et les sources des Chroniques Italiennes* (*Revue Universelle*, 15 octobre 1929, pp. 235-243), et donné un
résumé des sources dans *Stendhal et les Chroniques Italiennes* (in :
l'Abbesse de Castro, Paris, Ed. de la Bibliothèque mondiale, 1953, pp. 13-
18). Nous n'avons pu consulter l'ouvrage de M. von Oppeln-Broni-
kowski, *Die Quellen zu Stendhal Renaissance Novellen* (*Zeitschrift Französische und Englische Unterricht*, VII, 1). Les copies manuscrites uti-
lisées par Stendhal sont conservées à la Bibliothèque Nationale.

M. Charles Dédéyan a mis en lumière le travail d'adaptation et de
recréation de Stendhal : *Un exemple de l'adaptation originale de Stendhal dans les « Cenci »* (*L'Information littéraire*, mai-juin 1950, pp. 85-
90), *L'originalité de Stendhal dans l'adaptation de « L'Abbesse de Castro »* (*Le Divan*, n° 275, juillet-sept. 1950, pp. 366-380), et *Stendhal
adaptateur de « Vittoria Accoramboni »* (*Symposium*, n° 282, avril-
juin 1952, pp. 394 sqq.).

B. — SUR L'ŒUVRE

(Cf. spécialement nos chapitres X à XXII.)

Nous avons illustré la thèse que nous soutenons — coexistence d'un
aspect épicurien et d'un aspect cornélien chez Stendhal, provoquant une
dualité de sens et une tension dans la notion de « naturel » — par
une interprétation de l'œuvre. Nous citerons ci-dessous les études qui
servent à l'éclairer objectivement et en donnent l'histoire et les sources, et d'autre part celles qui risquent une interprétation. Nous y pla-
cerons également les travaux sur la sensibilité, l'art, et le style de
Stendhal qui peuvent compléter ces deux séries d'études.

9. — Histoire et sources de l'œuvre

Après les quelques ouvrages d'ensemble qui avaient paru au siècle
précédent (cf. l'information générale), la première biographie de l'œuvre
au XXᵉ siècle est le livre d'Alphonse Paupe : *Histoire des Œuvres de
Stendhal* (Paris, Dujarric, 1903, in-12). Le *Stendhal* de Pierre Martino
(Paris, Lecène et Oudin, 1914 ; et Paris, Boivin, 1934, in-8°, 320 p.)
donne une vision claire et précise, ainsi que *Stendhal, l'homme et
l'œuvre*, de M. Armand Caraccio (Paris, Boivin, 1951, in-16, 205 p.).
L'œuvre de Stendhal, histoire de ses livres et de sa pensée, de M. Henri
Martineau (Paris, Albin Michel, 1945, in-8°, 547 p.), suit exactement,
livre par livre, toutes les œuvres de Stendhal en mettant à leur place

les publications posthumes, en faisant apparaître les conditions de publication, et en dégageant la signification de chacune dans la pensée de
Stendhal

*
* *

En dehors de ces ouvrages d'ensemble, il existe des études particulières sur les sources de l'œuvre romanesque.

Deux questions prévalent dans la naissance d'*Armance* (cf. notre chapitre XV), celle du modèle de Stendhal et d'*Olivier*, et celle du babyla-
nisme. La question d'Olivier, de Mme de Duras et de Latouche, est
examinée par Emile Henriot dans *Livres et portraits* (3ᵉ série, 1927, in-16,
319 p., pp. 193 sqq.), par M. Frédéric Ségu dans sa thèse sur *Henri de
Latouche* (1931), par M. François Vermale, *Stendhal et la Duchesse de
Duras* (*Ausonia*, janvier-septembre 1942), et par le Marquis de Luppé :
Autour de l'Armance de Stendhal, l'Olivier de la Duchesse de Duras (*Le
Divan*, n° 250, avril-juin 1944, pp. 263-268). M. Vermale voit dans une
crise physiologique de Beyle en 1813, à Paris, sous l'influence de la
dysenterie, une source du personnage d'Octave (*Les sources d'Armance*,
Le Divan, n° 218, avril 1938, pp. 97-108), et M. Paul Morand reprend
la question avec *Armance ne rime peut-être pas avec impuissance* (*Nouvelle Revue Française*, 1ᵉʳ mai 1953). Sur l'origine du roman et de ses
personnages, Daniel Muller, *A propos de l'Armance de Stendhal* (*Le
Divan*, juillet-septembre 1935), et M. François Michel, *Armance de
Zohiloff* (*Le Divan*, n° 272, octobre-décembre 1949).

Sur Lamiel (cf. notre Chapitre XVI), Eddy Bauer, *A propos de Lamiel*
(*Revue des Belles-Lettres*, Neuchâtel, décembre 1926) et Jean Prévost,
Essai sur les sources de Lamiel : Les Amazones de Stendhal (Lyon,
Imprimeries réunies, 1942, in-8°, 45 p.). Dans *Mérimée amant de Lamiel*
(*Le Divan*, n° 249, janvier-mars 1944, pp. 228-233), M. François Michel
émet l'hypothèse que Stendhal, exaspéré par le pédantisme de Mérimée,
l'ait peint dans son roman.

Les sources du *Rouge et Noir* (cf. nos chapitres XI, XII, XVII) ont
été longuement étudiées. L'ouvrage de M. André Le Breton, *Le Rouge
et le Noir de Stendhal* (Les chefs-d'œuvre de la littérature expliqués,
Paris, Mellottée, 1932, in-8°, 326 p.) n'apporte aucun élément d'information et ne tient pas toujours compte de ceux qui existaient en 1932. Le
sens du titre a été mis en question par Pierre Martino, *Le Rouge et le
Noir, la signification du titre* (*Le Divan*, n° 93, nov. 1923, pp. 575-577).
Un calendrier du roman a été établi par M. Henri Martineau, *La Chronologie du Rouge et Noir* (*Le Divan*, n° 227, mars 1939, pp. 81-86).

L'origine de l'aventure de Julien Sorel a été trouvée dans l'affaire
Berthet. L'étude de Casimir Stryienski (*Soirées du Stendhal-Club*, 1ʳᵉ
série, Paris, Mercure de France, 1905, pp. 61-94) donne déjà les comptes
rendus d'audience. Un autre exposé systématique de la question se
trouve dans les *Pages Stendhaliennes* de M. Henri Dumolard (Grenoble,
Arthaud, 1928, pp. 39-94). M. Pierre Figeron indiquait aussi en 1923
La source du Rouge et Noir : l'affaire Berthet (Lyon, *Le Progrès*, 17
août et 15 sept. 1923) et M. Jean Rodes (*Stendhal et la famille Michoud
de la Tour*, n° 167, mars 1931, pp. 128-130) rapporte de la
bouche d'une arrière petite-nièce de Mme de Rênal les souvenirs de
cette famille. M. Dominique André s'attache aux personnages : *L'homme
qui devint Julien Sorel* (*Marianne*, 21 et 28 avril, 5 et 12 mai 1937) et
Le vrai visage de M. de Rênal, Michoud de la Tour (*Le Figaro*, 5 janvier 1935). Cependant, une autre affaire judiciaire, qui a eu lieu à la
même date, a pu inspirer Stendhal, bien qu'avec moins de précision :
Pierre Bouchardon, *l'Auberge de Peyrebeille, véridique histoire du
roman de Stendhal, Le Rouge et le Noir* (Paris, Albin Michel, 1924, in-16,
256 p.) et *l'Affaire Lafargue* (Paris, Editions de France, 1933, in-16,
231 p.). M. Claude Liprandi a repris cette hypothèse dans *L'affaire Laf-
fargue et le Rouge et le Noir* (Thèse Faculté des Lettres de Toulouse,
29 janvier 1949). L'hypothèse d'une curieuse source secondaire est

formulée par M. Vermale : *Stendhal et M. de Genoude* (Annales de l'U. de Grenoble, 1946, pp. 97-123).

Les divers modèles de Mathilde de La Mole ont été recherchés par M. Pierre Jourda, *Le modèle de Mathilde de La Mole* (*Le Divan*, n° 151, juillet-août 1929, pp. 332-340), par M. Parturier (*Bulletin du Bibliophile*, 20 mai 1932, pp. 197 sqq.), par M. Alfred Massé (*Une énigme littéraire, l'aventure Mary-Grasset et le Rouge et le Noir*, Nevers, Impr. de la Nièvre, in-8°, 24 p.). M. Claude Liprandi a consacré une étude au « *Dressage* » de Mathilde (*Le Divan*, n° 285, janvier-mars 1953, pp. 46-47).

On trouve des études sur plusieurs personnages secondaires : *Le vrai M. Valenod*, qui, selon M. François Vermale, serait M. Michel (*Le Divan*, n° 242, avril-juin 1942, pp. 164-169), *L'abbé de Frilair dans le Rouge*, par M. François Michel (*Le Divan*, n° 264, oct.-déc. 1947, pp. 227-228) et *Sur un personnage du Rouge et Noir*, M. Descoulis, qui, pour M. Claude Liprandi (*Le Divan*, n° 290, avril-juin 1954, pp. 362-370), serait Roux-Laborie.

Le cadre de la première partie du livre est *Le Dauphiné de Stendhal*, de M. Camille Drevet (Grenoble, Ophrys, 1954, in-8°, VI - 235 p.). On trouve les sources de certains épisodes dans Claude Liprandi, *Un roi à Verrières* (*Le Divan*, n° 275, juillet-septembre 1950, pp. 390-398), dans Alfred Massé, *La note secrète du Rouge et la vérité historique* (*Mémoires de la société académique du Nivernais*, 1934, pp. 97-116) et Claude Liprandi : *Stendhal, le bord de l'eau et la note secrète* (Avignon, Aubanel père, 1949, in-16, 223 p.). Autour de Mathilde, M. Alciatore voit *Une source possible du deuil de Mathilde de La Mole* (*Le Divan*, n° 288, octobre-décembre 1953, pp. 250-252) et M. Liprandi cherche l'origine des bals du *Rouge* dans *Le bal du duc de Retz* (*Revue des Sciences humaines*, oct.-déc. 1954).

Un point important du roman est son dénouement, sur l'interprétation duquel nous avons insisté (cf. nos chapitres IV, 1 et XXII). Mme Henriette Bibas en conteste la logique dans *Le double dénouement et la morale du Rouge* (*Revue d'Histoire littéraire de la France*, janvier-mars 1949, pp. 21-36), tandis que Louis Royer rapproche le coup de tête de Julien de l'équipée de Berlioz apprenant par une lettre le mariage de Mlle Mocke (*Stendhal et Berlioz, Le Divan*, n° 190, décembre 1934-février 1935, pp. 365-366). Au delà du coup de tête, MM. Henri Martineau et François Vermale ont étudié *La prison de Julien Sorel* (*Le Divan*, n° 261, janvier-mars 1947, pp. 15-22).

Sur *Lucien Leuwen* (cf. nos chapitres XVIII et XX), *Lucien Leuwen et Stendhal*, par M. Martineau (*Le Divan*, n° 128, avril 1927). Le rapprochement est visible entre les aventures administratives de Lucien et l'activité de Stendhal en 1814 : François Vermale, *Stendhal 1814* (*Le Divan*, numéros 223, nov. 1938; 226, février 1939; 229, mai 1939; 234, avril-juin 1940). M. Henri Dumolard a fait de M. Rubichon *Le véritable docteur du Poirier* (*Le Divan*, numéros 141, juillet-août 1928 et 142, septembre-octobre 1928). L'ensemble du roman a été examiné par M. Pierre Moreau : *Stendhal, Lucien Leuwen* (Paris, *Les Cours de Sorbonne*, 1950, 53 p. polycopiées).

La Chartreuse de Parme (cf. nos chapitres XIII, XIV et XXI), doit bénéficier de toute la bibliographie italienne. Ses sources sont établies par Paul Arbelet : *Les origines de la Chartreuse de Parme* (*Revue de Paris*, 15 mars 1922, pp. 356-379). Il faut ajouter *Une source de la Chartreuse* (*Le Divan*, n° 270, avril-juin 1949), où M. Martineau réfute un article de J. Mélia paru dans *le Mercure de France* en mars 1949 (pp. 480-494), et *Un souvenir de Stendhal amoureux dans la Chartreuse de Parme*, par M. François Michel (*Aurea Parma, Parme*, juillet-décembre 1950).

Une énigme stendhalienne, de M. Luigi-Foscolo Benedetto (*Le Divan*, n° 216, février 1938, pp. 54-58), interprétant une note déjà commentée par Paul Hazard en 1914, suppose que la situation de Parme après l'évasion de Fabrice doit être rapprochée des troubles de Modène en 1831. M. Glauco Lombardi évoque l'atmosphère générale dans *Colorno, centro ideale della Certosa di Parma* (*Aurea Parma*, juillet-décembre 1950), et

M. Luigi-Foscolo Benedetto étudie *La Chartreuse Noire, comment naquit La Chartreuse de Parme* (Florence, Publications de l'Institut Français de Florence, 1947, in-8°, 39 p.). L'origine du patronyme de Fabrice est envisagée par M. Lucien Fabre, *Gondi et Dongo* (*Les Nouvelles Littéraires*, 2 août 1945). M. Emile Henriot fait ressortir (*Fabrice est-il Français ?* *Le Temps*, 6 mars 1939), qu'après avoir fait de Fabrice le fils du lieutenant Robert, Stendhal semble oublier cette filiation en insistant sur le caractère purement italien de son héros. Ce nom de Robert proviendrait, selon M. François Vermale (*Stendhal et les frères Robert, Le Divan*, n° 239, juillet-septembre 1941, pp. 173-179), du banquier de Stendhal à Milan. Divers aspects de Fabrice sont envisagés par Henri Bidou, *En cherchant Fabrice del Dongo* (*Le Temps*, 23 septembre 1931), *Les étapes de Fabrice del Dongo* (*Le Temps*, 6 octobre 1932) et par M. Vermale, *Fabrice prédicateur* (*Le Divan*, n° 259, juillet-septembre 1946, pp. 319-314). M. Pierre Jourda rapproche *L'évasion de Fabrice* (*Le Divan*, n° 179, sept.-oct. 1932, pp. 221-223) de celle du duc de Montpensier, fils de Philippe-Égalité, à Marseille, en 1795, tandis que M. Harry Levin fait un autre rapprochement dans *La citadelle de Parme : Stendhal et Benvenuto Cellini* (*Revue de Littérature comparée*, 1938, pp. 346-350).

Dans *Stendhal et le Risorgimento dans la Chartreuse de Parme* (*Revue de Littérature comparée*, avril-juin 1932, pp. 168-182), M. Charles Dédéyan montre les trois étapes (napoléonienne, milanaise des années 20 et insurrectionnelle des années 30) qui jalonnent les rapports de Stendhal et du mouvement libéral italien.

Les corrections prévues pour la *Chartreuse* ont leur importance, ainsi que les rapports de Stendhal et de Balzac. Sur ce dernier point, de Paul Arbelet, *Stendhal, Balzac et la Chartreuse* (*Revue de Paris*, 1922, pp. 581-602) et *La véritable lettre de Stendhal à Balzac* (*Revue d'histoire littéraire de la France*, 1917, pp. 537-539). M. Pierre Jourda a étudié *Les Corrections de la Chartreuse de Parme* (*Revue d'Histoire Littéraire de la France*, janvier-mars 1935, pp. 77-89).

10. — *Sur la sensibilité et l'art de Stendhal*

La sensibilité psychologique et humaine de Stendhal constitue un élément si essentiel de son œuvre qu'elle a pris un sens moral pour ses commentateurs. On la trouve dans 11, *Les interprétations de Stendhal.*

★
★★

La sensibilité de Stendhal aux paysages (cf. notre chapitre VI) est étudiée par Mme Juliette Sagne, *Le sentiment de la nature dans l'œuvre de Stendhal* (Leipzig-Strasbourg-Zurich, Heitz, 1932, in-8°, 96 p.) : l'auteur souligne comment la nature sert de cadre au souvenir chez Beyle; les paysages sont des lieux où l'on revient. Cette même sensibilité aux paysages apparaît dans Gabriel Faure, *Stendhal compagnon d'Italie* (Paris, Fasquelle, 1931, in-16, 190 p.), A. Caraccio, *Stendhal et le paysage romain* (in : *Variétés stendhaliennes*, pp. 172-182), et M. Mario Bonfantini (*Stendhal e il paesaggio italiano, Aurea Parma*, juillet-décembre 1950, pp. 15-19) montre comment Stendhal est arrêté dans son élan par la peur de faire du Chateaubriand, mais comment son évocation n'en prend que plus de force. Paul Hazard a étudié *La couleur dans la Chartreuse de Parme* (*Le Divan*, n° 242, avril-juin 1942, pp. 67-74) et M. Pierre Jourda, *Le paysage dans la Chartreuse de Parme* (s. l. n. d., gr. in-8, 16 p., extrait d'*Ausonia*, janvier-juin 1941).

Les émotions artistiques de Stendhal appartiennent en majeure partie et presque exclusivement à l'Italie. Citons à ce sujet M. Armand Caraccio, *Stendhal devant la musique* (*Aurea Parma*, juillet-décembre 1950), Pierre Jourda, *L'émotion stendhalienne devant le Corrège* (*Etudes Italiennes*, juillet-septembre 1934, pp. 225-230). Henri Debraye, *Sur le*

modernisme de Stendhal critique d'art (*Le Divan*, n° 242, avril-juin 1942,
pp. 130-135), et Guido Piovene, *Stendhal artista critico* (*Convegno*, 25
février 1932, pp. 1-17).

**

Les ouvrages d'histoire de l'art de Stendhal ont été étudiés sous un
autre angle et l'on s'est attaché surtout à ses plagiats. L'attention a été
éveillée sur ce point par Paul Arbelet, *L'Histoire de la peinture en
Italie et les plagiats de Stendhal* (Paris, Lévy, 1913, in-8°, 356 p.). Cet
ouvrage a été suivi par la préface de l'édition de l'*Histoire de la peinture en Italie* (Paris, Champion, 1914, 2 vol. in-8°). La question des
plagiats a successivement inspiré : Paul Hazard, *Les plagiats de Stendhal*,
Revue des Deux Mondes, 1921, pp. 344-353), Paul Arbelet, *Les plagiats de
Stendhal jugés par Stendhal* (*Revue de France*, 1922, pp. 861-865) ; du même
auteur, *Comment Stendhal publia son Histoire de la peinture en Italie*
(*Mercure de France*, 1922, pp. 422 sqq.), et Louis Royer, *Stendhal et la
documentation de l'Histoire de la peinture en Italie* (*Revue d'Histoire
Littéraire de la France*, avril 1922, pp. 192-195). M. del Litto a donné
une mise au point : *L'Histoire de la peinture en Italie de Stendhal ou
la fin d'une légende* (*Aurea Parma*, juillet-décembre 1950).
Sur ce même problème des plagiats, d'une manière plus générale :
Casimir Stryienski, *Les dossiers de Stendhal* (in : *Soirées du Stendhal-
Club*, 1ʳᵉ série, Paris, *Mercure de France*, 1905, pp. 3-36) ; Camille Pitol-
let, *Stendhal plagiaire* (*Mercure de France*, 1ᵉʳ février 1910) ; Paul Hazard : *Les ciseaux de Stendhal* (in : *Mélanges Lanson*, Paris, Hachette,
1922, pp. 407-419).
Entre la question des plagiats et l'art littéraire personnel de Stendhal, sur sa façon de travailler, *Comment travaillait Stendhal* de M.
Henri Martineau (*Le Figaro*, 23 février 1929) et *Les méthodes de composition de Stendhal, à propos d'une ébauche de roman inédit : Une position sociale*, de M. Henri Debraye (*Mercure de France*, 16 décembre 1913).

**

Sur l'art de Stendhal, l'ouvrage de Jean Prévost, *La création chez
Stendhal, essai sur le métier d'écrire et la psychologie de l'écrivain*
(Marseille, Ed. du Sagittaire, 1942, in-8°, 256 p. et Paris, Mercure de
France, 1951, in-8°, 406 p.), est une étude spécifique du mécanisme de
la création chez Stendhal et de sa technique artistique. M. Victor H.
Brombert analyse également le problème de la création dans *Stendhal :
création and self-knowledge* (*Romanic Review*, october 1952, pp. 190-
197). Le sens de la composition est étudié par M. Carlo Cordié, *Sull'arte
della Chartreuse de Parme* (Firenze, La Nuova Italia, s. d., in-8°, 61 p.),
et par M. Davis James, *The harmonic structure of La Chartreuse de
Parme* (*The French Review*, december 1950, pp. 119-124). Un trait particulier est signalé par M. Victor H. Brombert dans *Stendhal, le romancier des interventions* (*Aurea Parma*, juillet-décembre 1950, pp. 153 sqq.).
M. Brombert souligne les interventions du romancier dans le roman,
les jugements qu'il porte sur ses personnages et la substitution à la
scène dramatique d'un discours de l'écrivain qui se fait alors savant.
Il reprend plus largement cette analyse dans *Stendhal et la voie oblique*
(New-Haven, Yale University Press, et Paris, P.U.F., 1954, in-8°, 176 p.)
où il montre les détours qu'emploie Stendhal pour aborder sa pensée
et celle des autres. *La création chez Stendhal*, de M. Jean Pouillon (*Les
Temps modernes*, juillet 1951, pp. 173-182), pose le problème des rapports de l'œuvre et de la vie. Louis Royer (*Stendhal et Mérimée, Le
Divan*, n° 176, février-mars 1932, pp. 75-77), marque à propos de notes
de Stendhal sur La Vénus d'Ille son goût du style dramatique.
La musicalité — un peu nerveuse et très cérébrale — du ton de Stendhal a été notée par M. Jean Soulairol dans *La poésie de Stendhal*,

(*Le Divan*, n° 242, avril-juin 1942, pp. 102-119) et certains thèmes proches du romantisme allemand (la nuit, la rêverie) par M. Jean-Pierre Richard dans *Thèmes romantiques chez Stendhal* (*Revue des Sciences humaines*, avril-septembre 1951, pp. 201-210).

**

On peut suivre les études de versification et de style de Stendhal en 1803 et 1804 dans les *Scholies stendhaliennes* de M. del Litto (*Ausonia*, juillet 1940, pp. 69-75). Sur l'ouvrage de grammaire entrepris par Stendhal, P. Martino, *L'ouvrage de grammaire de Stendhal* (Torino, Chiantore, 1923, in-8°, 44 p.).

A propos des corrections de la *Chartreuse de Parme*, M. Emile Henriot étudie le style de Stendhal dans *Livres et Portraits*, 1re série (Paris, Plon, 1923, pp. 195-215). Le même ouvrage contient (pp. 229-303) des réflexions sur *Stendhal, Anatole France et le style* où M. Henriot prend parti pour Stendhal contre France (cf. Anatole France, *Stendhal*, Abbeville, Paillart, 1920, 44 p.). Une autre étude sur le style figure dans *La forêt des cippes* de P. Gilbert (Paris, Champion, 1918, tome I, pp. 155 sqq.). De M. Martineau, *Stendhal et le style* (*Le Figaro*, 26 décembre 1931) ; de Jean Prévost, les pages 386-404 de *La création chez Stendhal*.

11. — Sur la signification et la valeur de l'œuvre : les interprétations

L'épicurisme, le dilettantisme, la chasse au bonheur, ont prédominé dans la plupart des interprétations de Stendhal. Celles-ci sont réunies par M. Carlo Cordié, *Interpretazioni di Stendhal, dal Bourget ai nostri giorni* (Milano, F. Montuoro, 1947, in-8°, 183 p.).

Ceux qui le « découvrirent » à la fin du XIX° siècle admirèrent en lui le romancier psychologue : Jules Lemaître, *Les contemporains* (Paris, Lecène et Oudin, 1902, tome IV, pp. 251-323), Emile Zola, *Romanciers naturalistes* (Paris, Charpentier, s. d., pp. 97-104), Paul Bourget, *Essais de psychologie contemporaine* (Paris, Lemerre, 1885, pp. 251-323). *Nouvelles pages de critique et de doctrine* (Paris, Plon, 1922), *Quelques témoignages* (Paris, Plon, 1928).

Il est rare que l'on essaie de situer Stendhal d'une façon formelle par rapport au romantisme. M. A. Bisi a étudié ses rapports avec le romantisme italien et, dans *Un Centenaire romantique : le Rouge et le Noir* (*Revue des Cours et Conférences*, 30 janvier et 15 février 1931), M. Pierre Jourda a défini ce qui était romantique et ce qui ne l'était point dans le *Rouge*. La dissertation de M. Jacob Burger, *Stendhal-Beyle und die französische Romantik* (Marburg, A. Ebel, 1913, in-8°, VI - 94 p.) part de l'idée dogmatique d'une école romantique et y replace Stendhal, marquant ressemblances et différences; elle établit nettement la définition du romantisme par Stendhal (Chapitre II) et étudie d'assez près les rapports de Stendhal avec Rousseau et Chateaubriand (pp. 7-12).

Les affinités entre la pensée stendhalienne et les écrivains des XVII° et XVIII° siècles ont été relevées par M. Pierre Moreau, *Les stendhaliens avant Stendhal* (*Revue des Cours et Conférences*, 1927, pp. 301-309, 734-746 du 1er tome, pp. 52-64 et 252-268 du 2e tome).

**

Le discours prononcé par Paul Bourget à l'occasion de l'inauguration du monument Stendhal en 1920 (*Stendhal par un des quarante*, Paris, Champion, in-8°, 53 p.) montre bien comment les interprétations modernes passent de l'admiration envers le romancier psychologue à l'idée qu'il est le créateur, sinon d'une morale, du moins d'un « style de vie ». Paul Bourget s'attache à la *sincérité* de Stendhal. Dans le « beylisme » du XX° siècle, lucidité et sincérité ne sont plus seulement des *qualités*

de l'analyse romanesque, mais sont le plus souvent considérées comme
des *valeurs* morales propres à Stendhal. Paul Valéry (*Essai sur Stendhal*,
Paris, Schiffrin, 1928, in-40, 109 p.) insiste sur la lucidité intellectuelle;
René Fernandat (*Logique de Stendhal*, Le Divan, n° 144, décembre 1928,
et n° 145, janvier 1929) voit dans une logique de la lucidité psychologique une arme purificatrice à la fois contre les passions et contre les
tentations métaphysiques et religieuses. Alain (*Stendhal*, Paris, Rieder,
1935, in-8°, 107 p.), en examinant successivement chez Stendhal l'incré-
dule, l'honnête homme, le politique, l'amoureux, en fait ressortir une
sagesse épicurienne à la fois naturelle et conquise, fondée sur cette
constante attention critique qui caractérise... Alain lui-même. Une vision
objective a été donnée par M. Henri Martineau : *Stendhal et les origines du roman psychologique* (dans *Dix Causeries françaises*, Paris,
Cercle de la Librairie, 1923, pp. 69-96). Sur Stendhal romancier de la
lucidité, on trouve d'autres études moins originales : *Autobiographie
et roman chez Stendhal*, de Ramon Fernandez (*Le Navire d'Argent*,
1er novembre 1925), *Stendhal maître de conscience*, de C. V. Holst (*Le
Divan*, n° 230, juin 1939, pp. 176-186), *Stendhal an introduction to the
novelist*, de Howard Clewes (London, Arthur Baker, 1949, in-8°, 128 p.).
Stendhal, analyst or amorist, de M. V. H. Brombert (*Yale French Studies*,
n° 11, juin 1953), met en lumière une contradiction.

Des travaux récents en France ont encore insisté sur cet aspect; dans
Stendhal ou le combat sur la frontière (in : *Littérature en Silésie*, Paris,
Grasset, 1944, pp. 85-150), M. Armand Hoog montre la tension intime
d'un homme prisonnier en lui-même qui compense son exacerbation
intérieure par la création; Mme Simone de Beauvoir (*Stendhal ou le
romanesque du vrai*, Les Temps Modernes, n° 40, février 1949) reprend
sur un mode différent le thème de la sincérité; dans *Connaissance et
tendresse chez Stendhal* (in : *Littérature et sensation*, Paris, Ed. du
Seuil, 1955, pp. 15-116), M. Jean-Pierre Richard étudie les rapports de
la connaissance et de la sensation chez Stendhal. En ce sens, Stendhal
fait figure d'aventurier de la connaissance psychologique comme Rimbaud d'aventurier de la connaissance métaphysique. On voit jusqu'où
a évolué la simple admiration de Bourget pour le roman psychologique
stendhalien.

Sans contredire le type d'interprétation que nous venons de signaler,
d'autres se sont attachés à souligner le caractère *individualiste* du
style de vie « beyliste ». L'art de la connaissance psychologique est
alors envisagé sous l'angle « égotiste » et actif : Léon Blum (*Stendhal et
le beylisme*, Paris, Ollendorff, 1914, et Albin Michel, 1930, in-16, 320 p.)
montre l'émotivité, la jeunesse et l'activité de la vie personnelle et
romanesque de Stendhal : un épicurisme ardent, conquérant et jouis-
seur. Les *Réflexions sur Stendhal* de René Boylesve (Paris, Le Divan,
1929, in-32, 99 p.) sont inspirées par la lecture du livre de Léon Blum.
Dans un essai écrit en 1920, *Henri Beyle et les revenants*, publié en
1933 dans *Petits essais de psychologie religieuse* (Paris, L'Artisan du
Livre, 1933, in-16, 157 p.), M. François Mauriac trouve chez Beyle la
libido dominandi. On retrouve cette tendance dans Jean Hytier, *Les
romans de l'individu* (Paris, Les Arts et le Livre, 1928, in-16, 339 p.),
et dans François Bidet, *A la recherche de l'autonomie : Stendhal individualiste* (Cahiers de la Douce France, 1927, in-8°, 61 p.). Un rapprochement inévitable en ce sens a été fait par Léandre-René Guibert :
Stendhal et Nietzsche en communion spirituelle (*Revue Germanique*,
1930, pp. 105-111).

Cette « morale » beyliste, qui fait utiliser la connaissance de l'homme aux fins de la jouissance individuelle, a été mise en formules par
Pierre Sabatier, *Esquisse de la morale de Stendhal d'après sa vie et ses
œuvres* (Paris, Hachette, 1920, in-8°, 117 p.). Elle a été attaquée et
jugée immorale par Jean Carrère, *Les mauvais maîtres* (Paris, Plon,

1922, in-16, 277 p.) et par Paul Claudel, *Le drame de Brangues* (*Le Figaro*, 15 et 16 août 1942).

M. François Vermale a fait valoir le caractère très secret de l'indépendance de Beyle dans *Conjectures très osées sur Stendhal dilettante* (*Ausonia*, janvier-décembre 1944, pp. 15-45), où l'on voit la difficulté de Stendhal à raccorder son sentiment intime d'indépendance et sa vie sociale. M. Vermale avait déjà invoqué la valeur « magique » du mot « Mocenigo » chez Beyle (*Le* « *Mocenigo* » *de Stendhal, Ausonia,* janvier-décembre 1943, pp. 31-56), ce mot précédant habituellement les notes intimes portant sur l'observation psychologique et la culture du moi. Sur ce même sujet, *Le* « *Mocenigo* » *de Stendhal,* de M. Henri Martineau (*Le Divan*, n° 250, avril-juin 1944).

La tendance psychologique et la tendance individualiste, qu'on les envisage ou non sous l'angle moral, se rejoignent dans la notion d'épicurisme qu'a utilisée Jean Prévost : *Stendhal et la religion du plaisir* (*Europe*, 15 septembre 1928, pp. 129-138), auquel répondait *L'épicurisme de Stendhal* de M. Henri Martineau (*Le Divan*, n° 144, décembre 1928). Toujours de Jean Prévost, *Le Chemin de Stendhal* (Paris, Hartmann, 1929, in-12, 137 p., repris dans *Les épicuriens français : Trois vies exemplaires*, Gallimard, 1931, pp. 41-145). *La création chez Stendhal*, du même auteur, envisage un autre aspect mais s'appuie sur l'interprétation épicurienne. Cf. *Les alibis de Stendhal*, de M. François Michel (in : *Nouvelles Soirées du Stendhal-Club*, pp. 79-104). *Stendhal or the pursuit of happiness*, de M. Matthew Josephson (New-York, Doubleday and Cy, 1946, in-8°, XVI - 489 p.), n'apporte rien de nouveau.

Dans la quasi totalité de ces études, l'épicurisme et la lucidité psychologique de Stendhal apparaissent comme une tension et souvent comme un « héroïsme ». Nous avons voulu *disjoindre* épicurisme et héroïsme et montrer qu'ils peuvent *s'opposer chez Stendhal.* (cf. notre chapitre VIII). Sur « l'héroïsme » à l'état pur, Maurice Barrès avait signalé *Le sentiment de l'honneur chez Stendhal* (Préface à la *Correspondance*, Paris, Bosse, 3 vol. in-8°, 1908). Dans *L'amour au Moyen-Age : origines et destinées du sentiment courtois* (*Revue Critique des Idées et des Livres*, décembre 1919), M. Jean Longnon avait fait des rapprochements auxquels se prêtait mal son sujet, mais qui, bien qu'approximatifs et sans valeur précise, soulignent la possibilité de découvrir un nouvel aspect de Stendhal. Le côté « donquichottesque » de Stendhal est marqué par M. Maurice Bardou, *Don Quichotte et le roman réaliste français : Stendhal, Balzac, Flaubert* (*Revue de Littérature comparée*, 1936, pp. 63-81) et par M. Glauco Natoli, *Notre Stendhal* (*Le Divan*, n° 242, avril-juin 1942, pp. 87-92). M. Robert Cendre fait apparaître le sens du romanesque, le goût du sang et de la brutalité dans *Ce qui ne meurt pas* (*Le Divan*, n° 242, avril-juin 1942, pp. 93-101).

INDEX DES NOMS CITES

D

E

F

INDEX DES PERSONNAGES STENDHALIENS

Nous indiquons le nom de l'œuvre où figurent les personnages par les abréviations suivantes :
Armance : A.
Chartreuse de Parme : C. P.
Chroniques italiennes : C. I.
Lamiel : L.
Le Rouge et le Noir : R. N.
Lucien Leuwen : L. L.
Vie de Henry Brulard : V. de H. B.

TABLE DES MATIÈRES

Deuxième Partie

LES CONCEPTIONS DU NATUREL
DANS L'ETHIQUE STENDHALIENNE

A. — *UN EPICURISME SCIENTIFIQUE*

Troisième Partie

LE NATUREL DANS L'UNIVERS ROMANESQUE

A. — *LES FORMES DU NATUREL
ET LA SOCIÉTE ROMANESQUE*

BIBLIOGRAPHIE